MICHELLE
OBAMA

DEVENIR

traduit de l'anglais (États-Unis)
par Odile Demange et Isabelle Taudière

Fayard

Couverture : Création graphique : Christopher Brand
Adaptation de la maquette de couverture : Nuit de Chine
Photographie : Miller Mobley

Cet ouvrage est la traduction intégrale,
publiée pour la première fois en France,
du livre de langue anglaise :

BECOMING

publié aux États-Unis par Crown,
marque de Crown Publishing Group,
division de Penguin Random House LLC, New York.

ISBN : 978-2-213-70611-5

Dépôt légal : novembre 2018

À tous ceux qui m'ont aidée à devenir :

les membres de ma famille qui m'ont élevée,
Fraser, Marian, Craig, et ma grande famille élargie ;

mon cercle de femmes puissantes, qui nourrissent mon optimisme ;

mon équipe loyale et dévouée, qui continue de faire ma fierté.

———————

Aux amours de ma vie :

Malia et Sasha, mes deux trésors les plus précieux,
qui sont ma raison d'être ;

et, enfin, Barack, qui m'a toujours promis un voyage intéressant.

Préface

Mars 2017

QUAND J'ÉTAIS PETITE, MES DÉSIRS ÉTAIENT SIMPLES. Je voulais un chien. Je voulais une maison avec des escaliers – deux étages pour une seule famille. Je voulais, allez savoir pourquoi, un break à quatre portières à la place de la Buick deux portes qui faisait la joie et l'orgueil de mon père. Je disais à qui voulait l'entendre que, quand je serais grande, je serais pédiatre. Pourquoi ce choix ? Parce que j'aimais bien les enfants et que j'avais rapidement compris que c'était une réponse qui plaisait aux adultes. *Oh, médecin ! Quelle bonne idée !* En ce temps-là, j'avais des nattes, je menais mon grand frère à la baguette et je me débrouillais toujours pour avoir de bonnes notes en classe. J'étais ambitieuse, sans vraiment savoir à quoi j'aspirais. Je crois d'ailleurs que c'est une des questions les plus bêtes qu'un adulte puisse poser à un enfant : *Qu'est-ce que tu veux faire quand tu seras grand ?* Comme si on cessait un jour de grandir. Comme si, à un moment donné, on devenait définitivement quelqu'un, et qu'alors tout devait s'arrêter.

À ce jour, j'ai été avocate. J'ai été vice-présidente d'un hôpital et directrice d'une association qui aide les jeunes à s'engager dans des carrières sérieuses. J'ai été une jeune fille noire d'origine modeste, étudiante dans une université prestigieuse fréquentée majoritairement par des Blancs. J'ai été la seule femme, la seule Afro-Américaine, dans beaucoup de contextes différents. J'ai été une épouse, une jeune maman stressée, une fille affligée. Et, jusqu'à une date récente, j'ai été première dame des États-Unis d'Amérique – un métier qui n'en est pas un officiellement, mais qui m'a offert une tribune dont je n'aurais jamais pu rêver. Ce métier m'a mise au défi et m'a appris l'humilité, m'a exaltée et abattue, parfois tout cela en même temps. Je commence à peine à assimiler ce qui s'est passé au cours de ces dernières années – entre le moment, en 2006, où mon mari a évoqué pour la première fois l'idée de se présenter à la présidence et le froid matin d'hiver où je suis montée à bord d'une limousine avec Melania Trump pour l'accompagner à l'investiture de son mari. Quel voyage !

Quand on est première dame, l'Amérique se révèle à vous dans tous ses extrêmes. J'ai participé à des collectes de fonds dans des demeures particulières qui ressemblaient à des musées, dans des maisons où les baignoires étaient faites de pierres précieuses. Je suis allée voir des familles qui avaient tout perdu à cause de l'ouragan Katrina, et qui pleuraient de reconnaissance simplement parce qu'elles avaient un réfrigérateur et une cuisinière en état de marche. J'ai fait la connaissance de gens superficiels et hypocrites, mais aussi de personnes – des enseignants, des femmes de militaires et tant d'autres – qui m'ont éblouie par la profondeur et la solidité de leur détermination. Et j'ai rencontré des enfants – de très nombreux enfants, dans le monde entier – qui m'ont fait mourir de rire, m'ont emplie d'espoir, et ont réussi pour mon bonheur à oublier mon titre dès que nous avons commencé à retourner ensemble la terre d'un jardin.

Depuis mes débuts réticents dans la vie publique, j'ai été considérée comme la femme la plus puissante du monde et dénigrée comme une « femme noire en colère ». J'ai eu envie de demander à mes détracteurs à quel élément de cette formule ils accordaient le plus de poids – « en colère », « noire » ou « femme » ? Je me suis forcée à sourire quand on m'a photographiée avec des gens qui traitaient mon mari de tous les noms à la télévision, mais n'en tenaient pas moins à avoir un souvenir à poser sur leur cheminée. On m'a rapporté qu'il y avait sur Internet des commentaires nauséabonds me concernant, certains allant même jusqu'à douter que je sois bien une femme et non un homme. Un membre du Congrès américain s'est moqué de mes fesses. J'ai été en colère. Mais, le plus souvent, j'ai préféré en rire.

Il y a encore tant de choses que j'ignore au sujet de l'Amérique, de la vie, et de ce que l'avenir nous réserve. Mais je sais qui je suis. Mon père, Fraser, m'a appris à travailler dur, à rire souvent et à tenir parole. Ma mère, Marian, à penser par moi-même et à faire entendre ma voix. Tous les deux ensemble, dans notre petit appartement du quartier du South Side de Chicago, ils m'ont aidée à saisir ce qui faisait la valeur de notre histoire, de mon histoire, et plus largement de l'histoire de notre pays. Même quand elle est loin d'être belle et parfaite. Même quand la réalité se rappelle à vous plus que vous ne l'auriez souhaité. Votre histoire vous appartient, et elle vous appartiendra toujours. À vous de vous en emparer.

J'ai passé huit ans à la Maison-Blanche, où il y a plus d'escaliers que je n'en saurais compter – sans parler des ascenseurs, du bowling et du fleuriste. J'ai dormi dans des draps italiens, pris des repas préparés par une équipe de chefs de renommée internationale et servis par des professionnels mieux formés que le personnel de n'importe quel restaurant ou hôtel cinq étoiles. Des agents impassibles du Secret Service montaient la garde devant notre porte avec leur arme et leur oreillette, en s'employant à empiéter le moins possible sur la vie privée de notre famille. Nous avons fini par nous habituer à tout cela – à l'étrange magnificence de notre nouveau foyer et à la présence constante, silencieuse, d'étrangers.

C'est à la Maison-Blanche que nos deux filles ont joué au ballon dans les couloirs et grimpé aux arbres de la pelouse sud. C'est là que Barack a veillé tard le soir, penché sur des dossiers et des ébauches de discours dans la salle des Traités, là aussi qu'il est arrivé à Sunny, un de nos chiens, de s'oublier sur un tapis. Du balcon Truman, je pouvais voir les touristes se prendre en photo avec leurs perches à selfies et jeter un coup d'œil à travers la grille en fer forgé, cherchant à deviner ce qui se passait à l'intérieur. Tantôt, toutes ces fenêtres fermées par mesure de sécurité et l'impossibilité de respirer un peu d'air frais sans que cela fasse toute une histoire m'étouffaient. Tantôt, les magnolias blancs en fleur au-dehors, l'effervescence quotidienne des affaires du gouvernement ou la majesté d'une cérémonie militaire m'émer-veillaient. Il y a eu des jours, des semaines, des mois où j'ai détesté la politique. Et il y a eu des moments où la beauté de ce pays et de ce peuple m'a laissée muette d'admiration.

Et puis ça s'est terminé. On a beau la voir venir au long des dernières semaines pleines d'au revoir plus émouvants les uns que les autres, cette dernière journée se déroule dans une sorte de brouillard. Une main se pose sur une Bible ; un serment est répété. Les meubles d'un président sont emportés tandis que ceux d'un autre arrivent. Les placards sont vidés et remplis en l'espace de quelques heures. Du jour au lendemain, de nouvelles têtes viennent se poser sur de nouveaux oreillers – d'autres personnalités, d'autres rêves. Et quand tout cela s'achève, quand vous franchissez pour la dernière fois la porte de la maison la plus célèbre du monde, il vous reste, à bien des égards, à vous retrouver.

Permettez-moi de commencer ici par une petite anecdote récente. J'étais chez moi, dans la maison de brique rouge où ma famille a récemment emménagé et qui est située à environ trois kilomètres de notre ancienne demeure, dans une rue d'un quartier paisible. Nous étions encore en train de prendre nos marques. Dans le salon, nos meubles sont disposés comme ils l'étaient à la Maison-Blanche. De la cave au grenier, des souvenirs nous rappellent que cela a réellement en lieu – des photos de notre famille à Camp David, des pots modelés à la main que m'ont donnés des étudiants amérindiens, un livre dédicacé par Nelson Mandela. Ce soir-là, il n'y avait que moi à la maison, ce qui était inhabituel. Barack était en voyage. Sasha était sortie avec des amis. Malia vivait et travaillait à New York, où elle terminait son année de césure avant d'entrer à l'université. J'étais seule avec nos deux chiens dans une maison vide et silencieuse comme je n'en avais pas connu depuis huit ans.

J'avais faim. Je suis sortie de notre chambre, j'ai descendu l'escalier, les chiens sur les talons. Dans la cuisine, j'ai ouvert le frigo. J'ai trouvé du pain, j'en ai pris deux tranches que j'ai glissées dans le grille-pain. J'ai ouvert un placard et j'ai sorti une assiette. Je sais que ça peut paraître bizarre, mais prendre une assiette sur une étagère sans que quelqu'un insiste pour le faire à ma place, regarder paisiblement le pain dorer dans le grille-pain, était ce qui se rapprochait le plus d'un retour à ma vie d'avant. Ou peut-être était-ce l'annonce du début de ma nouvelle vie.

Finalement, je ne me suis pas contentée de me faire griller du pain. Je me suis préparé un sandwich au fromage : j'ai mis un gros morceau de cheddar entre mes deux toasts et j'ai placé le tout au micro-ondes. Puis j'ai pris mon assiette et je suis sortie dans le jardin. Je n'ai pas eu à prévenir qui que ce soit. Je suis sortie, un point c'est tout. J'étais pieds nus, en short. Le froid de l'hiver avait enfin cédé. Les crocus pointaient leur nez dans les plates-bandes, le long du mur du fond. L'air sentait le printemps. Je me suis assise sur les marches de la véranda, sentant sous mes pieds la chaleur du soleil de la journée qu'avait accumulée le pavage en ardoise. Un chien a aboyé au loin, et les miens ont tendu l'oreille, un temps désorientés. Je me suis rendu compte que ce bruit devait les troubler, car nous n'avions pas de voisins à la Maison-Blanche, et encore moins de chiens des voisins. Tout cela était nouveau pour eux. Alors qu'ils faisaient le tour du jardin, j'ai mangé mon sandwich dans l'obscurité, me sentant aussi délicieusement seule qu'il est possible. Je ne pensais pas au groupe de gardes armés qui se trouvait à moins de cent mètres de moi, dans le poste de commandement aménagé dans notre garage, ni au fait qu'il ne m'était toujours pas possible de me promener dans la rue sans gardes du corps. Je n'ai pas songé au nouveau président ni, d'ailleurs, à l'ancien.

Je me suis simplement dit que, quelques minutes plus tard, j'allais rentrer dans ma maison, laver mon assiette dans l'évier et monter me coucher. Peut-être ouvrirais-je une fenêtre pour laisser entrer l'air printanier – quelle volupté ! Je me suis dit aussi que ce calme m'offrait la première véritable occasion de prendre du recul et de réfléchir. Quand j'étais première dame et que je parvenais au terme d'une semaine trépidante, j'avais besoin qu'on me rappelle comment elle avait débuté. Mon appréciation du temps commence cependant à changer. Mes filles, qui ont emménagé à la Maison-Blanche avec leurs Polly Pockets, un doudou baptisé Blankie et un tigre en peluche appelé Tiger, sont à présent des adolescentes, des jeunes femmes avec chacune leurs projets et leur voix pour se faire entendre. Mon mari s'adapte à sa vie d'après la Maison-Blanche, il reprend son souffle. Et me voilà, moi, dans cette nouvelle maison, avec tant de choses à dire.

Devenir moi

1

J'AI PASSÉ UNE GRANDE PARTIE DE MON ENFANCE à écouter le son de l'effort. Il parvenait à mes oreilles à travers le plancher de ma chambre sous forme de mauvaise musique, ou plus exactement de musique d'amateur – le *plonk plonk plonk* des élèves assis un étage plus bas devant le piano de ma grand-tante Robbie, apprenant leurs gammes lentement et laborieusement. Ma famille vivait à Chicago dans le quartier du South Side, dans un coquet pavillon de brique appartenant à Robbie et à son mari, Terry. Mes parents louaient un appartement au premier étage, tandis que Robbie et Terry occupaient le rez-de-chaussée. Robbie était la tante de ma mère et avait été très généreuse avec elle pendant de longues années, mais elle me terrorisait un peu. Guindée et sérieuse, elle dirigeait la chorale d'une église locale tout en étant le professeur de piano attitré du voisinage. Elle portait des chaussures à petits talons et des lunettes au bout d'une chaîne passée autour du cou. Elle avait un sourire espiègle, mais n'aimait pas l'esprit sarcastique qu'affectionnait ma mère. Il m'arrivait de l'entendre houspiller les élèves qui n'avaient pas assez travaillé ou les parents qui les avaient déposés en retard à leur leçon.

« Bonne nuit ! » s'écriait-elle en plein jour, avec l'exaspération volcanique qu'un autre aurait pu mettre dans « Bon sang de bonsoir ! » Peu de gens, semblait-il, étaient à la hauteur des attentes de Robbie.

L'écho produit par des élèves qui s'efforçaient d'apprendre constituait le fond sonore de notre vie. Ça pianotait l'après-midi, ça pianotait dans la soirée. Des dames de l'église venaient quelquefois répéter des cantiques, bramant leur piété à travers nos murs. En vertu des règles de Robbie, les enfants qui prenaient des cours de piano n'étaient autorisés à travailler qu'un morceau à la fois. Depuis ma chambre, je les entendais s'évertuer, note par note, non sans errements, à obtenir son approbation, passant, au fil de leurs progrès et au terme de nombreuses tentatives, de comptines comme *Hot Cross Buns* à la *Berceuse* de Brahms. La musique n'était jamais agaçante ; simplement persistante. Elle se glissait dans la cage d'escalier qui séparait notre logement de celui de Robbie. Elle s'insinuait par les fenêtres ouvertes l'été, accompagnant mes pensées pendant que je jouais à la Barbie ou empilais mes cubes pour construire de petits royaumes. Nous ne connaissions de répit que quand mon père rentrait tôt de la station municipale d'épuration des eaux où il travaillait et allumait la télé pour regarder un match de base-ball des Cubs, montant le son assez fort pour couvrir les autres bruits.

C'était la fin des années 1960 dans le South Side de Chicago. Les Cubs n'étaient pas mauvais, mais ils n'avaient rien d'exceptionnel non plus. Blottie sur les genoux de mon papa assis dans son fauteuil relax, je l'écoutais dire que les Cubs connaissaient une baisse de régime en cette fin de saison ou expliquer pourquoi Billy Williams, qui vivait juste au bout de la rue sur Constance Avenue, était capable de réaliser des frappes incroyables depuis la gauche du marbre. Hors des stades de base-ball, l'Amérique était en plein changement – un changement aussi massif qu'incertain. Les Kennedy étaient morts. Martin Luther King avait été tué sur un balcon de Memphis, un assassinat qui avait provoqué des émeutes dans tout le pays, y compris à Chicago. À la convention nationale démocrate de 1968, le sang avait coulé quand la police s'en était prise à coups de matraque et de gaz lacrymogène aux manifestants qui protestaient contre la guerre du Vietnam à Grant Park, à une quinzaine de kilomètres de chez nous. Dans le même temps, des familles blanches quittaient la ville en masse, attirées par les banlieues – par la promesse de meilleures écoles, de plus d'espace, de plus de blancheur aussi, sans doute.

Tout ça me passait largement au-dessus de la tête. Je n'étais qu'une gamine qui jouait à la Barbie et aux cubes. J'avais un père, une mère, et un frère aîné dont la tête, toutes les nuits, reposait à moins d'un mètre de la mienne. Ma famille représentait tout mon univers, c'était le centre de tout. Ma mère m'a appris à lire tôt : elle m'accompagnait à la bibliothèque publique et s'asseyait à côté de moi pendant que je déchiffrais tout haut des mots sur une page. Mon père partait travailler tous les matins dans son uniforme bleu d'employé municipal, mais, le soir, il nous transmettait son amour du jazz et de l'art. Il avait suivi des cours à l'Art Institute de Chicago quand il était petit, et pris des cours de peinture et de sculpture au lycée. À l'école, il avait participé à des compétitions de natation et de boxe, et, devenu adulte, il adorait tous les sports qui passaient à la télé, du golf professionnel au hockey. Il aimait voir des gens très forts se surpasser. Quand mon frère s'est pris de passion pour le basket, mon père s'est mis à poser des pièces de monnaie au-dessus du montant de la porte de la cuisine, et l'encourageait à sauter pour les attraper.

Tout ce qui comptait pour moi se trouvait dans un rayon de cinq rues – mes grands-parents et mes cousins, l'église du coin où nous n'allions pas très régulièrement au catéchisme, la station-service où ma mère m'envoyait parfois chercher un paquet de cigarettes, et le magasin d'alcool, qui vendait aussi du pain de mie, des bonbons et du lait. Par les chaudes soirées d'été, nous nous endormions, mon frère et moi, au son des acclamations qui scandaient les matchs senior de softball dans le parc public voisin, où, dans la journée, nous grimpions sur les agrès de l'aire de jeux et jouions à chat avec les autres gamins.

Nous n'avons pas tout à fait deux ans d'écart, Craig et moi. Il a les yeux doux et l'optimisme de mon père, l'inflexibilité de ma mère. Nous avons toujours été très proches, en partie grâce à l'allégeance inébranlable et quelque peu inexplicable qu'il a vouée d'emblée à sa petite sœur. Il existe une vieille photo en noir et blanc de nous quatre assis sur un canapé, ma mère souriante et mon père, fier et sérieux, nous tenant Craig et moi sur leurs genoux. Nous sommes habillés pour aller à l'église, ou peut-être à un mariage. Je dois avoir huit mois, une armoire à glace en couche-culotte et au visage grassouillet, la mine résolue, apparemment prête à échapper à ma mère, les yeux rivés sur l'appareil photo comme si j'allais me jeter dessus. Craig est à côté de moi, un vrai petit monsieur en veston et nœud papillon, l'air grave. Du haut de ses 2 ans seulement, il est déjà l'incarnation du grand frère vigilant et responsable – le bras tendu vers le mien, ses doigts entourant mon poignet dodu dans un geste protecteur.

Quand cette photo a été prise, nous vivions en face de chez les parents de mon père, de l'autre côté du couloir, à Parkway Gardens, un grand ensemble moderniste du South Side regroupant des immeubles bon marché. Cette cité, construite dans les années 1950, avait été conçue sous forme de coopérative, en vue de remédier à la pénurie de logements chez les familles noires modestes après la Seconde Guerre mondiale. Plus tard, la pauvreté et la violence des gangs entraîneraient la dégradation de ces immeubles qui deviendraient un des lieux d'habitation les plus dangereux de la ville. Mais bien avant cela, quand j'étais encore toute petite, mes parents – qui s'étaient rencontrés à l'adolescence et s'étaient mariés vers 25 ans – acceptèrent une offre qui les conduisit à s'installer quelques kilomètres plus au sud, chez Robbie et Terry, dans un quartier plus agréable.

Sur Euclid Avenue, nous vivions à deux ménages sous un seul toit, pas très grand. À en juger par son agencement, le premier étage avait probablement été destiné à loger une ou deux personnes appartenant à la même famille que les occupants du rez-de-chaussée, mais nous nous débrouillions pour y tenir à quatre. Mes parents dormaient dans l'unique chambre à coucher tandis que Craig et moi partagions une pièce plus spacieuse qui aurait dû, je pense, servir de salon. Plus tard, quand nous avons été un peu plus grands, mon grand-père – Purnell Shields, le père de ma mère, un menuisier enthousiaste, à défaut d'être très compétent – a apporté des panneaux de bois bon marché pour fabriquer une cloison de fortune divisant l'espace en deux pièces plus ou moins isolées. Il a ajouté une porte en accordéon dans chaque partie et aménagé sur l'avant un petit espace de jeu commun, où nous pouvions ranger nos jouets et nos livres.

J'adorais ma chambre. Elle était juste assez grande pour contenir un petit lit et un bureau étroit. Je disposais toutes mes peluches sur mon lit, les rassemblant laborieusement chaque soir tout autour de ma tête pour me rassurer. De son côté de la paroi, Craig vivait une sorte d'existence en miroir avec son propre lit poussé contre la cloison, parallèlement au mien. La partition était si mince que nous pouvions bavarder au lit le soir, nous amusant souvent à nous jeter une chaussette roulée en boule de part et d'autre de l'espace de vingt centimètres qui séparait le haut de la cloison du plafond.

Tante Robbie, quant à elle, avait transformé sa partie de la maison en une sorte de mausolée, emmaillotant ses meubles de housses en plastique, froides et collantes sous mes jambes nues quand j'avais l'audace de m'y asseoir. Ses étagères étaient bourrées de figurines de porcelaine auxquelles nous n'avions pas le droit de toucher. Il m'arrivait de laisser planer ma main au-dessus d'une famille de caniches en verre qui avaient l'air gentils – une mère délicate et trois minuscules chiots – avant de la retirer précipitamment, redoutant la colère de Robbie. Quand elle ne donnait pas de leçons, un silence de mort régnait au rez-de-chaussée. La télévision n'était jamais allumée, la radio non plus. Je ne suis même pas sûre qu'ils se soient beaucoup parlé, en bas. Le nom complet du mari de Robbie était William Victor Terry, mais, je ne sais pourquoi, nous ne l'appelions que par son nom de famille. Terry était comme une ombre, un monsieur distingué qui portait des costumes trois pièces tous les jours de la semaine et ne disait pas un mot, ou presque.

J'avais fini par considérer l'étage et le rez-de-chaussée comme deux univers différents, régis par des sensibilités rivales. Au premier, nous étions bruyants, et sans vergogne. Nous jouions à la balle, Craig et moi, et nous nous courions après dans tout l'appartement. Nous aspergions le sol du couloir de cire à plancher pour pouvoir glisser plus vite sur nos chaussettes, nous cognant souvent aux murs. Nous organisions des matchs de boxe frère contre sœur à la cuisine, utilisant les paires de gants que papa nous avait offertes pour Noël, accompagnées d'instructions personnalisées sur la meilleure méthode pour balancer un coup droit. Le soir, nous jouions à des jeux de société en famille, nous racontions des histoires et des blagues, et écoutions des disques des Jackson 5 sur la chaîne stéréo. Quand Robbie n'en pouvait plus, elle actionnait avec insistance l'interrupteur de notre cage d'escalier commune qui commandait aussi l'ampoule du couloir de notre étage, allumant et éteignant, encore et encore – une façon plus ou moins polie de nous prier de bien vouloir baisser d'un ton.

Robbie et Terry étaient plus vieux. Ils avaient grandi à une époque différente et avaient d'autres soucis que nous. Ils avaient vu des choses que nos parents n'avaient pas vues – des choses que Craig et moi, dans notre puérilité tapageuse, n'aurions même pas pu imaginer. C'était ce que ma mère nous disait quand les ronchonnements du rez-de-chaussée nous mettaient à cran. Même si nous ignorions ce passé, on nous demandait de nous rappeler que ce passé existait. Tout le monde sur terre, nous répétaient nos parents, était porteur d'une histoire invisible, et méritait d'être considéré avec un minimum de tolérance. Bien des années plus tard, j'ai appris que Robbie avait engagé des poursuites contre l'université Northwestern pour discrimination, car elle s'y était inscrite en 1943 à un atelier de musique chorale et n'avait pas pu obtenir de chambre dans la résidence universitaire féminine. On lui avait conseillé d'aller s'installer dans un immeuble de la ville où on louait des chambres – un endroit pour les « gens de couleur », lui avait-on précisé. Quant à Terry, il avait été autrefois porteur de la Pullman sur une des lignes de trains de nuit au départ et à l'arrivée de Chicago. C'était un métier respectable mais mal payé, exercé exclusivement par des Noirs qui veillaient à ce que leurs uniformes soient toujours immaculés, alors même qu'ils trimbalaient des bagages, servaient des repas et, plus généralement, satisfaisaient tous les besoins des passagers, allant jusqu'à cirer leurs chaussures.

Plusieurs années après son départ à la retraite, Terry vivait toujours dans un état de formalité léthargique – impeccablement habillé, vaguement servile, ne s'affirmant jamais d'aucune manière, à mes yeux en tout cas. C'était comme si, pour s'en sortir, il avait renoncé à une partie de lui-même. Je le voyais tondre notre pelouse dans la chaleur accablante de l'été avec ses belles chaussures bout golf, ses bretelles et son borsalino à bord étroit, les manches de sa chemise élégante soigneusement retroussées. Il se permettait une cigarette par jour, pas davantage, et un cocktail par mois – et, même en cette occasion, il n'était jamais détendu comme pouvaient l'être mon père et ma mère après avoir pris un apéritif ou une bière, ce qui leur arrivait plusieurs fois par mois. Au fond de moi, j'avais envie que Terry parle, qu'il révèle tous ses secrets. J'imaginais qu'il avait une multitude d'histoires passionnantes à raconter sur les villes qu'il avait traversées, sur ce que faisaient, ou ne faisaient pas, les riches qui prenaient le train. Mais nous ne saurions jamais rien de tout cela. Pour je ne sais quelle raison, il n'en a jamais parlé.

JE DEVAIS AVOIR 4 ANS quand j'ai décrété que je voulais faire du piano. Craig, qui était alors au cours préparatoire, effectuait déjà des virées au rez-de-chaussée pour des leçons hebdomadaires sur le piano droit de Robbie et en revenait à peu près indemne. Je pensais être prête. En réalité, j'étais plus ou moins convaincue d'avoir déjà appris à jouer du piano, par un phénomène d'osmose verticale – toutes ces heures passées à écouter d'autres enfants batailler avec leurs morceaux. J'avais déjà la musique en tête. Tout ce que je voulais, c'était descendre chez ma grand-tante pointilleuse et lui montrer quelle petite fille douée j'étais, lui faire comprendre que je n'aurais aucun mal à devenir la plus brillante de ses élèves.

Le piano de Robbie se trouvait dans une petite pièce carrée sur l'arrière de la maison, à côté d'une fenêtre donnant sur le jardin. Il y avait une plante verte dans un coin et, dans un autre, une table pliante où les élèves pouvaient travailler à leurs exercices de solfège. Pendant les cours, elle s'asseyait, droite comme un *i*, dans un fauteuil rembourré à haut dossier, tapant la mesure d'un doigt, la tête inclinée, à l'affût de la moindre erreur. Avais-je peur de Robbie ? Pas vraiment, mais elle avait indéniablement quelque chose d'effrayant ; elle incarnait une forme d'autorité rigide qui m'était inconnue. Elle exigeait l'excellence de tous les enfants qui posaient leurs fesses sur son tabouret de piano. Je voulais la gagner à ma cause, la conquérir peut-être. Avec elle, on avait toujours l'impression d'avoir quelque chose à prouver.

Perchée sur le tabouret pour mon premier cours, j'avais les jambes ballantes, trop courtes pour toucher le sol. Robbie m'a donné mon propre cahier d'exercices pour débutants, ce qui m'a ravie, et m'a montré comment placer correctement mes mains sur le clavier.

« Bon, concentre-toi, m'a-t-elle dit, me grondant avant même que nous ayons commencé. Trouve-moi le *do* du milieu. »

Quand on est petit, on peut avoir l'impression qu'un piano possède mille touches. On a sous les yeux une étendue de noir et de blanc plus longue que deux petits bras écartés. Le *do* du milieu, n'ai-je pas tardé à apprendre, était le point d'ancrage. C'était la frontière entre le territoire de la main droite et celui de la main gauche, entre les clés de *sol* et de *fa*. Il suffisait de poser le pouce sur le *do* du milieu pour que tout le reste se mette en place automatiquement. Les touches du piano de Robbie présentaient une subtile irrégularité de couleur et de forme ; à certains endroits, des fragments d'ivoire s'étaient détachés avec le temps, donnant au clavier l'aspect d'une rangée de dents gâtées. Par bonheur, il manquait tout un angle au *do* du milieu, un coin à peu près de la taille d'un de mes ongles, ce qui m'aidait à placer correctement mes mains à tous les coups.

J'ai découvert que j'aimais le piano. Il me paraissait tout naturel d'en jouer, comme si j'y étais destinée. Les musiciens et les mélomanes étaient nombreux dans ma famille, surtout du côté de ma mère. Un de mes oncles jouait dans une fanfare professionnelle. Plusieurs de mes tantes chantaient dans des chorales paroissiales. Robbie, elle, en plus de sa chorale et de ses leçons de piano, avait monté l'Operetta Workshop, un atelier de théâtre musical à tout petit budget pour les enfants, auquel nous assistions, Craig et moi, tous les samedis matin dans le sous-sol de son église. Mais le vrai pilier musical de la famille était mon grand-père Shields, le menuisier, et petit frère de Robbie. C'était un homme insouciant, ventripotent, au rire communicatif, qui portait une barbe poivre et sel en bataille. Quand j'étais plus petite, il habitait l'ouest de la ville, le West Side. Mon frère et moi l'avions donc surnommé Westside. Lorsqu'il est venu s'installer dans notre quartier l'année où j'ai commencé à prendre des cours de piano, nous l'avons dûment rebaptisé Southside.

Southside s'était séparé de ma grand-mère plusieurs dizaines d'années auparavant, quand ma mère était adolescente. Il vivait avec ma tante Carolyn, la sœur aînée de ma mère, et mon oncle Steve, son plus jeune frère, à deux rues de nous seulement, dans une confortable maison de plain-pied qu'il avait équipée pour la musique du sol au plafond, installant des haut-parleurs dans toutes les pièces, jusque dans la salle de bains. Il avait fabriqué dans la salle à manger un système compliqué de placards pour ranger son matériel stéréo, en grande partie récupéré dans des vide-greniers. Il avait deux platines dépareillées auxquelles s'ajoutaient un vieux magnétophone à bandes branlant et des étagères ployant sous les disques qu'il avait accumulés au fil des ans.

Southside se méfiait de beaucoup de choses. C'était une sorte de vieil adepte endurci des théories du complot. Comme il ne faisait pas confiance aux dentistes, il n'avait pour ainsi dire plus de dents. Il ne se fiait pas à la police et pas toujours aux Blancs non plus, car il était le petit-fils d'un esclave géorgien et avait passé sa petite enfance dans l'Alabama du temps de la ségrégation, avant de se rendre dans le Nord, à Chicago, dans les années 1920. Quand il avait eu des enfants, Southside n'avait pas ménagé sa peine pour leur éviter tous les ennuis – les terrifiant à grand renfort d'histoires réelles et imaginaires sur ce qui pouvait arriver aux enfants noirs qui avaient le malheur d'aller dans le mauvais quartier, les sermonnant pour qu'ils s'efforcent de ne jamais avoir affaire à la police.

La musique était sans doute un antidote à ses soucis, une manière de les oublier et de se détendre. Quand Southside avait touché sa paie pour une journée de travail de menuisier, il lui arrivait de s'autoriser une folie et de s'acheter un nouveau disque. Il organisait régulièrement des fêtes de famille, obligeant tout le monde à s'égosiller pour couvrir le son qui provenait de la chaîne. Nous célébrions la plupart des grands événements de notre vie chez Southside ; c'est ainsi que, au fil des ans, nous avons déballé nos cadeaux de Noël sur la musique d'Ella Fitzgerald et soufflé nos bougies d'anniversaire sur celle de Coltrane. À en croire ma mère, dans sa jeunesse, Southside s'était fait un devoir d'inoculer le jazz à ses sept enfants, n'hésitant pas à réveiller toute la maisonnée au point du jour en faisant passer un de ses disques à plein volume.

Son amour pour la musique était contagieux. Une fois Southside installé dans notre quartier, j'ai passé des après-midi entiers chez lui, prenant des disques au hasard sur ses étagères et les posant sur la chaîne, chacun me plongeant dans une aventure différente. J'avais beau être petite, j'avais le droit de toucher à tout. C'est Southside qui m'a acheté plus tard mon premier disque, *Talking Book* de

Stevie Wonder, que je gardais chez lui sur une étagère réservée à mes disques préférés. Si j'avais faim, il me préparait un milkshake ou nous faisait frire un poulet entier pendant que nous écoutions Aretha, Miles ou Billie. Je portais Southside aux nues. Et les nues, telles que je les imaginais, ne pouvaient qu'être un endroit plein de jazz.

CHEZ MOI, JE CONTINUAIS À TRAVAILLER DUR pour progresser. Assise devant le piano droit de Robbie, je n'ai pas tardé à connaître parfaitement mes gammes – le phénomène d'osmose était on ne peut plus réel – et je me suis plongée dans les exercices de déchiffrage qu'elle me donnait. Comme nous n'avions pas de piano chez nous, je devais travailler en bas, sur le sien. J'attendais donc le moment où elle n'avait pas d'élève et traînais souvent ma mère avec moi, l'obligeant à s'asseoir dans le fauteuil capitonné pour m'écouter jouer. J'apprenais un morceau du manuel, puis un autre. Je n'étais sans doute pas meilleure que les autres élèves de ma grand-tante ni moins maladroite, mais j'étais motivée. Pour moi, le simple fait d'apprendre était magique. J'en tirais une forme de satisfaction exaltante. D'abord, j'avais saisi la corrélation simple et encourageante entre le temps que je consacrais à travailler et les résultats que j'obtenais. Et j'avais aussi senti en Robbie quelque chose de trop profondément enfoui pour qu'on puisse parler de vrai plaisir, mais tout de même, l'ébauche d'une forme de légèreté inhabituelle, de bonheur presque, qui émanait d'elle quand je parvenais à jouer tout un morceau sans le saboter, quand ma main droite faisait jaillir une mélodie pendant que la gauche frappait un accord. Je le remarquais du coin de l'œil : les lèvres de Robbie se desserraient imperceptiblement ; le doigt qui tapait la mesure effectuait un petit sautillement.

Ce fut pour nous une période d'état de grâce. Peut-être aurions-nous pu poursuivre sur cette lancée, Robbie et moi, si j'avais été moins curieuse et plus respectueuse de ses méthodes d'apprentissage du piano. Mais le manuel était si gros et mes progrès sur les premiers morceaux si lents que je me suis impatientée et que, furtivement, je suis allée voir plus loin – ne sautant pas seulement quelques pages, mais me plongeant au cœur du manuel, consultant les morceaux destinés aux élèves plus

avancés et me mettant, pendant mes séances de travail personnel, à bricoler pour parvenir à les jouer. Le jour où, toute fière,
j'ai entamé un de ces morceaux devant Robbie, elle a explosé,
dénigrant mon exploit d'un fielleux « Bonne nuit ! ». Je venais
de me faire houspiller comme je l'avais entendue houspiller je
ne sais combien d'élèves avant moi. Je n'avais fait qu'essayer
d'apprendre plus, et plus vite, mais Robbie y voyait quasiment
un acte de trahison. Elle n'était pas impressionnée, mais alors
pas du tout.

Pas plus que je n'étais contrite. J'étais le genre d'enfant qui
aime obtenir des réponses concrètes et pousser les raisonnements
jusqu'à leur aboutissement logique, si épuisant que cela puisse
être. J'étais une ergoteuse tendance dictatoriale, comme pouvait
l'attester mon frère, qui se voyait souvent expulsé autoritairement
de notre espace de jeu commun. Quand j'estimais avoir une bonne
idée, je n'aimais pas qu'on m'interdise d'aller jusqu'au bout. Voilà
comment ma grand-tante et moi avons fini par nous heurter de
front, aussi remontées l'une que l'autre, et aussi inflexibles.

« Je ne comprends pas que tu sois fâchée contre moi simplement parce que j'ai eu envie d'apprendre un nouveau morceau !

– Tu n'es pas prête. Ce n'est pas comme ça qu'on apprend
à jouer du piano.

– Mais je *suis* prête. Je viens de te le jouer.

– Ce n'est pas comme ça qu'on fait.

– Mais *pourquoi* ? »

Les cours de piano sont devenus une épreuve épique et épui-
sante, en grande partie à cause de mon refus de suivre la méthode
que Robbie voulait m'imposer et du refus de Robbie d'accorder
le moindre crédit à mon approche désinvolte de son manuel. Dans
mon souvenir, nous avons passé des semaines à nous disputer.
J'étais têtue ; elle aussi. J'avais un point de vue ; elle aussi. Entre
nos querelles, je continuais à jouer et elle continuait à m'écouter,
me noyant sous un torrent de critiques. Je ne la créditais guère de
mes progrès, et de son côté elle ne m'en attribuait guère le mérite.
Il n'empêche que les leçons ont continué.

À l'étage, mes parents et Craig trouvaient tout ça très amusant.
Ils s'écroulaient de rire à table quand je racontais mes joutes avec
Robbie, fulminant encore tout en dévorant mes spaghetti et mes

boulettes de viande. Craig, lui, s'entendait très bien avec Robbie : c'était un garçon joyeux et consciencieux, qui ne s'investissait que superficiellement dans l'étude du piano. Mes parents n'exprimaient pas la moindre compassion pour mes tourments, pas plus, au demeurant, que pour ceux de Robbie. En règle générale, ils n'intervenaient pas dans des questions autres que scolaires, nous laissant rapidement, mon frère et moi, régler nos affaires tout seuls. Ils semblaient estimer que leur tâche consistait essentiellement à nous écouter et à nous soutenir, au besoin, entre les quatre murs de notre maison. Je sais que d'autres parents auraient pu reprocher à leur enfant d'être aussi impertinent avec un adulte, mais les miens m'ont laissée faire. Ma mère avait vécu par intermittence avec Robbie depuis ses 16 ans, obéissant à toutes les règles ésotériques que celle-ci lui imposait, et peut-être était-elle secrètement satisfaite de voir quelqu'un défier son autorité. Avec le recul, je crois que mes parents appréciaient ma pugnacité et je leur en sais gré. C'était une flamme qui brûlait en moi et qu'ils s'employaient à entretenir.

UNE FOIS PAR AN, Robbie organisait un récital en bonne et due forme pour donner à ses élèves l'occasion de jouer devant un vrai public. J'ignore encore comment, mais elle avait réussi à obtenir qu'on mette à sa disposition une salle de répétition à l'université Roosevelt, au centre de Chicago, ce qui lui permettait de donner ses petits concerts dans un grandiose bâtiment de pierre de Michigan Avenue, juste à côté de la salle où se produisait le Chicago Symphony Orchestra. La seule idée d'y aller m'angoissait. Notre appartement d'Euclid Avenue se trouvait à une quinzaine de kilomètres au sud du quartier d'affaires du Chicago Loop qui, avec ses gratte-ciel étincelants et ses trottoirs bourrés de monde, m'apparaissait comme un autre univers. Ma famille ne se rendait au cœur de la ville qu'une poignée de fois par an, pour faire un tour à l'Art Institute ou assister à une pièce de théâtre, voyageant tous les quatre comme des astronautes dans la capsule spatiale de la Buick paternelle.

Mon père ne manquait pas une occasion de prendre le volant. Il adorait sa voiture, une Buick Electra 225 couleur bronze, qu'il appelait avec orgueil la « Deux vingt-cinq ». Elle était toujours lustrée et cirée, et il était très à cheval sur le calendrier d'entretien, la menant chez Sears pour faire changer les pneus et l'huile avec autant de régularité que maman nous conduisait chez le pédiatre pour des bilans de santé. Nous adorions la Deux vingt-cinq, nous aussi. Avec ses lignes douces et ses feux arrière étroits, elle avait une allure cool et futuriste. Elle était tellement spacieuse qu'on avait l'impression d'être dans une maison. Je pouvais presque m'y tenir debout, caressant de mes mains le plafond recouvert de tissu. À l'époque, le port de la ceinture de sécurité n'était pas obligatoire, si bien que, la plupart du temps, Craig et moi chahutions à l'arrière, nous penchant au-dessus du siège avant pour parler à nos parents. Je faisais la moitié des trajets le menton calé sur le siège du conducteur, pour placer mon visage juste à côté de celui de mon père et voir exactement la même chose que lui.

La voiture offrait à la famille une autre forme d'intimité, une occasion de parler tout en nous déplaçant. Le soir après le dîner, Craig et moi demandions parfois à mon père de nous emmener faire un tour, sans but particulier. Certaines soirées d'été, nos parents nous faisaient la surprise de nous conduire dans un cinéma en plein air, au sud-ouest de notre quartier, pour voir *La Planète des singes*. Nous garions la Buick au crépuscule et nous installions pour la séance. Ma mère nous servait du poulet frit et des chips qu'elle avait apportés et mon frère et moi mangions sur nos genoux, sur la banquette arrière, en faisant attention de bien nous essuyer les mains sur nos serviettes et pas sur les sièges.

Je ne comprendrais que bien des années plus tard ce que cette voiture représentait pour mon père. Enfant, je ne pouvais qu'en avoir l'intuition – la libération qu'il éprouvait au volant, le plaisir que lui procuraient la marche régulière du moteur et le bourdonnement de pneus parfaitement équilibrés sous lui. Il n'avait pas encore 40 ans quand un médecin lui avait annoncé que l'étrange faiblesse qu'il avait commencé à ressentir dans une jambe n'était que le début d'un long et probablement douloureux déclin qui s'achèverait par la paralysie ; qu'il y avait de fortes chances pour qu'un jour, à la suite de mystérieuses lésions de la gaine des neurones de son cerveau et de sa moelle épinière, il ne puisse plus marcher du tout. Je n'ai pas retenu les dates précises, mais je crois que la Buick a fait son apparition dans la vie de mon père à peu près au même moment que la sclérose en plaques. Et, bien qu'il ne l'ait jamais dit, la voiture lui apportait certainement une forme indirecte de libération.

Ni lui ni ma mère ne se sont appesantis sur ce diagnostic. Nous étions encore à des décennies du temps où une simple recherche sur Google aurait livré une masse étourdissante de graphiques, de statistiques et d'explications médicales propres à faire naître ou disparaître l'espoir. En tout état de cause, je pense que mon père n'aurait pas voulu les voir. Malgré l'éducation religieuse qu'il avait reçue, il n'aurait certainement pas prié Dieu de lui épargner cette épreuve. Il ne se serait pas mis en quête de thérapies alternatives, ne se serait pas tourné vers un gourou, n'aurait pas blâmé quelque gène défectueux. Dans ma famille, nous avons la solide habitude de refouler les mauvaises nouvelles ou d'essayer de les oublier, presque dès l'instant où elles arrivent. Personne ne savait depuis combien de temps mon père s'était senti mal avant d'aller consulter un médecin pour la première fois ; mais, à mon avis, il a dû attendre des mois, sinon des années. Il n'aimait pas les rendez-vous médicaux. C'était le genre d'homme à accepter ce qui lui arrivait et à continuer à aller de l'avant.

Ce que je sais, c'est que, le jour de mon grand récital de piano, il marchait déjà avec une légère claudication : son pied gauche était incapable de suivre parfaitement le droit. Tous les souvenirs que je garde de mon père comprennent une manifestation quelconque de son infirmité, même si aucun de nous n'était encore tout à fait prêt à employer ce mot. Je savais à l'époque qu'il marchait un peu plus lentement que les autres papas. Je le voyais parfois s'arrêter avant de gravir une volée de marches, comme s'il devait réfléchir à la manœuvre avant de la tenter. Quand nous allions faire des courses au centre commercial, il s'installait à l'écart sur un banc, surveillait les sacs ou faisait une petite sieste pendant que le reste de la famille se baladait tranquillement.

Je me revois le jour où nous nous sommes rendus en ville pour le récital de piano, assise sur la banquette arrière de la Buick dans une jolie robe, chaussée de souliers vernis, mes cheveux tressés. J'étais en proie au trac pour la première fois de ma vie. Jouer m'angoissait, même si en bas, chez Robbie, j'avais travaillé mon morceau jusqu'à l'épuisement. Craig était lui aussi sur son trente et un, et s'apprêtait lui aussi à jouer. Une perspective qui ne lui faisait ni chaud ni froid. En fait, il dormait à poings fermés sur la banquette arrière, la bouche ouverte, l'air bienheureux et parfaitement paisible. Du Craig tout craché. Sa sérénité ne cesserait jamais de m'étonner. À l'époque, il jouait dans une équipe junior de basket qui disputait des matchs toutes les semaines et, de toute évidence, il avait déjà appris à maîtriser ses nerfs.

Mon père choisissait généralement un parking aussi proche que possible de notre destination : il préférait payer un peu plus cher pour réduire la distance à parcourir sur ses jambes branlantes. Ce jour-là, après avoir trouvé sans difficulté la Roosevelt University, nous nous sommes dirigés vers la salle, sonore et immense à mes yeux, où devait avoir lieu le récital. Je m'y sentais minuscule. D'élégantes fenêtres qui allaient du sol au plafond donnaient sur les vastes pelouses de Grant Park et laissaient apparaître, au loin, les remous écumants du lac Michigan. Des chaises gris acier disposées en rangées impeccables se remplissaient lentement d'enfants inquiets et de parents impatients. Et tout devant, sur une estrade surélevée, trônaient les deux premiers quarts de queue que j'aie vus de ma vie, leurs couvercles de bois écartés telles les ailes d'un grand oiseau noir. Robbie était là, elle aussi, qui s'affairait dans une robe fleurie, comme la reine du bal – une reine légèrement matrone –, vérifiant qu'aucun élève n'avait oublié sa partition. Quand le moment est venu de commencer, elle a fait faire silence à la salle.

Je ne me rappelle pas dans quel ordre ses élèves ont joué ce jour-là. Tout ce que je sais, c'est que, quand mon tour est venu, je me suis levée, et je me suis avancée avec toute la dignité possible jusqu'à l'avant de la salle. J'ai gravi les marches et je me suis assise devant un des pianos étincelants. J'avais beau trouver Robbie cassante et inflexible, je n'en avais pas moins assimilé son goût pour la rigueur. Je connaissais si bien mon morceau que j'avais à peine besoin d'y penser. Il suffisait que mes mains se mettent en mouvement.

Il y avait pourtant un problème que j'ai découvert dans la fraction de seconde qu'il m'a fallu pour poser mes petits doigts sur les touches. J'étais devant un piano irréprochable, aux surfaces soigneusement épousées, aux cordes accordées avec précision, ses quatre-vingt-huit touches disposées en un ruban blanc et noir sans défaut. L'ennui était que je n'étais pas habituée à une telle perfection. Je n'y avais même jamais été confrontée. Je n'avais jamais joué du piano ailleurs que dans la petite salle de musique exiguë de Robbie, avec sa plante en pot hirsute et sa vue sur notre modeste jardin. Le seul instrument sur lequel j'avais joué était son piano droit approximatif, avec son patchwork boiteux de touches jaunies et son *do* du milieu commodément ébréché. Pour moi, un piano, c'était ça – comme mon quartier était mon quartier, mon papa mon papa, ma vie ma vie. Je ne connaissais rien d'autre.

Et voilà que, soudain, j'ai eu conscience que des gens me regardaient depuis leurs sièges, alors que j'avais les yeux rivés sur la surface lustrée et parfaitement uniforme des touches du piano. Je ne savais absolument pas où poser les mains. La gorge nouée, le cœur battant, je me suis tournée vers le public, m'efforçant de ne pas laisser voir ma panique, recherchant le havre sûr du visage maternel. Au lieu de quoi, j'ai aperçu une silhouette se lever de la première rangée et léviter lentement dans ma direction. C'était Robbie. Nous nous étions déjà beaucoup bagarrées, au point que je la considérais un peu comme une ennemie. Mais au moment précis où je n'allais recevoir, après tout, que ce que je méritais, elle s'est approchée de moi presque comme un ange et s'est arrêtée derrière mon épaule. Peut-être avait-elle compris mon désarroi. Peut-être savait-elle que les inégalités du monde venaient de m'apparaître silencieusement pour la première fois. Ou peut-être n'avait-elle simplement pas de temps à perdre. Quoi qu'il en soit, sans un mot, Robbie a doucement posé un doigt sur le *do* du milieu pour que je sache où commencer. Puis, se retournant avec un imperceptible sourire d'encouragement, elle m'a laissée jouer mon morceau.

2

JE SUIS ENTRÉE EN MATERNELLE à la Bryn Mawr Elementary School à l'automne 1969, avec le double avantage de savoir déjà lire les mots élémentaires et d'avoir un frère populaire au CE1. L'école, un bâtiment de brique de trois étages précédé d'une cour, n'était qu'à quelques rues de notre maison d'Euclid Avenue. On pouvait s'y rendre en deux minutes à pied, et même, comme Craig, en une minute en courant.

J'ai immédiatement aimé l'école. J'appréciais mon institutrice, une toute petite dame blanche qui s'appelait Mme Burroughs. Elle devait avoir une cinquantaine d'années, mais me paraissait très, très vieille. Il y avait dans sa salle de classe de grandes fenêtres enso-leillées, une collection de baigneurs avec lesquels nous pouvions jouer et au fond une cabane géante en carton. Je m'y suis fait des amis, attirée par les enfants qui, comme moi, semblaient ravis d'être là. À la maison, j'avais déchiffré tous les manuels de lecture de *Dick et Jane,* empruntés grâce à la carte de bibliothèque de ma mère, et j'ai été enchantée de découvrir que notre première tâche d'élèves de maternelle serait d'apprendre à lire de nouvelles séries de mots que la maîtresse nous montrerait. Elle nous a donné une liste de couleurs à étudier ; pas les teintes elles-mêmes, mais leurs noms : « rouge », « bleu », « vert », « noir », « orange », « violet », « blanc ». En classe, Mme Burroughs nous interrogeait à tour de rôle, en brandissant une série de grandes planches en papier kraft et en nous demandant de lire le mot imprimé en lettres noires au recto. C'est ainsi qu'un jour j'ai vu les garçons et les filles dont je venais à peine de faire la connaissance se lever et examiner attentivement les planches, réussissant ou échouant à les lire à des degrés divers. Dès qu'ils se trompaient, ils devaient se rasseoir. L'exercice était censé être une sorte de jeu, de même qu'épeler le mot « dodo » est un jeu ; mais, de toute évidence, un tri subtil s'opérait et les enfants qui s'arrêtaient à « rouge » essuyaient une vexation intentionnelle. Cela se passait, rappelons-le, en 1969, dans une école publique du South Side de Chicago. Personne n'avait encore entendu parler d'estime de soi ni de psychologie de la réussite. Si vous aviez pris de l'avance dans votre milieu familial, vous en étiez récompensé à l'école, on vous trouvait « intelligent » ou « doué », ce qui ne faisait que renforcer votre confiance en vous. Les avantages se cumulaient rapidement. Les deux enfants les plus forts de ma classe étaient Teddy, un Américain d'origine coréenne, et Chiaka, une Afro-Américaine, qui resteraient en tête de classe pendant plusieurs années.

J'avais terriblement envie d'être aussi bonne qu'eux. Quand mon tour est venu de déchiffrer les mots sur les planches en kraft de la maîtresse, je me suis levée et j'ai donné tout ce que je pouvais, débitant à toute allure et sans effort « rouge », « vert » et « bleu ». Il m'a fallu une seconde pour déchiffrer « violet », et « orange » m'a donné du fil à retordre. Mais ce n'est qu'au moment où la maîtresse a brandi la planche portant les lettres *W-H-I-T-E*, « blanc », que je me suis figée, la gorge nouée, la bouche sèche, incapable de former ce son, tandis que mon cerveau s'enrayait, cherchant désespérément quel nom de couleur pouvait bien ressembler à « wouh-haa ». Je séchais purement et simplement. Mes genoux sont devenus étrangement mous, comme s'ils allaient se dérober. Mais, avant qu'ils n'aient pu le faire, Mme Burroughs m'a ordonné de me rasseoir. Et c'est précisément à cet instant que le mot m'est revenu dans sa perfection, complète et facile. *White. Whiiiite.* Le mot était « white ».

Couchée ce soir-là avec toutes mes peluches rassemblées autour de ma tête, je ne pouvais penser qu'à ce mot : « white ». Je l'épelais dans ma tête, dans un sens puis dans l'autre, en me reprochant ma stupidité. Ma mortification était comme un poids dont je pensais ne plus jamais pouvoir me défaire, et pourtant je savais pertinemment que mes parents ne m'en voudraient pas de ne pas avoir su lire toutes les planches correctement.

Je voulais réussir. Ou peut-être était-ce plutôt que je ne voulais pas qu'on me croie incapable de réussir. J'étais convaincue que ma maîtresse m'avait désormais cataloguée comme une fille qui ne savait pas lire ou, pire, qui n'essayait même pas. J'étais obnubilée par les étoiles en papier doré grosses comme une pièce de dix cents que Mme Burroughs avait données à Teddy et Chiaka ce jour-là pour qu'ils les épinglent sur leur poitrine comme un témoignage de leur exploit ou, peut-être, pour faire savoir à tous qu'ils étaient appelés à une glorieuse destinée qui nous serait refusée, à nous autres. Après tout, ils avaient tous les deux lu les planches de couleurs de la première à la dernière sans problème.

Le lendemain matin, en classe, j'ai demandé à bénéficier d'une seconde chance.

Comme Mme Burroughs refusait, ajoutant avec bonne humeur que des élèves de maternelle avaient autre chose à faire, je l'ai exigé.

Je plains les enfants qui ont été obligés de me regarder contempler une deuxième fois les planches, prenant plus de temps, m'arrêtant délibérément pour respirer après avoir prononcé chaque mot, interdisant à mes nerfs de court-circuiter mon cerveau. Et j'y suis arrivée : je suis venue à bout de « noir », d'« orange », de « violet » et même de « blanc ». C'est tout juste si je n'ai pas hurlé « white » avant même d'avoir vu les lettres sur la planche. J'aime à penser que Mme Burroughs a été impressionnée ce jour-là par cette petite fille noire qui avait eu le courage de plaider sa cause. Je ne suis pas sûre que Teddy et Chiaka aient même remarqué ce qui se passait. J'ai immédiatement réclamé mon trophée, et je suis rentrée à la maison cet après-midi-là la tête haute, une étoile en papier doré épinglée sur mon chemisier.

À LA MAISON, J'ÉVOLUAIS DANS UN UNIVERS de drame et d'intrigue, plongée dans un soap-opera de poupées riche en rebondissements. Il y avait des naissances, des disputes, des trahisons. Il y avait de l'espoir, de la haine, du sexe parfois. Mon passe-temps préféré entre mon retour de l'école et le dîner était de m'installer dans l'espace commun devant ma chambre et celle de Craig et de disposer toutes mes Barbie par terre, inventant des scénarios interminables qui me paraissaient bien réels, et où j'intégrais quelquefois les figurines de G.I. Joe de Craig. Je rangeais mes tenues de poupées dans une valise pour enfant en vinyle recouverte d'un imprimé fleuri. J'attribuais une personnalité à chaque Barbie et à chaque G.I. Joe. J'avais également remis en service les vieux cubes ornés de l'alphabet dont ma mère s'était servie quelques années auparavant pour nous apprendre l'alphabet. Ils avaient, eux aussi, des noms et des vies intérieures.

Je n'avais pas très envie de rejoindre les enfants du quartier qui jouaient dehors après l'école ou d'inviter des camarades de classe chez moi, essentiellement parce que j'étais une petite fille maniaque et que je ne voulais pas qu'on touche à mes poupées. J'étais allée chez d'autres filles et avais assisté à des scénarios dignes de films d'horreur – des Barbie aux cheveux massacrés et aux visages hachurés au Magic Marker. J'apprenais par ailleurs à l'école que les rapports entre enfants sont souvent complexes. Même les plus adorables scènes qui pouvaient se dérouler sur une aire de jeux étaient sous-tendues par la tyrannie des hiérarchies et des alliances mouvantes. Il y avait des chefs, des petites brutes et des suiveurs. Je n'étais pas timide, mais je n'étais pas certaine de vouloir m'exposer à ce genre d'embrouilles dans ma vie en dehors de l'école. Je préférais consacrer mon énergie à être l'unique force motrice du petit univers que je créais dans notre espace commun. Si Craig montrait le bout de son nez et osait déplacer un seul cube, je me mettais à hurler. Je n'hésitais pas non plus à le frapper s'il l'avait cherché – lui flanquant généralement un bon coup de poing au milieu du dos. C'est que les poupées et les cubes avaient besoin de moi pour prendre vie – une vie que je leur donnais consciencieusement, les bombardant d'une ribambelle de crises personnelles. Comme toute divinité qui se respecte, j'étais là pour les voir souffrir et grandir.

Pendant ce temps, depuis la fenêtre de ma chambre, je pouvais observer l'essentiel de ce qui se passait dans la vraie vie de notre pâté de maisons d'Euclid Avenue. En fin d'après-midi, je voyais M. Thompson, le grand Afro-Américain propriétaire de l'immeuble de trois appartements de l'autre côté de la rue, charger sa grosse basse dans le coffre de sa Cadillac et partir donner un concert dans un club de jazz ou un autre. Je voyais les Mendoza, la famille mexicaine d'à côté, rentrer dans un pick-up plein d'échelles après une longue journée passée à peindre des maisons, tandis que leurs chiens les accueillaient à la grille en jappant.

Notre quartier rassemblait des familles de classe moyenne de toutes les origines. Les enfants ne se regroupaient pas en fonction de leur couleur ; ce qui comptait, c'était qui était dehors, prêt à jouer. J'avais pour copines une fille qui s'appelait Rachel, dont la mère était blanche et avait l'accent anglais, Susie, une rousse aux cheveux bouclés, et la petite-fille des Mendoza quand elle venait les voir. Mis bout à bout, nos noms de famille formaient un méli-mélo bigarré – Kansopant, Abuasef, Yacker, Robinson. Nous étions trop jeunes pour prendre conscience de l'évolution rapide qui se produisait autour de nous. En 1950, quinze ans avant que mes parents s'installent à South Shore, dans le South Side, le quartier était blanc à 96 %. Au moment de mon départ pour l'université en 1981, il serait noir à 96 %.

Nous avons été élevés, Craig et moi, au milieu des courants contraires de ce flux. Dans notre voisinage habitaient des familles juives, des familles d'immigrants, des familles blanches et noires ; certains s'en sortaient très bien, d'autres non. Dans l'ensemble, les gens entretenaient leurs pelouses et surveillaient leurs enfants. Ils faisaient des chèques à Robbie pour que leur progéniture apprenne le piano. Ma famille se situait probablement du côté pauvre de l'éventail du voisinage. Entassés au premier étage de la maison de Robbie et Terry, nous faisions partie des rares résidents de notre connaissance à n'être pas propriétaires de leur logement. South Shore n'avait pas encore glissé sur la même pente que d'autres quartiers – où les habitants les plus aisés étaient depuis longtemps partis pour la banlieue, où les commerces de proximité fermaient l'un après l'autre et où le climat se dégradait –, mais la tendance était déjà perceptible.

Nous commencions à sentir les effets de cette transition, surtout à l'école. Ma classe de CE1 était un vrai capharnaüm de gamins indisciplinés et de gommes volantes, qui ne ressemblait en rien à celle de l'année précédente, ni à ce que Craig avait pu connaître. Ce cirque était en partie lié à une institutrice incapable de s'imposer – et qui n'aimait sans doute pas beaucoup les enfants. J'ajouterai que l'incompétence de cette enseignante ne préoccupait visiblement personne. Les élèves en profitaient naturellement pour chahuter. De son côté, l'institutrice estimait que nous étions une classe de « sales gosses », alors que nous manquions simplement d'un véritable encadrement et avions été relégués, de surcroît, dans une salle de classe sinistre, mal éclairée, au sous-sol de l'école. Chaque heure y était aussi cauchemardesque qu'interminable. J'étais assise, malheureuse comme les pierres à mon pupitre, sur ma chaise vert vomi – la couleur officielle des années 1970 –, je n'apprenais rien et attendais la pause de midi pour rentrer chez moi me plaindre à ma mère.

Petite, quand j'étais en colère, c'est presque toujours auprès de ma mère que je m'épanchais. Elle m'a écoutée tranquillement fulminer à propos de ma nouvelle maîtresse, ponctuant mes propos de « Oh là là ! » ou de « Oh, vraiment ? ». Si elle n'encourageait jamais mon indignation, elle prenait mon exaspération très au sérieux. Une autre mère aurait pu simplement se montrer conciliante et dire : « Serre les dents et fais de ton mieux. » Mais ma mère savait faire la différence. Elle savait faire la différence entre les pleurnicheries et une vraie détresse. Sans rien me dire, elle s'est rendue à l'école et s'est engagée en coulisse dans une opération de lobbying qui a duré plusieurs semaines, et m'a permis, avec deux autres enfants qui obtenaient de bons résultats, d'être discrètement exfiltrée de cette classe, soumise à une batterie d'examens et réinstallée définitivement, une semaine plus tard, à l'étage lumineux et discipliné des CE2, sous la houlette d'une institutrice souriante et posée qui connaissait son métier.

C'était un petit ajustement, mais il a transformé ma vie. Sur le coup, je n'ai pas pris le temps de me demander ce qu'allaient devenir tous les enfants restés au sous-sol avec la maîtresse incompétente. Maintenant que je suis adulte, je sais que les enfants sont parfaitement conscients, dès leur plus jeune âge, qu'on les déprécie, que les adultes ne s'investissent pas suffisamment pour les aider à apprendre. La colère que ce désintérêt leur inspire peut se traduire par de l'indiscipline. Ce n'est vraiment pas leur faute. Ce ne sont pas de « sales gosses ». Ils essaient seulement de survivre à une situation difficile. Sur le moment, j'étais simplement soulagée d'avoir réussi à m'échapper. J'apprendrais bien des années plus tard que ma mère, pleine d'esprit et discrète de nature, mais qui est aussi la personne la plus directe qu'on puisse imaginer, avait pris la peine d'aller voir l'institutrice de CE1 pour lui dire, le plus gentiment possible, que l'enseignement n'était pas fait pour elle et qu'elle ferait mieux de se chercher un emploi de caissière au supermarché.

L E TEMPS PASSANT, ma mère s'est mise à m'encourager à sortir et à fréquenter les enfants du quartier. Elle espérait que j'apprendrais, comme mon frère, à m'intégrer en douceur. Craig, comme je l'ai déjà dit, avait l'art de faire passer pour faciles les choses difficiles. Vers cette période, ce garçon fougueux et agile, qui poussait comme un champignon, commençait à faire sensation sur le terrain de basket. Mon père l'incitait à participer aux compétitions les plus ardues. Plus tard, il l'enverrait tout seul à l'autre bout de la ville pour jouer avec les gamins les plus forts. Mais, pour le moment, il le laissait se colleter avec les jeunes talents du voisinage. Craig prenait son ballon et traversait la rue pour gagner Rosenblum Park, passant devant les balançoires et la cage à écureuil que j'aimais tant avant de franchir une ligne invisible et de disparaître à travers un voile d'arbres au fond du parc, où se situait le terrain de basket. Pour moi, l'espace qui s'étendait là-bas était un gouffre, une forêt mythique et ténébreuse, peuplée d'ivrognes et de truands qui se livraient à des activités louches. Mais Craig, dès qu'il a commencé à se rendre régulièrement dans cette partie du parc, s'est employé à me faire changer d'avis, m'assurant qu'aucune des personnes qui s'y trouvaient n'était aussi terrifiante que je l'imaginais.

Le basket a permis à mon frère de faire tomber toutes les barrières. Il lui a appris à aborder des inconnus s'il voulait obtenir une place dans un match improvisé. Il lui a appris à pratiquer une forme édulcorée de déstabilisation verbale – il maîtrisait à la perfection l'art de charrier ses adversaires plus grands et plus rapides que lui sur le terrain. Il lui a appris, aussi, à tordre le cou à un certain nombre de mythes concernant les habitants et les activités du quartier, et à démontrer – ce qui était depuis longtemps un des credo de mon père – que la plupart des gens sont sympas pourvu qu'on soit sympa avec eux. Même les types débraillés qui traînaient devant le magasin d'alcool du coin faisaient de grands sourires dès qu'ils apercevaient Craig, l'appelaient par son nom et lui tendaient la main pour un *high-five* quand nous passions devant eux.

« Comment tu les connais ? demandais-je, étonnée.

– Je sais pas. Ils me connaissent, c'est tout », répondait-il en haussant les épaules.

J'avais 10 ans quand j'ai fini par être suffisamment confiante pour m'aventurer dehors, au terme d'une évolution dictée en grande partie par l'ennui. C'était l'été et il n'y avait pas classe. Nous prenions le car tous les jours, Craig et moi, pour rejoindre un centre aéré géré par la municipalité dans un parc au bord du lac Michigan, mais nous étions de retour à 16 heures et il restait de nombreuses heures à occuper avant la fin de la journée. Je commençais à me désintéresser de mes poupées et, en fin d'après-midi, il faisait une chaleur infernale dans notre appartement sans climatisation. J'ai donc commencé à suivre Craig dans le quartier et à rencontrer les enfants que je n'avais pas croisés à l'école. De l'autre côté de la ruelle qui passait derrière notre maison se trouvait un tout petit lotissement appelé Euclid Parkway, où une quinzaine de logements avaient été construits autour d'un espace vert collectif. C'était une sorte de paradis, sans voitures et rempli de gamins qui jouaient au softball, faisaient de la corde à sauter ou restaient assis sur les perrons à passer le temps. Pour être acceptée par le groupe de filles de mon âge qui traînaient au Parkway, je devais subir une sorte d'examen de passage. Il s'est présenté sous les traits de DeeDee, une fille qui fréquentait une école catholique voisine. DeeDee était sportive et jolie, mais elle boudait à longueur de journée et levait sans cesse les yeux au ciel. Elle passait une grande partie de son temps assise sur le perron de sa maison, en compagnie d'une autre fille, plus populaire qu'elle, qui s'appelait Deneen.

Deneen était sympa avec moi, mais, j'ignore pourquoi, j'avais l'impression que DeeDee m'avait prise en grippe. Chaque fois que j'allais à Euclid Parkway, elle faisait à voix basse des remarques cinglantes, comme si ma simple présence suffisait à gâcher la journée de tout le monde. L'été avançant, les vacheries de Dee-Dee sont devenues de plus en plus audibles. Ça commençait à me porter sur le moral. Mais j'ai compris que j'avais le choix. Je pouvais continuer à servir de tête de Turc à DeeDee, renoncer à me rendre à Parkway et me résigner à jouer chez moi, ou alors essayer de gagner son respect. Cette dernière possibilité contenait une deuxième alternative : je pouvais tenter de raisonner DeeDee, de l'amadouer par des paroles ou toute autre forme de diplomatie enfantine, ou alors purement et simplement la faire taire.

Quand DeeDee m'a lancé une nouvelle pique, je me suis jetée sur elle, faisant appel à toutes les techniques de boxe enseignées par mon père. Nous avons roulé par terre, poings battant l'air, jambes dans tous les sens. Immédiatement, les gamins d'Euclid Parkway se sont tous massés autour de nous, galvanisés et hurlant avec férocité. Je ne sais plus qui a fini par nous séparer, Deneen peut-être, ou bien mon frère, ou encore un parent appelé sur les lieux. Quoi qu'il en soit, une fois l'affaire réglée, j'étais en quelque sorte baptisée. J'étais devenue officiellement membre de la tribu du quartier. DeeDee et moi étions indemnes, couvertes de poussière et pantelantes, condamnées à n'être jamais de vraies amies – mais, au moins, j'avais gagné son respect.

L A BUICK DE MON PÈRE demeurait notre abri, notre fenêtre sur le monde. Nous la prenions le dimanche et les soirs d'été, allant faire un tour pour l'unique raison que nous pouvions le faire. Nous nous rendions parfois dans un quartier du Sud, un endroit qu'on appelait Pill Hill, la « colline aux comprimés », en raison du grand nombre de médecins afro-américains qui y étaient établis. C'était un des coins les plus beaux, les plus huppés du South Side : ici, les gens avaient deux voitures rangées dans leurs allées et des massifs de fleurs luxuriants bordaient le sentier menant à leur porte.

Mon père considérait les riches avec une certaine méfiance. Il n'aimait pas les gens prétentieux et les propriétaires lui inspiraient des sentiments ambivalents. Pendant une brève période, ma mère et lui ont envisagé d'acheter une maison pas très loin de celle de Robbie. Ils sont même allés la visiter avec un agent immobilier avant de renoncer à ce projet. Sur le moment, j'avais été emballée. L'idée que ma famille puisse habiter un logement de plusieurs étages m'enthousiasmait. Mais mon père était d'une prudence innée ; il était conscient qu'il y avait des contreparties et qu'il était plus sûr d'avoir un peu d'argent de côté pour les mauvais jours. « Il n'y a rien de bon à être un propriétaire suren-detté », nous disait-il, nous expliquant que certains dépensaient toutes leurs économies et empruntaient trop, se retrouvant avec une jolie maison, certes, mais au prix de leur liberté.

Mes parents nous parlaient comme à des adultes. Ils ne nous sermonnaient pas, mais prenaient la peine de répondre à toutes nos questions, même puériles. Ils n'expédiaient jamais une dis-cussion par facilité. Craig et moi ne manquions pas une occasion de cuisiner nos parents sur des choses que nous ne comprenions pas, et nos conversations pouvaient durer des heures. Nous leur demandions : « Pourquoi est-ce que les gens vont aux toilettes ? » ou « Pourquoi faut-il avoir un métier ? », avant de les bombarder de questions supplémentaires. J'ai remporté une de mes pre-mières victoires socratiques grâce à une question dictée par un intérêt purement personnel : « Pourquoi est-ce qu'on doit manger des œufs au petit déjeuner ? » Ce qui a entraîné un débat sur les besoins alimentaires en protéines, ce qui m'a conduite à deman-der pourquoi le beurre de cacahuète ne pouvait pas compter comme des protéines, ce qui finalement, après un long débat, a persuadé ma mère de revoir sa position sur les œufs, que je n'avais jamais aimé prendre le matin. Pendant les neuf ans qui ont suivi, avec la satisfaction de l'avoir bien mérité, je me suis préparé tous les matins une grosse tartine de beurre de cacahuète et de confiture pour le petit déjeuner et je n'ai plus jamais avalé un seul œuf.

Quand nous avons été plus grands, nos conversations ont porté sur la drogue, le sexe et les choix de vie, les questions de race, les inégalités et la politique. Mes parents ne s'attendaient pas à ce que nous soyons des saints. Mon père, je m'en souviens, a tenu à nous dire que les relations sexuelles étaient, et devaient être, un truc sympa. Ils n'ont jamais cherché à édulcorer ce qu'ils considéraient comme les dures réalités de la vie. Un été, par exemple, Craig avait reçu un nouveau vélo qu'il avait enfourché pour aller au lac Michigan, à l'est, sur le sentier pavé qui longeait Rainbow Beach, où l'on pouvait sentir la brise qui venait de l'eau. Il n'avait pas tardé à se faire arrêter par un agent de police qui l'avait accusé de vol, n'envisageant pas une seconde qu'un jeune Noir ait pu se procurer un vélo neuf par des moyens honnêtes (l'agent, lui-même afro-américain, s'est ensuite fait passer un sacré savon par ma mère, qui l'a obligé à présenter ses excuses à Craig). Cet incident, nous ont expliqué mes parents, était injuste, mais malheureusement fréquent. La couleur de notre peau nous rendait vulnérables. Nous devrions faire avec durant toute notre vie.

Si mon père nous emmenait souvent à Pill Hill, c'était un peu, je crois, pour exciter notre ambition, pour nous montrer les fruits que pouvait porter une bonne éducation. Mes parents, qui avaient passé presque toute leur vie à Chicago, dans un périmètre de quelques kilomètres carrés, n'envisageaient pas que nous en restions là, Craig et moi. Avant de se marier, ils s'étaient inscrits tous les deux à un premier cycle universitaire, dont ils avaient décroché bien avant d'obtenir le moindre diplôme. Ma mère avait entrepris des études pour devenir institutrice avant de comprendre qu'elle préférait être secrétaire. Mon père avait tout bonnement manqué d'argent pour payer ses frais de scolarité et s'était engagé dans l'armée. Il n'avait personne dans sa famille qui ait pu le convaincre de reprendre ses études, aucun modèle dans son entourage susceptible de lui montrer une autre voie possible. Il a donc passé deux ans à l'armée, allant d'une base militaire à une autre. S'il avait rêvé de terminer ses études supérieures et de devenir artiste, il a rapidement revu ses aspirations, employant son salaire pour permettre à son petit frère de passer un diplôme d'architecture.

À l'approche de la quarantaine, mon père n'avait qu'une idée en tête : faire des économies pour nous, ses enfants. Notre famille ne serait jamais surendettée par l'acquisition d'une maison, pour la bonne raison que nous n'aurions jamais de maison. Mon père adoptait une approche pragmatique. Il était conscient que nos ressources, et peut-être aussi son temps, étaient limités. Désormais, quand il ne conduisait pas, il marchait avec une canne. Avant la fin de ma scolarité à l'école élémentaire, la canne serait remplacée par une béquille, et peu après par deux béquilles. Quel que fût le mal qui rongeait mon père, atrophiant ses muscles et dénudant ses nerfs, il l'envisageait comme un défi personnel, une épreuve qu'il devait endurer en silence.

Notre famille s'autorisait tout de même quelques modestes folies. Quand nos bulletins scolaires arrivaient, nos parents fêtaient cela en commandant une pizza chez Italian Fiesta, notre restaurant préféré. Quand il faisait chaud, nous achetions de la glace en vrac – un pot de glace au chocolat, un pot au beurre de noix de pécan et un pot de cerise noire – et nous la faisions durer pendant plusieurs jours. Tous les ans, à l'occasion du meeting aérien de l'Air and Water Show, nous préparions un pique-nique et longions la rive nord du lac Michigan jusqu'à la péninsule entourée d'une clôture où se trouvait l'usine de traitement des eaux usées où travaillait mon père. C'était l'un des rares jours où les familles des employés étaient autorisées à franchir les grilles pour s'installer sur une jolie pelouse surplombant le lac, d'où la vue des avions de chasse qui piquaient en formation au-dessus de l'eau n'avait rien à envier à celle qu'on avait depuis les appartements en attique de Lake Shore Drive.

Chaque année en juillet, mon père prenait une semaine de vacances ; il cessait d'entretenir les chaudières de l'usine et nous nous entassions à sept dans la Buick à deux portes, avec une tante et deux cousins, pour un trajet de plusieurs heures. Nous sortions de Chicago par le Skyway, contournions l'extrémité sud du lac Michigan et roulions jusqu'à White Cloud, dans le Michigan, pour rejoindre un centre de vacances appelé Dukes Happy Holiday Resort. Il y avait une salle de jeux, un distributeur de boissons gazeuses dans des bouteilles de verre et, ce que nous appréciions le plus, une grande piscine extérieure. Nous louions un bungalow avec une kitchenette et nous passions nos journées dans l'eau.

Mes parents faisaient des barbecues, fumaient des cigarettes et jouaient aux cartes avec ma tante, mais mon père passait aussi beaucoup de temps à la piscine avec nous. Il était beau, papa, avec sa moustache dont les pointes, tombant aux commissures des lèvres, dessinaient comme une faux. Il arborait un torse et des bras robustes, musclés, vestiges du grand sportif qu'il avait été. Pendant ces longs après-midi à la piscine, il barbotait, riait et nous faisait sauter en l'air, ses jambes diminuées l'affectant moins que d'ordinaire.

LE DÉCLIN EST DIFFICILE À MESURER, surtout quand il touche votre environnement immédiat. Année après année, en septembre, quand Craig et moi retournions à Bryn Mawr, nous voyions moins d'enfants blancs dans la cour. Certains s'étaient inscrits à l'école catholique voisine, mais beaucoup avaient purement et simplement quitté le quartier. Si, au début, on a pu avoir l'impression que seules les familles blanches partaient, cela n'a pas duré. En fait, tous ceux, ou presque, qui avaient les moyens de s'en aller le faisaient. Généralement, ces départs n'étaient ni annoncés ni expliqués. Nous apercevions un panneau « À vendre » devant la maison des Yacker, ou un camion de déménagement devant celle de Teddy, et nous comprenions.

Ma mère a vraiment accusé le coup le jour où son amie Velma Stewart lui a appris que son mari et elle avaient versé un acompte pour une maison dans une banlieue appelée Park Forest. Les Stewart avaient deux enfants et habitaient un peu plus bas sur Euclid Avenue. Comme nous, ils vivaient en appartement. Mme Stewart avait un humour mordant et un rire sonore qui lui avaient immédiatement valu la sympathie de ma mère. Elles échangeaient des recettes et se voyaient souvent sans jamais se complaire, à la différence d'autres mères, dans les ragots de voisinage. Le fils de Mme Stewart, Donny, avait le même âge que Craig et était tout aussi sportif, ce qui les avait vite rapprochés. Sa fille, Pamela, était déjà adolescente et ne s'intéressait pas beaucoup à moi, alors que, à mes yeux, toutes les adolescentes étaient des créatures captivantes. Je ne garde pas beaucoup de souvenirs de M. Stewart, sinon qu'il conduisait un camion de livraison pour une des grandes boulangeries industrielles de la ville et que lui-même, sa femme et leurs enfants étaient plus clairs de peau que tous les Noirs que j'avais rencontrés jusqu'alors.

Comment avaient-ils pu se permettre d'acheter une maison en banlieue ? Je n'en avais pas la moindre idée. Park Forest avait été l'un des tout premiers ensembles d'habitation d'Amérique à faire l'objet d'une véritable planification urbaine. Ce n'était pas un simple quartier résidentiel, mais un vrai village voué à accueillir quelque 30 000 habitants, avec des centres commerciaux, des églises, des écoles et des parcs. Fondé en 1948, ce quartier était destiné, à maints égards, à être le parangon de la vie de banlieue, avec des maisons préfabriquées et des jardins absolument identiques. On avait aussi prévu des quotas pour limiter le nombre de familles noires autorisées à vivre dans tel ou tel pâté de maisons.

Apparemment, ils avaient été supprimés au moment où les Stewart avaient emménagé.

Peu après leur installation, les Stewart nous ont invités à aller leur rendre visite un jour où mon père était en congé. Nous étions fous de joie. Pour nous, c'était une nouvelle aventure, l'occasion de voir une de ces banlieues légendaires. À quatre dans la Buick, nous avons pris l'autoroute vers le sud et sommes sortis de Chicago pour nous retrouver une quarantaine de minutes plus tard près d'un centre commercial assez sinistre, avant de serpenter dans un lacis de rues paisibles, suivant les instructions de Mme Stewart, bifurquant entre des pâtés de maisons toutes identiques. Park Forest était une sorte de ville miniature de pavillons – des maisons modestes de style ranch avec des bardeaux d'un gris doux, des arbustes récemment plantés et des buissons devant.

« Quelle idée d'aller habiter aussi loin ! » s'était étonné mon père, penché au-dessus du tableau de bord. J'étais d'accord avec lui, ça me paraissait ridicule. D'après ce que je voyais, il n'y avait aucun arbre aussi grand que le chêne géant sur lequel donnait la fenêtre de ma chambre. À Park Forest, tout était neuf, vaste et presque vide. Il n'y avait pas de magasin d'alcool devant lequel traînaient des types débraillés. Pas de klaxons, pas de sirènes. Pas de flots de musique s'échappant d'une cuisine. Les fenêtres des maisons demeuraient toutes fermées.

Craig conserverait de cette visite un souvenir paradisiaque, essentiellement parce qu'il avait passé la journée à jouer au ballon sur les terrains dégagés du quartier avec Donny Stewart et sa nouvelle bande de copains banlieusards. Mes parents étaient ravis d'échanger des nouvelles avec M. et Mme Stewart, pendant que je suivais Pamela comme un petit chien, bouche bée devant ses cheveux, son teint clair et ses bijoux d'ado.

Ce n'est que le soir venu que nous avons pris congé. Après avoir fait nos adieux aux Stewart, nous avons marché dans l'obscurité jusqu'au trottoir où mon père avait rangé l'auto. Craig était en nage, éreinté après avoir couru comme un dératé. J'étais fatiguée, moi aussi, et j'avais envie de rentrer chez nous. Quelque chose dans cet environnement m'avait porté sur les nerfs. Je n'aimais pas beaucoup les banlieues, mais j'aurais été incapable de dire pourquoi.

Plus tard, ma mère ferait une remarque sur les Stewart et leur nouveau quartier, après avoir constaté que presque tous les habitants de leur rue étaient blancs.

« Je me demande si leurs voisins s'étaient rendu compte qu'ils sont noirs avant notre visite. »

Elle craignait que nous ne les ayons trahis sans le vouloir, en débarquant tout droit du South Side avec un cadeau de pendaison de crémaillère et notre peau noire, si voyante. Même si les Stewart ne cherchaient pas délibérément à dissimuler leur origine, ils n'avaient certainement pas abordé le sujet avec leurs nouveaux voisins. Quelle qu'ait pu être l'atmosphère qui régnait dans leur rue, ils ne l'avaient pas troublée ouvertement. Pas avant notre visite, du moins.

Quelqu'un regardait-il par une fenêtre quand mon père s'est approché de notre voiture ce soir-là ? Y avait-il une ombre tapie derrière un rideau, dévorée de curiosité ? Je ne le saurai jamais. Je me rappelle seulement le raidissement soudain de mon père quand il a atteint la portière du conducteur. Quelqu'un avait rayé le flanc de sa Buick adorée, une vilaine éraflure qui barrait la portière et se prolongeait sur l'arrière de la voiture. Elle avait été faite avec une clé ou une pierre, et n'avait rien d'accidentel.

J'ai dit plus haut que mon père savait encaisser, qu'il ne se plaignait jamais de rien, qu'il mangeait du foie avec le sourire quand on lui en servait et qu'il avait continué à vivre comme si de rien n'était après que son médecin lui avait fait part d'un diagnostic qui ne laissait aucun doute quant à l'issue de sa maladie. L'incident de la voiture n'a pas dérogé à la règle. Même s'il avait pu répliquer, s'il avait disposé d'une portière à bosseler en réponse, mon père n'aurait jamais cédé.

« Et merde ! » a-t-il tonné avant de déverrouiller la portière.

Nous avons regagné la ville ce soir-là sans vraiment discuter de ce qui s'était passé. Il aurait peut-être été trop éprouvant d'épiloguer. Quoi qu'il en soit, nous en avions tous notre compte, de la banlieue. Mon père a certainement été obligé de prendre sa voiture dans l'état où elle était pour aller travailler le lendemain, et je suis sûre que ça lui a coûté. Mais la griffure du chrome a vite disparu. Dès qu'il en a eu le temps, il a conduit sa voiture chez le carrossier de Sears et l'a fait arranger.

3

Un beau jour, mon frère, qui avait toujours été l'image même de la décontraction, a commencé à se tracasser pour tout et n'importe quoi. Je ne sais plus très bien quand ni pourquoi ça l'a pris, mais Craig – celui dont les apparitions dans le quartier étaient accueillies avec force *high-fives* et quoi-de-neuf-mec, et qui piquait du nez n'importe où comme un bienheureux dès qu'il avait dix minutes devant lui – est devenu plus nerveux et plus vigilant à la maison, convaincu qu'une catastrophe s'apprêtait à fondre insidieusement sur nous. Le soir, dans notre appartement, il se préparait à tous les cas de figure et passait en revue des hypothèses que nous trouvions pour le moins bizarres. Angoissé à l'idée de perdre la vue, il s'est mis à se bander les yeux pour apprendre à se repérer au toucher au salon et à la cuisine. Angoissé à l'idée de perdre l'ouïe, il a commencé à apprendre le langage des signes. Apparemment, il risquait aussi l'amputation, ce qui l'a conduit à prendre un certain nombre de repas et à faire ses devoirs le bras droit attaché dans le dos. Parce qu'on ne sait jamais.

La pire peur de Craig était aussi probablement la moins illusoire. C'était le feu. Les incendies étaient fréquents à Chicago, en partie à cause des propriétaires peu scrupuleux qui n'entretenaient pas leurs immeubles et n'étaient que trop heureux de toucher l'argent de l'assurance en cas de sinistre, et en partie à cause des détecteurs de fumée domestiques d'invention relativement récente et qui étaient encore chers pour les foyers modestes. Quoi qu'il en soit, dans notre ville au tissu urbain très dense, les incendies constituaient un fait divers presque ordinaire, qui dévorait de façon aléatoire mais obstinée les logis et les cœurs. Mon grand-père Southside était venu s'installer dans notre quartier après que sa vieille maison du West Side avait brûlé, heureusement sans faire de blessé. (D'après ma mère, Southside s'était tenu sur le trottoir devant sa maison en flammes, hurlant aux pompiers de ne pas noyer ses précieux disques de jazz.) Plus récemment, lors d'une tragédie presque trop démesurée pour que mon jeune esprit puisse l'assimiler, un de mes camarades de CM2 – un grand Afro-Américain au visage doux qui s'appelait Lester McCullom et habitait à l'angle de notre rue dans une maison mitoyenne donnant sur la 74e rue – avait péri dans un incendie qui avait également coûté la vie à son frère et à sa sœur, prisonniers comme lui des flammes dans leurs chambres, à l'étage.

Leur veillée mortuaire avait été la première de ma vie ; tous les gamins du quartier rassemblés, en larmes, au centre funéraire pendant qu'un disque des Jackson 5 passait doucement en fond sonore ; les adultes abasourdis, muets ; aucune prière, aucune banalité susceptible de remplir le vide. Trois cercueils fermés occupaient l'avant de la salle, chacun orné d'une photo encadrée d'un enfant souriant. Mme McCullom, qui avait réussi à échapper à l'incendie avec son mari en sautant par une fenêtre, était assise en face d'eux, effondrée, brisée au point qu'on avait mal rien qu'à la regarder.

Pendant des jours, le squelette de la maison incendiée des McCullom a continué à siffler et à s'affaisser sur lui-même, mettant bien plus longtemps à mourir que ses jeunes occupants. L'odeur de fumée s'attardait, pesante, sur tout le quartier.

Le temps n'a fait qu'accroître les angoisses de Craig. À l'école, les enseignants nous avaient fait faire des exercices d'évacuation, et nous avions patiemment écouté leurs consignes – s'immobiliser immédiatement, se laisser tomber au sol et rouler pour essayer d'éteindre les flammes. Après cette formation, Craig a jugé indispensable de renforcer nos mesures de sécurité familiales. Il s'est proclamé capitaine des pompiers et m'a nommée lieutenant. Nous devions être prêts à dégager des issues au cours des exercices ou à donner les bonnes consignes à nos parents. Nous étions moins convaincus du risque d'incendie que de la nécessité de savoir y faire face le cas échéant. Principe de précaution. Dans la famille, nous n'étions pas seulement ponctuels : nous arrivions toujours en avance partout, conscients que cela rendait mon père moins vulnérable, en lui évitant d'avoir à s'inquiéter à l'idée de devoir trouver la place de parking qui lui épargnerait une longue marche, ou un siège accessible dans les gradins lors des matchs de basket de Craig. Le principe était le suivant : dans la vie, il faut maîtriser tout ce qu'on peut maîtriser.

Voilà pourquoi, enfants, nous passions en revue toutes les possibilités d'évacuation, cherchant à évaluer s'il était envisageable en cas d'incendie de sauter depuis une fenêtre sur le chêne qui poussait devant chez nous ou de rejoindre le toit d'une maison voisine. Nous imaginions ce qui se passerait si l'huile de la friteuse s'enflammait, si un court-circuit mettait le feu à la cave ou si la foudre tombait sur la maison. En cas d'urgence, nous ne nous faisions pas trop de bile pour notre mère. Petite et agile, elle faisait partie de ces gens qui, moyennant une bonne décharge d'adrénaline, arrivent à dégager un bébé coincé sous une voiture à la force de leurs bras. Il était plus difficile d'évoquer l'infirmité de papa – il ne faisait pas de doute, même si nous n'en parlions pas, qu'il lui serait impossible de sauter par une fenêtre, lui que nous n'avions plus vu courir depuis des années.

En cas de drame, notre sauvetage ne ressemblerait en rien à ceux que nous voyions à la télé dans les films familiaux que nous regardions après l'école. Il ne fallait pas compter sur notre père pour nous jeter sur son épaule avec une grâce herculéenne et nous conduire en lieu sûr. Si quelqu'un devait s'en charger, ça ne pourrait être que Craig, qui serait un jour plus grand que notre père, mais qui était encore un gamin aux épaules étroites et aux jambes filiformes, et qui n'ignorait pas que tout acte héroïque de sa part exigerait un minimum d'entraînement. Raison pour laquelle, lors de nos exercices d'évacuation, il s'est mis à envisager les pires scénarios possibles, ordonnant à mon père de s'allonger au sol et d'y rester, aussi inerte et pesant qu'un sac, comme s'il s'était évanoui, à moitié asphyxié.

« Oh, mon Dieu ! soupirait papa en secouant la tête. Tu vas pas vraiment faire ça ? »

Mon père n'était pas habitué à être impotent. Il menait toute sa vie au mépris de cette perspective, entretenant soigneusement notre voiture, réglant les factures à temps, n'évoquant jamais les progrès de sa sclérose en plaques et ne manquant jamais une journée de travail. Mon père aimait au contraire être le roc qui servait d'appui aux autres. Ce qu'il ne pouvait pas faire physiquement, il le remplaçait par des conseils et un soutien affectif et intellectuel, ce qui explique l'intérêt qu'il portait à sa mission de chef de circonscription pour le Parti démocrate de la ville. Cela faisait des années qu'il occupait ce poste, en partie parce qu'on attendait plus ou moins des employés municipaux qu'ils soient également de bons et loyaux serviteurs de la machine du parti. Même s'il le faisait un peu par obligation, mon père adorait ce travail, ce qui déconcertait ma mère : elle ne comprenait pas qu'il puisse y consacrer autant de temps. Le week-end, il allait rendre visite aux électeurs d'un quartier voisin, m'emmenant souvent avec lui malgré mes réticences. Nous garions la Buick et longions les rues bordées de modestes pavillons. Lorsque nous nous présentions sur un seuil, une veuve voûtée ou un ouvrier bedonnant avec une canette de bière à la main nous dévisageaient à travers la moustiquaire. Ces gens étaient souvent ravis de trouver mon père sur le pas de leur porte, tout sourire, appuyé sur sa canne.

« Alors ça, *Fraser* ! s'écriaient-ils. Quelle bonne surprise. Entre, entre ! »

Pour moi, ce n'était jamais une bonne nouvelle. Ça voulait dire que nous allions rester. Ça voulait dire que tout mon samedi après-midi était fichu et que je le passerais coincée sur un canapé qui sentait le moisi ou assise à une table de cuisine devant un 7UP pendant que mon père s'emploierait à répondre à des remarques – des plaintes plutôt – qu'il transmettrait ensuite au conseiller municipal élu responsable de la circonscription. Quand quelqu'un avait des soucis avec l'enlèvement des ordures ou le déneigement, ou était gêné par un nid-de-poule, mon père lui prêtait une oreille attentive. Sa mission était de s'assurer que les gens se sentent entendus par les démocrates – et votent en conséquence aux prochaines élections. À ma grande consternation, il ne bousculait jamais personne. Aux yeux de mon père, le temps était un cadeau que vous faisiez à autrui. Il riait d'un air approbateur devant les photos de petits-enfants adorables, supportait patiemment les ragots et les interminables litanies d'afflictions physiques, et hochait la tête d'un air entendu en écoutant les gens lui exposer leurs difficultés financières. Il serrait les vieilles dames dans ses bras quand nous partions enfin de chez elles, et leur promettait qu'il ferait tout son possible pour les aider – pour régler tous les problèmes qui pouvaient l'être.

Mon père avait foi dans sa propre utilité. Il en faisait un point d'honneur. Ce qui explique que chez nous, pendant nos manœuvres d'évacuation, il n'était pas enchanté de n'être qu'un accessoire passif, même si la crise était purement fictive. Il n'avait pas l'intention, en quelque circonstance que ce soit, d'être un boulet – d'avoir à jouer le rôle du type inconscient par terre. En même temps, au fond de lui-même, il semblait comprendre que c'était important pour nous – pour Craig, surtout. Quand nous lui demandions de s'allonger, il se prêtait au jeu, se laissant tomber d'abord à genoux, puis sur son derrière, avant de s'étendre obligeamment sur le dos, au beau mileu du tapis du salon. Il échangeait des coups d'œil complices avec ma mère, qui trouvait tout ce manège plutôt divertissant. *Ces satanés gamins*, semblait-il vouloir lui dire.

Avec un soupir, il fermait les yeux, attendant de sentir les mains de Craig se crocheter fermement sous ses épaules pour engager son opération de sauvetage. Ma mère et moi regardions alors mon frère traîner à reculons, non sans peine et non sans une certaine maladresse, les soixante-quinze kilos de poids mort paternel à travers le brasier imaginaire qui faisait rage dans son esprit préadolescent, remorquant mon père sur le plancher, contournant le canapé et atteignant enfin la cage d'escalier.

De là, Craig imaginait qu'il pourrait sans doute le faire glisser jusqu'au pied des marches avant de lui faire franchir la porte latérale et de le conduire en sécurité. Mais mon père refusait systématiquement de répéter cette partie du scénario ; il disait gentiment à mon frère : « Ça suffit, maintenant », et exigeait de se relever avant que Craig n'ait pu le trimbaler dans l'escalier. Il n'empêche que, entre le petit homme et l'homme adulte, les choses étaient claires. Rien ne serait facile s'il fallait en arriver là, et rien ne garantissait, évidemment, qu'un seul d'entre nous en réchapperait. Mais si le pire devait se produire, au moins, nous avions un plan.

PEU À PEU, JE DEVENAIS plus ouverte et plus sociable, j'acceptais plus facilement le chaos du vaste monde. Ma résistance naturelle à la pagaille et à la spontanéité avait été quelque peu émoussée par toutes ces heures passées à suivre mon père à travers la circonscription, sans compter les autres sorties le week-end, les visites à nos dizaines de tantes, d'oncles et de cousins, au cours desquelles nous restions assis au milieu d'épais nuages de fumée de barbecue dans le jardin d'untel, ou courions avec les enfants du voisinage dans un quartier qui n'était pas le nôtre.

Ma mère venait d'une famille de sept enfants. Mon père était l'aîné de cinq. Les proches de ma mère aimaient se retrouver chez Southside, juste au coin de la rue – attirés par la cuisine de mon grand-père, les interminables parties de whist et les accents exubérants du jazz. Southside était comme un aimant pour nous tous. Il n'éprouvait que méfiance envers le monde qui s'étendait au-delà de son jardin – se souciant principalement de la sécurité et du bien-être de chacun –, ce qui l'incitait à mettre toute son énergie à créer un environnement où nous savions que nous mangerions toujours à notre faim et nous amuserions bien, sans doute dans l'espoir que nous ne chercherions jamais à nous en éloigner. Il m'a même offert un chien, un adorable bâtard de berger couleur cannelle que nous avons baptisé Rex. Ma mère ayant mis son veto, Rex n'habitait pas chez nous, mais j'allais le voir chez Southside quand je voulais ; je me couchais par terre, le nez dans son doux pelage, et écoutais sa queue battre le sol de contentement chaque fois que Southside passait. Southside gâtait ce chien comme il me gâtait : il nous gavait de nourriture, d'amour et de tolérance, affermissant ainsi la prière muette et grave qu'il nous adressait de ne jamais le quitter.

La famille de mon père, quant à elle, était dispersée à travers tout le South Side de Chicago et comprenait une tripotée de grand-tantes et de cousins éloignés, sans compter une poignée de proches dont les liens de parenté avec le reste de la famille demeuraient nébuleux. Nous gravitions autour de tous ces gens. Je devinais silencieusement où nous allions au nombre d'arbres que je voyais dans la rue. Dans les quartiers les plus pauvres, il n'y en avait souvent pas un seul. Pour mon père, tout le monde était de la famille. Son visage s'illuminait quand il apercevait son oncle Calio, un petit homme maigre aux cheveux ondulés qui ressemblait à Sammy Davis Jr et était presque toujours ivre. Il adorait sa tante Verdelle, qui habitait avec ses huit enfants un immeuble délabré près du Dan Ryan Expressway, dans un quartier où, comme nous l'avions compris, Craig et moi, les règles de survie étaient très différentes.

Le dimanche après-midi, nous prenions habituellement la voiture tous les quatre et roulions dix minutes jusqu'à Parkway Gardens, où nous dînions avec les parents de mon père, que nous appelions Dandy et Grandma, et ses trois cadets, Andrew, Carleton et Francesca. Ils étaient nés plus de dix ans après mon père, et nous les considérions donc plus comme des frères et sœur que comme des oncles et tante. Mon père, à mes yeux, se conduisait du reste davantage en père qu'en frère avec eux, leur prodiguant des conseils et leur glissant de l'argent quand ils en avaient besoin. Francesca, belle et intelligente, me laissait parfois brosser sa longue chevelure. Andrew et Carleton avaient une petite vingtaine d'années et étaient archi-branchés. Ils portaient des pattes d'éléphant et des cols roulés. Ils avaient des blousons de cuir, des petites copines, et parlaient de choses comme Malcolm X et le *soul power*. Craig et moi passions des heures dans leur chambre au fond de l'appartement, à essayer d'absorber un peu de leur coolitude.

Mon grand-père, qui s'appelait Fraser Robinson comme mon père, était nettement moins drôle. C'était un patriarche fumeur de cigares qui passait son temps assis dans son fauteuil relax, un journal ouvert sur les genoux pendant que les infos du soir mugissaient à la télé. Son attitude était à cent lieues de celle de mon père. Pour Dandy, tout était source d'exaspération. Il était ulcéré par les gros titres du jour, par la situation du monde dépeinte à la télé, par les jeunes Noirs du quartier, qu'il appelait des « freluquets » et qui, d'après lui, ne faisaient rien que traîner et entachaient la réputation de tous les Noirs. Il pestait contre la télévision. Il pestait contre ma grand-mère, une femme douce, fervente chrétienne, qui n'élevait jamais la voix et s'appelait LaVaughn. (Mes parents m'avaient appelée Michelle LaVaughn Robinson en son honneur.) Dans la journée, ma grand-mère tenait avec compétence une librairie biblique prospère dans le Far South Side, mais, pendant les heures qu'elle passait en compagnie de Dandy, elle affichait une docilité qui me laissait perplexe. Elle lui préparait ses repas et essuyait sa litanie de doléances sans rien dire. Malgré mon jeune âge, le silence et la passivité de ma grand-mère dans sa relation avec Dandy avaient quelque chose qui me hérissait.

À en croire ma mère, j'étais le seul membre de la famille à tenir tête à Dandy quand il vociférait. Je l'ai fait régulièrement, depuis ma plus tendre enfance et pendant de longues années, d'abord parce que voir ma grand-mère incapable de se défendre me rendait folle, ensuite parce que tous les autres se taisaient en sa présence, et enfin parce que j'aimais Dandy autant qu'il me déconcertait. Son obstination était un trait de caractère que je reconnaissais chez moi, dont j'avais hérité, sous une forme que j'espérais moins corrosive. Il y avait aussi en lui une douceur dont je décelais de rares lueurs fugaces. Il lui arrivait de me caresser affectueusement le cou quand j'étais assise au pied de son fauteuil. Il souriait quand mon père disait quelque chose de drôle ou qu'un des enfants réussissait à glisser un mot compliqué dans la conversation. Mais, bientôt, une vétille l'agaçait et il recommençait à ronchonner.

« Arrête de t'en prendre à tout le monde, Dandy, lui disais-je. Ne sois pas méchant avec Grandma. » Et j'ajoutais souvent : « Et puis, qu'est-ce qui te met en colère comme ça ? »

La réponse à cette question était à la fois compliquée et simple. Dandy lui-même n'y répondait pas. Il se contentait de hausser les épaules d'un air grincheux et se replongeait dans son journal. De retour chez nous, mes parents essayaient de me donner l'explication que je réclamais.

Originaire du Low Country, la zone littorale de Caroline du Sud, Dandy avait grandi dans le port maritime humide de George-town où des milliers d'esclaves avaient travaillé autrefois dans de vastes plantations, récoltant le riz et l'indigo pour enrichir leurs propriétaires. Né en 1912, mon grand-père était petit-fils d'esclaves, fils d'un ouvrier de filature et l'aîné de dix enfants. Cet enfant vif et intelligent avait été surnommé « le professeur » et avait très tôt nourri l'ambition d'entrer un jour à l'université. Or il n'était pas seulement noir et pauvre ; il avait également atteint la majorité au moment de la Grande Récession. Après le lycée, Dandy était allé travailler dans une scierie, sachant que, s'il restait

à Georgetown, il n'aurait strictement aucune possibilité d'ascension. Quand la scierie a mis la clé sous la porte, il a saisi sa
chance comme beaucoup d'Afro-Américains de sa génération, et
est parti vers le nord, pour Chicago, participant ainsi à ce qu'on
appellerait la Grande Migration, qui a vu 6 millions de Noirs du
Sud aller s'installer dans les grandes villes du Nord en l'espace
de cinq décennies, pour fuir l'oppression raciale et chercher du
travail dans l'industrie.

Si son histoire avait été conforme au rêve américain, Dandy,
arrivé à Chicago au début des années 1930, aurait trouvé un bon
travail en même temps que le chemin de l'université. La réalité
fut malheureusement bien différente. Les emplois étaient rares, et
leur accès limité par le fait que les patrons de certaines grandes
usines de Chicago embauchaient régulièrement des immigrants
européens plutôt que des ouvriers afro-américains. Dandy a pris
ce qui se présentait. Il a travaillé dans un bowling, où il était
chargé de remettre les quilles en place, et proposé ses services
d'homme à tout faire. Peu à peu, il a revu ses espoirs à la baisse,
renonçant à entreprendre des études supérieures et envisageant
plutôt une formation d'électricien – un projet qui n'a pas tardé à
être contrarié, lui aussi. Pour être recruté comme électricien (ou
comme métallurgiste, menuisier ou plombier) sur l'un des grands
chantiers de Chicago, il fallait avoir sa carte dans un syndicat. Or,
si vous étiez noir, vous n'aviez aucune chance d'en obtenir une.

Cette forme bien particulière de discrimination a pesé sur la destinée de plusieurs générations d'Afro-Américains, dont celle d'un
certain nombre d'hommes de ma famille, en limitant leurs revenus, leurs possibilités et, en définitive, leurs aspirations. En tant que
menuisier, Southside n'avait aucune chance de se faire embaucher
par les grandes entreprises du bâtiment qui offraient un salaire régulier pour d'importants projets de construction, pour la seule raison
qu'il ne pouvait pas adhérer à un syndicat. Mon grand-oncle Terry,
le mari de Robbie, avait renoncé à une carrière de plombier pour
la même raison, et était devenu porteur pour les trains Pullman.
Je pourrais aussi citer l'oncle Pete, du côté de ma mère, qui, se
voyant refuser la carte du syndicat des chauffeurs de taxi, avait été
réduit à conduire un minibus sans licence, allant chercher des clients
qui vivaient dans les quartiers peu sûrs du West Side, où les taxis

n'aimaient pas se rendre. C'étaient des hommes remarquablement intelligents, costauds, à qui on refusait l'accès à des emplois stables et correctement payés, les empêchant ainsi de s'acheter une maison, d'envoyer leurs enfants à l'université ou de mettre de l'argent de côté pour leur retraite. Ils souffraient, je le sais, d'être rejetés, acculés à exercer des emplois pour lesquels ils étaient surqualifiés, de voir des Blancs leur passer constamment devant, et de devoir parfois former de nouveaux salariés en sachant qu'ils deviendraient peut-être un jour leurs patrons. Cette situation faisait naître en eux un fond de ressentiment et de méfiance : vous ne saviez jamais vraiment comment les autres vous considéraient.

Au bout du compte, Dandy s'en est plutôt bien sorti. Il a rencontré ma grand-mère à l'église, dans South Side, et a fini par trouver du travail grâce à la Works Progress Administration, le programme de secours que le gouvernement fédéral avait mis en place et qui embauchait des ouvriers non qualifiés pour des programmes de grands travaux pendant la crise. Il a ensuite été employé des postes pendant trente ans, avant de prendre sa retraite, bénéficiant d'une pension qui lui a permis de passer son temps à pester contre les freluquets qu'il voyait à la télé, confortablement installé dans son fauteuil.

Enfin, il a eu cinq enfants aussi intelligents et disciplinés que lui. Nomenee, le deuxième, est sorti diplômé de la Harvard Business School. Andrew et Carleton sont devenus respectivement conducteur de train et mécanicien. Francesca a travaillé un temps comme directrice artistique d'une agence de publicité avant de devenir institutrice. Pourtant, Dandy n'est jamais parvenu à voir sa réussite dans celle de ses enfants. Comme nous pouvions le constater tous les dimanches en venant dîner à Parkway Gardens, mon grand-père demeurait rongé par l'amer résidu de ses rêves fracassés.

S'IL ÉTAIT DIFFICILE, voire impossible, d'obtenir des réponses aux questions que je posais à Dandy, j'ai rapidement appris que c'était le propre de nombreuses questions. Je commençais moi-même à me trouver face à des questions auxquelles il ne m'était pas facile de répondre. L'une d'elles m'a été posée par une fille dont j'ai oublié le nom – une des cousines éloignées qui jouaient avec nous dans le jardin d'un des pavillons de ma grand-tante, à l'ouest de chez nous, et qui faisait partie du vaste groupe de vagues parents qui débarquaient quand mon père et ma mère venaient faire une petite visite. Pendant que les adultes prenaient le café et riaient à la cuisine, une scène parallèle se déroulait à l'extérieur, où Craig et moi rejoignions la troupe d'enfants. La situation pouvait être embarrassante, car nous cherchions, avec plus ou moins de succès, à établir une camaraderie forcée. Craig s'éclipsait presque toujours pour aller jouer au basket tandis que je faisais de la corde à sauter ou essayais de participer aux activités, quelles qu'elles fussent.

Un jour d'été, je devais avoir une dizaine d'années et j'étais assise sur un perron à bavarder avec un groupe de filles de mon âge. Nous portions toutes des nattes et des shorts, et, dans le fond, nous cherchions simplement à tuer le temps. De quoi parlions-nous ? De choses et d'autres – de l'école, de nos grands frères, d'une fourmilière à nos pieds.

À un moment, une des filles, une de mes cousines au deuxième, troisième ou quatrième degré, m'a jeté un regard en coin et m'a demandé, avec une pointe d'agressivité : « Comment ça se fait, que tu parles comme une Blanche ? »

La question était acerbe, destinée à être insultante ou au moins provocante ; mais, en même temps, elle était sérieuse. Elle touchait du doigt une réalité déroutante pour elle comme pour moi. Nous semblions appartenir à la même famille tout en étant issues de deux mondes différents.

« J'en sais rien », ai-je répondu, l'air scandalisé qu'elle ait pu ne fût-ce qu'énoncer cette suggestion, et mortifiée par les regards que me jetaient à présent les autres filles.

Mais j'avais parfaitement compris ce qu'elle voulait dire. C'était indéniable, même si je venais de le nier. Je m'exprimais en effet autrement que certains membres de ma famille élargie, et Craig aussi. Nos parents nous avaient inculqué l'importance d'une bonne diction, nous avaient appris à prononcer tous les mots sans avaler la moindre syllabe, la moindre lettre. Ils nous avaient acheté un dictionnaire et toute la série des volumes de l'*Encyclopaedia Britannica* qui, avec ses titres gravés en lettres d'or, occupait une étagère dans la cage d'escalier menant à notre appartement. Chaque fois que nous posions une question à propos d'un mot ou d'un concept, ils nous renvoyaient à ces volumes. Dandy nous influençait lui aussi, corrigeant scrupuleusement nos fautes de grammaire ou nous sermonnant pour que nous articulions distinctement quand nous allions dîner chez lui. L'objectif était de nous faire comprendre que nous devions nous surpasser, aller toujours plus loin. Nous n'étions pas censés être simplement intelligents, mais posséder cette intelligence – l'habiter avec orgueil –, ce que reflétait notre élocution.

Cela pouvait toutefois poser des problèmes. Parler d'une façon particulière – comme des « Blancs », auraient dit certains – était perçu comme une trahison, une marque de prétention, une forme de rejet de notre culture. Bien des années plus tard, après avoir rencontré mon mari – un homme clair de peau pour certains et foncé pour d'autres, s'exprimant comme un Hawaïen noir qui a étudié dans une université de l'Ivy League[1] et a été élevé par des gens du Kansas issus de la classe moyenne –, j'ai vu cette perplexité s'afficher sur la scène nationale, aussi bien parmi les Blancs que parmi les Noirs, ce besoin de situer quelqu'un au sein de son ethnicité et la frustration qui naît lorsqu'on a du mal à le faire. L'Amérique poserait à Barack Obama les mêmes questions que celles que ma cousine m'avait posées inconsciemment ce jour-là, sur le perron : Es-tu ce que tu parais être ? Puis-je te faire confiance ?

Pendant le reste de la journée, me sentant rejetée après cette démonstration d'hostilité, j'ai parlé le moins possible à cette cousine, tout en désirant lui montrer que j'étais quelqu'un d'authentique, et non une fille arrogante. Je ne savais pas très bien comment faire. Depuis le jardin, j'entendais les conversations des adultes dans la cuisine voisine, le rire de mes parents, naturel et sonore. Je voyais mon frère transpirer à grosses gouttes, jouant avec une bande de garçons au coin de la rue. Tout le monde paraissait à sa place, sauf moi. Quand je repense aujourd'hui à l'inconfort de cet instant, j'y reconnais la difficulté plus universelle de faire coïncider qui vous êtes avec le lieu d'où vous venez et celui que vous voulez atteindre. Et je me rends compte que j'étais encore loin, très loin, d'avoir trouvé ma voix.

---

1. Littéralement, la « ligue du lierre ». Nom donné à huit grandes universités du nord-est des États-Unis fréquentées par l'élite. L'Ivy League tire son nom du lierre qui recouvre les murs anciens de certaines de ces prestigieuses universités. *(Toutes les notes sont des traductrices.)*

4

À L'ÉCOLE, NOUS AVIONS UNE HEURE DE PAUSE POUR DÉJEUNER. Comme ma mère ne travaillait pas et que nous habitions tout près, je rentrais généralement à la maison avec quatre ou cinq copines. Nous bavardions pendant tout le trajet, impatientes de nous vautrer par terre dans la cuisine pour jouer aux osselets et regarder *All my Children*[1] tandis que maman nous distribuait des sandwiches. Ainsi est née une habitude qui m'a poursuivie toute ma vie : j'ai toujours été entourée d'une bande d'amies intimes, de filles dégourdies – une oasis de sagesse féminine. Avec mes copines de déjeuner, nous discutions de tout ce qui s'était passé à l'école pendant la matinée, des griefs que nous pouvions nourrir contre tel ou tel prof, des devoirs que nous trouvions idiots. Nous nous forgions en général une opinion collégialement. Nous étions folles des Jackson 5, plus réservées sur les Osmond Brothers. La crise du Watergate avait eu lieu, mais nous ne comprenions rien à toute cette histoire – une bande de vieux types qui parlaient dans des micros à Washington, une ville lointaine remplie d'une multitude de bâtiments blancs et d'hommes blancs.

Maman, quant à elle, était ravie de s'occuper de nous. Elle pouvait ainsi se faire une bonne idée de notre petit univers. Pendant que mes copines et moi mangions et papotions, elle traînait généralement dans les parages, silencieuse, se livrant à des tâches ménagères, sans dissimuler qu'elle ne perdait pas un mot de nos conversations. De toute manière, dans ma famille, entassés à quatre

---

1. Feuilleton télévisé très populaire aux États-Unis, diffusé entre 1970 et 2011.

dans un espace vital de moins de 85 mètres carrés, il n'y avait aucune intimité. Craig, qui s'était pris d'un soudain intérêt pour les filles, s'enfermait maintenant dans la salle de bains pour répondre au téléphone, le cordon tirebouchonné étiré de tout son long depuis le socle mural de la cuisine jusqu'au fond du couloir.

Dans le classement des écoles de Chicago, Bryn Mawr se situait quelque part à mi-chemin entre les mauvais et les bons établissements. Dans le quartier de South Shore, la sélection raciale et économique s'est poursuivie tout au long des années 1970, la population scolaire devenant ainsi chaque année un peu plus noire et un peu plus pauvre. La ville avait un temps mis en place un programme qui prévoyait de conduire les enfants en bus dans les écoles d'autres quartiers pour encourager la mixité raciale et sociale. Les parents d'élèves de Bryn Mawr s'y étaient opposés avec succès, faisant valoir que cet argent serait plus judicieusement employé à améliorer les locaux. Enfant, je n'aurais pas su dire si les installations étaient délabrées ni si la quasi-absence d'élèves blancs avait de l'importance. L'école accueillait des enfants depuis l'école maternelle jusqu'à la fin de la quatrième. Quand j'ai atteint les grandes classes, je connaissais donc le moindre interrupteur, tous les tableaux noirs et toutes les fissures du couloir. Je connaissais presque tous les enseignants et la plupart des élèves. À mes yeux, Bryn Mawr était plus ou moins un prolongement de chez moi.

Lorsque je suis entrée en cinquième, le *Chicago Defender*, un hebdomadaire très lu par les Afro-Américains, a publié un article au vitriol affirmant que, en l'espace de quelques années, Bryn Mawr avait connu un terrible déclin. Cet établissement, qui comptait jadis parmi les meilleures écoles publiques de la ville, s'était transformé en « taudis délabré » où régnait une « mentalité de ghetto ». Notre directeur, le Dr Lavizzo, a immédiatement réagi en adressant une lettre au rédacteur en chef, pour défendre ses élèves et leurs parents, affirmant que ce papier était un « odieux tissu de mensonges, qui ne semble destiné qu'à inspirer des sentiments d'échec, et à encourager la fuite ».

Le Dr Lavizzo était un homme rond et jovial dont la coiffure afro dessinait une houppe de part et d'autre de son crâne dégarni, et qui passait le plus clair de son temps dans son bureau, juste à côté de la porte d'entrée du bâtiment. Cette lettre montre bien qu'il comprenait parfaitement ce à quoi il se heurtait. L'échec est un sentiment, bien avant d'être une réalité. C'est le fruit de la combinaison entre la vulnérabilité et le manque de confiance en soi, qu'aggrave ensuite, souvent délibérément, la peur. Les « sentiments d'échec » qu'il mentionnait étaient déjà omniprésents dans mon quartier, sous les traits de parents qui n'arrivaient pas à joindre les deux bouts, de gamins qui commençaient à se dire qu'ils étaient condamnés à mener exactement la même vie que leurs parents, de familles qui voyaient leurs voisins plus aisés déménager en banlieue ou inscrire leurs enfants dans des écoles catholiques. Pendant ce temps, des agents immobiliers rapaces parcouraient South Shore, susurrant à l'oreille des propriétaires qu'ils feraient mieux de vendre avant qu'il ne soit trop tard, qu'ils les aideraient à « partir d'ici tant que c'est possible ». La conclusion tacite étant que l'échec était imminent, qu'il était inévitable, qu'il était déjà en germe. À les écouter, vous pouviez ou bien vous faire prendre au piège de la ruine, ou bien vous échapper. Ils employaient le terme que tout le monde redoutait – « ghetto » – et le laissaient tomber telle une allumette embrasée.

Ma mère n'en croyait pas un mot. Cela faisait déjà dix ans qu'elle habitait South Shore, et elle avait l'intention d'y vivre encore quarante ans. Elle ne prêtait pas l'oreille aux prophètes de malheur, sans céder pour autant à un idéalisme chimérique. C'était une réaliste à tous crins, qui contrôlait ce qu'elle pouvait contrôler.

À Bryn Mawr, elle est devenue un des membres les plus actifs de l'association de parents d'élèves, participant à des collectes de fonds pour renouveler le matériel scolaire, organisant des dîners pour remercier les enseignants et faisant pression pour la création d'une classe spéciale réservée aux élèves les plus doués, quel que fût leur niveau. Le Dr Lavizzo était à l'origine de cette dernière initiative. Il avait passé son doctorat en sciences de l'éducation en suivant des cours du soir et s'était intéressé à une nouvelle théorie qui recommandait de regrouper les élèves en fonction de leurs capacités plutôt que par classe d'âge – en résumé, de mettre les élèves les plus brillants ensemble pour qu'ils puissent apprendre plus rapidement.

Cette idée était controversée. On lui reprochait d'être antidémocratique, comme le sont par définition tous les programmes conçus pour les enfants surdoués ou précoces. Ce mouvement a cependant gagné du terrain dans l'ensemble du pays, ce qui m'a permis d'en bénéficier pendant les trois dernières années que j'ai passées à Bryn Mawr. J'ai rejoint un groupe d'une vingtaine d'élèves de différentes classes, installés dans une salle à part, elle-même à l'écart du reste de l'école. Nous avions nos récréations, notre déjeuner, nos cours de musique et de sport à nous. On nous accordait des autorisations particulières, dont une sortie hebdomadaire dans un centre universitaire où nous pouvions assister à un atelier d'écriture ou disséquer des rats dans un laboratoire de biologie. Dans notre salle, nous travaillions beaucoup en autonomie, définissant nous-mêmes nos objectifs et progressant au rythme qui nous convenait.

Nous avions des enseignants dévoués, d'abord M. Martinez puis M. Bennett, deux Afro-Américains bienveillants et enjoués, qui s'intéressaient vraiment aux élèves et prenaient soin de les écouter. Nous étions conscients que l'école avait parié sur nous, ce qui nous encourageait à redoubler d'efforts tout en nous donnant une meilleure image de nous-mêmes. Ce système d'apprentissage en autonomie a eu pour effet de nourrir mon esprit d'émulation. Je croquais toutes les leçons à belles dents, évaluant secrètement où je me situais par rapport à mes camarades tandis que nous passions de la division à plusieurs chiffres à l'initiation à l'algèbre, et de la rédaction d'un unique paragraphe à celle de volumineux dossiers de recherche. J'envisageais ça comme un jeu. Et comme dans tous les jeux, et pour presque tous les enfants, je n'étais jamais aussi heureuse que quand j'étais en tête.

JE RACONTAIS À MA MÈRE tout ce qui se passait à l'école. Les nouvelles de midi étaient actualisées à la hâte au moment où je franchissais la porte dans l'après-midi, balançais mon cartable par terre et allais chercher mon goûter. J'ignore à quoi au juste ma mère occupait ses journées pendant que nous étions à l'école, ne serait-ce que parce que, avec l'égocentrisme caractéristique des enfants, je ne lui ai jamais posé la question. Je ne sais pas ce qu'elle pensait de son rôle traditionnel de femme au foyer, ni comment elle le vivait. Tout ce que je savais, c'est que, quand je rentrais chez nous, il y avait de quoi manger dans le frigo, pour moi bien sûr, mais aussi pour mes amies. Je savais que, quand il y avait une sortie de classe, ma mère acceptait presque toujours de nous accompagner, qu'elle nous rejoignait dans une jolie robe, portant un rouge à lèvres foncé, pour prendre le bus avec nous jusqu'à l'université ou au zoo.

À la maison, nous tenions des comptes, mais ne discutions pas souvent de nos contraintes budgétaires. Maman trouvait toujours le moyen de s'en sortir. Elle se faisait les ongles elle-même, se teignait les cheveux toute seule (d'où l'étonnante couleur verte qu'ils ont prise accidentellement un jour) et ne portait de nouveaux vêtements que quand mon père lui en achetait pour son anniversaire. Elle ne serait jamais riche, mais ne manquait jamais d'ingéniosité. Quand nous étions petits, elle transformait par magie de vieilles chaussettes en marionnettes qui ressemblaient à s'y méprendre aux Muppets, et faisait des napperons au crochet pour couvrir nos tables. Elle cousait elle-même beaucoup de mes vêtements, du moins jusqu'au collège où, soudain, il est devenu indispensable d'avoir une étiquette portant le logo du cygne de Gloria Vanderbilt sur la poche avant de votre jean. J'ai alors insisté pour qu'elle renonce à ses travaux de couture.

De temps en temps, elle changeait la disposition de notre salon, mettant une nouvelle housse sur notre canapé, déplaçant les photos et les reproductions encadrées qui ornaient nos murs. Dès qu'il se mettait à faire chaud, elle se lançait dans un grand nettoyage de printemps rituel, attaquant sur tous les fronts – elle passait les meubles à l'aspirateur, lessivait les rideaux et retirait toutes les doubles fenêtres pour nettoyer les vitres et épousseter les rebords avant de les remplacer par des moustiquaires qui laissaient pénétrer un peu d'air dans notre minuscule appartement étouffant. Elle descendait souvent au rez-de-chaussée chez Robbie et Terry, surtout quand ils ont pris de l'âge et ont été moins vaillants, pour faire le ménage chez eux. C'est grâce à ma mère que, aujourd'hui encore, l'odeur de détergent au pin me remonte le moral immédiatement.

À Noël, sa créativité ne connaissait plus de bornes. Une année, elle a trouvé le moyen de recouvrir notre radiateur métallique aux angles saillants de carton ondulé qu'ornait une impression de briques rouges, en agrafant tous les éléments pour fabriquer une sorte de fausse cheminée qui montait jusqu'au plafond, avec son manteau et son âtre. Elle a ensuite enrôlé mon père – l'artiste de la famille – pour qu'il peigne une ribambelle de flammes orange sur des feuilles de papier de riz très fin qui, éclairées par-derrière avec une ampoule, créaient une imitation de feu presque convaincante. Pour le Nouvel An, elle achetait chaque année un panier de bonnes choses à grignoter – fromage, huîtres fumées en conserve et assortiment de salami. Elle invitait Francesca, la sœur de mon père, à venir faire des jeux de société. Nous commandions une pizza pour le dîner et passions la soirée à grappiller élégamment tandis que ma mère faisait passer des plateaux de feuilletés à la saucisse, de crevettes frites et de crackers Ritz tartinés d'un fromage fondu spécial. À l'approche de minuit, elle servait à chacun un fond de coupe de champagne.

Ma mère cultivait un état d'esprit parental inimitable qui fait aujourd'hui mon admiration – une forme de neutralité zen imperturbable. J'avais des amies dont les mères, comme des éponges, adoptaient invariablement les humeurs, avec leurs hauts et leurs bas, et je connaissais beaucoup d'autres enfants dont les parents étaient trop accablés par leurs problèmes personnels pour être vraiment présents. Ma mère était simplement posée. Elle n'était pas prompte à juger ni à intervenir. Elle écoutait nos états d'âme et était le témoin bienveillant de toutes les épreuves ou victoires qu'une journée pouvait nous apporter. Quand les choses allaient mal, elle ne montrait pas beaucoup de commisération. Quand nous avions fait quelque chose de remarquable, elle nous faisait juste suffisamment de compliments pour que nous sachions qu'elle était contente de nous, mais jamais assez pour que cela devienne une motivation en soi.

Ses conseils, quand elle en donnait, avaient tendance à être pragmatiques et un peu secs. « Rien ne t'oblige à aimer ta maîtresse, m'a-t-elle dit un jour où je rentrais à la maison en pestant contre mon institutrice. Mais dis-toi bien que cette femme a dans la tête le savoir dont la tienne a besoin. Concentre-toi là-dessus et oublie le reste. »

Elle nous vouait un amour indéfectible, à Craig et à moi, sans nous couver pour autant. Son objectif était de nous faire quitter le nid et de nous propulser dans le vaste monde. « Je n'élève pas des bébés, nous disait-elle. J'élève des adultes. » Mon père et elle nous faisaient des recommandations plus qu'ils ne nous fixaient de règles. Quand nous avons été adolescents, ils ne nous ont jamais imposé d'horaires. Ils nous demandaient : « À ton avis, à quelle heure est-ce qu'il serait raisonnable que tu rentres ? », puis ils nous faisaient confiance pour que nous tenions parole.

Craig se souvient d'une histoire à propos d'une fille dont il s'était vaguement entiché quand il était en quatrième. Un jour, elle lui a lancé une sorte d'invitation piège, lui proposant de passer chez elle sans lui cacher que ses parents ne seraient pas là et qu'ils seraient donc tout seuls.

Mon frère était tiraillé, ne sachant pas s'il fallait y aller ou non – alléché par l'aubaine tout en sachant qu'accepter serait incorrect, le type de comportement que mes parents n'approuveraient certainement pas. Cela ne l'a pas empêché, cependant, de confier à ma mère une demi-vérité : il lui a parlé de la fille, mais a prétendu qu'ils avaient rendez-vous au parc.

Rongé par la culpabilité avant même d'avoir commis quoi que ce soit, simplement parce qu'il l'avait envisagé, Craig a fini par craquer et par tout raconter à ma mère, pensant ou espérant peut-être qu'elle allait se mettre en colère et lui interdire d'y aller.

Elle n'en a rien fait. Ça ne lui ressemblait pas.

Elle l'a écouté, mais ne l'a pas déchargé du choix qu'il avait à faire. Elle l'a renvoyé à son martyre d'un haussement d'épaules insouciant. « Gère ça comme tu l'entends », lui a-t-elle lancé avant de retourner à sa vaisselle ou à sa pile de linge à plier.

C'était un nouveau petit coup de pouce destiné à le projeter dans le monde. Je suis sûre que, au fond d'elle-même, ma mère savait déjà qu'il prendrait la bonne décision. Chacune de ses démarches, je le comprends aujourd'hui, reposait sur la certitude tranquille de nous avoir élevés en adultes. Nos décisions nous incombaient. C'était notre vie, pas la sienne, et il en serait toujours ainsi.

DE TOUTE FAÇON, à 14 ans, je me considérais déjà comme à moitié – peut-être même aux deux tiers – adulte. J'avais eu mes premières règles, ce que j'avais annoncé immédiatement et avec une immense fierté à tous les occupants de la maison – c'était le genre de choses qui se faisait chez nous. Après avoir porté une brassière, je suis passée à un soutien-gorge vaguement plus féminin, ce qui m'a inspiré un enthousiasme égal. Au lieu de rentrer à la maison, je déjeunais désormais à l'école avec mes camarades, dans la salle de classe de M. Bennett. Au lieu de faire un saut chez Southside le samedi pour écouter ses disques de jazz et jouer avec Rex, je passais devant chez lui sans m'arrêter sur mon vélo pour me rendre plus à l'est, dans un pavillon d'Oglesby Avenue où habitaient les sœurs Gore.

Les sœurs Gore étaient mes meilleures amies, et même plus ou moins mes idoles. Diane était dans ma classe, et Pam une année au-dessous. Elles étaient aussi belles l'une que l'autre – possédant toutes les deux une sorte de grâce immuable qui paraissait innée. Il émanait même de leur petite sœur, Gina, de quelques années plus jeune, une robuste féminité que j'ai fini par considérer comme typique des Gore. Il n'y avait pas beaucoup d'hommes dans leur foyer. Leur père ne vivait pas avec elles et on parlait rarement de lui. Elles avaient un frère nettement plus âgé et peu présent. Mme Gore était une femme joyeuse, séduisante, qui travaillait à plein temps. Elle avait une table de toilette chargée de flacons de parfum, de poudriers et de toute une panoplie de crèmes dans de minuscules pots qui étaient à mes yeux, habitués au pragmatisme économe de ma mère, aussi exotiques que des bijoux. J'adorais aller chez elles. Pam, Diane et moi parlions à n'en plus finir des garçons qui nous plaisaient. Nous nous mettions du gloss et faisions des essayages de vêtements, échangeant nos tenues à tour de rôle, prenant soudain conscience que tel ou tel pantalon accentuait avantageusement les courbes de nos hanches. En ce temps-là, je dilapidais l'essentiel de mon énergie en songeries, assise seule dans ma chambre à écouter de la musique, à rêvasser à l'idée de danser sur ce slow avec un garçon mignon, à espérer qu'un de mes béguins passerait en vélo sous ma fenêtre. C'était donc une aubaine d'avoir trouvé des sœurs avec qui vivre ces années.

Les garçons n'étaient pas admis chez les Gore, mais ils bour-donnaient tout autour comme une nuée de mouches. Ils faisaient des allers-retours à bicyclette sur le trottoir. Ils s'asseyaient sur le perron, espérant que Diane ou Pam sortirait pour flirter. C'était exal-tant d'observer cette fébrilité, même si je ne savais pas très bien de quoi il retournait. Les corps se transformaient sous mes yeux. Les garçons de ma classe étaient soudain grands comme des hommes et gauches, débordant d'une énergie nerveuse, la voix grave. Certaines filles avaient l'air d'avoir 18 ans, elles se promenaient en minishorts et dos nus, l'air cool et sûres d'elles comme si elles détenaient je ne sais quel secret, comme si elles existaient désormais à un autre niveau, tandis que le reste d'entre nous demeurions hésitantes et vaguement interloquées, attendant d'être convoquées à notre tour dans le monde des adultes, semblables à des pouliches avec nos jambes qui n'avaient pas encore fini de pousser, et, nous avions beau nous tartiner les lèvres de gloss, tout en nous trahissait notre jeunesse.

Comme beaucoup de filles, j'ai pris conscience très tôt de la charge que m'imposait mon corps, bien avant de commencer à avoir l'air d'une femme. Je me promenais désormais dans le quartier avec plus d'indépendance, j'étais moins scotchée à mes parents. Je prenais le bus municipal pour assister à des cours de danse en fin d'après-midi à la Mayfair Academy sur la 79e rue, où je faisais du jazz et de la gymnastique acrobatique. Il m'arrivait de faire des courses pour ma mère. Ces libertés nouvelles s'accompagnaient de vulnérabilités nouvelles. J'ai appris à garder le regard imperturbablement fixé devant moi quand je passais devant un groupe d'hommes rassemblés à un coin de rue, veillant à ne pas montrer que je sentais leurs yeux se promener sur ma poitrine et sur mes jambes. J'ai appris à ignorer les sifflets. J'ai appris quels immeubles de notre quartier étaient considérés comme plus dangereux que d'autres. J'ai appris à ne jamais sortir seule le soir.

À la maison, mes parents ont fait une concession majeure à la présence sous leur toit de deux adolescents en pleine croissance : ils ont retapé la véranda arrière sur laquelle donnait notre cuisine et l'ont transformée en chambre pour Craig, qui était à présent en seconde. La cloison légère que Southside avait montée bien des années auparavant a été retirée. Je me suis installée dans ce qui avait été la chambre de mes parents, qui ont eux-mêmes déménagé dans l'ancienne chambre des enfants. Pour la première fois de notre vie, mon frère et moi disposions chacun d'un espace à nous. Ma nouvelle chambre était absolument ravissante, avec un tour de lit à volants fleuri bleu et blanc et des housses de coussins, un tapis bleu marine pimpant et un lit blanc de princesse avec une commode et une lampe assorties – réplique presque parfaite d'un modèle de chambre à coucher qui occupait une pleine page dans le catalogue de vente par correspondance de Sears et m'avait tellement plu que mes parents avaient cédé. Chacun d'entre nous a également obtenu son poste de téléphone à lui – le mien était bleu clair, assorti à mon nouveau décor, tandis que celui de Craig était d'un noir viril –, ce qui nous permettait de mener nos petites affaires personnelles dans une relative intimité.

C'est ainsi grâce au téléphone que j'ai pu planifier mon premier vrai baiser, avec un garçon qui s'appelait Ronnell. Ronnell ne fréquentait pas mon école et n'habitait pas dans mon voisinage immédiat, mais il chantait dans le chœur des enfants de Chicago avec Chiaka, une camarade de classe, et, grâce à l'entremise active de celle-ci, nous avions décidé que nous nous plaisions. Nos conversations téléphoniques étaient un peu coincées, mais ça m'était égal. J'appréciais le sentiment d'être appréciée. J'étais en ébullition chaque fois que le téléphone sonnait. *Et si c'était Ronnell ?* Je ne sais plus lequel d'entre nous a proposé que nous nous retrouvions devant chez moi un après-midi pour une tentative de baiser, mais l'invitation était sans équivoque ; aucun euphémisme honteux n'était requis. Il n'a pas été question de « traîner ensemble » ou de « faire un tour ». Nous allions nous rouler une pelle. Et nous étions parfaitement d'accord sur ce point, l'un comme l'autre.

Voilà comment je me suis retrouvée sur le banc de pierre à côté de la porte latérale de la maison familiale, juste sous les fenêtres qui donnaient au sud et entourée des massifs de fleurs de ma grand-tante, abîmée dans un baiser chaud et mouillé avec Ronnell. L'expérience n'a rien eu de renversant ni de particulièrement exaltant, mais c'était sympa. Être avec des garçons, commençais-je progressivement à comprendre, c'était sympa. Les longues heures que je passais à assister aux matchs de Craig depuis les gradins d'un gymnase me faisaient moins l'effet d'une corvée familiale. Après tout, un match de basket était-il autre chose qu'une vitrine de garçons ? J'enfilais mon jean le plus moulant, j'ajoutais quelques bracelets supplémentaires et je demandais parfois à l'une des sœurs Gore de m'accompagner pour accroître ma visibilité dans les tribunes. Je savourais ensuite chaque minute du spectacle baigné de sueur qui se déroulait sous mes yeux : les bonds et les attaques, les vagues et les rugissements, la pulsation de virilité et tous ses mystères étalés devant nous. Un soir, un garçon de l'équipe junior m'a souri en quittant le stade ; je lui ai rendu son sourire. Il m'a semblé que mon avenir commençait tout juste à se dessiner.

Je m'éloignais progressivement de mes parents, perdant peu à peu l'habitude de laisser échapper tout ce qui me passait par la tête. Quand nous revenions de ces matchs, je gardais le silence, assise sur la banquette arrière de la Buick, éprouvant des sentiments trop profonds ou trop confus pour pouvoir les partager. J'étais rattrapée par l'émoi solitaire de l'adolescence, convaincue que c'était une sensation que les adultes qui m'entouraient n'avaient jamais connue.

Parfois, le soir, quand je sortais de la salle de bains après m'être brossé les dents, je trouvais l'appartement plongé dans l'obscurité, les lampes du salon et de la cuisine éteintes pour la nuit, chacun isolé dans sa sphère personnelle. Je distinguais un trait de lumière sous la porte de Craig et savais qu'il faisait ses devoirs. Je percevais la lueur vacillante de la télé en provenance de la chambre de mes parents, et je les entendais chuchoter et rire entre eux. De même que je ne m'étais jamais demandé comment ma mère vivait le fait d'être une mère au foyer à temps plein, je ne me posais jamais de questions sur sa vie de couple. Pour moi, l'union de mes parents était un fait immuable. C'était la réalité simple et solide sur laquelle étaient construites nos quatre vies.

Bien plus tard, ma mère me confierait que chaque année, à l'approche du printemps, quand il se mettait à faire plus chaud à Chicago, elle caressait l'idée de quitter mon père. J'ignore si ces pensées étaient vraiment sérieuses. J'ignore si elles l'occupaient pendant une heure, un jour ou presque toute la saison, mais c'était pour elle un fantasme actif, une évasion qu'elle trouvait saine, qui lui inspirait peut-être des réflexions stimulantes, presque un rituel.

Je comprends aujourd'hui que même un mariage heureux peut être lassant, que c'est un contrat qui doit être renouvelé et renouvelé encore, même en silence et dans l'intimité – même seul. Je ne pense pas que ma mère ait confié à mon père ses éventuels doutes et insatisfactions, et je ne pense pas qu'elle lui ait avoué les mirages d'une autre vie auxquels elle pouvait songer dans ces moments-là. S'imaginait-elle sur une île des Tropiques ? Avec un homme tout à fait différent ? Dans une autre maison, ou exerçant un emploi de cadre au lieu de s'occuper de ses enfants ? Je n'en sais rien. Je suppose que je pourrais poser la question à ma mère, désormais octogénaire, mais il me semble qu'après tout ça n'a pas d'importance.

Si vous n'avez jamais passé un hiver à Chicago, permettez-moi de vous en donner une brève description : vous pouvez passer cent journées d'affilée sous un ciel gris acier posé sur la ville comme un couvercle. Des vents glaciaux, cinglants soufflent depuis le lac. La neige tombe sous toutes sortes de formes, se déversant lourdement dans la nuit, s'abattant en rafales latérales le jour, sous un aspect de neige mouillée à vous plomber le moral, ou de tourbillons de duvet féeriques. Il y a du verglas, beaucoup de verglas, qui vernit les trottoirs et les pare-brise qu'il faut alors gratter. Il y a le bruit des raclettes de bonne heure le matin – ce *hac hac hac* si caractéristique – quand les gens dégagent leur voiture pour partir au travail. Vos voisins, méconnaissables sous les épaisses couches qu'ils empilent pour se protéger du froid, baissent la tête pour éviter le vent. Les chasse-neige municipaux parcourent bruyamment les rues, repoussant la neige blanche en tas noirâtres, jusqu'à ce que plus rien ne soit immaculé.

Et enfin, un beau jour, on sent quelque chose frémir. Un lent changement s'amorce. Il peut être subtil, une simple bouffée d'humidité dans l'air, une très légère lueur au milieu de la grisaille. C'est d'abord un vague sentiment qui vous fait tressaillir le cœur, la possibilité que, peut-être, l'hiver s'achève. Dans un premier temps, vous n'y croyez pas forcément ; mais, ensuite, l'évidence vous envahit. Parce que le soleil pointe son nez, que de petits bourgeons se forment sur les arbres et que vos voisins ont retiré leurs gros manteaux. Et peut-être vos pensées cèdent-elles à une légèreté nouvelle le matin où vous décidez de démonter toutes les doubles fenêtres de votre appartement pour pouvoir faire les vitres et épousseter les rebords. Cela vous incite à réfléchir, à vous demander quelles possibilités vous avez laissées filer en devenant l'épouse de cet homme-là, dans cette maison-là, avec ces enfants-là.

Vous passez peut-être toute la journée à imaginer d'autres vies, avant de remettre les fenêtres en place et de vider votre seau de détergent dans l'évier. Et peut-être que, en cet instant, vous retrouvez toutes vos certitudes, parce que oui, le printemps est vraiment là et que, une fois de plus, vous avez pris la décision de rester.

5

MA MÈRE A FINI PAR REPRENDRE UN EMPLOI, à peu près au moment où je suis entrée au lycée. Elle a quitté notre maison et notre quartier pour s'élancer dans le cœur impénétrable de Chicago, au milieu des gratte-ciel, où elle avait obtenu un poste de secrétaire de direction dans une banque. Elle a renouvelé sa garde-robe en conséquence et s'est mise à faire tous les jours la navette, prenant le bus le matin sur Jeffery Boulevard ou partant en Buick avec mon père quand leurs horaires coïncidaient. Cette activité, qui lui a permis de rompre avec le train-train quotidien, répondait aussi plus ou moins à une nécessité financière. Mes parents avaient en effet inscrit Craig au lycée catholique et avaient des frais de scolarité à payer. De plus, il commençait à envisager de faire des études supérieures, et je le suivais de près...

Mon frère, qui avait désormais atteint sa taille définitive, était un gracieux géant aux jambes dotées d'un étrange ressort, qui contribuait à faire de lui un des meilleurs basketteurs de la ville. Chez nous, il mangeait comme quatre. Il descendait des litres et des litres de lait, enfournait d'énormes pizzas et prenait souvent un en-cas entre l'heure du dîner et celle du coucher. Il parvenait, comme toujours, à être à la fois décontracté et remarquablement concentré, à s'entourer d'une foule d'amis tout en obtenant de bonnes notes, et faisait tourner les têtes grâce à ses exploits sportifs. Un été, il est parti en tournée dans le Midwest avec une équipe amateur qui comptait dans ses rangs un certain Isiah Thomas, une future superstar du basket qui ferait par la suite une carrière plus que brillante en NBA. Peu avant d'entrer au lycée, Craig avait été démarché par les entraîneurs de quelques excellentes écoles publiques de Chicago qui cherchaient à compléter leur effectif. Ces équipes avaient beau attirer d'immenses foules de supporters ainsi que des prospecteurs envoyés par les universités, mes parents se sont montrés inflexibles : il n'était pas question que Craig sacrifie son développement intellectuel à la gloire éphémère de pilier d'une équipe sportive.

Le lycée du Mount Carmel, réputé pour sa solide équipe de basket rattachée à la Ligue catholique et son programme d'études rigoureux, leur avait paru être la meilleure solution – valant bien les milliers de dollars qu'il leur coûtait. Les professeurs de Craig étaient des prêtres en soutane brune qu'on appelait « mon père ». Ses condisciples étaient blancs à presque 80 % et comptaient dans leurs rangs un grand nombre de jeunes Irlandais catholiques issus de quartiers blancs ouvriers de la périphérie. À la fin de sa première année de lycée, il était déjà courtisé par des équipes universitaires de première division, dont quelques-unes étaient probablement disposées à lui proposer toutes sortes d'avantages. Mes parents restaient cependant convaincus de l'importance de ne se fermer aucune porte et de viser la meilleure université possible. La question financière ne regardait qu'eux.

Ma scolarité au lycée ne nous a heureusement rien coûté, hormis les trajets en bus. J'ai eu la chance de réussir l'examen d'entrée au lycée le plus coté de Chicago : Whitney M. Y. Young, situé dans ce qui était alors un quartier délabré juste à l'ouest du Loop, et qui était en passe, au bout de quelques années d'existence seulement, de s'imposer comme un des meilleurs lycées publics de la ville. Portant le nom d'un militant des droits civiques, il avait été inauguré en 1975 pour offrir une solution de rechange positive au *busing*, le ramassage scolaire mis en place à des fins de déségrégation. Implanté exactement sur la ligne de démarcation entre le nord et le sud de la ville et s'enorgueillissant de ses enseignants progressistes et de ses installations flambant neuves, cet établissement était conçu comme une sorte de nirvana de l'égalité des chances, censé attirer d'excellents élèves de toutes couleurs. Les quotas d'admission fixés par les autorités scolaires de Chicago imposaient des effectifs à 40 % noirs, 40 % blancs, et 20 % hispaniques ou autres. La réalité était légèrement différente puisque, pendant ma scolarité, près de 80 % des élèves n'étaient pas blancs.

Le trajet jusqu'au lycée le jour de la rentrée a été pour moi une véritable odyssée, un voyage anxiogène d'une heure et demie qui m'obligeait à prendre deux bus municipaux différents avec une correspondance au centre-ville. Après m'être péniblement extraite du lit à 5 heures du matin, j'ai enfilé des vêtements neufs et mis de jolies boucles d'oreilles, ignorant comment ces efforts d'élégance seraient accueillis au terme de mon expédition. J'ai pris mon petit déjeuner, sans savoir où je déjeunerais. J'ai dit au revoir à mes parents, en me demandant si je serais encore la même à la fin de cette journée. Le lycée était censé vous transformer. Et, à mes yeux, Whitney Young était purement et simplement le Far West.

L'établissement lui-même était impressionnant et ultramoderne. Il ne ressemblait à aucune école de ma connaissance – trois grands bâtiments cubiques, dont deux étaient reliés par une gracieuse passerelle vitrée qui traversait la grande artère de Jackson Boulevard. Les salles de classe étaient des espaces ouverts intelligemment conçus. Tout un bâtiment était destiné aux arts, avec des salles réservées à la chorale et aux orchestres, d'autres équipées pour la photographie et la poterie. L'ensemble avait tout d'un temple de l'instruction. Les élèves entraient à flots par l'entrée principale, l'air déterminé dès le premier jour.

Whitney Young accueillait environ 1 900 élèves, qui m'ont tous paru plus âgés et plus sûrs d'eux que je ne le serais jamais, parfaitement maîtres de chacune de leurs cellules grises, dopés par toutes les bonnes réponses qu'ils avaient données au QCM qui servait d'examen d'entrée organisé à l'échelle de la ville. Quand je regardais autour de moi, je me sentais toute petite. À Bryn Mawr, je faisais partie des grands, alors qu'au lycée je me retrouvais parmi les plus jeunes. En sortant du bus, j'ai remarqué que, en plus de leurs cartables, beaucoup de filles portaient de vrais sacs à main.

S'il fallait les cataloguer, les inquiétudes que m'inspirait le lycée pourraient pour l'essentiel se ranger sous la question que je me formulais ainsi : *Suis-je à la hauteur ?* Cette question m'a taraudée tout au long du premier mois, alors même que je commençais à m'intégrer, que je m'habituais à me lever avant l'aube et que j'apprenais à me repérer entre les bâtiments pour rejoindre mes cours. Whitney Young était subdivisé en cinq « maisons », dont chacune servait de base à ses membres et était censée apporter un peu d'intimité à l'expérience du lycée. J'avais été affectée à la Gold House, dirigée par un adjoint du proviseur qui s'appelait M. Smith et habitait à quelques pas de chez nous, sur Euclid Avenue. Pendant des années, j'avais fait des petits boulots pour M. Smith et sa famille : j'avais gardé les enfants, je leur avais donné des cours de piano, et j'avais même essayé d'éduquer leur chiot inéducable. Retrouver M. Smith au lycée m'a un peu réconfortée, mais ce pont entre Whitney Young et mon quartier n'a pas suffi à apaiser mon appréhension.

Il n'y avait qu'une poignée d'enfants de mon quartier à Whitney Young. Mon voisin et ami Terri Johnson avait été admis, ainsi que mon amie Chiaka, avec laquelle nous entretenions une joyeuse émulation depuis la maternelle. S'y ajoutaient un ou deux garçons. Nous étions plusieurs à prendre le bus ensemble le matin, puis en fin de journée pour rentrer chez nous ; mais, au lycée, nous étions dispersés entre différents bâtiments, généralement livrés à nous-mêmes. Par ailleurs, c'était la toute première fois que j'étais obligée de me passer de la protection tacite de mon grand frère. Avec sa nature nonchalante et avenante, Craig avait fort commodément défriché tous les chemins pour moi. À Bryn Mawr, il avait amadoué les enseignants par sa douceur et avait su s'attirer le respect qu'on réserve au garçon cool dans la cour de récré. Il était un rayon de soleil ; et je n'avais eu qu'à m'engouffrer dans son sillage. J'avais toujours été repérée, presque partout, comme la petite sœur de Craig Robinson.

Et voilà que je n'étais plus que Michelle Robinson. À Whitney Young, j'ai été obligée de faire un effort pour m'intégrer. Ma stratégie initiale a consisté à me tenir tranquille et à observer mes nouveaux condisciples. Qui étaient ces gamins ? Tout ce que je savais d'eux, c'était qu'ils étaient intelligents. Remarquablement intelligents. Exceptionnellement intelligents. Les gamins les plus intelligents de la ville, disait-on. Mais ne l'étais-je pas, moi aussi ? Ne nous étions-nous pas tous retrouvés ici – Terri, Chiaka et moi – parce que nous étions aussi intelligents qu'eux ?

En vérité, je n'en avais pas la moindre idée. J'ignorais si nous étions aussi intelligents qu'eux.

Tout ce dont j'étais sûre, c'est que nous étions les meilleurs élèves d'une école majoritairement noire, réputée médiocre, située dans un quartier majoritairement noir et médiocre. Et si ça n'était pas suffisant ? Et si, après tout, nous n'étions que les meilleurs des pires ?

Tel est le doute qui m'a rongée pendant les journées de rentrée et d'orientation, pendant mes premiers cours de biologie et d'anglais, pendant que j'essayais de faire la connaissance de mes nouveaux camarades à la cafétéria en m'engageant dans des conversations plus ou moins empruntées. *Suis-je à la hauteur ?* Ce doute avait trait à mes origines, à l'image que j'avais eue de moi jusqu'à présent. C'était comme une cellule maligne qui menaçait de se diviser encore et encore si je n'y mettais pas bon ordre.

CHICAGO, J'ÉTAIS EN TRAIN DE LE DÉCOUVRIR, était une ville bien plus vaste que je ne l'avais imaginé. Cela m'est apparu en partie lors de mes trois heures de bus quotidiennes. Je montais à bord dans la 75e rue et parcourais un dédale d'arrêts intermédiaires, souvent obligée de rester debout parce qu'il n'y avait plus de place.

Par la vitre, je voyais défiler lentement et longuement tout South Side, ses commerces de quartier et ses restaurants à grillades encore fermés dans la lumière grisâtre du petit matin, ses aires de jeux pavées et ses terrains de basket déserts. Nous obliquions vers le nord sur Jeffery, puis à l'ouest sur la 67e rue, avant de repartir plein nord, zigzaguant et nous arrêtant à un coin de rue sur deux pour faire monter de nouveaux passagers. Nous traversions Jackson Park Highlands et Hyde Park, où le campus de l'université de Chicago se dissimulait derrière une grille de fer forgé massive. Après une éternité, nous prenions enfin de la vitesse sur Lake Shore Drive, suivant la courbe nord du lac Michigan, en direction du centre.

Presser l'allure d'un bus relève de l'impossible, croyez-moi. Une fois monté, vous devez prendre votre mal en patience. Tous les matins, je descendais dans le centre, sur Michigan Avenue, en pleine heure de pointe, pour prendre ma correspondance vers l'ouest sur Van Buren Street, où au moins le paysage devenait un peu plus intéressant puisque nous passions devant des sièges de banques aux grandes portes dorées et devant les grooms qui faisaient le pied de grue sur le seuil des hôtels de luxe. Par la fenêtre, j'observais des hommes et des femmes très chics – costumes, tailleurs et talons qui claquent – qui portaient des cafés et rejoignaient leur bureau avec l'air affairé de ceux qui se croient importants. Je ne savais pas encore qu'on appelait ces gens des « professionnels ». Je n'avais pas encore repéré la trajectoire qu'ils avaient dû suivre, les diplômes qu'ils avaient dû obtenir pour avoir accès aux sièges monumentaux des sociétés qui bordaient Van Buren. Mais j'aimais leur allure déterminée.

Au lycée, je rassemblais silencieusement des bribes d'information, cherchant à définir ma place au sein de l'intelligentsia adolescente. Jusqu'alors, mon expérience des enfants d'autres quartiers s'était limitée aux visites à des cousins et aux quelques étés que j'avais passés au centre aéré municipal de Rainbow Beach, où la totalité des enfants venaient d'un coin ou d'un autre du South Side et où personne n'était riche. À Whitney Young, j'ai fréquenté des élèves qui habitaient le North Side – une partie de Chicago qui m'était aussi inconnue que la face cachée de la lune, un lieu auquel je n'avais jamais pensé et où je n'avais eu aucune raison de me rendre. La découverte de l'existence d'une élite afro-américaine m'a laissée franchement perplexe. La plupart de mes nouveaux camarades de lycée étaient noirs, mais cela ne se traduisait pas forcément par une quelconque identité d'expérience. Plusieurs d'entre eux avaient des parents avocats ou médecins et semblaient se connaître grâce à une organisation baptisée Jack and Jill[1]. Ils avaient fait du ski et des voyages qui exigeaient d'avoir un passeport. Ils parlaient de sujets qui m'étaient complètement étrangers – stages d'été et universités noires historiques, par exemple. Les parents d'un garçon de ma classe, un polard sympathique et populaire, avaient créé une grande société de cosmétiques et habitaient un des gratte-ciel les plus rupins du centre-ville.

---

1. Créée en 1938, pendant la Grande Dépression, par un groupe de mères de Philadelphie, Jack and Jill est une organisation afro-américaine pour les enfants proposant notamment des activités culturelles et sportives.

Tel était mon nouvel univers. Je ne prétends pas que tous les
élèves du lycée étaient riches ou d'un raffinement extrême. Loin
de là. Nombre d'entre eux étaient issus de quartiers semblables
au mien, et faisaient face à des situations bien plus pénibles que
je n'en connaîtrais jamais. Mais les premiers mois que j'ai passés
à Whitney Young m'ont livré un aperçu d'un phénomène qui
m'était resté invisible jusqu'alors – le mécanisme des privilèges
et des relations, un système d'échelles et de mains courantes en
partie dissimulées, suspendues dans les airs, permettant à certains
d'entre nous, mais pas à tous, d'atteindre le firmament.

A U LYCÉE, MA PREMIÈRE SÉRIE DE NOTES, puis ma deuxième, ont
été très bonnes. Au cours de mes deux premières années, j'ai
progressivement retrouvé l'assurance que j'avais à Bryn Mawr.
À chaque réussite, à chaque échec que je parvenais à éviter,
mes doutes se dissipaient peu à peu. J'aimais bien la plupart de
mes professeurs. Je n'avais pas peur de lever le doigt en classe.
À Whitney Young, être intelligent était une qualité. On partait du
principe que tout le monde travaillait dur pour pouvoir entrer en
fac. Autrement dit, on n'avait jamais à dissimuler son intelligence
par crainte de s'entendre reprocher de parler comme une Blanche.

J'adorais toutes les matières où il fallait rédiger et je ramais
en algèbre. J'avais des résultats passables en français. Certains
de mes camarades avaient toujours une longueur d'avance sur
moi et donnaient l'impression de tout réussir avec une facilité
déconcertante, mais j'essayais de ne pas me décourager pour si
peu. Je commençais à comprendre que, si je travaillais quelques
heures de plus, je parvenais le plus souvent à combler l'écart.
Je n'avais pas que des A, mais je faisais tout mon possible et,
certains semestres, je n'en étais pas loin.

Craig, pendant ce temps, était entré à l'université de Princeton.
Il avait vidé sa chambre de la véranda d'Euclid Avenue et laissé
dans notre vie quotidienne un vide de deux mètres de haut pour
quatre-vingt-dix kilos. Notre frigo débordait nettement moins de
lait et de viande ; la ligne téléphonique n'était plus constamment
occupée par ses admiratrices. Il avait été sollicité par de grandes
universités qui lui avaient proposé des bourses et déroulé le tapis
de la célébrité grâce au basket. Toutefois, encouragé par mes

parents, il avait préféré Princeton, qui coûtait plus cher, mais qui, selon eux, était également plus prometteur. Mon père a été tout particulièrement fier quand, en deuxième année, Craig a fait ses débuts dans l'équipe de basket de Princeton. Chancelant sur ses jambes et ayant besoin désormais de deux cannes pour marcher, il aimait toujours faire de longs trajets en voiture. Il avait échangé sa vieille Buick contre une neuve, toujours une 225, d'un marron foncé brillant. Quand il pouvait obtenir un congé de l'usine de traitement des eaux, il n'hésitait pas à prendre le volant et à faire douze heures de route, traversant l'Indiana, l'Ohio, la Pennsylvanie et le New Jersey afin d'aller assister à l'un des matchs de Craig.

Quant à moi, du fait de l'éloignement de mon lycée, je voyais moins mes parents qu'avant. En y repensant, je me rends compte que cette période a dû être un peu solitaire pour eux, ou du moins leur demander un temps d'adaptation. J'étais désormais absente de la maison la majorité du temps. Comme nous en avions assez de passer une heure et demie debout dans le bus, nous avions imaginé, Terri Johnson et moi, un stratagème qui nous obligeait à partir un quart d'heure plus tôt le matin pour prendre un bus qui allait dans la direction opposée à celle du lycée. Nous rejoignions ainsi un quartier moins peuplé situé plus au sud de quelques arrêts, nous descendions, traversions la rue et repartions ensuite pour le nord dans notre bus habituel, encore nettement moins bondé qu'à son arrivée au niveau de la 75e rue, où nous le prenions d'ordinaire. Très contents de notre astuce, nous nous installions sur une banquette d'un air suffisant et bavardions ou faisions nos devoirs jusqu'au lycée.

Le soir, j'arrivais chez nous vers 18 ou 19 heures, épuisée, juste à temps pour un rapide dîner au cours duquel je racontais ma journée à mes parents. La vaisselle terminée, je me plongeais dans mes devoirs, descendant souvent mes livres jusqu'au recoin de la cage d'escalier où était rangée l'encyclopédie, près de l'appartement de Robbie et Terry, pour y trouver l'intimité et le calme dont j'avais besoin.

Mes parents n'ont jamais dit un mot des difficultés qu'ils rencontraient à payer les frais d'université, mais je n'en ignorais rien. C'est pourquoi, quand mon professeur de français nous a annoncé qu'elle organisait un voyage de classe facultatif à Paris pendant de petites vacances pour ceux qui disposeraient du budget nécessaire, je n'en ai même pas parlé à la maison. C'était la différence qui existait entre moi et les enfants de Jack and Jill, dont beaucoup étaient désormais de bons amis. J'avais une famille aimante et harmonieuse, l'argent pour prendre le bus et traverser la ville, et un repas chaud quand je rentrais à la maison. Je n'allais certainement pas en demander davantage à mes parents.

Mais, un soir, ils m'ont priée de m'asseoir, l'air perplexe. Ma mère avait entendu parler du voyage en France par la mère de Terri Johnson.

« Pourquoi est-ce que tu ne nous as rien dit ? m'a-t-elle demandé.

— Parce que ça coûte trop cher.

— Ce n'est pas à toi d'en décider, Miche, a dit doucement mon père, vaguement vexé. Et comment veux-tu que nous prenions une décision si nous ne sommes même pas au courant ? »

Je les ai dévisagés à tour de rôle, ne sachant quoi répondre. Ma mère m'a jeté un regard plein de tendresse. Mon père avait retiré son uniforme de travail et enfilé une chemise blanche propre. Ils avaient alors une petite quarantaine d'années, cela faisait presque vingt ans qu'ils étaient mariés. Ils n'avaient jamais, ni l'un ni l'autre, voyagé en Europe. Ils n'allaient jamais à la plage, ne dînaient jamais au restaurant. Ils n'étaient pas propriétaires de leur maison. Nous étions leur unique investissement, Craig et moi. Tout l'argent qu'ils dépensaient, ils le dépensaient pour nous.

Quelques mois plus tard, je suis montée à bord d'un avion pour Paris avec mon professeur et une dizaine de mes camarades de Whitney Young. Nous logerions à l'hôtel, nous visiterions le Louvre et la tour Eiffel. Nous achèterions des *crêpes au fromage*[1] à des stands, dans la rue, et nous nous promènerions sur les quais de la Seine. Nous parlerions français comme une bande d'écoliers de Chicago, mais, au moins, nous parlerions français. Quand l'avion a commencé à s'éloigner de l'aérogare ce jour-là, j'ai regardé le bâtiment par le hublot, sachant que ma mère était là, quelque part, derrière les vitres en verre fumé, vêtue de son manteau d'hiver, à agiter la main. Je me rappelle que les moteurs ont démarré dans un terrible vacarme. Nous avons ensuite roulé

---

1. En français dans le texte.

sur la piste et l'appareil s'est progressivement redressé tandis que l'accélération m'oppressait et me collait contre mon dossier en cet instant étrange et incertain, cet entre-deux qui intervient avant qu'on prenne conscience d'avoir enfin décollé.

COMME TOUS LES LYCÉENS DU MONDE, j'aimais traîner avec mes copains. Nous traînions tapageusement, nous traînions dans les espaces publics. Les jours où les cours finissaient plus tôt, ou quand nous n'avions pas trop de devoirs, nous partions en bande de Whitney Young pour nous rendre au cœur de Chicago, et nous atterrissions au centre commercial sur huit niveaux du Water Tower Place. Une fois sur place, nous montions et descendions les escalators, dépensions notre argent en popcorn chez Garrett et monopolisions des tables du McDo pendant plus de temps qu'il n'était raisonnable, vu la modestie de nos commandes. Nous admirions les jeans de créateurs et les sacs à main chez Marshall Fields, souvent filés discrètement par des agents de sécurité qui nous trouvaient suspects. Parfois, nous allions voir un film.

Nous étions heureux – heureux d'être libres, heureux d'être ensemble, heureux de l'éclat inattendu que semblait prendre la ville les jours où nous arrivions à oublier le lycée. Nous étions des gamins de la ville qui apprenaient à traîner en bande.

Je passais beaucoup de temps avec une camarade de classe qui s'appelait Santita Jackson. Elle prenait tous les matins le bus de Jeffery quelques arrêts après le mien et est devenue l'une de mes meilleures amies au lycée. Santita avait de magnifiques yeux noirs, des joues rondes et, en dépit de ses 16 ans, l'allure d'une femme pleine de sagesse. Elle faisait partie des élèves qui s'inscrivaient à tous les cours avancés possibles et semblait réussir brillamment dans tous les domaines. Elle portait des jupes alors que tout le monde était en jeans et chantait d'une voix claire et puissante – bien des années plus tard, elle mettrait à profit ses talents de chanteuse en devenant choriste de Roberta Flack, qu'elle accompagnerait en tournée. Et puis, elle avait une profondeur que les autres n'avaient pas. C'était ce qui me plaisait le plus chez Santita. Comme moi, elle pouvait être frivole et faire le pitre en groupe, mais, dès que nous étions seules, nous devenions solennelles et prenions tout au sérieux, deux philosophes en herbe cherchant à résoudre ensemble les problèmes de la vie, grands ou petits. Affalées sur le plancher de sa chambre au premier étage de la maison Tudor blanche de sa famille à Jackson Park Highlands, une partie plus aisée de South Shore, nous passions des heures à discuter de sujets qui nous tracassaient ou de la direction que prendrait notre vie, de ce que nous comprenions et ne comprenions pas dans le monde. Elle savait écouter et était dotée d'un solide jugement. J'essayais d'être à la hauteur de son amitié.

Le père de Santita était célèbre. C'était un fait fondamental, incontournable de son existence. Elle était l'aînée des enfants du pasteur Jesse Jackson, prédicateur baptiste et agitateur, figure politique montante. Ayant collaboré étroitement avec Martin Luther King, Jackson s'était fait connaître à l'échelle nationale au début des années 1970 en tant que fondateur d'un mouvement politique appelé Operation PUSH, qui défendait les droits des Afro-Américains défavorisés. À l'époque où nous étions au lycée, Jesse Jackson était une vraie célébrité – un homme charismatique, doté de solides relations et toujours en déplacement. Lors de ses tournées à travers le pays, il galvanisait les foules en appelant avec véhémence les Noirs à rejeter les stéréotypes dégradants du ghetto et à réclamer le pouvoir politique dont ils étaient privés depuis si longtemps. Il prêchait un message de libération, encourageant les gens à revendiquer leur pouvoir sans relâche. « *Down with dope ! Up with hope !* » (« À bas la came ! Vive l'espoir ! ») lançait-il au public. Il demandait aux écoliers de s'engager par écrit à éteindre la télé tous les soirs pour consacrer deux heures à leurs devoirs. Il faisait promettre aux parents de ne pas faiblir dans leur engagement. Il luttait contre les sentiments d'échec répandus dans tant de communautés afro-américaines, exhortant ses auditeurs à cesser de s'apitoyer sur eux-mêmes et à prendre leur destinée en main : « Personne, personne, hurlait-il, n'est trop pauvre pour éteindre la télé deux heures tous les soirs ! »

Je trouvais exaltant de passer du temps chez Santita. Leur logement était spacieux et assez chaotique. Il abritait les cinq enfants de la famille ainsi qu'un encombrant mobilier victorien, sans compter la collection d'objets anciens en verre de la mère de Santita, Jacqueline. Mme Jackson – c'est ainsi que je l'appelais – avait un caractère exubérant et un rire tonitruant. Elle portait des tenues colorées, très amples, et servait les repas sur une table de salle à manger massive où elle invitait tous les visiteurs de passage, essentiellement des membres de ce qu'elle désignait comme « le mouvement ». Il s'agissait de chefs d'entreprise aussi bien que d'hommes politiques ou de poètes, auxquels s'ajoutait une cohorte de personnes célèbres, chanteurs ou sportifs de haut niveau.

Quand le révérend Jackson était là, la maison vibrait d'une énergie différente. Toute routine était abolie ; les conversations se poursuivaient après le dîner jusqu'à une heure avancée de la nuit. Des conseillers allaient et venaient. On échafaudait constamment des plans. À la différence de mon foyer d'Euclid Avenue où la vie suivait son cours régulier et prévisible, où les préoccupations de mes parents dépassaient rarement la volonté de préserver le bonheur familial et de nous mettre sur la voie du succès, les Jackson donnaient l'impression d'être pris dans quelque chose de plus grand et de plus confus, aux répercussions autrement plus considérables. Leur engagement était tourné vers l'extérieur ; leur communauté était vaste, leur mission importante. Santita et sa fratrie étaient formés pour l'action politique. Ils savaient comment et quoi boycotter. Ils défilaient pour défendre les causes de leur père. Ils l'accompagnaient dans ses voyages, se rendant dans des endroits comme Israël et Cuba, New York et Atlanta. Ils montaient sur des estrades devant des foules immenses et apprenaient à gérer l'angoisse et les controverses inévitables quand on avait un père, noir de surcroît, actif dans la vie publique. Le révérend Jackson avait des gardes du corps – de grands hommes silencieux qui l'escortaient. À l'époque, je n'ai pas vraiment pris conscience qu'il avait déjà été menacé de mort.

Santita adorait son père et était fière de son œuvre, ce qui ne l'empêchait pas d'être déterminée à mener sa propre vie. Si nous étions, elle et moi, parfaitement conscientes de la nécessité d'affirmer le caractère des jeunes Noirs dans toute l'Amérique, nous tenions aussi, presque désespérément, à arriver au Water Tower Place avant la fin des soldes de baskets chez K-Swiss. Il n'était pas rare que nous cherchions à nous faire conduire quelque part, ou à emprunter une voiture. Comme ma famille ne possédait qu'une voiture et que mes deux parents travaillaient, les chances étaient généralement plus grandes chez les Jackson, Mme Jackson disposant d'un break au revêtement intérieur en bois ainsi que d'une petite voiture de sport. Il nous arrivait d'obtenir de nous faire conduire par un des membres du personnel ou par un des visiteurs qui allaient et venaient constamment. En échange, nous sacrifiions la maîtrise de notre emploi du temps. Ce serait une de mes premières leçons, assimilée inconsciemment, sur la vie politique : les horaires et les projets semblaient n'être jamais immuables. Même en se tenant au bord du tourbillon, on sentait le mouvement de rotation. Nous nous retrouvions souvent coincées, Santita et moi, obligées d'attendre parce qu'un incident avait mis son père en retard – une réunion qui s'éternisait, un avion qui ne s'était pas posé à l'heure – ou forcées de faire une série de haltes imprévues. Nous croyions qu'on allait nous raccompagner chez nous depuis le lycée ou nous conduire au centre commercial, et nous nous retrouvions à un rassemblement politique sur West Side, ou en rade pendant des heures au siège de l'Operation PUSH à Hyde Park.

C'est ainsi qu'un jour nous nous sommes retrouvées à défiler en compagnie de tout un groupe de partisans de Jesse Jackson à l'occasion de la Bud Billiken Day Parade. Cette parade, qui porte le nom d'un personnage de fiction d'une rubrique de presse disparue de longue date, est l'une des plus importantes traditions du South Side. Elle a lieu chaque année au mois d'août ; c'est un déploiement de fanfares et de chars qui longe Martin Luther King Jr. Drive sur trois kilomètres et traverse le cœur du quartier afro-américain qu'on appelait jadis le Black Belt, la ceinture noire, avant d'être rebaptisé Bronzeville. La Bud Billiken Day Parade existe depuis 1929, et célèbre la fierté afro-américaine. Il était – et demeure aujourd'hui – plus ou moins obligatoire pour tout responsable de la communauté ou homme politique d'y faire une apparition et de prendre part au défilé.

Je ne m'en rendais pas compte à l'époque, mais le tourbillon qui s'était formé autour du père de Santita commençait à prendre de la vitesse. Quelques années plus tard seulement, Jesse Jackson se lancerait officiellement dans la course à la présidence des États-Unis, ce qui signifie que, du temps où nous étions au lycée, il réfléchissait sans doute déjà sérieusement à cette idée. Il fallait lever des fonds, nouer des relations. Être candidat à la présidence, je le sais aujourd'hui, est une aventure qui vous accapare entièrement, et exige l'engagement total de tous ceux qui vous accompagnent.

Par ailleurs, les campagnes réussies sont généralement précédées par une préparation du terrain qui peut allonger de plusieurs années cette entreprise. Jesse Jackson, qui s'était fixé pour objectif l'élection de 1984, serait ainsi le deuxième Afro-Américain à mener une campagne nationale sérieuse pour la présidence, après la tentative infructueuse de la parlementaire Shirley Chisholm en 1972. Je suppose que, au moment de la parade, il avait l'esprit occupé par ces projets.

Une chose est sûre, c'est que, personnellement, je n'éprouvais aucun plaisir à être là, piégée sous un soleil de plomb au milieu des ballons et des mégaphones, des trombones et d'une foule en liesse. La fanfare avait beau être festive et même grisante, il y avait quelque chose dans tout cela, et dans la politique en général, qui me mettait mal à l'aise. Pour commencer, j'aimais que les choses soient ordonnées et bien préparées ; or, à en juger par ce que je voyais, l'ordre n'était pas la vertu cardinale de la vie politique. Je n'avais pas prévu de prendre part à la parade. Dans mon souvenir, nous n'avions pas eu la moindre intention, Santita et moi, d'y participer. Nous avions été enrôlées au dernier moment, peut-être par sa mère ou par son père, ou encore par un autre membre du mouvement qui nous avait coincées avant que nous puissions mener à bien notre propre programme pour la journée. Mais j'avais beaucoup d'affection pour Santita et, comme j'étais une jeune fille bien élevée, j'obtempérais le plus souvent lorsque les adultes me demandaient de faire quelque chose. C'est ce que j'ai fait ce jour-là. Je me suis donc plongée dans le tohu-bohu torride et tourbillonnant de la Bud Billiken Day Parade.

Quand je suis rentrée à la maison d'Euclid Avenue ce soir-là, ma mère m'a lancé en riant : « Je viens de te voir à la télé. »

Elle avait regardé les informations et m'avait repérée défilant à côté de Santita, agitant la main, souriant, suivant le mouvement. Je crois que ce qui l'amusait le plus était qu'elle avait également perçu mon malaise – elle avait compris que je m'étais laissé entraîner contre ma volonté.

QUAND EST VENU LE MOMENT de choisir une université, nous avons regardé, Santita et moi, du côté des établissements de la côte Est. Elle est allée prendre des renseignements à Harvard, mais s'est découragée quand un employé du bureau des admissions s'est mis à lui reprocher les activités politiques de son père alors qu'elle ne souhaitait qu'une chose : être considérée comme une étudiante comme les autres. J'ai passé un week-end chez Craig à Princeton, où il avait adopté un emploi du temps productif, alternant séances d'entraînement de basket, cours et moments de relâche dans un centre du campus destiné aux étudiants issus des minorités. Le campus était vaste et pimpant – un établissement de l'Ivy League couvert de lierre[1] –, et j'ai trouvé les copains de Craig sympathiques. Mes réflexions se sont arrêtées là, à peu de chose près. Personne parmi mes proches n'avait une vraie expérience de l'université, de sorte qu'il n'y avait guère matière à débat. Comme toujours, je supposais que si Craig en était content, je m'y plairais aussi et que tout ce qu'il pouvait réaliser était également à ma portée. C'est ainsi que j'ai opté pour Princeton comme premier choix sur ma liste de souhaits d'université.

Au début de ma dernière année à Whitney Young, je me suis rendue à un premier rendez-vous obligatoire avec une conseillère d'orientation du lycée.

Je n'ai pas grand-chose à vous dire à son sujet, parce que j'ai délibérément et presque instantanément occulté cette expérience. Je ne me souviens ni de son âge, ni de sa couleur de peau, ni du regard qu'elle m'a jeté le jour où je me suis présentée à la porte de son bureau, toute fière parce que j'étais sur le point de passer mon diplôme, que je faisais partie des 10 % d'élèves de terminale de Whitney Young à avoir eu les meilleurs résultats, que j'avais été élue trésorière de ma classe, que j'avais été admise à la National Honor Society, une organisation qui accueille en son sein les meilleurs élèves de tous les États-Unis, et que j'avais réussi à surmonter presque tous les doutes qui me taraudaient quand j'étais arrivée, tremblante, à ma rentrée de troisième. Je ne me rappelle pas si elle a examiné mon relevé de notes avant ou après que je lui ai annoncé mon intention de rejoindre mon frère à Princeton à l'automne suivant.

Il n'est pas exclu que, pendant cette brève entrevue, la conseillère d'orientation m'ait fait quelques bonnes suggestions, qui auraient pu m'être utiles, mais je ne m'en souviens pas. Parce

---

1. Voir *supra*, note 1 p. 60.

que, à tort ou à raison, je me suis arrêtée à une unique phrase que cette femme a prononcée.

« Je ne suis pas sûre, m'a-t-elle dit avec un sourire faux et condescendant, que vous ayez le profil pour entrer à Princeton. »

Son jugement était aussi rapide que méprisant, probablement fondé sur une étude sommaire de mes notes et de mes résultats aux examens. Indiquer aux élèves de terminale où ils seraient ou ne seraient pas à leur place était probablement ce que cette femme faisait toute la journée, avec l'efficacité de l'expérience. Je suis sûre qu'elle estimait faire preuve de pragmatisme. Je doute qu'elle ait consacré une réflexion de plus à notre conversation.

Mais, comme je l'ai dit plus haut, l'échec est un sentiment bien avant d'être une réalité. Et, tel que je l'ai ressenti, c'était précisément ce qu'elle semait – une graine d'échec, bien avant que j'aie même tenté de réussir. Elle me conseillait de viser moins haut, ce qui était aux antipodes de tout ce que mes parents avaient cherché à m'inculquer.

Si j'avais décidé de la croire, ses propos auraient, une fois de plus, eu raison de ma nouvelle assurance et auraient redonné vie au refrain *Suis-je à la hauteur ?*

Heureusement, après avoir consacré trois ans à me maintenir au niveau des élèves ambitieux de Whitney Young, j'avais conscience que je valais mieux que ça. Je n'allais pas laisser un unique avis bousculer tout ce que je pensais savoir sur moi-même. J'ai donc changé de méthode, sans changer de but. Je me présenterais à Princeton et dans une série d'autres établissements sans passer par la conseillère d'orientation. J'ai préféré solliciter l'aide de quelqu'un qui me connaissait vraiment. M. Smith, mon voisin et adjoint du proviseur, qui était bien placé pour connaître mes aptitudes scolaires et n'avait pas hésité à me confier ses propres enfants, a accepté de rédiger une lettre de recommandation.

Au cours de ma vie, j'ai eu la chance de rencontrer toutes sortes de gens extraordinaires et talentueux – des chefs d'État, des inventeurs, des musiciens, des astronautes, des sportifs de haut niveau, des professeurs, des entrepreneurs, des artistes et des écrivains, des médecins et des chercheurs. Certains (pas assez) sont des femmes. Certains (pas assez) sont noirs ou de couleur. Certains sont nés dans la misère ou ont traversé, au cours de leur existence, une série d'épreuves qui paraîtraient presque insurmontables à nombre d'entre nous, et donnent pourtant l'impression d'avoir bénéficié de tous les avantages du monde. J'ai appris une chose : tous ont eu à affronter le scepticisme d'autrui. Certains continuent à braver des foules hurlantes de détracteurs et de défaitistes prêtes à clamer *Je te l'avais bien dit* au moindre faux pas, à la moindre erreur. Le vacarme ne cesse pas, mais, parmi les gens que j'ai connus, ceux qui ont le mieux réussi sont ceux qui ont appris à vivre avec cette incrédulité, à s'appuyer sur ceux qui leur font confiance et à poursuivre les objectifs qu'ils se sont fixés imperturbablement.

Le jour où je suis sortie du bureau de la conseillère d'orientation de Whitney Young, j'étais furieuse. Plus que tout, j'étais blessée dans mon ego. Ma seule pensée, sur le moment, était : *Je vais te montrer ce dont je suis capable.*

Puis je me suis calmée et remise au travail. Je n'avais jamais imaginé qu'il serait facile d'entrer à l'université, mais j'apprenais à me concentrer sur l'essentiel et à me fier à ma propre histoire. J'ai essayé de coucher tout cela par écrit dans ma lettre de motivation. Au lieu de jouer à l'intellectuelle pure et dure et de faire comme si j'estimais être parfaitement à ma place entre les murs recouverts de lierre de Princeton, j'ai parlé de la sclérose en plaques de mon père, de l'absence d'expérience universitaire au sein de ma famille. Je reconnaissais que je voulais réussir. À considérer d'où je venais, je ne pouvais que viser plus haut.

En définitive, je crois être parvenue à montrer de quoi j'étais capable à cette conseillère d'orientation : six ou sept mois plus tard, un courrier est arrivé dans notre boîte aux lettres. J'étais admise à Princeton. Ce soir-là, nous avons fêté la bonne nouvelle, mes parents et moi, en commandant une pizza chez Italian Fiesta. J'ai téléphoné à Craig et lui ai hurlé à l'oreille que j'étais prise. Le lendemain, j'ai frappé à la porte de M. Smith pour lui annoncer que j'étais reçue et le remercier de toute l'aide qu'il m'avait apportée. Je ne suis jamais retournée voir la conseillère d'orientation pour lui dire qu'elle s'était trompée – que, finalement, j'avais le profil pour entrer à Princeton. Ça n'aurait rien apporté à personne. Après tout, je n'aurais rien eu à lui montrer, sinon moi-même.

6

Mon père m'a accompagnée à Princeton dans le courant de l'été 1981, empruntant les autoroutes qui relient l'Illinois au New Jersey. C'était plus, cependant, qu'un simple trajet père-fille. Mon petit copain, David, était du voyage. J'avais été invitée à assister à un programme d'été spécial : trois semaines d'un cursus d'orientation censées remédier à un « manque de préparation » et accorder à un certain nombre de nouveaux étudiants de première année un peu de temps et d'aide supplémentaires pour faciliter leur intégration. Les critères de sélection n'étaient pas clairs – quels éléments de notre dossier d'inscription avaient bien pu mettre la puce à l'oreille des autorités universitaires et leur donner à penser que nous tirerions profit de conseils quant à la manière de lire un programme d'enseignement ou d'exercices de repérage des sentiers reliant les différents bâtiments du campus ? Craig ayant suivi ce programme deux ans auparavant, il m'avait semblé utile de saisir l'occasion. J'avais donc fait mes bagages, dit au revoir à ma mère – sans larmes ni effusions d'un côté comme de l'autre – avant de monter en voiture.

Mon impatience à quitter la ville tenait en partie au fait que j'avais passé les deux derniers mois à travailler à la chaîne. Je manipulais une sorte de pistolet à colle de dimensions industrielles dans une petite usine de reliure du centre de Chicago – un boulot routinier et abrutissant qui m'occupait huit heures par jour, cinq jours par semaine, et qui aurait suffi à me convaincre, s'il en avait été besoin, que poursuivre des études à la fac était une excellente idée. La mère de David travaillait dans cette usine et nous avait aidés à nous faire embaucher tous les deux. Nous avions travaillé côte à côte tout l'été, ce qui conférait un certain agrément à cette entreprise. David, un grand et beau garçon, intelligent et gentil, avait deux ans de plus que moi. Il avait d'abord été le copain de Craig, qu'il avait rencontré sur le terrain de basket du quartier, à Rosenblum Park, quelques années plus tôt, où il participait à des matchs improvisés quand il venait voir des membres de sa famille qui habitaient Euclid Parkway. Il avait fini par traîner avec moi. Pendant l'année scolaire, David allait à la fac dans un autre État, ce qui avait pour avantage de ne pas risquer de me distraire de mes études. Pour les petites vacances et pendant l'été, en revanche, il rentrait chez sa mère, qui vivait dans le sud-ouest de la ville, et venait me chercher en voiture presque tous les jours.

David était un garçon sympa, plus mûr qu'aucun des copains que j'avais eus jusqu'à présent. Il s'installait sur le canapé avec mon père pour regarder des matchs de base-ball. Il rigolait avec Craig et faisait poliment la conversation avec ma mère. Nous allions ensemble au cinéma ou dans des restaurants que nous trouvions chics comme le Red Lobster. Nous nous amusions et fumions de l'herbe dans sa voiture. Le jour, à l'usine de reliure, nous nous abrutissions gentiment devant nos pistolets à colle, nous lançant des vannes jusqu'à ce que nous n'ayons plus rien à dire. Nous n'étions ni l'un ni l'autre très investis dans ce travail, notre seul but étant de mettre un peu d'argent de côté pour la fac. De toute façon, je n'allais pas tarder à quitter la ville et n'avais pas l'intention de remettre les pieds dans cette usine. En un sens, j'étais déjà à moitié partie – mon esprit avait pris son envol en direction de Princeton.

Autrement dit, en ce début de mois d'août, quand notre trio père-fille-copain a fini par quitter la Route 1 pour s'engager dans la large avenue bordée d'arbres menant au campus, j'étais prête à aller de l'avant. Prête à porter mes deux valises dans la résidence universitaire réservée aux étudiants qui suivaient des cours d'été, prête à serrer la main des autres nouveaux (essentiellement des étudiants issus des minorités et de milieux modestes, auxquels s'ajoutaient quelques sportifs). Prête à goûter la nourriture du réfectoire, à apprendre par cœur le plan du campus et à partir à la conquête de tous les programmes d'études qu'ils avaient l'intention de m'imposer. J'étais enfin là. J'étais arrivée. J'avais 17 ans et la vie s'ouvrait devant moi.

Il n'y avait qu'un problème : David. À peine franchie la frontière de la Pennsylvanie, il avait commencé à prendre l'air vaguement malheureux. Alors qu'il m'aidait à décharger péniblement mes bagages du coffre de la voiture de mon père, j'ai bien vu qu'il se sentait déjà seul. Cela faisait plus d'un an que nous sortions ensemble. Nous nous étions déclaré notre amour, mais c'était un amour qui avait pour cadre Euclid Avenue, le Red Lobster et les terrains de basket du Rosenblum Park. C'était un amour qui s'était épanoui dans le lieu que je venais de quitter. Comme nous attendions mon père, auquel il fallait encore une minute, comme d'habitude, pour s'extraire de derrière le volant et se stabiliser sur ses cannes, David et moi nous tenions, muets, dans le crépuscule, les yeux rivés sur le losange immaculé de pelouse verte qui s'étendait devant la forteresse de pierre de ma résidence. Nous prenions soudain conscience que nous avions peut-être passé sous silence certains points essentiels, que nous n'avions peut-être pas les mêmes idées sur la nature de cette séparation : était-elle temporaire ou s'agissait-il d'une vraie rupture, due aux contraintes géographiques ? Allions-nous nous rendre visite ? Nous envoyer des lettres d'amour ? Quels efforts étions-nous prêts à consentir ?

David me tenait la main d'un air grave. J'étais désemparée. Je savais ce que je voulais, mais j'étais incapable de trouver les mots pour le dire. J'espérais qu'un jour j'éprouverais pour un homme des sentiments qui me chavireraient, que je serais emportée par la formidable éruption, le véritable tsunami qui semblait consacrer les plus belles histoires d'amour. Mes parents étaient encore adolescents quand ils étaient tombés amoureux. Mon père avait même accompagné ma mère au bal du lycée. Je savais que certaines aventures de jeunesse pouvaient être réelles et durables. Je voulais croire qu'un jour un homme surgirait devant moi, un type solide, séduisant, qui serait tout pour moi et me ferait instantanément un effet tel que je serais prête à réviser mes priorités.

Ce n'était pas celui qui était sous mes yeux en cet instant précis.

Mon père a fini par rompre le silence qui s'était installé entre David et moi : il était temps de monter mes affaires dans la résidence. Il avait réservé une chambre d'hôtel en ville pour eux deux. Ils avaient l'intention de repartir le lendemain pour Chicago.

Dans le parking, j'ai serré mon père contre moi de toutes mes forces. Ses bras avaient toujours été vigoureux grâce à sa passion juvénile pour la boxe et la natation, et demeuraient musclés à cause de l'effort qu'il devait fournir pour se déplacer avec une canne.

« Sois sage, Miche », m'a-t-il dit en me libérant, son visage ne trahissant pas d'autre émotion que la fierté.

Puis il est monté en voiture, nous accordant gentiment, à David et à moi, quelques instants d'intimité.

Nous sommes restés ensemble sur le trottoir, aussi penauds et coincés l'un que l'autre. J'ai éprouvé un élan de tendresse quand il s'est penché pour m'embrasser. C'était toujours aussi grisant.

En même temps, je savais. Je savais qu'au moment même où j'avais les bras autour du cou d'un adorable garçon de Chicago qui tenait sincèrement à moi, il y avait aussi, un tout petit peu plus loin, un sentier éclairé qui s'éloignait du parking et gravissait une légère pente vers la cour carrée qui serait, dans quelques minutes, mon nouvel environnement, mon nouveau monde. J'étais angoissée à l'idée de partir de chez moi pour la première fois, de quitter la seule vie que j'avais connue jusqu'à présent. Mais, au fond de moi-même, je n'ignorais pas qu'il était préférable de rompre proprement, promptement, et de se défaire de toutes ces attaches. Le lendemain, David m'appellerait à la résidence pour me proposer d'aller grignoter un morceau ensemble ou de faire un dernier tour avant son départ, et je lui répondrais en marmonnant que j'étais déjà très occupée à la fac et que ça n'était malheureusement pas possible. Notre au revoir, ce soir-là, était un adieu définitif. J'aurais sans doute dû le lui annoncer clairement sur le moment, mais je me suis dégonflée, consciente que ce serait aussi douloureux à dire qu'à entendre. Alors, je l'ai simplement laissé partir.

IL SE TROUVE QUE J'AVAIS ENCORE une foule de choses à apprendre sur la vie, ou en tout cas sur la vie sur le campus de Princeton au début des années 1980. Après plusieurs semaines stimulantes à suivre le programme d'été en compagnie de quelques dizaines d'autres jeunes avec lesquels je me suis facilement entendue, le premier semestre a commencé pour de bon et les vannes de l'université se sont ouvertes pour laisser déferler l'ensemble de la population étudiante. J'ai déménagé mes affaires, m'installant dans une chambre à trois de la résidence de Pyne Hall, et, depuis ma fenêtre du troisième étage, j'ai vu plusieurs milliers d'étudiants, majoritairement blancs, se déverser sur le campus, chargés de chaînes stéréo, de housses de couette et de portants à vêtements. Certains étaient en limousines. Une fille est arrivée avec deux limousines extra-longues – pour pouvoir débarquer avec toutes ses affaires.

Princeton était très blanc, et très masculin. C'étaient deux réalités incontournables. Sur le campus, les étudiants étaient presque deux fois plus nombreux que les étudiantes. Les Noirs représentaient moins de 9 % de mes condisciples de première année. Si, au cours du programme d'orientation, nous avions commencé à prendre possession des lieux, nous nous rendions compte à présent que nous constituions une anomalie flagrante – des graines de pavot dans un bol de riz. J'avais fait l'expérience d'une certaine mixité à Whitney Young, mais je n'avais encore jamais fait partie d'un groupe majoritairement blanc. Je ne m'étais jamais fait remarquer dans une foule ou une salle de classe à cause de la couleur de ma peau. C'était déstabilisant et pénible, au début en tout cas. J'avais l'impression qu'on m'avait déposée dans un nouveau terrarium bizarre, un habitat qui n'avait pas été conçu pour moi.

Mais, comme toujours, on finit par se faire à tout. Une partie de mon adaptation a été facile – un soulagement, presque. La délinquance semblait n'inquiéter personne ici. Les étudiants ne fermaient pas leurs chambres à clé, ils laissaient leurs vélos appuyés en toute tranquillité devant les bâtiments, tandis que les filles abandonnaient nonchalamment leurs boucles d'oreilles au bord des lavabos dans les salles de bains de la résidence. Leur confiance dans le monde extérieur paraissait infinie, et ils s'y promenaient avec une assurance sereine qui ne m'était pas naturelle. J'avais passé des années à surveiller discrètement mes affaires dans le bus qui me conduisait et me ramenait de Whitney Young. Le soir, en rentrant chez moi, je tenais mes clés coincées dans mon poing, pointe saillant entre deux phalanges, dans l'éventualité où j'aurais à me défendre.

À Princeton, je n'avais à me soucier que mes études. Pour le reste, tout était fait pour assurer le bien-être des étudiants. Les réfectoires proposaient cinq sortes de petits déjeuners différents. Les branches déployées d'immenses chênes étaient une invitation à venir se prélasser sous ces larges ramures, et les pelouses dégagées, un appel à se détendre en jouant au Frisbee. La bibliothèque principale ressemblait à une cathédrale du vieux continent, avec ses hauts plafonds et ses tables en bois lustrées où nous pouvions étaler nos manuels et travailler dans un parfait silence. Nous étions protégés, dorlotés, nourris, logés. Et j'ai commencé à comprendre qu'un grand nombre de mes camarades n'avaient jamais rien connu d'autre.

Ce monde nouveau s'accompagnait d'un nouveau vocabulaire qu'il me fallait assimiler. Que voulait dire « *precept*[1] » ? Une « période de lecture », c'était quoi ? Personne ne m'avait expliqué ce qu'étaient les draps « extra-longs » qui figuraient sur la liste des affaires à apporter. Du coup, j'avais acheté des draps trop courts, et j'ai été condamnée à dormir pendant toute ma première année les pieds posés sur le plastique nu de mon matelas. La courbe d'apprentissage a été particulièrement accusée s'agissant du sport. Mon éducation sportive comprenait une solide base de foot, de basket et de base-ball ; or j'ai découvert que c'était de la petite bière pour les élèves des lycées privés de la côte Est. Ici, on jouait au lacrosse. On jouait au hockey sur gazon. On jouait même au squash. Pour une gamine du South Side, il y avait de quoi être prise de vertige. « Tu as déjà fait de l'aviron en quatre barré ? » Mais de quoi parlaient-ils ?

Je n'avais qu'un avantage, le même qu'à mon entrée en maternelle : j'étais encore et toujours la petite sœur de Craig Robinson. Désormais en troisième année, Craig était un des joueurs vedettes de l'équipe universitaire de basket. Il avait, comme toujours, sa cour de fans. Les agents de sécurité du campus eux-mêmes le saluaient par son prénom. Craig s'était fait une vie et j'ai réussi, au moins partiellement, à m'y introduire. J'ai fait la connaissance de ses coéquipiers et de leurs copains. Un soir, je me suis rendue à un dîner avec lui hors du campus, dans la luxueuse maison d'un des supporters de l'équipe de basket, où, en prenant place à la

---

1. Dans les universités américaines, un « *precept* » désigne un groupe de discussion mené par un professeur ou un étudiant de troisième cycle, qui accompagne un cours magistral.

table de la salle à manger, je me suis trouvée devant une vision déconcertante, un aliment qui, pour être proprement consommé, comme tant d'autres choses à Princeton, exigeait une leçon de distinction : un artichaut vert épineux disposé sur une assiette de porcelaine blanche.

Craig s'était dégoté un plan d'hébergement en or pour l'année et occupait gratuitement, en qualité de gardien, une chambre à l'étage du Third World Center (le « Centre du tiers monde »), une ramification de l'université au nom douteux mais aux intentions louables, qui avait pour mission de soutenir les étudiants de couleur. (Il faudrait attendre une bonne vingtaine d'années pour que le Third World Center soit rebaptisé le Centre Cart A. Fields pour l'égalité et la compréhension culturelle – du nom du premier doyen afro-américain de Princeton.) Le Centre occupait un bâtiment de brique rouge sur une parcelle d'angle de Prospect Avenue, dominée par les sièges grandioses – sortes de manoirs en pierre de style Tudor – des « clubs de restauration » qui remplaçaient à Princeton les fraternités d'étudiants.

Ce Third World Center – le TWC, comme nous l'appelions presque tous – est rapidement devenu mon port d'attache. On y donnait des fêtes et des repas où tout le monde apportait quelque chose. Il y avait des tuteurs bénévoles pour ceux qui avaient besoin d'aide, et des espaces où se détendre. Je m'étais immédiatement fait une poignée d'amis pendant le programme d'été et nous étions plusieurs à graviter vers le Centre dès que nous avions un peu de temps libre. Suzanne Alele faisait partie de ce groupe. Grande et mince, elle avait des sourcils fournis et d'opulents cheveux noirs qui retombaient dans son dos en vagues lustrées. Elle était née au Nigeria et avait grandi à Kingston, à la Jamaïque. Sa famille était allée s'installer dans le Maryland quand elle était adolescente. Cela expliquait peut-être l'impression qu'elle donnait de ne pouvoir se revendiquer d'une identité culturelle unique. Les gens étaient attirés par Suzanne. Il était difficile de ne pas l'être. Elle avait un sourire radieux et de très légères intonations insulaires qui avaient tendance à s'accentuer quand elle était fatiguée ou qu'elle avait un peu bu. Elle se conduisait avec ce que je définirais comme une désinvolture caribéenne, une légèreté d'esprit qui la distinguait des masses studieuses de Princeton. Elle n'avait pas peur de se pointer à des fêtes où elle ne connaissait personne. Elle était étudiante en médecine, ce qui ne l'empêchait pas de suivre des cours de poterie et de danse pour la simple raison qu'elle aimait ça.

Plus tard, alors que nous étions en deuxième année, Suzanne a fait un autre plongeon, décidant de se présenter au *bicker* d'un club de restauration appelé Cap and Gown. *Bicker* était un terme doté d'une signification tout à fait particulière à Princeton : il désignait le processus de sélection sociale qu'opéraient les clubs pour choisir de nouveaux membres. Je me repaissais des anecdotes que Suzanne rapportait des banquets du club de restauration et des fêtes auxquelles elle assistait, mais l'idée d'en faire partie ne me traversait même pas l'esprit. J'étais tout à fait satisfaite du groupe d'étudiants noirs et latinos que j'avais intégré par l'intermédiaire du TWC et préférais me tenir en marge de la vaste scène mondaine de Princeton. Notre groupe était modeste, mais soudé. Nous faisions des fêtes et dansions la moitié de la nuit. Aux repas, nous nous entassions souvent à dix ou plus autour d'une table, détendus, riant comme des fous. Nos dîners pouvaient s'éterniser pendant des heures, et n'étaient pas sans me rappeler les longs repas de famille à la table de Southside.

J'imagine que les administrateurs de Princeton n'appréciaient pas beaucoup que les étudiants de couleur passent le plus clair de leur temps entre eux. Ils auraient voulu que nous nous mélangions tous dans une harmonie hétérogène, donnant ainsi un lustre supplémentaire à la qualité de vie étudiante en général. C'est un objectif louable. Je comprends que, en matière de diversité universitaire, l'idéal serait d'aboutir à quelque chose d'assez proche des illustrations habituelles des brochures des universités – des étudiants souriants, travaillant et se côtoyant en gentils groupes, toutes couleurs de peau confondues. Et pourtant, aujourd'hui encore, alors que les étudiants blancs continuent à éclipser numériquement les étudiants de couleur sur les campus universitaires, le poids de l'assimilation repose essentiellement sur les épaules des membres des minorités. D'après ma propre expérience, c'est beaucoup leur demander.

À Princeton, j'avais besoin de mes amis noirs. Nous nous apportions réconfort et soutien. Nous étions si nombreux à arriver à la fac sans même avoir pris conscience que nous partions avec un désavantage. Il faut un moment pour découvrir que vos nouveaux camarades ont suivi des cours particuliers avant de passer le SAT, le test d'évaluation indispensable pour entrer à la fac, qu'ils ont bénéficié dès le lycée d'un enseignement de niveau universitaire, ou ont déjà connu l'internat, ce qui les met à l'abri des difficultés auxquelles sont confrontés ceux qui partent de chez eux pour la première fois. C'était comme de monter sur scène pour votre premier récital de piano et de vous apercevoir que, jusqu'à présent, vous n'avez joué que sur un instrument aux touches cassées. Tout votre univers bascule, mais on vous demande de vous adapter et de surmonter le problème, de jouer votre morceau exactement comme les autres.

C'est faisable, évidemment – les élèves des minorités ou de milieux défavorisés ne cessent de relever ce défi –, mais ça pompe de l'énergie. Ça pompe de l'énergie d'être le seul Noir dans une salle de cours ou l'un des rares non-Blancs à passer une audition pour une pièce ou à être admis dans une équipe de sport. Prendre la parole dans ces conditions et imposer sa présence exige un effort supplémentaire et une solide confiance en soi. Voilà pourquoi, quand nous nous retrouvions, mes amis et moi, pour dîner ensemble tous les soirs, nous éprouvions un certain soulagement. Voilà pourquoi nous restions tard, et riions beaucoup.

Mes deux camarades de chambre de Pyne Hall étaient très gentilles, mais je ne passais pas suffisamment de temps à la résidence pour nouer une véritable amitié avec qui que ce soit. À dire vrai, je n'avais pas beaucoup d'amis blancs. Rétrospectivement, je me rends compte que c'était ma faute autant que celle des autres. J'étais prudente. Je me raccrochais à ce que je connaissais. Il n'est pas facile d'exprimer par des mots ce que vous ressentez parfois confusément, les nuances tacites, cruelles qui vous rappellent que vous n'êtes pas à votre place – les signaux subtils qui vous invitent à ne pas courir de risque, à trouver des gens comme vous et à ne pas faire de vagues.

Cathy, une de mes camarades de chambre, s'exprimerait dans les médias bien des années plus tard, racontant avec embarras une histoire dont j'avais tout ignoré lorsque nous vivions ensemble : sa mère, une institutrice de La Nouvelle-Orléans, avait été tellement consternée d'apprendre que sa fille partageait une chambre avec une Noire qu'elle avait harcelé l'administration pour obtenir qu'on nous sépare. Sa mère avait elle aussi donné une interview, confirmant l'anecdote et la replaçant dans un contexte plus général. Ayant été élevée dans un milieu où l'on parlait sans sourciller de « nègres », et ayant eu un grand-père shérif qui se vantait d'avoir chassé des Noirs de sa ville, elle avait été « horrifiée » que sa fille soit obligée de vivre dans une telle promiscuité avec moi.

Tout ce que j'ai pu constater à l'époque, c'est que, au milieu de notre première année, Cathy a quitté notre chambre pour emménager dans une chambre individuelle. Heureusement, j'ignorais alors complètement le motif de son départ.

L A BOURSE DONT JE BÉNÉFICIAIS À PRINCETON exigeait que j'exerce un emploi parallèlement à mes études. J'ai trouvé le job parfait : je me suis fait embaucher comme assistante de la directrice du TWC. J'y travaillais une dizaine d'heures par semaine, en dehors de mes heures de cours. Assise à un bureau avec Loretta, la secrétaire à plein temps, je tapais des notes, répondais au téléphone et donnais des renseignements aux étudiants qui venaient poser des questions sur la possibilité d'abandonner un cours ou de s'inscrire à la coopérative alimentaire. Le bureau, situé dans un angle, en façade du bâtiment, était baigné de soleil et disposait d'un mobilier dépareillé qui lui prêtait un aspect plus douillet qu'officiel. J'adorais passer du temps là-bas, avoir du travail de bureau à faire. J'adorais le petit frémissement de satisfaction qui me parcourait chaque fois que j'avais mené à bien une modeste tâche administrative. Mais, plus que tout, j'adorais ma supérieure, Czerny Brasuell.

Czerny était une femme noire intelligente et belle, âgée d'à peine 30 ans, une New-Yorkaise vive et pleine d'entrain, qui portait des jeans pattes d'éléphant et des sandales compensées, et qui donnait l'impression d'avoir toujours quatre ou cinq idées à la fois. Pour les étudiants de couleur de Princeton, elle était une sorte de super-mentor, celle qui avait réponse à tout, notre indéfectible championne, évidemment appréciée de tous. Au bureau, elle jonglait constamment avec plusieurs projets – faisant pression sur l'administration universitaire pour qu'elle prenne des mesures plus inclusives pour les minorités, plaidant la cause de différents étudiants et exposant leurs besoins, produisant des idées neuves à la chaîne sur la manière dont nous pourrions tous améliorer notre quotidien. Elle arrivait souvent en retard, franchissait ventre à terre la porte d'entrée du Centre, une liasse de feuilles volantes serrée dans la main, son sac en bandoulière et une cigarette allumée au bec, et nous criait ses directives, à Loretta et moi, sans même s'arrêter. La côtoyer était en soi une expérience formidable – je n'avais jamais été aussi proche d'une femme indépendante qui faisait un boulot qui l'enthousiasmait. C'était aussi, ce qui n'a rien d'un hasard, une mère célibataire qui élevait un adorable petit garçon précoce nommé Jonathan que je gardais souvent.

Czerny a perçu en moi une forme de potentiel, alors que, de toute évidence, je manquais terriblement d'expérience. Elle me traitait en adulte, me demandait mon avis, m'écoutait attentivement lui décrire tous les soucis et toutes les tracasseries administratives au sujet desquels les étudiants étaient venus nous solliciter. Elle semblait bien décidée à m'insuffler un peu plus d'audace. Un grand nombre de ses questions commençaient par : « Est-ce que tu as déjà… ? » Avais-je, par exemple, déjà lu les livres de James Cone ? Avais-je déjà remis en question les investissements de Princeton en Afrique du Sud, ou m'étais-je déjà demandé si on ne pourrait pas en faire davantage pour recruter des étudiants des minorités ? La plupart du temps, la réponse était non, mais il suffisait qu'elle évoque le sujet pour que je m'y intéresse sur-le-champ.

« Est-ce que tu es déjà allée à New York ? » m'a-t-elle demandé un jour.

La réponse était non, comme toujours. Czerny s'est employée à y remédier. Un samedi matin, nous nous sommes entassés dans sa voiture – Czerny au volant, le petit Jonathan, une autre amie qui travaillait elle aussi au TWC et moi – et avons filé vers Manhattan, bavardant et fumant pendant tout le trajet. C'est tout juste si nous ne sentions pas un poids tomber des épaules de Czerny, une tension se relâcher tandis que les centres équestres aux barrières blanches des environs de Princeton étaient remplacés par des autoroutes encombrées. Enfin, les hautes tours de la ville se sont dressées devant nous. Czerny était chez elle à New York, comme je l'étais à Chicago. On ne mesure réellement la profondeur de ses racines que lorsqu'on en est coupé, qu'on est privé de ses repères et qu'on se sent comme un bouchon flottant sur un océan inconnu.

C'est ainsi que nous nous sommes retrouvés plongés dans le cœur grouillant de New York, prisonniers d'un flot de taxis jaunes et de klaxons tonitruants, tandis que Czerny roulait, pied au plancher, d'un feu à l'autre, pilant à la dernière seconde pour éviter de passer au rouge. Je ne sais plus très bien ce que nous avons fait ce jour-là. Je me rappelle que nous avons mangé des pizzas, vu le centre Rockefeller, traversé Central Park et aperçu la statue de la Liberté brandissant sa torche, symbole d'espérance. Notre expédition avait aussi et surtout des motifs pratiques. Czerny semblait recharger son âme en faisant toute une série d'emplettes. Elle avait des choses à prendre, d'autres à déposer. Elle se rangeait en double file dans des rues transversales très animées, s'engouffrait dans des immeubles et en ressortait comme une flèche. Les autres automobilistes, furieux, klaxonnaient frénétiquement tandis que nous restions assis, impuissants, dans la voiture. New York m'a submergée. La ville était nerveuse et bruyante, moins patiente que Chicago. Mais Czerny y débordait de vie, pas déroutée le moins du monde par les piétons qui traversaient en dehors des clous ou par les odeurs pestilentielles d'urine et d'ordures qui montaient des trottoirs.

Elle était sur le point de se ranger une fois de plus en double file quand elle a jeté un coup d'œil dans son rétroviseur aux voitures qui la suivaient et a semblé se raviser. J'étais assise près d'elle, sur le siège du passager. Elle m'a fait signe de me glisser à sa place derrière le volant.

« Tu as ton permis ? » m'a-t-elle demandé. Comme je répondais par un hochement de tête affirmatif, elle a poursuivi : « Parfait. Prends le volant. Tu n'as qu'à faire lentement le tour du pâté d'immeubles. Deux tours peut-être. On se retrouve ici. J'en ai pour cinq minutes à peine. »

Je l'ai regardée comme si elle était folle. Elle *était* folle, j'en étais sûre, d'imaginer que j'allais pouvoir conduire dans Manhattan – moi, une toute jeune fille qui n'avait jamais mis les pieds dans cette ville trépidante. J'étais inexpérimentée et parfaitement incapable, j'en étais convaincue, de me coltiner non seulement sa voiture, mais aussi son fils, et de les faire tourner en rond simplement pour tuer le temps dans la cohue de la fin d'après-midi. Mon hésitation a eu pour unique résultat de provoquer chez Czerny une réaction que j'associerais éternellement aux New-Yorkais – une résistance instinctive et spontanée aux pensées étriquées. Elle est descendue de voiture, ne me laissant pas le choix : j'ai redémarré. Le message était clair : *Prends sur toi et profite un peu.*

J'APPRENAIS CONSTAMMENT, à présent. J'apprenais en suivant les voies universitaires balisées, me défendant plutôt bien en cours et passant une grande partie de mes heures d'études dans une salle tranquille du Third World Center ou dans un box de la bibliothèque. J'apprenais à rédiger avec clarté et concision, à avoir une pensée critique. Je m'étais inscrite par mégarde à un cours de théologie de troisième année et j'ai pataugé tant bien que mal, réussissant de justesse mon examen en consacrant onze heures de travail à ma dernière dissertation et en y mettant toute mon énergie. Même si mon devoir n'avait rien de génial, ce succès m'a encouragée en me prouvant que je pouvais surmonter presque toutes les embûches. Quels qu'aient été mes déficits quand j'étais arrivée fraîche émoulue d'un lycée du centre-ville, j'étais visiblement capable de les compenser en redoublant de travail, en demandant de l'aide quand j'en avais besoin et en apprenant à doser mes efforts pour ne pas perdre de temps.

Il n'en était pas moins impossible d'être une jeune Noire dans une fac majoritairement blanche sans distinguer l'ombre de la discrimination positive. Je sentais posés sur moi les regards scrutateurs de certains étudiants, et même de quelques professeurs, qui semblaient dire : « Je sais *pourquoi* tu es là. » Cela me pesait, même si, dans certains cas, je suis persuadée que mon imagination y avait aussi sa part. Le doute était instillé : n'avais-je été admise que dans le cadre d'une expérience sociale ?

Peu à peu, cependant, j'ai commencé à comprendre que l'université mettait en place de nombreuses formes de quotas. En tant que membres des minorités, nous en étions l'expression la plus visible, mais certaines dispenses spéciales permettaient à toutes sortes d'étudiants dont les notes ou les résultats n'étaient pas forcément à la hauteur des critères requis d'entrer à Princeton. On ne pouvait donc pas parler de vraie méritocratie. Il y avait, par exemple, la catégorie des sportifs de haut niveau. Il y avait celle des héritiers, dont les pères et les grands-pères avaient fait partie des Tigers, le club omnisports de Princeton, ou dont les familles avaient financé la construction d'une résidence universitaire ou d'une bibliothèque. J'ai également appris que la richesse n'était pas une garantie contre l'échec. Je voyais des étudiants s'enliser tout autour de moi – blancs, noirs, privilégiés ou non. Certains faisaient la fête même les soirs de semaine, d'autres mettaient la barre si haut qu'ils étaient laminés par le stress, d'autres encore étaient purement et simplement paresseux ou tellement hors de leur élément qu'ils n'avaient d'autre solution que de prendre la fuite. Ma mission, telle que je la concevais, était de tenir bon, d'obtenir les meilleures notes possible et de réussir.

En deuxième année, au moment où Suzanne et moi nous sommes installées dans une chambre à deux, j'avais mieux compris comment m'y prendre. Je m'étais plus ou moins habituée à faire partie des rares étudiants de couleur dans un amphi bondé. J'essayais de ne pas me laisser intimider quand, en cours, les garçons monopolisaient la parole, ce qui était fréquent. Il suffisait de les écouter pour constater qu'ils n'étaient absolument pas plus intelligents que les autres. Ils avaient simplement plus d'assurance et chevauchaient une vague très ancienne de supériorité, maintenus à flot par un passé qui ne leur avait jamais rien appris d'autre.

Certains de mes camarades souffraient plus que d'autres de leur différence. Mon ami Derrick n'a jamais oublié le jour où des étudiants blancs avaient refusé de lui céder le passage sur un trottoir. Un soir, une fille que nous connaissions avait invité six amis dans sa chambre pour fêter son anniversaire et s'est fait traîner jusqu'au bureau du doyen, où on l'a informée que sa camarade de chambre blanche n'avait pas du tout apprécié la présence de « grands types noirs » dans sa chambre. Nous étions si rares à Princeton, nous autres, les membres des minorités, que notre présence attirait forcément l'attention. Personnellement, j'y voyais surtout l'obligation de me surpasser, de ne pas ménager mes efforts pour faire aussi bien, voire mieux, que mes condisciples plus privilégiés. Comme à Whitney Young, mon ardeur au travail était motivée au moins en partie par la volonté de prouver ma valeur : *Vous allez voir ce que vous allez voir.* Si au lycée j'avais eu l'impression de représenter mon quartier, à Princeton, je représentais les Noirs. Chaque fois que je prenais la parole en cours ou que je réussissais brillamment un examen, j'espérais tacitement que cela contribuait à marquer un point plus important.

Suzanne, elle, n'était pas du genre à se prendre la tête. Je l'avais surnommée Screwzy (« Serpentin ») à cause de la tournure sinueuse, parfaitement déraisonnable, de ses journées. La plupart de ses décisions – le garçon avec qui elle sortait, les cours qu'elle suivait – lui étaient essentiellement dictées par le plaisir qu'elle en tirait. Quand quelque chose ne lui procurait aucun amusement, elle passait à autre chose... Alors que j'avais adhéré à l'Organization of Black Unity et m'éloignais rarement du Third World Center, Suzanne faisait de la course sur piste et dirigeait l'équipe de foot poids plume, ravie de pouvoir ainsi côtoyer des garçons mignons et athlétiques. Grâce au club de restauration, elle avait des amis blancs et riches, parmi lesquels une authentique vedette ado de cinéma et une étudiante européenne qui, à en croire la rumeur, était une princesse. Les parents de Suzanne avaient insisté pour qu'elle continue sa médecine, mais elle a fini par laisser tomber, parce que c'était barbant. Ses résultats médiocres lui avaient valu d'être astreinte à des cours de rattrapage pendant un certain temps, ce qui n'avait pas semblé l'affecter beaucoup. Elle était Laverne quand j'étais Shirley[1], Ernest quand j'étais Bart[2]. La chambre que nous partagions avait tout du champ de bataille idéologique : Suzanne régnait sur un paysage dévasté de vêtements roulés en boule et de papiers qui jonchaient le sol, tandis que j'étais perchée sur mon lit, entourée d'un ordre méticuleux.

« Tu es vraiment obligée de faire ça ? » lui demandais-je en la voyant revenir d'un entraînement de course et filer à la douche, se débarrassant de sa tenue de sport trempée de sueur et la laissant

---

1. Personnages principaux de la sitcom américaine des années 1970 *Laverne et Shirley*, centrée sur la vie quotidienne de deux amies inséparables qui vivent à Milwaukee dans les années 1960. Laverne est un peu garçon manqué et très directe ; Shirley est plus discrète et sensible.

2. Ernest et Bart sont deux des muppets de l'émission américaine diffusée depuis les années 1970 « Sesame Street », adaptée en France sous le nom de « 1, rue Sésame ». Ernest et Bart sont colocataires, le premier est exubérant et aime la musique tandis que le second est ennuyeux et sérieux.

tomber par terre, où je savais qu'elle resterait une semaine, au milieu de vêtements propres et de devoirs inachevés.

« Faire quoi ? » répondait-elle en me décochant un sourire rayonnant.

Je devais parfois me forcer à ignorer la pagaille que Suzanne semait autour d'elle pour garder les idées claires. J'avais parfois envie de l'engueuler, mais je me suis toujours retenue. Suzanne était Suzanne. Elle ne changerait pas. Quand elle dépassait les bornes, je ramassais son bazar et l'empilais sur son lit sans faire de commentaire.

Avec le recul, je me rends compte que c'était une provocation salutaire : Suzanne me faisait prendre conscience que tout le monde n'est pas obligé d'étiqueter et de ranger tous ses dossiers par ordre alphabétique, ni même d'avoir des dossiers. Bien des années plus tard, je suis tombée amoureuse d'un garçon qui, comme Suzanne, laissait ses affaires traîner en tas et ne voyait absolument pas l'intérêt de plier ses vêtements. Grâce à Suzanne, j'avais appris à vivre en bonne intelligence avec les gens comme lui – je vis d'ailleurs toujours en bonne intelligence avec cet homme-là. Voilà peut-être la principale leçon qu'une maniaque de l'ordre peut tirer de l'univers étrange et comprimé de l'université : il y a tout simplement d'autres façons de vivre.

« EST-CE QUE TU AS DÉJÀ PENSÉ, m'a demandé Czerny un jour, à mettre sur pied un petit programme d'activités du soir pour les enfants ? »

J'étais persuadée qu'elle me posait la question par bonté d'âme. Avec le temps, je m'étais prise d'une telle affection pour Jonathan, qui était à présent à l'école primaire, que je passais bon nombre de mes après-midi à me balader avec lui dans Princeton ou à l'emmener au Third World Center, où nous jouions des quatre mains sur le piano désaccordé et bouquinions sur un canapé défoncé. Czerny me payait les heures que je lui consacrais, mais semblait estimer que ce n'était pas suffisant.

« Je parle sérieusement, a-t-elle poursuivi. Je connais un tas d'enseignants qui cherchent à faire garder leurs enfants après l'école. Tu pourrais monter ça au Centre. Tu n'as qu'à faire un essai, tu verras bien comment ça marche. »

Grâce au battage publicitaire de Czerny, je n'ai pas tardé à avoir une petite troupe de trois ou quatre enfants à surveiller. C'étaient les enfants d'administrateurs et de professeurs noirs de Princeton, qui constituaient eux aussi une vraie minorité et tendaient, comme nous, à graviter autour du TWC. Plusieurs après-midi par semaine, à la sortie de l'école, je leur servais des goûters sains et courais avec eux sur la pelouse. S'ils avaient des devoirs à faire, nous les faisions ensemble.

Les heures passaient comme un rêve. La compagnie des enfants m'apportait une merveilleuse distraction. Elle m'obligeait à oublier mes préoccupations universitaires pour m'absorber dans l'instant présent. Quand j'étais petite, je passais des journées entières à jouer à la maman avec mes poupées, faisant semblant de les nourrir, les habillant, leur brossant les cheveux, et collant tendrement des sparadraps sur leurs genoux de plastique. Désormais, je le faisais pour de vrai et trouvais cette entreprise nettement plus brouillonne, mais tout aussi gratifiante que je l'avais imaginé. Je regagnais ma résidence après avoir passé quelques heures avec mes gamins, épuisée, mais heureuse.

Environ une fois par semaine, quand j'avais un moment de tranquillité, je prenais le téléphone pour composer le numéro d'Euclid Avenue. Si mon père rentrait tôt du travail, j'arrivais à le joindre en fin d'après-midi, et le trouvais assis au salon – dans mon imagination en tout cas –, les jambes relevées dans son fauteuil relax, à regarder la télé et à attendre le retour de ma mère. Le soir, c'était généralement elle qui décrochait. Je racontais ma vie universitaire à mes parents jusque dans le moindre détail, comme un colon envoyant consciencieusement ses dépêches depuis la frontière. Je les abreuvais de mes observations – depuis mon antipathie pour mon professeur de français jusqu'aux singeries des enfants de mon programme d'activités du soir en passant par le béguin commun et passionné que nous avions, Suzanne et moi, pour un élève ingénieur afro-américain aux yeux verts ensorcelants, qui, alors même que nous le poursuivions de nos ardeurs, semblait à peine conscient de notre existence.

Mes histoires faisaient pouffer mon père, qui ponctuait mes récits de : « C'est pas vrai ? », ou bien : « Ça alors ! », ou encore : « Peut-être que cet élève ingénieur ne vous mérite pas. »

Quand j'avais fini de parler, il passait en revue les nouvelles de la famille. Dandy et Grandma avaient regagné Georgetown, la ville natale de Dandy, en Caroline du Sud, et Grandma se sentait un peu seule. Ma mère faisait des heures supplémentaires pour s'occuper de Robbie, qui avait désormais plus de 70 ans, était veuve et souffrait de toutes sortes de problèmes de santé. Il n'évoquait jamais ses propres difficultés, mais je n'en ignorais rien. Un samedi où Craig disputait un match de basket, mes parents ont fait le trajet jusqu'à Princeton pour le voir, ce qui m'a permis de me faire une idée de l'évolution de leur vie – dont ils ne disaient pas un mot au téléphone. Après s'être garé dans le vaste parking situé devant le gymnase Jardin, mon père s'est glissé à contrecœur dans un fauteuil roulant et a laissé ma mère le pousser jusqu'à l'intérieur.

En fait, je n'avais pas envie de voir dans quel état était mon père. Je ne le supportais pas. J'avais fait quelques recherches sur la sclérose en plaques à la bibliothèque de Princeton, photocopiant des articles de revues médicales pour les envoyer à mes parents. J'insistais lourdement pour qu'ils aillent consulter un spécialiste ou inscrivent papa à des séances de kiné, mais ils ne voulaient pas en entendre parler – mon père, surtout. Pendant les longues heures que nous avons passées au téléphone au cours de mes années de fac, sa santé est le seul sujet qu'il ait refusé d'aborder.

Quand je lui demandais comment il allait, il répondait invariablement : « Très bien. » Et ça s'arrêtait là.

Je laissais sa voix me rassurer. Elle ne contenait pas trace de souffrance ni d'apitoiement sur soi et ne transmettait que de la bonne humeur, de la tendresse, avec une minuscule pointe de baratin. Sa voix me faisait l'effet d'une bouffée d'oxygène. Elle était réconfortante, et elle me suffisait. Avant de raccrocher, il me demandait systématiquement si j'avais besoin de quelque chose – d'argent, par exemple. Et je répondais toujours non.

7

L A MAISON A COMMENCÉ À ME PARAÎTRE PLUS LOINTAINE, presque comme un lieu imaginaire. Pendant que j'étais à la fac, je suis restée en relation avec quelques-uns de mes camarades de lycée, et surtout avec Santita, qui étudiait à l'université Howard de Washington. J'ai profité d'un week-end prolongé pour aller la voir. Comme toujours, nous avons beaucoup ri, mais avons aussi eu des conversations sérieuses. Le campus de Howard était en ville – « Eh, ma vieille, t'as pas quitté la cité ! » l'ai-je taquinée en voyant un énorme rat passer à côté de nous, juste devant sa résidence – et sa population étudiante, deux fois plus nombreuse que celle de Princeton, était presque exclusivement noire. J'enviais Santita de ne pas être isolée par sa couleur de peau – elle évitait ainsi l'épuisement quotidien qu'entraînait l'appartenance à une minorité très réduite –, mais, malgré le faible nombre d'étudiants partageant mes origines, j'ai retrouvé avec plaisir les pelouses vert émeraude et les voûtes de pierre de Princeton.

J'avais choisi la sociologie comme matière principale et obtenais de bonnes notes. Je sortais depuis peu avec un joueur de foot, un garçon intelligent et spontané qui aimait s'amuser. Nous logions à présent, Suzanne et moi, avec une autre copine, Angela Kennedy, une fille de Washington, maigre et nerveuse, qui parlait à toute allure. Angela avait l'esprit vif et une imagination débordante, et elle aimait nous faire rire. Cette citadine noire s'habillait comme une BCBG sortie tout droit d'un casting, portant des richelieus bicolores et des pulls roses, ce qui ne l'empêchait pas, allez savoir comment, d'avoir un look d'enfer.

Issue d'un monde, je vivais désormais intégralement dans un autre, où les gens s'inquiétaient autant de leurs résultats aux tests d'admission en fac de droit que de leur compétition de squash. À la fac, quand quelqu'un me demandait d'où j'étais, je répondais : « De Chicago. » Et pour qu'il soit bien clair que je ne faisais pas partie de ceux qui venaient de banlieues nord huppées comme Evanston ou Winnetka, et qui revendiquaient trompeusement leur appartenance à Chicago, j'ajoutais, avec une pointe d'orgueil ou peut-être de défi : « Du South Side. » Je savais que si ces mots évoquaient quelque chose, c'était certainement des images stéréo-typées de ghetto noir, les bagarres de gangs et la violence des cités étant les sujets les plus souvent traités aux infos. Mais, une fois de plus, je cherchais, sans en être tout à fait consciente, à incarner une autre image. J'avais ma place à Princeton, autant qu'un autre. Mais je venais aussi du South Side de Chicago. Il me paraissait important que ce soit dit.

À mes yeux, le South Side n'avait rien à voir avec ce que l'on montrait à la télé. C'était chez moi. Et chez moi, c'était notre appartement d'Euclid Avenue, avec sa moquette fanée et ses plafonds bas, mon père affalé dans son fauteuil. C'était notre jardin miniature avec les fleurs de Robbie et le banc de pierre où, des lustres plus tôt, j'avais embrassé Ronnell. La maison était mon passé, rattaché à l'endroit où je me trouvais à présent par des fils de la Vierge.

Un membre de notre famille vivait à Princeton : la sœur cadette de Dandy, que nous appelions tante Sis. C'était une femme simple et pimpante qui habitait une maison simple et pimpante à la péri-phérie de la ville. Je ne sais pas ce qui, au départ, avait conduit tante Sis à Princeton, mais elle y était installée depuis longtemps. Elle travaillait comme femme de ménage dans des familles du coin et n'avait jamais perdu son accent de Georgetown, une sorte de mélange entre les intonations traînantes du littoral de Caroline du Sud et les inflexions des Gullah. Comme Dandy, tante Sis avait grandi à Georgetown. Je conservais quelques souvenirs des visites que nous y faisions l'été avec mes parents, quand j'étais petite. Je me rappelais la chaleur étouffante et le lourd rideau de barbe de vieillard sur les chênes de Virginie, les cyprès qui se dressaient dans les marécages et les vieux qui pêchaient dans les ruisseaux

boueux. Il y avait des insectes à Georgetown, des masses inquié-
tantes d'insectes, qui bourdonnaient et vrombissaient dans l'air du
soir comme de petits hélicoptères.

Lors de nos séjours, nous logions chez mon grand-oncle Thomas, un frère de Dandy. C'était un homme très gentil. Proviseur
de lycée, il m'emmenait dans son établissement et me laissait
m'asseoir à son bureau. Il avait eu la bonté de m'acheter un pot
de beurre de cacahuète en me voyant tordre le nez devant les plan-
tureux petits déjeuners de bacon, de biscuits et de gruau de maïs
jaune que tante Dot, sa femme, servait tous les matins. J'adorais
et détestais tout à la fois aller dans le Sud, pour la simple raison
que c'était très différent de tout ce que je connaissais. Les routes
conduisant à la ville nous faisaient passer devant les entrées d'anciennes plantations esclavagistes, devenues une réalité de la vie
tellement ordinaire que personne ne prenait la peine d'en parler.
Au pied d'un chemin de terre désert qui s'enfonçait dans les bois,
nous avons mangé du gibier dans une cabane à moitié effondrée appartenant à des cousins encore plus éloignés. L'un d'eux
a entraîné Craig dehors et lui a appris à tirer au fusil. De retour
chez oncle Thomas tard dans la nuit, nous avons eu beaucoup de
mal à nous endormir à cause du profond silence que ne ponctuait
que le craquètement des cigales dans les arbres.

Le bourdonnement des insectes et les branches noueuses des
chênes de Virginie nous sont restés à l'esprit longtemps après notre
retour dans le Nord, palpitant en nous presque comme un second
cœur. J'avais beau être toute petite, j'avais compris de façon innée
que le Sud faisait partie de mon être, que c'était un élément de
mon héritage assez important pour que mon père revienne y voir
ses proches, assez puissant pour que Dandy décide de regagner
Georgetown, qu'il avait pourtant éprouvé le besoin de fuir dans sa
jeunesse. Quand il y est retourné, ce n'était pas pour emménager
dans un petit cottage idyllique au bord d'une rivière, au jardin
bien soigné et entouré d'une barrière blanche, mais pour s'installer
(comme j'ai pu le constater quand nous y sommes allés, Craig et
moi) dans une maison ordinaire, pareille à celles de ses voisins,
près d'un centre commercial animé.

Le Sud n'était pas un paradis, loin de là, mais il comptait pour
nous. Notre histoire exerçait sur nous un effet d'attraction et de

répulsion, une familiarité profonde qui recouvrait un héritage plus profond et plus laid. Un grand nombre de mes connaissances de Chicago – mes camarades de classe de Bryn Mawr, beaucoup de mes copains de Whitney Young – avaient un vécu comparable, dont on ne parlait pas ouvertement. Les enfants « descendaient dans le Sud » tous les étés, c'était tout – expédiés dans certains cas pour passer toute la saison à courir avec leurs cousins au second degré en Géorgie, en Louisiane ou dans le Mississippi. Ils avaient sans doute des grands-parents ou d'autres membres de leur famille qui avaient pris part à la Grande Migration vers le nord, comme Dandy depuis la Caroline du Sud et la mère de Southside depuis l'Alabama. Et quelque part à l'arrière-plan une autre probabilité planait, à savoir qu'ils étaient, comme moi, des descendants d'esclaves.

C'était le cas d'un grand nombre de mes amis de Princeton, mais je commençais aussi à comprendre qu'il existait d'autres Noirs en Amérique. Je faisais la connaissance de jeunes originaires de villes de la côte Est et dont les racines étaient portoricaines, cubaines et dominicaines. La famille de Czerny venait d'Haïti. Un de mes bons copains, David Maynard, était né dans une famille aisée des Bahamas. Sans parler de Suzanne, avec son certificat de naissance nigérian et sa collection de tantes chéries à la Jamaïque. Nous étions tous différents, nos ascendances à demi enfouies ou peut-être simplement à demi oubliées. Nous ne parlions pas de nos ancêtres. Pourquoi l'aurions-nous fait ? Nous étions jeunes, nous avions les yeux tournés vers l'avenir – sans rien savoir, bien sûr, de ce qu'il nous réservait.

Une ou deux fois par an, tante Sis nous invitait, Craig et moi, à dîner chez elle, à l'autre bout de Princeton. Elle empilait sur nos assiettes de savoureuses côtelettes grasses accompagnées de feuilles de chou et nous faisait passer une corbeille contenant des carrés de pain de maïs joliment découpés, que nous tartinions de beurre. Elle remplissait inlassablement nos verres d'un thé atrocement sucré et nous exhortait à en reprendre, encore et encore. Dans mon souvenir, nous ne discutions jamais de choses sérieuses avec tante Sis. C'était un moment d'échange de banalités courtoises, qui tournaient un peu en rond, accompagnées d'un solide repas chaud typique de la Caroline du Sud, que nous engloutissions avec plaisir, lassés de la nourriture du réfectoire. Pour moi, tante Sis n'était qu'une vieille dame douce et conciliante, alors que, en réalité, elle nous faisait un cadeau que nous étions encore trop jeunes pour apprécier : elle nous nourrissait de passé – le nôtre, le sien, ceux de notre père et de notre grand-père – sans avoir à ajouter le moindre commentaire. Nous dînions et nous l'aidions à faire la vaisselle avant de regagner le campus à pied, le ventre plein, heureux de cette marche nocturne.

VOICI UN SOUVENIR QUI, comme la plupart, est imparfait et subjectif – un souvenir ramassé il y a bien longtemps comme un galet sur la plage et glissé dans une poche de mon esprit. Il date de ma deuxième année de fac et concerne Kevin, mon petit copain joueur de foot.

Originaire de l'Ohio, Kevin est un mélange insolite de haute taille, de douceur et de rugosité. Tout en menant ses études de médecine, il représente une valeur sûre pour les Tigers, rapide à la course et intrépide dans ses plaquages. Il a deux ans d'avance sur moi, il est dans la même classe que mon frère et ne va pas tarder à passer son diplôme. Il a un sourire légèrement, adorablement ébréché, et sait me donner l'impression d'être exceptionnelle. Nous sommes très occupés tous les deux et nous fréquentons des groupes d'amis différents, mais nous aimons bien être ensemble. Le week-end, nous allons chercher des pizzas et sortons bruncher. Kevin a un solide appétit, parce qu'il doit maintenir son poids pour le foot, mais aussi parce qu'il a du mal à rester en place. C'est un tourbillon, incapable de s'arrêter, et ses coups de tête me font craquer.

« Et si on allait faire un tour en voiture ? » me propose Kevin un jour. Je ne sais plus s'il est au téléphone ou si nous sommes déjà ensemble au moment où il a cette idée. Quoi qu'il en soit, nous montons dans sa voiture – une petite auto rouge – et traversons le campus pour rejoindre un coin reculé, encore un peu sauvage, du domaine de Princeton, en empruntant une route de terre à demi cachée. Le ciel est parfaitement dégagé, c'est une journée chaude et claire de printemps dans le New Jersey.

Est-ce que nous bavardons ? Est-ce que nous nous tenons par la main ? Je ne sais plus, mais l'atmosphère est détendue et légère.

Après quelques instants, Kevin freine et la voiture s'immobilise. Il s'est arrêté le long d'un vaste champ aux herbes hautes, flétries et jaunies comme de la paille au sortir de l'hiver, mais parsemées de minuscules fleurs des champs précoces. Il sort de la voiture.

« Viens, dit-il en me faisant signe de le suivre.

– Qu'est-ce qu'on va faire ? »

Il me regarde comme si la réponse allait de soi. « On va traverser ce champ en courant. »

Très bien. Nous traversons ce champ en courant. Nous cavalons d'un bout à l'autre, agitant les bras comme des mioches, nos cris perçants et joyeux brisant le profond silence de la campagne. Nous fendons les herbes sèches, nous bondissons par-dessus les fleurs. L'évidence ne m'est pas apparue d'emblée, mais à présent la lumière s'est faite. *Il faut traverser ce champ en courant. Bien sûr !*

Quand nous nous laissons retomber dans la voiture, nous sommes hors d'haleine, Kevin et moi, tout étourdis, comblés par ce moment de folie.

C'est tout. C'est un petit instant, insignifiant somme toute. Si j'en conserve le souvenir, c'est pour son absurdité, parce qu'il a su me faire décrocher brièvement de mon quotidien réglé et contraignant. Car, tout en étant une étudiante en socio qui se détendait volontiers aux repas collectifs et occupait la piste de danse aux soirées du Third World Center, je restais à tout moment, au fond de moi-même, concentrée sur mes études. Sous mes airs d'étudiante décontractée, je vivais comme un patron psychorigide, appliquée silencieusement mais inexorablement à réussir, déterminée à cocher toutes les cases. Ma liste de choses à accomplir était inscrite dans ma tête et m'accompagnait partout. J'évaluais mes objectifs, j'analysais mes résultats, je comptabilisais mes gains. S'il y avait un défi à relever, je le relevais. Un terrain d'essai ne se terminait que pour s'ouvrir sur un autre. Voilà la vie que mène une jeune fille obnubilée par une chose : *Suis-je à la hauteur ?*, et qui essaie encore de se le prouver.

Kevin, quant à lui, était un adepte des embardées – il adorait ça. Craig et lui ont été diplômés de Princeton au moment où je terminais ma deuxième année. Craig finirait par s'installer à Manchester, en Angleterre, et deviendrait joueur de basket professionnel. Je prévoyais que Kevin poursuivrait ses études de médecine, mais, sur un coup de tête, il a décidé de mettre sa scolarité entre parenthèses pour réaliser un de ses rêves en devenant mascotte d'une équipe de sport.

Oui, vous avez bien lu. Il avait l'intention de présenter sa candidature aux Cleveland Browns – pas comme joueur, mais dans le rôle de la peluche géante aux yeux écarquillés et à la bouche grande ouverte appelée Chomps. C'est ce qu'il voulait faire. C'était son rêve – encore un champ à traverser en courant –, et pourquoi pas, après tout ? Cet été-là, Kevin est même venu jusqu'à Chicago depuis chez ses parents, à côté de Cleveland, prétendument pour me voir, mais aussi, m'a-t-il annoncé peu après son arrivée, parce que Chicago était le genre de ville où une mascotte en herbe pouvait trouver le déguisement idéal pour son audition à venir. Nous avons passé tout un après-midi ensemble à courir les boutiques et à essayer des costumes, vérifiant s'ils étaient assez amples pour permettre à Kevin de faire des sauts périlleux. Je ne me rappelle pas s'il a effectivement trouvé ce jour-là le déguisement parfait. Je ne sais même plus s'il a décroché son job de mascotte, mais il a fini par devenir médecin, un très bon médecin, apparemment, et par épouser une autre de nos condisciples de Princeton.

À l'époque, je l'ai jugé – injustement, avec le recul – à son embardée. Je ne comprenais pas qu'on se paie le luxe d'étudier à Princeton et qu'on n'en fasse pas un tremplin direct vers l'univers que pareil diplôme était censé vous ouvrir. Comment peut-on avoir l'idée, alors qu'on pourrait être en fac de médecine, de préférer faire des sauts périlleux déguisé en chien ?

C'était tout moi. Comme je l'ai dit, j'étais du genre à vouloir cocher toutes les cases, défilant au pas cadencé – effort/résultat, effort/résultat –, adepte convaincue du chemin balisé, pour la bonne raison que personne dans ma famille (Craig excepté) n'y avait jamais posé le pied. Ma vision de l'avenir n'avait rien de particulièrement fantaisiste ; autrement dit, j'envisageais déjà d'entrer en fac de droit.

Les années passées à Euclid Avenue m'avaient appris – ou peut-être forcée – à être inflexible et pragmatique s'agissant du temps et de l'argent. La plus grande embardée que j'aie jamais faite fut de décider, à la fin de ma deuxième année de fac, de passer la première partie de l'été à travailler pour trois fois rien comme monitrice de camp de vacances dans la vallée de l'Hudson, dans l'État de New York. J'étais chargée de m'occuper de petits citadins qui découvraient la forêt. J'adorais ce boulot, mais j'en suis revenue plus ou moins fauchée, plus dépendante financièrement de mes parents que je ne l'aurais voulu. Bien qu'ils ne se soient jamais plaints, ce sentiment de culpabilité m'a poursuivie pendant des années.

C'est au cours de ce même été que la mort s'est mise à frapper des gens que j'aimais. Robbie, ma grand-tante, mon professeur de piano tyrannique, est décédée en juin ; elle a légué la maison d'Euclid Avenue à mes parents, ce qui leur a permis d'être propriétaires pour la première fois. Southside l'a suivie un mois plus tard, victime d'un cancer du poumon. À cause de sa réticence à se faire soigner – il avait gardé son éternelle méfiance à l'égard des médecins –, il n'a pu être opéré à temps. Après les obsèques de Southside, l'immense famille de ma mère s'est entassée dans sa petite maison douillette avec une poignée d'amis et de voisins. J'ai éprouvé la chaleureuse attraction du passé et la mélancolie de l'absence – un sentiment un peu déstabilisant, habituée que j'étais au monde hermétique et juvénile de l'université. Ce lent passage des générations m'inspirait une émotion plus profonde que celles que j'éprouvais ordinairement à la fac. Mes cousins étaient désormais adultes, mes tantes avaient vieilli. Il y avait de nouveaux bébés, de nouveaux conjoints. Un disque de jazz hurlait depuis les étagères bricolées de la chaîne stéréo de la salle à manger, et nous avons dîné à la fortune du pot de ce que chacun avait apporté – du jambon, des flans et du ragoût. Southside n'était plus là. C'était douloureux, mais le temps nous poussait tous à aller de l'avant.

CHAQUE PRINTEMPS, PRINCETON ÉTAIT ENVAHI par des recruteurs qui avaient dans leur ligne de mire les étudiants de dernière année. Un beau jour, vous aperceviez un condisciple généralement vêtu d'un jean râpé et d'une chemise débraillée traverser le campus en costume à fines rayures, et vous compreniez qu'il était destiné à un bureau dans un gratte-ciel de Manhattan. Cette répartition professionnelle se faisait rapidement – les banquiers, avocats, médecins et patrons de demain filaient vers la rampe de lancement suivante, troisième cycle ou boulot d'apprenti pas trop foulant dans une boîte figurant au classement de Fortune 500. Je suis convaincue que d'autres ont suivi leur vocation en se lançant dans l'enseignement, dans des activités artistiques ou dans le secteur associatif, sont partis pour des missions du Peace Corps ou sont entrés dans l'armée, mais j'en connaissais très peu. J'étais tellement occupée à gravir ma propre échelle – une échelle solide, concrète et dressée à la verticale.

Si j'avais pris le temps d'y penser, peut-être aurais-je compris que j'étais épuisée par mes études – par la charge démesurée de cours, de devoirs et d'examens – et que j'aurais sans doute mieux fait de songer à autre chose. Au lieu de quoi, je me suis inscrite aux examens d'entrée à la fac de droit, j'ai rédigé mon mémoire de fin de troisième année, puis j'ai tendu consciencieusement le bras pour attraper l'échelon suivant et présenté ma candidature dans les meilleures écoles de droit du pays. Je me considérais comme intelligente, ambitieuse, dotée d'un esprit analytique. J'avais été nourrie pendant toute mon enfance de débats avec mes parents autour de la table du dîner. J'étais capable de disséquer un sujet jusqu'à son essence théorique et je me flattais de ne jamais m'avouer vaincue en cas de désaccord. N'était-ce pas l'étoffe dont on fait les juristes ? J'en étais convaincue.

Je me rends compte aujourd'hui que la logique n'était pas mon seul moteur. Je ressentais la nécessité impérieuse d'obtenir l'approbation d'autrui. Quand j'étais petite, je savourais silencieusement la réaction chaleureuse que je provoquais chaque fois que j'annonçais à un enseignant, à un voisin, à une des amies de chorale de Robbie que je voulais être pédiatre. *Alors ça ! C'est formidable !* J'étais comblée. Après toutes ces années, je n'avais pas tellement changé. Quand des professeurs, des parents, des gens croisés par hasard m'interrogeaient sur mes projets et que je leur répondais que je me destinais à la fac de droit – à la Harvard Law School, pour tout dire –, l'approbation était unanime. On me félicitait d'y avoir été admise, alors qu'en vérité j'avais été reçue de justesse, sur la liste d'attente. Mais j'étais inscrite, et on me regardait comme si j'avais déjà fait mes preuves.

Peut-être est-ce le problème majeur quand on se préoccupe trop de l'opinion des autres : ça vous pousse à vous engager sur des chemins balisés – sur la voie du *Alors-ça-c'est-formidable* – et à ne pas en dévier pendant longtemps. Ça peut vous empêcher de faire des embardées et même d'envisager d'en faire parce que vous estimez que le prix à payer est trop élevé, que vous risquez de perdre l'estime d'autrui. C'est comme ça que vous vous retrouvez pour trois ans dans le Massachusetts, à étudier le droit constitutionnel et à débattre des mérites relatifs des accords verticaux exclusifs dans les affaires antitrust. Certains trouveront ça passionnant. Pas vous. Il n'est pas exclu que, au cours de ces trois années, vous vous fassiez des amis que vous apprécierez et respecterez jusqu'à la fin de votre vie, des gens qui raffolent de toutes les subtilités du droit, dont c'est l'authentique vocation, mais ce n'est pas la vôtre. Ça ne vous passionne absolument pas, mais jamais, au grand jamais, vous ne vous résoudrez à ne pas faire de votre mieux. Vous continuez à marcher au pas cadencé, comme toujours – effort/résultat –, et à réussir jusqu'à ce que vous ayez obtenu les réponses à toutes vos questions – même à la plus importante de toutes : *Suis-je à la hauteur ? Eh bien, oui.*

Puis vous récoltez enfin le fruit de vos efforts. Vous attrapez le prochain barreau de l'échelle : cette fois, c'est un travail salarié au sein d'un prestigieux cabinet d'avocats, Sidley & Austin, à Chicago. Vous êtes revenue à votre point de départ, dans la ville où vous êtes née ; mais, cette fois, vous allez travailler au quarante-septième étage d'un immeuble du centre-ville au pied duquel s'étend une vaste esplanade ornée d'une sculpture. Vous passiez devant en bus quand vous étiez une lycéenne du South Side, regardant par la vitre, muette, les gens qui rejoignaient leurs bureaux à pas de géants. Désormais, vous en faites partie. Vous avez réussi à vous extraire de ce bus, à traverser l'esplanade et à prendre un ascenseur qui monte dans un tel silence qu'il paraît glisser. Vous avez rejoint le clan. À 25 ans, vous avez une assistante. Vous gagnez plus d'argent que vos parents n'en ont jamais gagné. Vos collaborateurs sont courtois, instruits, et blancs pour la plupart. Vous portez un tailleur Armani et avez pris un abonnement pour vous faire livrer du vin. Vous remboursez tous les mois les crédits que vous avez souscrits pour pouvoir entrer en fac de droit, et allez faire du step après le boulot. Parce que vous en avez les moyens, vous vous achetez une Saab.

Y a-t-il quoi que ce soit à remettre en question ? Apparemment non. Vous êtes avocate, à présent. Vous avez pris tout ce qu'on a pu vous donner – l'amour de vos parents, la confiance de vos enseignants, la musique de Southside et de Robbie, les repas de tante Sis, les mots que Dandy vous a enfoncés dans le crâne –, et voilà le résultat. Vous avez gravi la montagne. Et une partie de votre boulot, outre l'examen de questions abstraites de propriété intellectuelle pour de grandes sociétés, est d'aider à faire pousser la prochaine génération de jeunes avocats que courtise votre cabinet. Un associé principal vous demande si vous seriez prête à être la tutrice d'un stagiaire pour la durée de l'été et la réponse vient toute seule : oui, bien sûr. Vous n'avez pas encore compris qu'un simple oui peut transformer votre existence. Vous ne savez pas que, le jour où vous trouvez sur votre bureau une note qui confirme cette mission, une ligne de faille profonde et invisible de votre vie s'est mise à frémir, que la route toute tracée s'apprête à prendre une direction inattendue. À côté de votre nom figure un autre nom, celui d'un étudiant en droit, une grosse tête, très occupé à gravir sa propre échelle. Comme vous, il est noir et il sort de Harvard. À part ça, vous ne savez rien de lui – seulement son nom. Et c'est un nom bizarre.

8

Barack Obama est arrivé en retard le premier jour. Dans mon bureau du quarante-septième étage, je l'attendais sans l'attendre. Comme la plupart des avocats frais émoulus, j'étais très occupée. Les journées étaient longues chez Sidley & Austin, je prenais souvent mon déjeuner et même mon dîner devant ma table de travail tout en cherchant à venir à bout d'une avalanche de dossiers, rédigés dans un jargon juridique précis et correct. Je lisais des notes, je rédigeais des notes, je corrigeais les notes d'autrui. Je me considérais alors comme plus ou moins trilingue : je parlais le patois informel du South Side, le langage châtié de l'Ivy League, et je maîtrisais désormais l'idiome des avocats. J'avais été engagée pour travailler dans le département en charge du marketing et de la propriété intellectuelle du cabinet, considéré en interne comme plus autonome et plus créatif que d'autres, sans doute parce que nous consacrions une partie de notre temps à des agences publicitaires. J'étais notamment chargée d'éplucher le contenu des messages télé et radio de nos clients pour m'assurer qu'ils ne contrevenaient pas aux règles de la Commission fédérale des communications. C'est ainsi que j'aurais un peu plus tard l'honneur de me voir confier les problèmes juridiques de Barney le Dinosaure. (Eh oui, voilà ce qui passe pour créatif dans un cabinet d'avocats.)

Mon problème était que, en tant que collaboratrice junior, je n'avais pas beaucoup d'interactions concrètes avec les clients alors qu'en tant que Robinson, élevée dans le tohu-bohu de ma famille élargie, façonnée par l'amour instinctif des foules qui animait mon père, j'en avais terriblement besoin. Pour contrebalancer ma solitude, je discutais avec Lorraine, mon assistante, une Afro-Américaine joviale, hyper-organisée, mon aînée de quelques années, dont le poste de travail était juste devant mon bureau et qui répondait au téléphone à ma place. J'entretenais des relations professionnelles amicales avec plusieurs associés principaux et je me sentais requinquée dès que j'échangeais quelques mots avec mes collègues. Mais tout le monde croulait sous le travail et s'efforçait de ne pas gaspiller une minute facturable de la journée. Ce qui me ramenait à ma table de travail, seule avec mes dossiers.

Quitte à passer soixante-dix heures par semaine quelque part, mon bureau n'était pas le lieu le plus désagréable. J'avais un fauteuil en cuir, une table de travail en noyer poli et de grandes fenêtres orientées au sud-est. Je pouvais contempler le bouillonnement du quartier des affaires et apercevoir au loin les vagues coiffées d'écume du lac Michigan, parsemé en été de voiliers miroitants. Sous un certain angle, je pouvais même distinguer le littoral et une étroite bande du South Side avec ses toits bas et ses quelques bosquets. Vus de mon bureau, les quartiers semblaient paisibles et ressemblaient presque à des jouets. La réalité était bien différente. Certains coins du South Side s'étaient désertifiés à la suite de la fermeture de commerces et d'une vague de départs qui ne faisait que prendre de l'ampleur. Les aciéries, autrefois source de stabilité, supprimaient des milliers d'emplois. L'épidémie de crack, qui avait ravagé les communautés afro-américaines dans des villes telles que Detroit et New York, commençait tout juste à atteindre Chicago, mais n'y faisait pas moins de ravages qu'ailleurs. Les gangs se battaient pour des parts de marché et recrutaient des gamins pour dealer au coin de la rue, une activité qui, bien que dangereuse, était nettement plus lucrative que d'aller à l'école. La hausse du taux d'homicides attestait la détérioration de la situation.

Je gagnais confortablement ma vie chez Sidley, mais j'étais assez pragmatique pour ne pas jouer les paniers percés quand il s'agissait de logement. À la fin de mes études de droit, j'avais regagné mon ancien quartier de South Shore, encore relativement épargné par les gangs et la drogue. Mes parents s'étaient établis au rez-de-chaussée de la maison, dans l'ancien appartement de Robbie et Terry, et m'avaient proposé de reprendre le logement du premier que nous occupions quand j'étais petite. Ils lui avaient donné un coup de neuf en y installant un canapé blanc pimpant et des batiks encadrés aux murs. Je leur faisais de temps en temps un chèque qui couvrait plus ou moins ma part de charges. On ne pouvait pas vraiment parler de loyer, mais ils prétendaient que c'était largement suffisant. Mon appartement disposait d'une entrée séparée, ce qui ne m'empêchait pas de passer le plus souvent par la cuisine du rez-de-chaussée quand je partais au travail et en revenais – d'abord parce que la porte arrière de mes parents donnait directement sur le garage, ensuite parce que j'étais encore et serais toujours une Robinson. Même si je me considérais à présent comme la jeune femme active et indépendante que j'avais toujours rêvé d'être, portant des tailleurs et conduisant une Saab, je n'aimais pas être seule. J'avais besoin de me réconforter en faisant tous les jours un saut chez mes parents. Ce matin-là, justement, j'étais passée les embrasser avant de filer prendre ma voiture et d'affronter une violente averse pour rejoindre mon bureau. Pour rejoindre mon bureau, faut-il le préciser, *à l'heure*.

J'ai regardé ma montre.

« Des nouvelles de ce garçon ? » ai-je crié à Lorraine.

Son soupir a été parfaitement audible. « Non, aucune », m'a-t-elle répondu. Ça l'amusait visiblement. Elle savait que les gens en retard m'exaspéraient – j'y voyais une forme d'arrogance.

Barack Obama avait déjà fait parler de lui au cabinet. Il sortait tout juste de sa première année de droit or, en général, on ne recrutait que des étudiants en fin de deuxième année pour les stages d'été. Mais la rumeur le disait exceptionnel. On racontait qu'une de ses professeures de Harvard – la fille d'un des directeurs du cabinet – prétendait qu'il était l'étudiant en droit le plus doué qu'elle ait jamais rencontré. Certaines secrétaires qui l'avaient vu quand il était venu passer son entretien d'embauche affirmaient que, en plus d'être brillant, il était très mignon.

Tout cela me laissait sceptique. L'expérience m'avait appris qu'il suffisait de faire enfiler un costume à un Noir plus ou moins intelligent pour que les Blancs perdent la boule. Je doutais qu'il soit à la hauteur de ce battage. J'avais regardé sa photo dans l'édition d'été de notre annuaire du personnel – un portrait tout sauf flatteur, mal éclairé, d'un type avec un grand sourire et un petit côté intello. Je n'avais pas été franchement emballée. À en croire son CV, il venait de Hawaï – au moins, voilà qui faisait de lui un polard plutôt exotique. Quant au reste, rien à signaler. Mon seul motif d'étonnement remontait à quelques semaines, le jour où je lui avais passé un coup de fil rapide pour me présenter. J'avais été agréablement surprise par la voix que j'avais entendue à l'autre bout du fil – un timbre de baryton chaud, et même sexy, qui ne collait pas du tout avec sa photo.

Il ne s'est présenté à l'accueil de notre étage que dix minutes plus tard. Je suis sortie de mon bureau pour aller le chercher. Je l'ai trouvé assis sur un canapé – un certain Barack Obama, en costume sombre et légèrement humide à cause de la pluie. La mine penaude, il m'a priée d'excuser son retard tout en me tendant la main. Il avait un large sourire et était plus grand et élancé que je ne l'avais imaginé – un jeune homme qui, de toute évidence, ne devait pas être un gros mangeur et semblait par ailleurs ne pas avoir l'habitude d'être en costume. S'il savait que sa réputation de petit génie l'avait précédé, il ne le montrait pas. Pendant que je l'entraînais dans les couloirs pour rejoindre mon bureau et lui exposais le quotidien du droit des affaires – lui montrant le centre de traitement de texte et la machine à café, lui présentant notre système de comptabilité des heures facturables –, il est resté silencieux et respectueux, écoutant attentivement. Au bout d'environ une demi-heure, je l'ai remis entre les mains de l'associé principal qui serait son référent officiel pour l'été, et j'ai regagné mon bureau.

Un peu plus tard dans la journée, j'ai invité Barack à déjeuner au restaurant huppé situé au premier étage de notre immeuble, un lieu bourré de banquiers et d'avocats qui y déjeunaient au prix d'un dîner. C'était l'avantage de se voir confier un stagiaire : cela vous fournissait un excellent prétexte pour déjeuner à l'extérieur et bien manger, aux frais du cabinet. En qualité de tutrice de Barack, j'étais avant tout censée l'aider à s'intégrer. Je devais veiller à ce qu'il soit content de son travail, ait quelqu'un à qui s'adresser s'il avait besoin d'un conseil et se sente bien dans l'équipe. C'étaient les prémices d'une stratégie d'approche bien rodée – l'idée étant, comme toujours avec les stagiaires d'été, de lui faire miroiter un emploi à plein temps dès qu'il aurait son diplôme en poche.

Je me suis rapidement rendu compte que Barack n'aurait pas besoin de beaucoup de conseils. Il avait trois ans de plus que moi

– presque 28 ans. Contrairement à moi, il avait exercé un emploi pendant plusieurs années avant d'entrer en fac de droit, après avoir passé sa licence à Columbia. J'ai été frappée par l'assurance qu'il affichait quant à son parcours personnel. Il était curieusement dénué de doutes et, à première vue, on était en droit de se demander pourquoi. À considérer ma propre marche à pas redoublés vers le succès, ma trajectoire directe de Princeton à Harvard, puis mon bureau du quarante-septième étage, la voie suivie par Barack avait tout d'une route sinueuse improvisée à travers des univers disparates. J'ai appris au cours du déjeuner qu'il était, sur tous les plans, un hybride – le fils d'un père kenyan noir et d'une mère blanche originaire du Kansas dont le mariage avait été à la fois précoce et de courte durée. Il était né et avait grandi à Honolulu, mais avait vécu enfant quatre ans en Indonésie à jouer au cerf-volant et à attraper des grillons. À sa sortie du lycée, il avait passé deux années plutôt tranquilles à l'Occidental College de Los Angeles avant d'entrer à Columbia où, de son propre aveu, il ne s'était pas comporté comme tout étudiant normalement constitué lâché dans le Manhattan des années 1980, mais comme un ermite du xvie siècle perché sur sa montagne, à lire d'augustes ouvrages de littérature et de philosophie dans un appartement miteux de la 109e rue, écrivant de mauvais poèmes à ses heures perdues et jeûnant le dimanche.

Nous avons beaucoup ri, échangeant des anecdotes sur nos histoires respectives et sur les raisons qui nous avaient poussés à faire du droit. Barack était un garçon sérieux qui ne se prenait pas au sérieux. Il avait des manières désinvoltes, mais un esprit puissant. Tout cela formait une combinaison curieuse, touchante. Un autre motif de surprise pour moi était qu'il connaissait très bien Chicago.

Barack était la première personne que je rencontrais chez Sidley à avoir fréquenté les barbiers, les restaurants de grillades et les paroisses noires où officiaient les prédicateurs bibliques enflammés du Far South Side. Avant de faire son droit, il avait travaillé à Chicago pendant trois ans comme « organisateur de communautés », payé 12 000 dollars par an par une association qui rassemblait plusieurs églises. Il était chargé d'aider à la réhabilitation du quartier et à la création de nouveaux emplois. Telle qu'il la décrivait, cette activité lui avait apporté deux tiers de frustration pour un tiers de satisfaction : il passait des semaines à préparer une réunion de communauté, à laquelle n'assistaient qu'une dizaine de gens. Les responsables syndicaux se moquaient de ses efforts tandis que les Noirs comme les Blancs s'employaient à les anéantir. Et pourtant, avec le temps, ses victoires s'étaient multipliées, ce qui l'avait encouragé. Il avait fait du droit, m'a-t-il expliqué, parce que son travail sur le terrain lui avait appris qu'un vrai changement de société ne pouvait advenir que par le travail de militants sur place, et exigeait des mesures politiques fortes et une action gouvernementale efficace.

Malgré ma réaction hostile au matraquage qui avait précédé son arrivée, je me suis prise à admirer Barack pour sa confiance en lui et son sérieux. Il était rafraîchissant, non conformiste et d'une étrange élégance. Mais pas une seconde je n'ai pensé que nous pourrions sortir ensemble. *Primo*, j'étais sa tutrice de stage. *Secundo*, j'avais depuis peu fait purement et simplement une croix sur ma vie amoureuse, trop accaparée par le travail pour y consacrer le moindre effort. *Tertio*, Barack a, sous mes yeux horrifiés, allumé une cigarette à la fin du déjeuner, ce qui aurait suffi à éteindre toutes mes ardeurs si j'en avais eu la moindre au départ.

Il ferait, ai-je pensé, un bon stagiaire d'été.

A U COURS DES DEUX OU TROIS SEMAINES SUIVANTES, une forme de routine s'est mise en place. En fin d'après-midi, Barack traversait tranquillement le couloir et s'effondrait dans un des fauteuils de mon bureau, comme si nous étions de vieilles connaissances. C'était quelquefois l'impression que j'avais. Nous nous taquinions gentiment, nous avions la même tournure d'esprit. Nous échangions des regards en coin quand les angoisses de ceux qui nous entouraient tournaient à l'obsession, quand des associés faisaient des commentaires qui nous paraissaient condescendants ou déconnectés de la réalité. Il était un frère – c'était un fait tacite, mais indéniable ; or, dans notre cabinet, qui employait plus de quatre cents juristes, seuls cinq avocats afro-américains travaillaient à plein temps. Notre sympathie mutuelle était évidente et parfaitement compréhensible.

Barack n'avait rien du stagiaire bûcheur habituel (que j'avais été moi-même deux ans plus tôt chez Sidley), de ceux qui travaillent activement à se forger un réseau et se rongent les sangs en se demandant s'ils parviendront à décrocher un job mirobolant. Il avançait nonchalamment avec un détachement tranquille qui ne faisait que renforcer son aura. Sa réputation continuait à grandir au sein du cabinet. Déjà, on le priait d'assister aux réunions d'associés de haute volée. Déjà, on l'encourageait à donner son avis sur les dossiers en cours. Au début de l'été, il a pondu un rapport de trente pages sur la gouvernance d'entreprise d'une rigueur et d'une pertinence telles que cet exploit est immédiatement entré dans la légende du cabinet. Qui était ce type ? Tout le monde était intrigué.

« Je t'en ai apporté une copie, m'a annoncé Barak un jour avant de faire glisser son rapport sur mon bureau avec un sourire.

– Merci, ai-je dit en prenant le dossier. J'ai hâte de le lire. »

Après son départ, je l'ai fourré dans un tiroir.

A-t-il su que je ne l'avais jamais lu ? Sans doute. Il me l'avait donné un peu comme ça. Nous faisions partie d'équipes de spécialistes différentes, de sorte que nos documents de travail ne se recoupaient jamais. J'avais largement de quoi m'occuper. Et il était inutile d'essayer de m'en mettre plein la vue. Nous étions désormais amis, Barack et moi, frères d'armes. Nous déjeunions dehors ensemble au moins une fois par semaine, parfois plus souvent, un petit plaisir que nous mettions toujours, bien sûr, sur la note de Sidley & Austin. Peu à peu, nous avons appris davantage de choses l'un sur l'autre. Il savait que j'habitais la même maison que mes parents, que mes souvenirs les plus heureux de la fac de droit de Harvard étaient associés à mon travail pour le bureau d'aide juridique. Je savais qu'il dévorait des volumes de philosophie politique comme des romans de gare, et qu'il dépensait toute sa petite monnaie en bouquins. Je savais que son père était mort dans un accident de voiture au Kenya et qu'il s'y était rendu pour essayer d'en savoir davantage sur lui. Je savais qu'il adorait le basket, qu'il faisait de longs footings le week-end et qu'il parlait avec mélancolie de ses amis et de sa famille d'Oahu. Je savais qu'il avait eu une flopée de copines, mais qu'il était actuellement célibataire.

Je me suis dit que je pourrais peut-être arranger ça. Parmi les gens que je côtoyais à Chicago figuraient nombre de jeunes femmes noires talentueuses, de très beaux partis. Malgré mes heures de travail marathoniennes, j'aimais voir du monde. J'avais des amis chez Sidley, des amis de lycée, des amis que je m'étais faits grâce au travail, et des amis que j'avais connus par Craig, qui était alors jeune marié et gagnait sa vie comme banquier d'investissement en ville. Nous formions une joyeuse bande éclectique qui se retrouvait aussi souvent que possible dans l'un ou l'autre bar du centre et nous papotions devant de longs repas copieux le week-end. J'étais sortie avec quelques garçons à la fac de droit, mais n'avais fait aucune vraie rencontre depuis mon retour à Chicago. De toute façon, ça ne m'intéressait pas. J'avais fait savoir à qui voulait l'entendre, prétendants potentiels inclus, que ma carrière passait avant tout le reste. En revanche, j'avais de nombreuses amies célibataires qui se cherchaient un copain.

Un jour d'été, en début de soirée, j'ai emmené Barack à un happy hour dans un bar du centre qui servait de lieu de rendez-vous mensuel officieux aux jeunes actifs noirs. C'était là que je retrouvais souvent mes amis. Barack avait quitté son costume de travail et portait une veste de lin blanche qui paraissait sortir tout droit du vestiaire de *Deux flics à Miami*. Ah. Bon…

Nul doute que, malgré ses goûts vestimentaires douteux, Barack était un bon parti. Il était beau garçon, posé, et s'en sortait plus que bien. Il était sportif, intéressant et gentil. Que demander de plus ? Je me suis dirigée vers le bar, convaincue de rendre service à tout le monde – à lui et à toutes ces dames. Il s'est fait mettre le grappin dessus presque immédiatement par une de mes connaissances, une belle femme entreprenante qui travaillait dans la finance et qui s'est mise à frétiller dès qu'elle a commencé à bavarder avec Barack. Satisfaite de la tournure des choses, je suis allée me chercher un verre avant de rejoindre d'autres gens.

Une vingtaine de minutes plus tard, j'ai aperçu Barack de l'autre côté de la salle, prisonnier de ce qui paraissait être une conversation interminable avec la même femme, qui tenait le crachoir presque constamment. Il m'a jeté un regard éloquent. De toute évidence, il aurait bien aimé s'en dépêtrer. Mais c'était un grand garçon. Je l'ai laissé se débrouiller tout seul.

« Tu sais ce qu'elle m'a demandé ? m'a-t-il dit le lendemain quand il est apparu dans mon bureau, encore mal remis de l'aventure. Elle m'a demandé si j'aimais *monter*. Elle voulait dire faire du cheval. » Ils avaient aussi discuté de leurs films préférés, ce qui ne s'était pas très bien passé non plus.

Barack était cérébral, trop sans doute pour la plupart des gens. (Tel serait effectivement le jugement que porterait mon amie lors de notre prochain échange.) Les happy hours n'étaient pas sa tasse de thé, j'aurais peut-être dû m'en douter. Mon univers regorgeait de gens travailleurs, ambitieux, obnubilés par leur ascension sociale. Ils avaient des voitures neuves, achetaient leur premier appartement et aimaient en parler en sirotant un martini dry après le travail. Barack préférait passer une soirée seul à lire des documents sur la politique de logement urbaine. En tant qu'« organisateur », il avait passé des semaines, des mois même à écouter des pauvres lui exposer leurs difficultés. Son insistance sur l'espoir et sur la possibilité d'ascension sociale s'enracinait, allais-je finir par comprendre, dans un terreau tout à fait différent et qui n'était pas accessible à tous.

À une certaine époque, m'a-t-il confié, il avait été plus léger, plus débridé. Pendant les vingt premières années de sa vie, on l'avait surnommé Barry. Ado, il avait fumé de l'herbe sur les contreforts volcaniques luxuriants d'Oahu. À l'Occidental College, il s'était laissé porter par l'énergie en reflux des années 1970, se passionnant pour Jimi Hendrix et pour les Stones. Mais, à un moment quelconque, il s'était approprié son nom de naissance au complet – Barack Hussein Obama – et l'équation complexe de son identité. Il était blanc et noir, africain et américain. Il était modeste et vivait modestement, mais il n'ignorait ni la richesse de son esprit ni le monde privilégié qu'elle lui ouvrirait. Il prenait tout cela très au sérieux, je le voyais bien. Il était joyeux et savait plaisanter, mais son sens du devoir n'était jamais très loin. Il était en quête de quelque chose, sans savoir encore où cette quête le conduirait. Tout ce que je savais, c'est que ce n'était pas le genre de choses sur lesquelles on pouvait disserter devant un verre. Lors du happy hour suivant, je l'ai laissé au bureau.

QUAND J'ÉTAIS PETITE, MES PARENTS FUMAIENT. Ils allumaient une cigarette le soir, assis à la cuisine, quand ils se racontaient leur journée. Ils fumaient en faisant la vaisselle plus tard dans la nuit, ouvrant parfois une fenêtre pour aérer. Ce n'étaient pas de gros fumeurs, mais des fumeurs réguliers, rebelles qui plus est. Ils ont continué à fumer bien après que la recherche a prouvé que c'était mauvais pour la santé.

Ça nous rendait fous, Craig et moi. Nous avons mis au point un numéro élaboré de quintes de toux dès qu'ils allumaient une cigarette. Nous avons mené des missions de sabotage dans leurs réserves. Quand nous étions encore tout petits, nous avons descendu une cartouche toute neuve de Newports d'une étagère et avons entrepris d'en éventrer le contenu, cassant les cigarettes comme des haricots verts au-dessus de l'évier de la cuisine. Une autre fois, nous avons plongé leurs extrémités dans de la sauce au piment et les avons remises dans leur emballage. Nous sermonnions nos parents sur le cancer du poumon, leur décrivant les horreurs qu'on nous avait fait voir sur les montages diapo en cours de SVT – les images de poumons de fumeurs desséchés et noirs comme du charbon, la mort à l'œuvre, nichée au cœur de votre poitrine. On nous avait aussi montré, en contrepoint, des photos de poumons tout roses et parfaitement sains, que la fumée n'avait pas contaminés. Le modèle était assez simple pour rendre leur comportement incompréhensible : bien/mal, sain/malade. Votre avenir était entre vos mains. C'était ce que nos parents nous avaient toujours enseigné. Et pourtant, il allait leur falloir encore des années avant qu'ils ne renoncent au tabac.

Barack fumait comme mes parents – après le repas, en se baladant en ville, ou quand il était stressé et avait besoin de tenir quelque chose en main. En 1989, fumer était plus répandu qu'aujourd'hui, plus intégré dans la vie quotidienne. Les recherches sur les effets du tabagisme passif étaient relativement récentes. Les gens fumaient au restaurant, dans les bureaux et les aéroports. Mais j'avais vu les diaporamas. Pour moi, comme pour tous les gens raisonnables que je connaissais, fumer relevait de l'autodestruction pure et simple.

Barack savait bien ce que j'en pensais. Notre amitié se nourrissait d'une franchise spontanée que nous appréciions, me semble-t-il, l'un comme l'autre.

« Comment quelqu'un d'aussi intelligent que toi peut-il faire une chose aussi stupide ? » ai-je lâché le jour même où nous avons fait connaissance, en le voyant conclure notre déjeuner par une cigarette. Je lui ai posé la question de bonne foi.

Si je me souviens bien, il s'est contenté de hausser les épaules, admettant que j'avais raison. Il n'y avait pas à discuter, pas d'argument subtil à présenter. Fumer était le sujet sur lequel la logique de Barack semblait tourner court.

Que j'aie été prête à le reconnaître ou non, notre relation avait commencé à évoluer. Les jours où nous étions trop occupés pour nous retrouver en tête-à-tête, je me prenais à me demander ce qu'il avait fait. Je m'interdisais d'être dépitée quand il ne venait pas faire un saut dans mon bureau. Je m'interdisais d'être folle de joie quand il le faisait. J'éprouvais des sentiments pour lui, mais ils étaient latents, profondément enfouis sous ma ferme résolution de préserver l'ordre qui régnait dans ma vie et dans ma carrière, et de garder les yeux fixés droit devant moi – à l'abri de toute émotion trop vive. Mes évaluations annuelles au cabinet étaient en béton. J'étais en bonne voie de devenir associée actionnaire de Sidley & Austin, probablement avant mes 32 ans. C'était précisément ce que j'avais toujours voulu – en tout cas, j'essayais de m'en convaincre.

Si je refusais de voir ce qui germait entre nous, ce n'était pas le cas de Barack.

« Je crois que nous devrions sortir ensemble, m'a-t-il assené un jour pendant le déjeuner.

– Comment ça, toi et moi ? » J'ai fait semblant d'être scandalisée par le simple fait qu'il ait pu envisager cette possibilité. « Je te l'ai déjà dit. Je suis bien comme ça. En plus, je suis ta tutrice. »

Ça l'a fait rire. « Et alors ? Tu n'es pas mon boss. Et puis, tu sais, tu es très mignonne. »

Barack avait un sourire qui donnait l'impression de s'étirer sur toute la largeur de son visage. Cet homme constituait un mélange irrésistible de douceur et de rationalité. Plus d'une fois au cours des jours suivants, il m'a exposé toutes les raisons pour lesquelles il fallait que nous sortions ensemble. Nous étions compatibles. Nous nous faisions rire mutuellement. Nous étions libres l'un comme l'autre et, en plus, nous avions reconnu éprouver une indifférence presque immédiate pour toutes les autres personnes dont nous faisions la connaissance. Au cabinet, a-t-il poursuivi, personne ne s'offusquerait que nous soyons ensemble. Ce serait peut-être même considéré comme un avantage. Il pensait que les associés souhaitaient qu'il vienne un jour travailler pour eux. Si nous étions en couple, lui et moi, il n'en aurait que plus de chances de s'investir dans ce boulot.

« Tu veux dire que je servirais d'appât, c'est ça ? lui ai-je dit en riant. Non, mais tu rêves ! »

Dans le courant de l'été, le cabinet a organisé un certain nombre d'événements et de sorties pour les employés, adressant des formulaires à remplir pour ceux qui souhaitaient y assister. Parmi ceux-ci figurait une représentation en semaine des *Misérables* dans un théâtre proche de nos bureaux. J'ai demandé deux places, une pour Barack, une pour moi, ce qui n'avait rien d'inhabituel pour une collaboratrice junior et son stagiaire. Il était parfaitement normal que nous assistions ensemble aux sorties organisées par le cabinet. J'étais censée rendre l'expérience de mon poulain chez Sidley & Austin agréable et positive. C'était le but de l'opération.

Nous étions assis l'un à côté de l'autre au théâtre, épuisés par une longue journée de travail. Le rideau s'est levé et la comédie musicale a commencé, nous livrant bientôt une version grise et sinistre de Paris. Je ne sais pas si c'était mon état d'esprit ou le spectacle en soi, mais j'ai passé l'heure qui a suivi accablée et désespérée par la misère française. Grommellements et chaînes. Pauvreté et viol. Injustice et oppression. Alors que des millions de spectateurs à travers le monde étaient tombés sous le charme de cette comédie musicale, je me tortillais sur mon siège, essayant de surmonter l'inexplicable souffrance qui m'affligeait chaque fois que la mélodie reprenait.

Quand les lumières se sont rallumées à l'entracte, je me suis tournée vers Barack. Il était avachi, le coude droit sur l'accoudoir, l'index sur le front, le visage indéchiffrable.

« Qu'est-ce que tu en penses ? » lui ai-je demandé.

Il m'a jeté un regard en coin. « C'est atroce, non ? »

J'ai ri, soulagée que nous soyons du même avis.

Barack s'est redressé sur son siège. « Et si on sortait d'ici ? a-t-il dit. Qu'est-ce qui nous empêche de partir ? »

Dans des circonstances ordinaires, je n'aurais jamais filé à l'anglaise. Ce n'était pas mon genre. J'étais trop soucieuse de ce que les autres avocats pensaient de moi – ou plutôt de ce qu'ils penseraient s'ils remarquaient nos sièges vides. Je tenais trop à aller au bout de ce que j'avais entrepris, à poursuivre la moindre activité, si insignifiante fût-elle, jusqu'à son terme absolu, irréfutable, même s'il s'agissait d'assister à une comédie musicale de Broadway surfaite par une belle nuit de mercredi. C'était encore et toujours mon obsession des cases cochées. J'étais prête à souffrir le martyre pour sauver les apparences. Mais, visiblement, l'homme qui m'accompagnait ne fonctionnait pas comme ça.

En évitant soigneusement tous les membres du cabinet que nous connaissions – les autres tuteurs et leurs stagiaires qui jacassaient avec enthousiasme au foyer –, nous nous sommes esquivés du théâtre. La soirée était douce. La dernière lueur du jour s'évanouissait dans un ciel violet. J'ai poussé un profond soupir, avec un soulagement si palpable que Barack a éclaté de rire.

« Où est-ce qu'on va, maintenant ? ai-je demandé.

– On pourrait aller prendre un verre, qu'est-ce que tu en dis ? »

Nous nous sommes dirigés vers le bar le plus proche en marchant selon notre habitude, moi un pas en avant, lui un pas en arrière. Barack allait à son rythme. Il se déplaçait avec une nonchalance et une souplesse tout hawaïennes, ne se pressant jamais, même et surtout quand on lui demandait de le faire. Pour ma part, en revanche, j'avançais énergiquement, même pendant mon temps libre, et j'avais beaucoup de mal à lever le pied. Mais je me rappelle que, ce soir-là, je me suis exhortée à ralentir, juste un peu – juste assez pour entendre ce qu'il disait, parce que je commençais à me rendre compte que j'avais envie d'entendre tout ce qu'il disait.

Jusqu'à cet instant, j'avais construit mon existence précautionneusement, repliant et bordant méticuleusement tous les pans qui dépassaient comme pour réaliser une figure d'origami solide et compacte. Je m'étais donné un mal de chien pour y arriver. J'étais fière du résultat. Mais il était fragile. Si un seul pli se défaisait, je risquais de découvrir que j'étais inquiète. Si un autre s'ouvrait, il révélerait les doutes que m'inspirait le parcours professionnel sur lequel je m'étais si délibérément engagée, tout ce que je croyais vouloir. Je pense aujourd'hui que c'est pour cela que je me protégeais aussi soigneusement, pour cela que je n'étais pas encore prête à lui faire une place dans ma vie. Il était comme un vent qui menaçait de tout faire basculer.

Un ou deux jours plus tard, Barack m'a demandé si je voulais bien le conduire à un barbecue organisé pour les stagiaires et qui se tenait ce week-end-là chez un des associés seniors dans une banlieue cossue au bord du lac, au nord de la ville. Le temps, je m'en souviens, était dégagé ; le lac miroitait au bord d'une pelouse parfaitement entretenue. Un traiteur faisait passer les plats tandis que la musique sortait à flots de haut-parleurs et que les invités commentaient l'élégante oppulence de la demeure. Toute cette société respirait l'aisance et la sérénité, un rappel criant des bénéfices à attendre quand on se consacrait corps et âme au boulot. Barack, je le savais, hésitait encore sur ce qu'il voulait faire de sa vie, sur la direction à donner à sa carrière. Il entretenait une relation conflictuelle avec la richesse. Comme moi, il ne l'avait jamais connue et n'y aspirait pas spécialement. Bien plus qu'il ne voulait être riche, il voulait agir efficacement mais essayait encore de trouver sa voie.

Nous avons assisté à la réception pas tout à fait comme un couple, mais jamais très loin l'un de l'autre, dérivant entre des groupes de collègues, buvant de la bière et de la limonade, mangeant des hamburgers et de la salade de pommes de terre dans des assiettes en plastique. Nous nous séparions un instant pour nous retrouver ensuite. Ça nous paraissait tout naturel. Barack se montrait vaguement dragueur, et j'en faisais autant. Quelques hommes de l'assemblée se sont lancés dans une partie de basket impromptue. Je l'ai regardé rejoindre le terrain sans se presser, en tongs. Il avait un contact facile avec tous les membres du cabinet. Il s'adressait aux secrétaires par leur prénom et s'entendait avec tout le monde – depuis les avocats plus âgés, plus coincés, jusqu'aux jeunes hommes ambitieux qui jouaient au basket en cet instant précis. *C'est un type bien*, me suis-je dit en le voyant faire une passe à un autre avocat.

J'avais assisté à suffisamment de matchs au lycée et à la fac pour savoir reconnaître un bon joueur, et Barack a rapidement passé le test. Il jouait un type de basket sportif, astucieux, son corps longiligne se mouvant prestement, révélant une puissance que je n'avais pas encore remarquée. Il était agile et gracieux, malgré ses chaussures hawaïennes. Pendant ce temps, je faisais semblant d'écouter les bavardages de la charmante épouse de je ne sais qui, mais mes yeux restaient rivés sur Barack. Le spectacle qu'il offrait me frappait pour la première fois – ce curieux homme chez qui tout se mélangeait.

Quand nous avons regagné la ville en début de soirée, j'ai senti en moi un picotement nouveau, un étrange germe de nostalgie qui

venait d'être planté. Nous étions en juillet. Barack repartirait dans
le courant du mois d'août, englouti par la fac de droit et par ce
que la vie lui réservait. En apparence, rien n'avait changé entre
nous – on riait bien, comme toujours, en commentant les propos
qu'avaient échangés les uns et les autres au barbecue –, mais je
sentais une étrange chaleur grimper le long de ma colonne vertébrale. J'avais une conscience aiguë de son corps dans l'espace
exigu de ma voiture – son coude appuyé sur la boîte à gants, son
genou à portée de ma main. Tandis que nous suivions la courbe de
Lake Shore Drive en direction du sud, doublant cyclistes et piétons
sur les sentiers pédestres, je débattais silencieusement avec moi-
même. Y avait-il moyen de se mettre ensemble sans que ce soit
sérieux ? Mon travail risquait-il d'en pâtir, et dans quelle mesure ?
Rien n'était clair dans mon esprit – je ne savais pas ce qui se
faisait ou non, je ne savais pas qui risquait de nous démasquer ni
si c'était grave –, mais je savais que j'en avais marre d'attendre
que les choses s'éclaircissent.

Il habitait Hyde Park, où il sous-louait un appartement à un
ami. Au moment où nous nous sommes engagés dans le quartier,
la tension était palpable entre nous, comme si quelque chose d'inévitable ou d'écrit d'avance était sur le point de se produire. Ou
était-ce le fruit de mon imagination ? Je l'avais peut-être renvoyé
dans ses buts trop souvent. Il avait peut-être renoncé et me considérait simplement comme une bonne copine – une fille qui avait
une Saab climatisée et qui était prête à lui servir de chauffeur
quand il en avait besoin.

J'ai arrêté la voiture au pied de son immeuble, l'esprit encore
confus, en surrégime. Nous avons laissé passer un moment embarrassant, chacun attendant que l'autre prenne l'initiative de dire au
revoir. Barack a incliné la tête vers moi.

« Et si nous allions prendre une glace ? » a-t-il proposé.

À ce moment-là, j'ai su que la partie avait commencé et, pour
une fois, j'ai décidé d'arrêter de réfléchir et de vivre, c'est tout.
C'était une chaude soirée d'été dans la ville que j'aimais. L'air
était doux. Il y avait un glacier juste à côté de chez Barack, et
nous sommes allés nous chercher deux cornets que nous avons
emportés pour les déguster dehors. Nous avons trouvé un coin
sympa sur le trottoir. Nous étions assis l'un à côté de l'autre,

les genoux remontés sous le menton, agréablement fatigués après une journée au grand air, mangeant notre glace rapidement et sans parler, avant qu'elle ne fonde. Peut-être Barack l'a-t-il lu sur mon visage, peut-être l'a-t-il senti à ma posture – quelque chose en moi commençait à se détendre, à s'ouvrir.

Il m'observait avec curiosité ; l'ombre d'un sourire jouait sur ses lèvres.

« Je peux t'embrasser ? » m'a-t-il demandé.

Alors je me suis penchée vers lui, et tout a été clair.

Devenir nous

9

ÈS QUE JE ME SUIS LAISSÉE ALLER à éprouver quelque chose pour Barack, les sentiments ont déferlé – une explosion ébouriffante de désir, de gratitude, d'épanouissement, d'émerveillement. Tous les soucis, tous les doutes que j'avais pu avoir au sujet de ma vie et de ma carrière, ou même de Barack lui-même, ont été emportés par ce premier baiser, remplacés par une soif impérieuse de mieux le connaître, de le découvrir, de tout apprendre sur lui.

Peut-être parce qu'il devait regagner Harvard un mois plus tard, nous n'avons pas perdu de temps. N'étant pas encore tout à fait prête à faire venir un petit copain sous le toit de mes parents, je passais la nuit chez Barack, dans un appartement exigu au premier étage d'un immeuble sans ascenseur, au-dessus d'une devanture de magasin, dans un coin bruyant de la 53ᵉ rue. C'était un logement occupé par un étudiant en droit de l'université de Chicago qui l'avait aménagé, comme tout bon étudiant l'aurait fait, avec des meubles disparates dénichés dans des vide-greniers. Je me rappelle une petite table, deux fauteuils branlants et un matelas de 160 posé par terre. Les piles de livres et de journaux de Barack recouvraient toutes les surfaces libres et une bonne partie du sol. Il suspendait ses vestes de costume aux dossiers des chaises de cuisine et n'avait pas grand-chose dans son frigo. Ce n'était pas douillet, mais, pour moi qui voyais tout à travers le prisme de notre amour, c'était le paradis.

Barack m'intriguait. Il ne ressemblait à aucun des garçons avec qui j'étais sortie avant lui, en grande partie à cause de l'impression de sécurité qui émanait de lui. Il me manifestait ouvertement son affection. Il me disait que j'étais belle. Je me sentais bien avec lui. Il me faisait un peu l'effet d'une licorne – insolite au point d'en être quasiment irréel. Il n'évoquait jamais les questions matérielles : acheter une maison, une voiture, ou même de nouvelles chaussures, par exemple. Il dépensait presque tout son argent en livres, qu'il considérait comme des objets sacrés qui nourrissaient son esprit. Il lisait jusqu'à une heure avancée de la nuit, alors que je m'étais endormie depuis longtemps, dévorant des ouvrages d'histoire, des biographies, et des livres de Toni Morrison. Il lisait quotidiennement plusieurs journaux, de la première à la dernière page. Il se tenait au courant des dernières critiques de livres, des résultats de la Ligue américaine de base-ball et de ce que fabriquaient les conseillers municipaux du South Side. Il était capable de parler avec la même passion des élections en Pologne et des films que le célèbre critique de cinéma Roger Ebert avait éreintés.

Comme nous n'avions pas la climatisation, nous n'avions pas d'autre solution que de dormir les fenêtres ouvertes, pour essayer de rafraîchir un peu cet appartement étouffant. Nous sacrifiions ainsi en calme ce que nous gagnions en confort. À l'époque, la 53ᵉ rue était une zone d'activité nocturne, une voie de passage pour les *lowriders* qui passaient et repassaient, pots d'échappement pétaradants. Presque toutes les heures, une sirène de police mugissait ou quelqu'un se mettait à hurler, déversant un torrent d'insultes et d'obscénités qui me faisaient bondir sur notre matelas. Ce remue-ménage laissait Barack indifférent. Je sentais déjà qu'il était plus à l'aise que moi avec l'anarchie du monde, plus disposé à tout encaisser sans s'angoisser. Je me suis réveillée une nuit pour le surprendre, les yeux au plafond, le profil éclairé par la lueur des réverbères de la rue. Il avait l'air vaguement troublé, comme s'il ressassait un problème éminemment personnel. S'agissait-il de notre relation ? De la disparition de son père ?

« Hé, toi, à quoi tu penses ? » ai-je chuchoté.

Il s'est tourné vers moi, avec un sourire légèrement penaud. « Oh, a-t-il répondu, je réfléchissais juste aux inégalités de revenus. »

J'étais en train de découvrir comment fonctionnait le cerveau de Barack. Il se fixait sur de grands problèmes abstraits, animé par le sentiment délirant qu'il pourrait peut-être y remédier. Tout cela était nouveau, pour moi. Jusqu'à présent, j'avais fréquenté des gens estimables, qui avaient des préoccupations importantes, mais se souciaient avant tout de construire leur carrière et de nourrir leur famille. Barack était différent, voilà tout. Il était parfaitement concentré sur les exigences quotidiennes de sa vie, mais, en même temps, surtout la nuit, ses pensées semblaient arpenter un territoire bien plus vaste.

Nous continuions bien sûr à passer le plus clair de notre temps au travail, dans la tranquillité luxueuse des bureaux de Sidley & Austin, où, chaque matin, je me défaisais de mes rêveries et me glissais dans mon existence de collaboratrice junior, en me replongeant consciencieusement dans ma pile de documents et dans les revendications d'entreprises clientes dont je n'avais jamais vu le moindre représentant. Pendant ce temps, Barack planchait sur ses propres dossiers dans un bureau collectif au fond du couloir, de plus en plus courtisé par des associés impressionnés par son travail.

Toujours soucieuse de bienséance, j'avais insisté pour que nous taisions notre relation florissante à nos collègues, mais nos efforts se révélaient peu efficaces. Lorraine, mon assistante, décochait à Barack un sourire entendu dès qu'il se pointait dans mon bureau. Nous avions même été pris en flagrant délit un soir, la toute première fois que nous étions sortis publiquement en couple, peu après notre premier baiser. Nous étions allés à l'Art Institute, puis voir le film de Spike Lee, *Do the Right Thing*, au Water Tower Palace, et nous étions retrouvés nez à nez avec un des plus hauts responsables du cabinet, Newt Minow, et sa femme, Josephine, qui faisaient la queue pour du pop-corn. Ils nous avaient salués avec chaleur, et même avec approbation, et n'avaient fait aucun commentaire sur le fait que nous étions ensemble. Il n'empêche...

Le travail, pendant toute cette période, nous faisait l'effet d'une parenthèse – la corvée à accomplir avant de pouvoir nous retrouver le plus vite possible. À l'extérieur du cabinet, nous discutions sans discontinuer en nous promenant paisiblement à Hyde Park en short et en tee-shirt, ou devant des repas qui nous paraissaient brefs alors qu'ils duraient des heures. Nous débattions des mérites de chacun des disques de Stevie Wonder, sans exception, avant de passer à la discographie de Marvin Gaye. J'étais amoureuse. J'adorais le lent débit de sa voix et la douceur de ses yeux quand je racontais une histoire drôle. Je commençais à apprécier la nonchalance avec laquelle il se rendait d'un endroit à un autre, indifférent aux horaires.

Chaque jour apportait son lot de petites découvertes : j'étais une supporter des Cubs, lui des White Sox. J'aimais les macaronis au fromage, il détestait ça. Il appréciait les films sombres, tragiques, alors que je raffolais des comédies romantiques. Il était gaucher et avait une écriture irréprochable ; j'étais droitière et j'écrivais en pattes de mouche. Au cours du mois qui a précédé son retour à Cambridge, nous avons partagé à peu près tous nos souvenirs et toutes les idées qui nous passaient par la tête, nous racontant nos bêtises d'enfants, nos bourdes d'ados et les amourettes contrariées qui avaient fini par nous conduire l'un vers l'autre. Barack était particulièrement curieux du cadre dans lequel j'avais grandi – la routine de l'existence à Euclid Avenue, année après année, décennie après décennie, papa, maman, Craig et moi, comme les quatre coins d'un carré immuable. Barack avait passé beaucoup de temps dans les églises du temps où il était organisateur de communautés, ce qui lui avait donné le goût de la religion établie. Mais cela ne l'empêchait pas de professer des opinions moins traditionnelles. Le mariage, m'a-t-il avoué rapidement, lui apparaissait comme une convention surévaluée.

Je ne me rappelle pas avoir présenté Barack à ma famille cet été-là, et pourtant Craig m'assure que si. Il prétend que je suis venue avec lui, un soir, dans notre maison d'Euclid Avenue. Craig était de passage, installé avec mes parents sur la véranda de devant. Barack, dans son souvenir, s'était montré aimable et sûr de lui ; il avait bavardé à bâtons rompus pendant quelques minutes avant que nous ne nous éclipsions pour aller chercher quelque chose dans mon appartement.

Mon père a tout de suite apprécié Barack, mais sans lui accorder beaucoup de chances pour autant. Après tout, il m'avait vue plaquer David, mon copain de lycée, aux portes de Princeton. Il m'avait vue repousser Kevin, le footballeur de la fac, dès qu'il avait revêtu son costume de mascotte à fourrure. Mes parents savaient qu'il ne fallait pas trop s'attacher. Ils m'avaient appris à être indépendante, et j'avais compris la leçon. J'étais trop concentrée sur mon travail, trop occupée, comme je le leur avais dit je ne sais combien de fois, pour laisser la moindre place à un homme.

Selon Craig, mon père avait secoué la tête et avait ri en nous regardant partir, Barack et moi.

« Il est sympa, ce type, avait-il dit. Mais il ne restera pas longtemps dans le paysage. Dommage. »

SI MA FAMILLE ÉTAIT UN CARRÉ, celle de Barack dessinait une forme géométrique plus compliquée, qui s'étendait au-delà des océans. Il avait passé des années à essayer d'en comprendre le tracé. Sa mère, Ann Dunham, poursuivait des études à l'université de Hawaï en 1960 quand, à 17 ans, elle était tombée amoureuse d'un étudiant kenyan qui s'appelait Barack Obama. Leur union avait été courte et compliquée – d'autant qu'elle avait découvert que son nouveau mari avait déjà une femme à Nairobi. Après leur divorce, Ann avait épousé un géologue javanais, un certain Lolo Soetoro, et était allée s'installer à Jakarta, emmenant avec elle Barack Obama junior – *mon* Barack Obama –, qui avait alors 6 ans.

À en croire le récit que m'a fait Barack, il avait été heureux en Indonésie et s'entendait bien avec son beau-père, mais sa mère s'inquiétait pour sa scolarité. En 1971, Ann Dunham a donc renvoyé son fils à Oahu, chez ses parents, où il a fréquenté une école privée. Quant à elle, c'était une non-conformiste qui allait passer des années à faire la navette entre Hawaï et l'Indonésie. À part un séjour prolongé à Hawaï quand Barack avait 10 ans, son père – un homme qui, aux dires de tous, avait à la fois un esprit puissant et un puissant problème avec l'alcool – a brillé par son absence et son manque d'implication.

Toujours est-il que Barack a été très aimé. Ses grands-parents d'Oahu étaient complètement gâteux devant lui et sa jeune demi-sœur Maya. Sa mère, toujours établie à Jakarta, l'entourait d'amour et l'encourageait, même de loin. Barack parlait également avec affection de sa demi-sœur de Nairobi, Auma. Son enfance avait été plus accidentée que la mienne, mais il ne s'en plaignait pas. C'était son histoire. Sa vie familiale l'avait rendu indépendant et curieusement programmé pour l'optimisme. S'il s'en était si bien sorti malgré cette éducation atypique, alors il était capable d'encaisser bien plus que cela.

Par une soirée humide, j'ai accompagné Barack dans une paroisse noire de Roseland, dans le Far South Side, un quartier paralysé par la fermeture des aciéries au milieu des années 1980. Un de ses anciens collaborateurs de l'organisation de communautés lui avait demandé d'y animer une séance de formation. Barack était très content de renouer avec son ancien boulot, dans un quartier de Chicago où il avait travaillé autrefois. Quand nous sommes entrés dans l'église, tous les deux habillés comme un jour de bureau, j'ai pris conscience de n'avoir jamais vraiment réfléchi au rôle d'un organisateur de communautés. Nous avons descendu un escalier pour déboucher dans un sous-sol bas de plafond, éclairé par des néons, où une quinzaine de paroissiens – surtout des femmes, si je me souviens bien – étaient assis sur des chaises pliantes, dans une salle qui devait aussi servir de garderie, s'éventant pour lutter contre la chaleur. Je me suis assise dans le fond pendant que Barack se dirigeait vers l'avant de la salle pour saluer ses auditeurs.

Ils ont dû le trouver bien jeune, et juger qu'il avait terrible-ment l'air d'un juriste. J'ai bien remarqué qu'ils le jaugeaient, se demandant si c'était un de ces types parachutés là avec des idées sur tout, ou s'il avait vraiment quelque chose de solide à leur offrir. L'atmosphère m'était tout à fait familière. J'avais assisté dans mon enfance à l'atelier hebdomadaire d'opérette de ma grand-tante Robbie dans une église méthodiste épiscopale africaine qui ressemblait assez à celle-ci. Il me semblait retrou-ver les femmes qui chantaient dans la chorale de Robbie et nous avaient apporté du ragoût à la mort de Southside. Elles étaient pleines de bonnes intentions, animées par un esprit communau-taire – souvent des mères ou des grand-mères célibataires, de celles qui se manifestaient invariablement pour donner un coup de main en l'absence de volontaires.

Barack a accroché sa veste au dossier de sa chaise et a retiré sa montre, la posant sur la table devant lui pour ne pas se laisser prendre par le temps. Après s'être présenté, il a animé une conver-sation de près d'une heure. Il a demandé aux personnes présentes de raconter leurs histoires et de faire part de leurs préoccupations touchant la vie du quartier. Barack, à son tour, a évoqué son propre passé, le rattachant aux principes de l'organisation de communautés. Il était là pour convaincre les paroissiens que nos histoires étaient toutes liées, et que toutes ces connexions permettaient de faire naître quelque chose d'utile du mécontentement qu'ils exprimaient. Il leur a expliqué qu'ils pouvaient, eux aussi – un minuscule groupe dans une petite église d'un quartier plus ou moins oublié –, constituer un vrai pouvoir politique. Cela ne se ferait pas sans efforts, les a-t-il prévenus. Il fallait établir une stratégie pour couvrir le terrain, être à l'écoute des habitants du quartier et gagner leur confiance, dans des communautés où elle faisait souvent défaut. Cela vous obligeait à demander à des inconnus de vous accorder un peu de leur temps ou une infime fraction de leur salaire. Ils devaient s'attendre à essuyer d'innombrables refus sous d'innombrables formes, avant d'entendre ce « oui » qui faisait toute la différence. (Ce qui représentait une grande partie des tâches d'un organisateur.) Mais il leur assurait qu'ils pouvaient agir. Ils pouvaient faire changer les choses. Il avait vu cette méthode faire ses preuves, certes non sans anicroche, dans le projet de logements sociaux d'Altgeld Gardens : un groupe, tout à fait semblable à celui-ci, avait réussi à faire inscrire de *nouveaux* électeurs, à rassembler les habitants pour interpeller les autorités municipales à propos de la contamination à l'amiante et à persuader le bureau du maire de financer un centre de formation professionnelle de quartier.

La femme imposante assise à côté de moi, qui écoutait en faisant sauter un gamin sur ses genoux, ne cachait pas son scepticisme. Elle dévisageait Barack, menton relevé et lèvre inférieure saillante, comme pour dire : *Tu te prends pour qui, toi, à venir nous dire ce qu'on doit faire ?*

Barack ne se laissait pas démonter par les obstacles. C'était une licorne, après tout – un être façonné par son nom insolite, son héritage singulier, son ethnicité indéfinissable, son père absent, son intelligence exceptionnelle. Il était habitué à devoir faire ses preuves, presque partout où il allait.

Sa proposition n'était pas facile à défendre, et pour cause. Roseland s'était pris un coup après l'autre, de l'exode des familles blanches et de la dégringolade des aciéries à la détérioration de ses établissements scolaires et à l'essor du trafic de drogue. En tant qu'organisateur affecté dans des communautés urbaines, m'avait expliqué Barack, il devait bien souvent faire face à la profonde lassitude des gens – surtout des Noirs –, à un cynisme nourri par mille petites déceptions encaissées au fil du temps. Je comprenais très bien. Je l'avais observé dans mon propre quartier, dans ma propre famille. Une amertume, une perte de confiance. Mes deux grands-pères étaient habités par ce désenchantement, engendré par tous les objectifs qu'ils avaient dû abandonner, tous les compromis qu'ils avaient dû faire. Il était à l'œuvre chez l'institutrice dépassée que j'avais eue au CE1 à Bryn Mawr, qui avait plus ou moins renoncé à nous faire classe, chez la voisine qui ne prenait plus la peine de tondre sa pelouse ou de surveiller ce que faisaient ses enfants après l'école. Il s'exprimait dans le moindre déchet négligemment jeté dans l'herbe du parc local, dans chaque bouteille de whiskey vidée avant la nuit. Il vivait en tout, absolument tout ce que nous jugions irrécupérable, nous-mêmes compris.

Barack ne s'est pas adressé aux habitants de Roseland d'un ton condescendant. Il n'a pas cherché à les mettre de son côté en dissimulant sa situation privilégiée et en se conduisant davantage en « Noir ». Au milieu des craintes et des frustrations des paroissiens, de leur déchéance et de leur impuissance accablante, il envoyait ses flèches, avec une pointe d'insolence, dans la direction opposée.

Je n'avais jamais été de ceux qui s'apitoient sur les aspects décourageants de la situation des Afro-Américains. On m'avait appris à entretenir des pensées positives. J'avais assimilé l'amour de ma famille et la volonté de mes parents de nous voir réussir. J'avais accompagné Santita Jackson aux rassemblements de l'Opération PUSH, j'avais écouté son père exhorter les Noirs à ne pas oublier leur fierté. Mon objectif avait toujours été de voir au-delà de mon quartier – de regarder droit devant moi et de triompher. Et c'est ce que j'avais fait. J'avais en poche deux diplômes de l'Ivy League. J'avais ma place à la table de Sidley & Austin. J'avais fait l'orgueil de mes parents et de mes grands-parents. Mais, en écoutant Barack, j'ai commencé à comprendre que sa vision de l'espoir dépassait largement la mienne. Se sortir de l'ornière était une chose. Essayer de combler l'ornière elle-même en était une autre.

C'était vraiment un homme exceptionnel, j'ai pu le constater une fois de plus. Lentement, autour de moi, les paroissiennes commençaient à hocher la tête, ponctuant ses phrases de « Mmmmhmmm » et de « C'est bien vrai ! ».

Sa voix a pris une intensité accrue quand il est arrivé au terme de son discours. Ce n'était pas un prédicateur, mais il prêchait indéniablement quelque chose – une vision. Il nous appelait à nous investir. L'alternative, de son point de vue, était la suivante : renoncer ou œuvrer au changement. « Qu'est-ce qui est préférable pour nous ? a demandé Barack à l'assemblée. Nous contenter du monde tel qu'il est ou travailler à rendre le monde tel qu'il devrait être ? »

Cette expression était empruntée à un livre qu'il avait lu à ses débuts d'organisateur ; elle m'obséderait pendant des années. C'était elle qui résumait le mieux à mes yeux ce qui motivait Barack. *Le monde tel qu'il devrait être.*

À côté de moi, la femme qui avait un petit sur les genoux a littéralement explosé : « Il a raison ! a-t-elle hurlé à pleins poumons, enfin convaincue. Amen ! »

Amen, ai-je pensé en moi-même. Car, moi aussi, j'étais convaincue.

VERS LE MILIEU DU MOIS D'AOÛT, avant son retour à la fac de droit, Barack m'a dit qu'il m'aimait. Le sentiment qui nous liait s'était épanoui si vite et si naturellement que le moment lui-même n'a rien eu de mémorable en soi. Je ne sais même plus très bien quand ni comment ça s'est passé. C'était un simple constat, tendre et profond, de ce sentiment qui nous avait pris par surprise, l'un comme l'autre. Bien sûr, nous ne nous connaissions que depuis quelques mois, bien sûr, ce n'était pas très commode, mais voilà : nous étions amoureux.

Nous allions devoir nous arranger des 1 500 kilomètres qu'il y aurait entre nous. Barack avait encore deux années de fac devant lui et espérait ensuite s'installer à Chicago. Il n'était pas question que j'abandonne ma vie ici en attendant. Collaboratrice junior chez Sidley, j'étais consciente que la prochaine phase de ma carrière serait cruciale – que le travail que j'accomplirais déciderait de mes chances de devenir associée. Étant moi-même passée par la fac de droit, je savais aussi que Barack serait très occupé. Il avait été choisi comme rédacteur de la *Harvard Law Review*, un mensuel étudiant qui passait pour être une des meilleures publications juridiques du pays. Un honneur, qui ajoutait toutefois un emploi à temps plein à la charge de travail déjà considérable d'un étudiant en droit.

Que nous restait-il, alors ? Le téléphone. Rappelez-vous que tout ça se passait en 1989, une époque où les téléphones n'avaient pas élu domicile dans nos poches. Pas de textos, pas d'émoticône pour remplacer un baiser. Pour téléphoner, il fallait du temps, et il fallait être disponible au même moment. On s'appelait le plus souvent chez soi, le soir, quand on était épuisé et qu'on n'avait qu'une envie : dormir.

Avant son départ, Barack m'a annoncé qu'il préférait les lettres.

« Le téléphone, ce n'est pas trop mon truc », m'a-t-il déclaré l'air de rien. L'affaire semblait entendue.

Sauf qu'il n'était pas question d'en rester là. Nous venions de passer l'été ensemble à parler pendant des heures. Je n'avais pas l'intention de condamner notre amour à suivre la lenteur d'escargot des services postaux. S'y ajoutait une autre légère différence entre nous : Barack aimait s'épancher par écrit. Il avait appris pendant son enfance à compter sur le courrier, guettant les fines enveloppes aériennes que sa mère lui envoyait d'Indonésie pour lui apporter le soutien dont il avait besoin. Alors que, de mon côté, j'étais plutôt très directe, ayant été élevée à grand renfort de dîners dominicaux chez Southside où il fallait souvent crier pour se faire entendre.

Dans ma famille, on aimait discuter. Mon père, qui avait récemment changé sa voiture pour un monospace adapté à son infirmité, se faisait un point d'honneur de rendre visite à ses cousins aussi souvent que possible. Des amis, des voisins et des cousins de cousins apparaissaient eux aussi régulièrement à Euclid Avenue et s'installaient au salon à côté du fauteuil de mon père pour lui raconter des histoires et lui demander conseil. Il arrivait même à David, mon ancien copain du lycée, de faire un saut chez nous pour connaître son avis sur telle ou telle question. Mon père n'avait, lui non plus, aucun problème avec le téléphone. Pendant des années, je l'avais vu appeler ma grand-mère en Caroline du Sud presque tous les jours pour prendre de ses nouvelles.

J'ai expliqué à Barack que, s'il voulait que notre relation dure, il ferait bien de se réconcilier avec le téléphone. « Si je ne peux pas te parler, je vais devoir trouver un autre homme qui m'écoutera, lui. » Je plaisantais, mais seulement à moitié.

Et c'est ainsi que Barack est devenu un adepte du téléphone. Au cours de cet automne-là, nous nous sommes parlé aussi souvent que possible. Enfermés l'un comme l'autre dans nos mondes et nos horaires respectifs, nous partagions les menus détails de nos journées, nous apitoyant devant la masse de dossiers de fiscalité des sociétés qu'il avait à éplucher, ou riant parce que j'avais pris l'habitude d'évacuer mes frustrations du bureau en allant transpirer un bon coup à un cours d'aérobic après le travail. Les mois passant, nos sentiments sont restés stables et solides. J'avais une question de moins à me poser dans ma vie.

Chez Sidley & Austin, je faisais partie de l'équipe de recrutement du bureau de Chicago. J'étais chargée de faire passer des entretiens aux étudiants de la fac de droit de Harvard qui postulaient pour un stage d'été. C'était avant tout une entreprise de séduction. Étudiante, j'avais découvert par moi-même le monde de pouvoir et de tentations qu'offrait le complexe industriel du droit des sociétés : on m'avait donné un classeur gros comme un dictionnaire où figurait la liste des cabinets juridiques du pays en m'affirmant que tous ne demandaient qu'à recruter des avocats frais émoulus de Harvard. Apparemment, avec un diplôme de droit de Harvard en poche, vous pouviez briguer un emploi dans n'importe quelle ville, dans n'importe quel domaine juridique, qu'il s'agisse d'une énorme société de contentieux de Dallas ou d'une petite société d'investissements immobiliers de New York. Si l'une ou l'autre de ces boîtes éveillait votre intérêt, vous demandiez un entretien sur le campus. S'il se passait bien, on vous offrait une « sortie en ville » – c'est-à-dire un billet d'avion, une chambre dans un hôtel cinq étoiles et une nouvelle série d'entretiens dans les bureaux de la société –, suivie d'un extravagant dîner copieusement arrosé en compagnie de recruteurs comme moi. Lorsque j'étais à Harvard, j'avais bénéficié de « sorties » de ce genre à San Francisco et à Los Angeles, en partie parce que je voulais m'initier aux pratiques du droit de l'industrie du divertissement, mais aussi, pour être honnête, parce que je n'avais encore jamais mis les pieds en Californie.

Maintenant que j'étais chez Sidley et que c'était moi qui étais chargée du recrutement, j'avais pour objectif de faire venir des étudiants en droit intelligents et bosseurs, bien sûr, mais qui ne soient pas forcément mâles et blancs. Il y avait une seule autre Afro-Américaine dans l'équipe de recrutement, Mercedes Laing, une collaboratrice senior. Mercedes, qui avait une dizaine d'années de plus que moi, est devenue une excellente amie et m'a beaucoup appris. Comme moi, elle avait deux diplômes de l'Ivy League et il lui arrivait régulièrement de prendre place à des tables où personne ne lui ressemblait. Nous refusions d'accepter cette situation et étions déterminées à la combattre. Aux réunions de recrutement, j'affirmais avec insistance – et effrontément, j'imagine, de l'avis de certains – qu'il fallait que le cabinet ratisse plus large pour dénicher de jeunes talents. La pratique habituelle consistait à engager des étudiants issus d'une poignée de facs de droit – Harvard, Stanford, Yale, Northwestern, l'université de Chicago et l'université d'Illinois essentiellement –, les établissements même dont la plupart des avocats du cabinet étaient diplômés. On tournait en rond : une génération de juristes engageait de nouveaux juristes dont le parcours était l'exact reflet du leur. Cela laissait peu de place à la diversité. Pour être juste avec Sidley, c'était un problème (reconnu ou non) qui touchait presque toutes les grandes sociétés du pays. Une enquête menée à l'époque par le *National Law Journal* avait établi que, dans les grands cabinets, les Afro-Américains représentaient un peu moins de 3 % des collaborateurs et moins de 1 % de l'ensemble des associés.

Pour tenter de corriger ce déséquilibre, j'ai plaidé pour que nous prenions comme stagiaires des étudiants en droit issus d'autres établissements de l'État ainsi que de facs noires historiques comme l'université Howard. Quand l'équipe de recrutement se rassemblait dans une salle de réunion de Chicago avec une pile de CV à éplucher, je protestais chaque fois qu'un étudiant se faisait automatiquement recaler parce qu'un B figurait dans son relevé de notes ou qu'il avait fait un premier cycle dans un établissement moins prestigieux. Si nous voulions vraiment engager des avocats issus des minorités, nous allions devoir envisager une approche plus holistique des candidatures. Au lieu de se contenter de les situer sur une échelle universitaire élitiste, il fallait tenir compte de la façon dont ils avaient su tirer parti de toutes les possibilités que la vie leur avait accordées. Il ne s'agissait pas d'élaguer les critères

rigoureux du cabinet, mais bien de comprendre qu'en nous cram-
ponnant à un mode d'évaluation rigide et poussiéreux pour juger
du potentiel d'un nouveau juriste, nous négligions toutes sortes
de candidats susceptibles de contribuer à la réussite du cabinet.
Autrement dit, nous devions auditionner plus d'étudiants.

J'adorais partir en voyage de recrutement à Cambridge : cela
me permettait d'exercer une certaine influence sur le choix des
étudiants de Harvard invités à passer un entretien. Et, bien entendu,
ça me fournissait un excellent prétexte pour rendre visite à Barack.
La première fois, il est venu me chercher en voiture, une Datsun
au nez retroussé jaune banane qu'il avait achetée d'occasion avec
son budget étudiant amputé par des emprunts. Quand il a tourné
la clé dans le démarreur, le moteur a vrombi et la voiture a été
prise d'un violent spasme avant de se mettre à trépider bruyamment et durablement, nous ballottant sur nos sièges. J'ai regardé
Barack, incrédule.

« Tu conduis vraiment ce machin-là ? » lui ai-je demandé, élevant la voix pour couvrir le vacarme.

Il m'a décoché son sourire en coin taquin, l'air de dire
t'inquiète, je gère, qui me faisait toujours craquer. « Accorde-lui
une minute ou deux, a-t-il dit en embrayant. Ça finit par passer. »
Quelques minutes plus tard, alors que nous longions une rue animée, il a ajouté : « Oh, et il vaudrait mieux que tu ne regardes
pas à tes pieds. »

Trop tard : j'avais déjà repéré le trou de dix centimètres de
diamètre creusé par la rouille dans le plancher de sa voiture, par
lequel je pouvais voir la chaussée défiler au-dessous de nous.

La vie avec Barack ne serait jamais insipide. Je le savais déjà.
Elle serait jaune banane, et légèrement décoiffante. Par ailleurs,
il était fort probable que cet homme-là ne gagne jamais un sou.

Il occupait un deux-pièces spartiate à Sommerville ; mais, lors
de mes voyages de recrutement, Sidley me logeait au Charles,
un hôtel de luxe tout près du campus, où nous dormions dans
des draps moelleux, de première qualité, et où Barack, qui cui-
sinait rarement pour lui, pouvait avaler un petit déjeuner chaud
et copieux avant ses cours du matin. Le soir, il s'installait dans
ma chambre et faisait ses devoirs, négligemment vêtu d'un des
peignoirs en éponge de l'hôtel.

À Noël, cette année-là, nous avons pris l'avion pour Honolulu. Je n'étais encore jamais allée à Hawaï, mais j'étais sûre de m'y plaire. Après tout, j'arrivais de Chicago, où l'hiver durait jusqu'en avril et où il était normal d'avoir toujours une pelle à neige dans le coffre de sa voiture. Je possédais une impressionnante quantité de lainages. Pour moi, échapper à l'hiver avait toujours eu quelque chose d'une virée dans une voiture volée. Pendant mes années de fac, j'avais fait un voyage aux Bahamas avec David, mon copain, qui en était originaire, et un autre à la Jamaïque avec Suzanne. J'y avais savouré la douceur de l'air sur ma peau et l'allégresse pure et simple qui s'emparait de moi chaque fois que je m'approchais de l'océan. Ce n'était peut-être pas par hasard que j'étais attirée par des gens qui avaient grandi sur une île.

À Kingston, Suzanne m'avait emmenée sur des plages blanches et poudreuses où nous esquivions les vagues dans une eau de jade. Elle nous avait pilotées avec adresse dans un marché chaotique, jacassant avec les marchands ambulants.

Elle parlait à toute vitesse, accent compris : « Goûte-moi ça », criait-elle en me tendant avec enthousiasme des morceaux de poisson grillé, des patates douces frites, des tiges de canne à sucre et des bouchées de mangue. Elle voulait que j'essaie tout, bien décidée à me faire découvrir tout ce qu'il y avait à aimer.

C'était la même chose avec Barack. Cela faisait plus de dix ans qu'il vivait sur le continent, mais il restait profondément attaché à Hawaï. Il voulait que je m'imprègne de tout, depuis les palmiers aux branches déployées qui bordaient les rues d'Honolulu et le croissant de Waikiki Beach jusqu'au rideau verdoyant des collines qui entouraient la ville. Pendant près d'une semaine, nous avons logé dans un appartement que nous avaient prêté des amis de sa famille et nous avons fait tous les jours des sorties jusqu'à l'océan pour nager et lézarder au soleil. J'ai fait la connaissance de Maya, la demi-sœur de Barack, alors âgée de 19 ans. Aimable et intelligente, elle préparait un diplôme à Barnard. Elle avait des joues rondes, de grands yeux bruns et des cheveux noirs dont les boucles tombaient sur ses épaules en un enchevêtrement luxuriant. J'ai rencontré les grands-parents de Barack, Madelyn et Stanley Dunham, qu'il appelait « Toot et Gramps ». Ils n'avaient jamais quitté le grand immeuble où ils avaient élevé Barack et vivaient dans un petit appartement décoré de textiles indonésiens qu'Ann leur avait envoyés au fil des ans.

Enfin, j'ai rencontré Ann elle-même, une femme boulotte et vive aux cheveux bruns crépus, qui avait le même menton anguleux que Barack. Elle portait de gros bijoux en argent, une robe en batik de couleur vive, et le genre de sandales solides qui seyait bien à une anthropologue. Elle a été très gentille avec moi et s'est intéressée à mon parcours et à ma carrière. De toute évidence, elle adorait son fils – elle l'idolâtrait presque – et donnait l'impression d'avoir plus que tout envie de s'asseoir pour bavarder avec Barack, lui décrire son travail de thèse et échanger des conseils de lecture, comme si elle retrouvait un vieil ami.

Tout le monde dans sa famille continuait de l'appeler Barry, ce que j'ai trouvé charmant. Ses grands-parents, qui avaient pourtant quitté leur État natal du Kansas depuis les années 1940, ressemblaient à ces habitants du Midwest égarés que m'avait décrits Barack. Gramps était un grand ours qui racontait des blagues idiotes. Toot, une femme corpulente aux cheveux gris, devenue vice-présidente d'une banque locale à la force du poignet, nous a confectionné des sandwiches au thon pour le déjeuner. Le soir, elle avait préparé pour l'apéritif des crackers Ritz recouverts de sardines et a servi le dîner sur des plateaux télé pour que tout le monde puisse regarder les informations ou disputer une partie animée de Scrabble. C'était une famille modeste de la classe moyenne, qui n'était pas tellement différente de la mienne.

Cette proximité avait quelque chose de profondément réconfortant, pour Barack comme pour moi. Si différents que nous ayons pu être, il existait entre nous d'intéressantes correspondances. C'était comme si nous découvrions à présent l'explication de l'aisance et de l'attirance qu'il y avait entre nous.

À Hawaï, le côté intense et cérébral de Barack s'effaçait légèrement, permettant à son côté décontracté de s'épanouir. Il était chez lui. Et, chez lui, il n'éprouvait pas le besoin de prouver quoi que ce soit à qui que ce soit. Nous étions en retard dans tout ce que nous faisions, mais ça n'avait pas d'importance – même pas pour moi. Bobby, un copain de lycée de Barack qui était pêcheur professionnel, nous a emmenés un jour sur son bateau pour faire une petite croisière et plonger avec masque et tuba. J'ai découvert alors un Barack plus détendu que jamais, se prélassant sous un ciel d'azur avec une bière fraîche en compagnie d'un vieil ami, oubliant l'espace d'un instant les nouvelles du jour, ses lectures de fac, ou les mesures à prendre pour lutter contre l'inégalité des revenus. La volupté de l'île, décolorée par le soleil, nous ouvrait un espace à tous les deux, ne fût-ce qu'en nous accordant du temps, un luxe que nous n'avions jamais eu auparavant.

Tant de mes amies jugeaient leurs conjoints potentiels sans s'interroger sur l'essentiel, en se concentrant d'abord sur leur physique et sur leurs perspectives financières. Si elles constataient que l'élu avait du mal à exprimer ses sentiments ou à accepter sa vulnérabilité, elles semblaient croire que le temps ou les vœux de mariage suffiraient à régler le problème. Quand Barack avait fait irruption dans ma vie, c'était quelqu'un de solide, qui savait où il allait. Dès notre toute première conversation, il m'avait montré qu'il n'hésitait pas à formuler ses peurs et ses faiblesses, et qu'il accordait une grande valeur à la sincérité. Au travail, j'avais pu observer son humilité et sa disposition à sacrifier ses besoins et ses envies à un objectif supérieur.

À Hawaï, je découvrais d'autres facettes de son caractère. Ses amitiés durables avec ses copains de lycée prouvaient sa fidélité dans les relations humaines. Dans la constance de son dévouement à l'égard de sa mère, j'ai perçu un profond respect des femmes et de leur indépendance. Sans qu'il soit besoin d'en discuter franchement, j'ai su qu'il s'accommoderait très bien d'une partenaire qui avait ses passions propres et tenait à se faire entendre. Autant de qualités que personne ne pouvait enseigner à un conjoint, des qualités que l'amour lui-même n'était pas capable de faire naître ni de changer. En m'ouvrant son monde, Barack me montrait tout ce que j'avais besoin de savoir sur le compagnon de vie qu'il serait.

Un après-midi, nous avons emprunté une voiture pour rejoindre la North Shore d'Oahu, où nous nous sommes assis sur un ruban de plage au sable doux pour regarder les surfeurs franchir d'immenses vagues à toute vitesse. Nous sommes restés des heures à bavarder, les vagues se succédant inlassablement, tandis que le soleil s'inclinait vers l'horizon et que les autres baigneurs rangeaient leurs affaires pour rentrer chez eux. Nous avons continué à parler pendant que le ciel se parait de rose avant de s'assombrir, que les insectes commençaient à nous piquer et la faim à nous tenailler. Alors que j'étais venue à Hawaï pour essayer de comprendre le passé de Barack, nous nous retrouvions au bord d'un océan gigantesque à envisager l'avenir, à discuter du type de maison dans lequel nous aimerions habiter un jour, du type de parents que nous souhaitions être. Cette discussion pouvait paraître purement spéculative et plutôt hasardeuse, mais, en même temps, elle était rassurante parce qu'elle donnait l'impression de pouvoir ne jamais s'interrompre et se poursuivre toute notre vie.

DE RETOUR À CHICAGO, à nouveau séparée de Barack, je continuais à me rendre de temps en temps à mes happy hours, sans toutefois m'y attarder. La passion de Barack pour la lecture m'avait inspiré un nouveau goût pour les livres. À présent, j'aimais bien passer un samedi soir à lire un bon roman sur mon canapé.

Quand je m'ennuyais, je téléphonais à mes vieilles copines. Même si j'avais désormais un homme dans ma vie, mes amies m'apportaient une stabilité indispensable. Santita Jackson parcourait maintenant le pays comme choriste de Roberta Flack, mais nous bavardions dès que nous en avions l'occasion. Environ un an plus tôt, mes parents et moi, installés dans leur salon, avions regardé pleins de fierté Santita et ses frères et sœurs présenter leur père à la convention nationale démocrate de 1988. Le révérend Jackson avait fait une campagne respectable, remportant une douzaine de primaires avant d'être contraint de s'effacer devant Michael Dukakis. Sa candidature avait inspiré à des familles comme la nôtre un élan d'espoir sans précédent, même si nous savions, au fond de nous-mêmes, qu'il avait peu de chances de l'emporter contre un candidat démocrate qui avait lui-même peu de chances de l'emporter contre son adversaire républicain.

Je discutais régulièrement avec Vera Williams, une très bonne amie de la fac de droit qui avait habité Cambridge jusqu'à une date récente. Elle avait rencontré Barack plusieurs fois et l'appréciait beaucoup. Elle me raillait en me faisant remarquer que j'avais renoncé à mes critères excessivement stricts en acceptant de laisser place à un fumeur dans ma vie. Angela Kennedy et moi passions des heures à rire ensemble. Elle n'avait pas une vie facile : enseignante dans le New Jersey, elle élevait un petit garçon et essayait de ne pas perdre pied tandis que son couple implosait lentement. Quand nous nous étions connues, nous étions des étudiantes naïves, un peu immatures. Désormais, nous étions adultes et nous menions des vies d'adultes avec des soucis d'adultes. Cette idée à elle seule nous apparaissait parfois désopilante.

Quant à Suzanne, elle était toujours l'électron libre que j'avais connu quand nous partagions une chambre à Princeton – entrant et sortant de ma vie avec une prévisibilité variable, continuant à ne mesurer la valeur de ses journées qu'à l'aune du plaisir qu'elles lui procuraient. Pendant de longues périodes, nous ne nous donnions pas de nouvelles, mais nous reprenions ensuite sans difficulté le fil de notre amitié. Je l'appelais toujours Screwzy et elle m'appelait toujours Miche. Nos univers continuaient à être aussi différents que du temps de la fac, quand elle filait à des soirées du club de restauration et glissait son linge sale sous le lit pendant que j'attribuais des codes couleur à mes notes du cours de deuxième année de sociologie. Dès cette époque, Suzanne avait été comme une sœur dont je ne pouvais suivre le parcours que de loin, par-delà l'abîme de nos différences intrinsèques. Elle était exaspérante, charmante, et comptait beaucoup pour moi. Elle me demandait des conseils pour les ignorer obstinément. Était-ce une mauvaise idée de sortir avec une pop star plus ou moins célèbre qui couchait à gauche et à droite ? Bien sûr que oui ! Ça ne l'empêchait pas de le faire pour une seule et bonne raison : *pourquoi pas ?* J'avais été ulcérée par son refus d'entrer dans une école de commerce de l'Ivy League après son premier cycle, sous prétexte que ça lui donnerait trop de boulot et que, forcément, ça ne serait pas marrant. Elle avait préféré passer un master tranquille dans un établissement d'État, ce que je considérais comme une démarche de paresseuse.

Les choix de Suzanne me faisaient parfois l'effet d'un affront à toute ma façon d'être, d'un vote en faveur du lâcher-prise et de la solution de facilité. Je comprends avec le recul que je la jugeais injustement. Sur le moment, pourtant, j'étais convaincue d'avoir raison.

Peu après le début de ma relation avec Barack, j'avais appelé Suzanne pour me confier, lui dire ce que j'éprouvais pour lui. Elle avait été ravie de me savoir aussi heureuse – le bonheur était son seul critère. Elle aussi avait des nouvelles à m'apprendre : elle avait décidé de laisser tomber son travail de spécialiste en informatique à la Federal Reserve et de voyager – non pas quelques semaines, mais des mois. Suzanne et sa mère s'apprêtaient à partir faire une sorte de tour du monde. *Pourquoi pas ?*

Je ne saurai jamais si Suzanne sentait inconsciemment qu'il se passait quelque chose d'étrange dans les cellules de son corps, où un acte silencieux de sabotage était déjà en cours. Ce que je savais, c'est que, au cours de l'automne 1989, pendant que j'assistais en chaussures vernies à des réunions aussi interminables que rasoir chez Sidley, Suzanne et sa mère prenaient garde à ne pas faire de taches de curry sur leurs robes d'été au Cambodge et dansaient à l'aube sur les grandioses allées du Taj Mahal. Pendant que je tenais scrupuleusement mes comptes, allais chercher mon linge à la blanchisserie et regardais les feuilles se recroqueviller et tomber sur Euclid Avenue, Suzanne fonçait à travers la moiteur de Bangkok dans un tuk-tuk klaxonnant gaiement – en tout cas, c'est ainsi que je l'imaginais. En réalité, j'ignore à quoi ressemblaient ses voyages, et même où elle s'est rendue, car elle n'était pas du genre à envoyer des cartes postales ni à rester en contact. Elle était trop occupée à vivre, à se gorger de tout ce que le monde pouvait lui offrir.

Quand elle est rentrée au Maryland et a trouvé un moment pour me faire signe, c'était pour m'annoncer des nouvelles bien différentes – si fracassantes et discordantes par rapport à l'image que j'avais d'elle que j'ai eu du mal à comprendre.

« J'ai un cancer, m'a dit Suzanne, la voix étreinte par l'émotion. Et c'est pas de la blague. »

Ses médecins venaient de poser le diagnostic : une forme agressive de lymphome ravageait déjà ses organes. Elle m'a exposé le protocole thérapeutique, dont elle tirait quelque espoir, mais j'étais trop atterrée pour assimiler les détails. Avant de raccrocher, elle m'a encore appris que, par un cruel coup du sort, sa mère était elle aussi tombée gravement malade.

Je ne pense pas avoir jamais cru que la vie était juste, mais j'avais toujours imaginé qu'on pouvait se tirer d'affaire, quel que soit le problème ou presque. Le cancer de Suzanne a été la première remise en question de cette certitude, comme un sabotage de mes idéaux. En effet, même si je n'en avais pas encore mis au point tous les détails, j'avais des idées bien arrêtées sur l'avenir. Depuis ma première année de fac, je suivais assidûment ce programme, cette ligne de cases méticuleusement ordonnées que je m'appliquais à cocher une à une.

Voilà comment les choses auraient dû se passer pour Suzanne et moi. Nous aurions été demoiselles d'honneur à nos mariages respectifs. Nos maris auraient été très différents, bien sûr, ce qui ne les aurait pas empêchés de s'apprécier. Nous aurions eu des bébés en même temps, fait des voyages en famille à la Jamaïque, émis des avis légèrement critiques sur nos méthodes d'éducation respectives, et nous aurions été les taties rigolotes et préférées de nos enfants quand ils auraient grandi. J'aurais acheté des livres à ses enfants pour leurs anniversaires ; elle aurait offert des bâtons sauteurs aux miens. Nous aurions ri ensemble, échangé des secrets et levé les yeux au ciel devant les manies ridicules de l'autre, jusqu'au jour où nous aurions pris conscience que nous étions de vieilles dames qui étaient les meilleures amies du monde depuis toujours, ne comprenant pas, soudain, comment le temps avait pu passer aussi vite.

Il me semblait que c'était ça, le monde tel qu'il devait être.

CE QUE JE TROUVE REMARQUABLE avec le recul, c'est que, tout au long de cet hiver et de ce printemps, j'ai fait mon boulot, un point c'est tout. J'étais avocate et les avocats travaillaient. Nous travaillions tout le temps. Notre valeur se mesurait aux heures que nous facturions. Je me disais que je n'avais pas le choix. Que le travail était important. J'ai donc continué à rejoindre tous les matins le centre de Chicago, la fourmilière de sociétés qu'on appelle One First National Plaza. Je baissais la tête et je facturais mes heures.

Pendant ce temps, dans le Maryland, Suzanne vivait avec sa maladie. Elle allait à ses rendez-vous médicaux, subissait des opérations tout en essayant de s'occuper de sa mère, elle aussi confrontée à un cancer agressif qui n'avait, a en croire les médecins, rien à voir avec celui de Suzanne. C'était de la malchance, une malheureuse coïncidence, si cruelle qu'elle en était presque inconcevable. Le reste de la famille de Suzanne n'était pas particulièrement soudée, à l'exception de deux de ses cousines préférées qui l'aidaient autant qu'elles pouvaient. Angela venait de temps en temps la voir depuis le New Jersey, mais elle avait déjà du mal à jongler entre son bébé et son boulot. J'ai enrôlé Verna, mon amie de la fac de droit, pour qu'elle y fasse un saut à ma place quand elle pouvait, par procuration, en quelque sorte. Verna avait rencontré Suzanne plusieurs fois quand nous étions à Harvard et, par pur hasard, elle habitait à présent Silver Spring, dans un immeuble situé juste en face du parking de Suzanne.

C'était beaucoup demander à Verna, qui venait de perdre son père et avait déjà du mal à se remettre de ce deuil. Mais c'était une véritable amie, une femme compatissante. Elle m'a appelée au bureau un jour de mai pour me raconter une de ses visites.

« Je l'ai coiffée », m'a-t-elle dit.

Suzanne avait besoin d'aide pour se coiffer. Ça aurait dû me mettre la puce à l'oreille ; mais je refusais toujours de voir la vérité en face. Quelque chose en moi continuait à prétendre que ce n'était pas vrai. Je m'accrochais à l'idée que Suzanne se rétablirait, même si les preuves du contraire s'accumulaient.

C'est finalement Angela qui m'a appelée en juin. Elle a été brutale : « Si tu veux la voir, Miche, m'a-t-elle dit, tu ferais bien de te dépêcher. »

À cette date, Suzanne avait été hospitalisée. Elle était trop faible pour parler et passait de la conscience à l'inconscience et inversement. Rien ne pouvait plus alimenter mon déni. J'ai raccroché et réservé un billet d'avion. J'ai atterri, je suis montée dans un taxi pour l'hôpital, j'ai pris l'ascenseur jusqu'à l'étage où elle était, j'ai longé le couloir jusqu'à sa chambre et je l'ai trouvée là, allongée dans son lit, veillée par Angela et sa cousine, dans un profond silence. La mère de Suzanne était morte quelques jours plus tôt, et Suzanne était dans le coma. Angela s'est effacée pour que je puisse m'asseoir au bord de son lit.

Je ne quittais pas Suzanne des yeux, je regardais son visage parfait en forme de cœur, sa peau cuivrée, un peu réconfortée par la douceur juvénile de ses joues et la courbure enfantine de ses lèvres. Étrangement, elle paraissait peu diminuée par la maladie. Ses cheveux noirs étaient toujours brillants et longs ; quelqu'un les avait coiffés en deux grosses tresses qui lui allaient presque jusqu'à la taille. Ses jambes d'athlète étaient cachées sous les couvertures. Elle avait l'air si jeune – une adorable, superbe fille de 26 ans assoupie.

J'ai regretté de n'être pas venue plus tôt. J'ai regretté toutes les fois où, au cours de notre amitié en dents de scie, j'avais affirmé avec aplomb qu'elle s'engageait dans une mauvaise direction, alors que c'était peut-être elle qui avait raison. Je me réjouissais soudain qu'elle ait ignoré mon avis aussi souvent. J'étais contente qu'elle ne se soit pas éreintée à passer je ne sais quel diplôme d'une école de commerce prétentieuse. Qu'elle soit partie un week-end avec une pop star à moitié célèbre, juste pour le fun. J'étais heureuse qu'elle ait pu voir le soleil se lever sur le Taj Mahal avec sa mère. Suzanne avait vécu autrement que moi.

Ce jour-là, j'ai tenu sa main inerte et j'ai vu son souffle devenir irrégulier, jusqu'à ce que de longues pauses séparent ses inspirations. À un moment, l'infirmière nous a adressé un signe de tête d'un air entendu. Le moment était venu. Suzanne nous quittait. Mon esprit s'est voilé. Je n'ai pas eu de pensées profondes. Pas de révélation sur la vie et la mort. J'étais plutôt en colère, en fait.

Dire qu'il était injuste que Suzanne soit tombée malade et soit morte à 26 ans peut paraître simpliste. C'était pourtant un fait, froid et laid comme ils le sont parfois. Voilà ce que j'ai pensé quand j'ai fini par laisser son corps derrière moi dans cette chambre d'hôpital : *Elle est partie, et moi, je suis encore là.* Dans le couloir, des patients se promenaient en chemise d'hôpital – des patients bien plus vieux et qui avaient l'air bien plus malades qu'elle. Ils étaient encore là, eux. J'allais prendre un vol bondé pour Chicago, rouler sur une autoroute encombrée, monter dans l'ascenseur pour rejoindre mon bureau. J'allais voir tous ces gens dans leurs voitures, l'air heureux, déambulant sur le trottoir en tenues d'été, bavardant à la terrasse de cafés, ou travaillant dans leurs bureaux, ignorant ce qui était arrivé à Suzanne – inconscients, me semblait-il, qu'ils risquaient, eux aussi, de mourir à tout moment. Le monde poursuivait sa course, et je trouvais ça cruel. Tout le monde était encore là, sauf ma Suzanne.

10

Cet été-là, j'ai commencé à tenir mon journal. Je me suis acheté un cahier relié en toile noire avec des fleurs violettes sur la couverture. Je le rangeais à côté de mon lit, et l'emportais quand je partais en voyages d'affaires pour Sidley & Austin. Je n'écrivais pas tous les jours, ni même toutes les semaines : je ne prenais la plume que quand j'avais le temps et l'énergie de mettre un peu d'ordre dans la pagaille de mes sentiments. Il m'arrivait d'écrire plusieurs pages au cours d'une même semaine, puis de reposer mon journal pendant un mois, parfois davantage. Je n'étais pas encline à l'introspection. Consigner mes pensées était pour moi une pratique nouvelle – une habitude partiellement empruntée, je suppose, à Barack, qui considérait l'écriture comme une thérapie, un moyen d'y voir plus clair, et qui avait tenu par intermittence un journal au fil des ans.

Il était revenu à Chicago pour les vacances d'été, abandonnant cette fois la sous-location pour s'installer directement chez moi, dans mon appartement d'Euclid Avenue. Cela signifiait non seulement que nous apprenions concrètement à vivre en couple, mais aussi que Barack avait l'occasion de mieux faire connaissance avec ma famille. Il discutait sport avec mon père avant qu'il ne parte prendre son poste à la station d'épuration. Il donnait quelquefois un coup de main à ma mère pour rentrer ses courses du garage. Ça me faisait plaisir. Craig avait déjà procédé à une évaluation du caractère de Barack, la plus rigoureuse et révélatrice qui soit, en l'invitant à participer à une partie de basket volcanique un week-end avec sa bande de copains, dont la plupart étaient d'anciens joueurs universitaires. Pour tout dire, il l'avait fait à ma demande. L'avis de Craig sur Barack comptait beaucoup pour moi, et mon frère savait juger les gens – surtout dans le contexte d'un match. Barack avait réussi l'examen. Il était tranquille sur le terrain, m'a déclaré mon frère, et savait choisir le moment de faire la bonne passe ; en même temps, il n'avait pas non plus peur de tirer quand l'occasion se présentait. « Il ne truste pas le ballon, a résumé Craig, mais il a du cran. »

Barack avait accepté un poste de stagiaire d'été dans une société du centre dont les bureaux étaient proches de ceux de Sidley. Mais son séjour à Chicago a été bref. Il avait été élu président de la *Harvard Law Review* pour l'année universitaire à venir, ce qui l'astreignait à sortir huit numéros d'environ trois cents pages chacun. Il devrait rentrer à Cambridge assez tôt pour s'y mettre. La direction de la *Review* donnait lieu chaque année à une compétition féroce, qui s'accompagnait d'une enquête minutieuse suivie du vote de quatre-vingts rédacteurs étudiants. Être choisi constituait un exploit en soi. Barack était, de surcroît, le premier Afro-Américain à avoir été élu au cours des cent trois ans d'existence de la revue – un événement si notable qu'il avait été mentionné dans le *New York Times*, avec une photo de lui, souriant dans son manteau d'hiver assorti d'un cache-nez.

Autrement dit, mon copain n'était pas n'importe qui. À cette date, il aurait pu décrocher des boulots bien payés dans des cabinets juridiques, mais il envisageait de se consacrer à la législation sur les droits civiques dès qu'il aurait son diplôme en poche, même s'il aurait besoin de deux fois plus de temps pour rembourser ses prêts d'études. Presque toutes ses connaissances l'exhortaient à suivre l'exemple de nombreux précédents rédacteurs en chef de la *Review* et à postuler à un stage à la Cour suprême, qu'il était assuré d'obtenir. Ça n'intéressait pas Barack. Il voulait vivre à Chicago. Il songeait à écrire un livre sur les questions raciales en Amérique et avait l'intention, disait-il, de trouver un emploi conforme à ses valeurs, ce qui signifiait très probablement qu'il tournerait le dos au droit des sociétés. Il suivait sa voie avec une assurance qui me stupéfiait.

Cette confiance en soi innée était évidemment admirable, mais, franchement, essayez de vivre avec. Coexister avec la solide détermination de Barack – dormir dans le même lit qu'elle, prendre mon petit déjeuner avec elle – exigeait un minimum d'adaptation, non qu'il en fît étalage, en réalité, mais parce qu'elle était incroyablement présente. Face à cette certitude, à cette conviction de pouvoir changer quelque chose dans le monde, je ne pouvais m'empêcher de me sentir un peu dépassée. Sa détermination me faisait l'effet d'un défi involontaire à la mienne.

D'où le journal. Sur la toute première page, d'une écriture soignée, j'avais énoncé les raisons qui me poussaient à le commencer :

> *Un, je ne sais pas très bien quelle direction je veux donner à ma vie. Quel genre de personne ai-je envie d'être ? Quelle contribution est-ce que je veux apporter au monde ?*
>
> *Deux, je commence à prendre très au sérieux ma relation avec Barack et j'ai l'impression d'avoir besoin de mieux me comprendre.*

Ce petit volume à fleurs a survécu à quelques décennies et à de nombreux déménagements. Il a été rangé sur une étagère de mon dressing à la Maison-Blanche pendant huit ans jusqu'à ce que, très récemment, dans ma nouvelle maison, je le sorte d'un carton pour tenter de redécouvrir la jeune avocate que j'avais été. En relisant ces lignes aujourd'hui, je sais très précisément ce que j'essayais de me dire – ce qu'aurait pu me dire sans détour une femme pragmatique si j'avais eu un tel mentor. Au fond, c'était très simple. Premièrement, le métier d'avocate me faisait horreur. Je n'étais pas faite pour ça. Je me sentais vide, même si j'étais tout à fait compétente. C'était un aveu éprouvant, vu la masse de travail que j'avais abattue et l'ampleur de mes dettes. Dans ma volonté aveugle de me surpasser, dans mon besoin de faire les choses à la perfection, je n'avais pas su voir les signaux et je m'étais engagée dans une mauvaise voie.

Deuxièmement, j'étais profondément, délicieusement amoureuse d'un type dont l'intelligence supérieure et l'ambition risquaient de finir par dévorer les miennes. Je le voyais déjà venir, telle une déferlante accompagnée d'un puissant contre-courant. Je n'avais pas l'intention de m'écarter de son passage – j'étais trop attachée à Barack désormais, trop amoureuse –, mais j'avais tout intérêt à me planter rapidement et solidement sur mes deux pieds.

Il fallait donc que je trouve un autre métier, et ce qui me tracassait le plus était que je n'avais aucune idée concrète de ce que je voulais faire. Curieusement, pendant toutes mes années d'études, je n'avais pas pris le temps de m'interroger sur mes propres passions et de trouver comment les mettre en adéquation avec un boulot qui me paraîtrait avoir du sens. Plus jeune, je n'avais exploré aucune piste. Je me rendais compte que Barack devait une partie de sa maturité à ses années d'activité comme organisateur de communautés et même, avant cela, à l'année pourtant peu gratifiante qu'il avait passée comme chercheur dans un cabinet d'audit et de conseil de Manhattan à la fin de son premier cycle universitaire. Il avait accumulé des expériences, il avait fait la connaissance de toutes sortes de gens, ce qui lui avait appris à cerner ses priorités. Alors que moi, dans le même temps, j'avais eu tellement peur de patauger, j'avais été si avide de respectabilité et si résolue à trouver le moyen de payer mes factures que je m'étais engagée dans le droit, tête baissée.

En l'espace d'un an, j'avais gagné Barack et perdu Suzanne. La puissance conjuguée de ces deux événements m'avait donné le vertige. La mort subite de Suzanne m'avait permis de découvrir que je voulais conférer plus de joie et plus de sens à ma vie. Pas question de continuer à me complaire dans mon autosatisfaction. J'attribuais à Barack la responsabilité, en bien et en mal, de cette remise en cause. « S'il n'y avait pas dans ma vie un homme qui me demande en permanence ce qui me fait avancer et ce qui me contrarie, ai-je écrit dans mon journal, le ferais-je de moi-même ? »

Je réfléchissais à ce que je pourrais faire, je passais en revue mes compétences. Est-ce que je voulais être enseignante ? Me faire embaucher dans une administration universitaire ? Mettre en place une sorte de programme post-scolaire, une variante professionnalisée de ce que j'avais fait pour Czerny à Princeton ? L'idée de travailler pour une fondation ou une association me tentait, comme celle d'aider des enfants défavorisés. Je me demandais comment trouver un emploi qui me satisferait intellectuellement tout en me laissant le temps de faire du bénévolat, de m'intéresser à l'art, ou d'avoir des enfants. Ce que je voulais, dans le fond, c'était une vie. Je voulais être en adéquation avec moi-même. J'ai dressé la liste des sujets qui m'intéressaient : l'éducation, les grossesses précoces, l'estime de soi des Noirs. Un travail plus vertueux entraînerait inévitablement, j'en étais consciente, une perte de revenus. J'ai dressé une autre liste, moins attrayante : celle de mes dépenses incontournables – celles que j'aurais encore à assumer après avoir renoncé aux luxes que me permettait mon salaire chez Sidley : mon abonnement de vin et mon inscription à un club de fitness, par exemple. J'avais sur le dos un remboursement de 600 dollars par mois sur mes crédits d'études, 407 dollars à payer pour ma voiture, mes frais de nourriture, de gaz et d'assurance, auxquels s'ajouteraient environ 500 dollars par mois de loyer si je quittais un jour la maison de mes parents.

Rien n'était impossible, mais rien ne paraissait simple. J'ai commencé à enquêter autour de moi sur les possibilités de trouver un emploi dans le droit du divertissement, pensant que ça pouvait être intéressant tout en m'évitant la douleur de voir mon salaire amputé. Mais, tout au fond de moi, je sentais peu à peu s'imposer une certitude : je n'étais pas faite pour la pratique du droit. Un jour, j'ai mentionné dans mon journal un article du *New York Times* que j'avais lu à propos de l'épuisement, du stress et du mécontentement fréquents parmi les juristes américains – les femmes surtout. « C'est déprimant », ai-je noté.

J'AI PASSÉ UNE BONNE PARTIE de ce mois d'août dans une salle de réunion que Sidley avait louée dans un hôtel de Washington où j'avais été envoyée pour aider à préparer un dossier. Sidley & Austin représentait Union Carbide, la multinationale de produits chimiques, dans un procès antitrust impliquant la vente d'un de ses actifs. Je suis restée près de trois semaines à Washington en accomplissant l'exploit de ne presque rien voir de la ville, parce que je n'ai pas quitté cette salle où, avec d'autres collaborateurs de Sidley, j'ouvrais des boîtes d'archives envoyées par le siège de la société et j'épluchais les milliers de pages de documents qu'elles contenaient.

Vous pensez peut-être que je ne suis pas du genre à être rassérénée par les complexités de la production du polyuréthane. Eh bien, vous vous trompez. Je faisais toujours du droit, mais l'exigence du travail et le changement de décor m'ont permis d'oublier un moment les questions plus essentielles qui commençaient à bouillonner dans mon esprit.

En définitive, cette affaire ne s'est pas réglée au tribunal. Une grande partie de mes recherches documentaires n'avait donc servi à rien. C'était un compromis rageant, mais fréquent dans le milieu juridique, où il n'était pas rare qu'on prépare un procès qui n'aurait jamais lieu. Le soir où j'ai pris l'avion pour rentrer à Chicago, j'ai éprouvé une vraie terreur à l'idée de retrouver mon train-train quotidien et la brume de mes idées.

Ma mère est gentiment venue me chercher à l'aéroport d'O'Hare. Je me suis sentie mieux dès le moment où je l'ai vue. Elle avait à présent une petite cinquantaine d'années et travaillait à plein temps comme secrétaire de direction dans une banque du centre pour des gens qu'elle décrivait comme une bande de types assis à des bureaux et qui s'étaient engagés dans ce métier parce que leurs pères étaient déjà banquiers. Ma mère était une force de la nature. Elle ne supportait pas les imbéciles. Elle avait les cheveux courts et portait des vêtements confortables, sans chichis. Tout en elle respirait la compétence et le calme. Comme c'était déjà le cas quand Craig et moi étions petits, elle ne s'immisçait pas dans nos vies privées. Son amour s'exprimait par le fait que nous pouvions compter sur elle. Elle était là pour nous chercher à l'aéroport. Elle nous ramenait à la maison et nous préparait à manger si nous avions faim. Son égalité d'humeur était comme un asile, un espace où je pouvais me réfugier.

Tandis que nous filions vers le centre, j'ai poussé un gros soupir.

« Ça va ? » m'a demandé ma mère.

Je l'ai regardée dans le demi-jour de l'autoroute. « Je ne sais pas, ai-je commencé. C'est juste que… »

Et j'ai tout déballé. Je lui ai dit que je n'étais pas heureuse dans mon travail, ni même dans le métier que j'avais choisi – que j'étais même franchement *malheureuse*. Je lui ai parlé de mon impatience, de ma terrible envie de changer de vie, mais aussi de mon inquiétude à l'idée de ne pas gagner assez d'argent si je sautais le pas. J'étais à fleur de peau. J'ai poussé un nouveau soupir. « En fait, je ne suis pas épanouie », ai-je conclu.

Je me rends compte aujourd'hui de l'effet que cette confession a dû faire à ma mère. Elle exerçait alors pour la neuvième année consécutive un boulot qu'elle avait pris essentiellement pour pouvoir contribuer à financer mes études supérieures après avoir passé des années à *ne pas* exercer d'emploi pour avoir le temps de me coudre mes vêtements pour l'école, de préparer mes repas, de laver le linge de mon père qui, pour faire vivre notre famille, passait huit heures par jour à surveiller les jauges d'une chaudière. Ma mère, qui venait de faire une heure de voiture pour venir me chercher à l'aéroport, qui me permettait d'occuper gratuitement le premier étage de sa maison et devrait se lever à l'aube le lendemain pour aider mon père à se préparer pour aller travailler, n'était certainement pas disposée à prêter une oreille compatissante à mes angoisses existentielles.

Mon désir d'épanouissement devait lui apparaître comme un souci de riche. Je doute que mes parents, pendant leurs trente années de vie conjugale, aient abordé ce sujet ne fût-ce qu'une fois.

Ma mère ne m'a pas reproché mon manque de délicatesse. Elle se gardait bien de faire des sermons ou d'attirer l'attention sur ses propres sacrifices. Elle avait soutenu sans mot dire tous les choix que j'avais faits. Cette fois, pourtant, elle m'a jeté un regard en coin chargé d'ironie, a mis son clignotant pour quitter l'autoroute et regagner notre quartier, et a laissé échapper un petit rire. « Si tu veux mon avis, a-t-elle dit, gagne de l'argent d'abord, tu t'occuperas de ton bonheur après. »

Il y a des vérités que nous affrontons et des vérités que nous ignorons. J'ai passé les six mois suivants à chercher tranquillement comment me réaliser sans avoir à opérer de changement brutal. Au cabinet, je suis allée voir l'associé qui s'occupait de ma division et je lui ai demandé de me confier des missions plus exigeantes. J'ai essayé de me concentrer sur les projets qui me semblaient les plus intéressants, notamment sur mes efforts pour recruter une nouvelle équipe, plus diversifiée, de stagiaires d'été. Pendant tout ce temps, j'épluchais les offres d'emploi dans le journal et faisais mon possible pour étoffer mon carnet d'adresses hors du milieu des avocats. D'une manière ou d'une autre, je pensais réussir à trouver une solution pour être en phase avec moi-même.

Chez nous, je me sentais impuissante face à une nouvelle réalité. Les pieds de mon père avaient commencé à enfler sans que l'on sache vraiment pourquoi. Sa peau avait foncé et présentait un curieux aspect marbré. Pourtant, chaque fois que je lui demandais comment il allait, il me donnait la même réponse, avec la même insistance que toujours.

« Ça va bien », disait-il comme si la question ne valait pas la peine d'être posée. Puis il changeait de sujet.

L'hiver était revenu à Chicago. Je me réveillais le matin en entendant mes voisins gratter leurs pare-brise. Le vent soufflait, la neige s'amoncelait. Le soleil restait blême et anémié. Par la fenêtre de mon bureau au quarante-septième étage de chez Sidley, je contemplais une toundra de glace grise sur le lac Michigan, sous un ciel de plomb. Je portais mes lainages en attendant le dégel. Dans le Midwest, comme je l'ai déjà dit, l'hiver est un exercice d'attente – l'attente d'un radoucissement, d'un chant d'oiseau, des premiers crocus violets qui pointent le nez à travers la neige. Et, en attendant, il n'y a qu'une chose à faire : essayer de garder le moral.

Mon père n'avait pas perdu son humeur joviale. Craig venait dîner en famille une fois de temps en temps, et nous nous retrouvions à table, à rire comme autrefois. La seule différence était qu'il y avait une personne de plus : Janis, la femme de Craig. Janis était une bosseuse au tempérament heureux ; elle travaillait en ville comme analyste en télécommunications et, comme tout le monde, elle était tombée sous le charme de mon père. Craig, quant à lui, était l'image même du professionnel urbain sorti de Princeton. Il préparait un MBA et occupait un poste de vice-président à la Continental Bank. Il avait acheté avec Janis un joli appartement à Hyde Park. Il portait des costumes sur mesure et était venu dîner dans sa Porsche 944 Turbo rouge. Je l'ignorais alors, mais rien de tout cela ne le rendait heureux. Une crise assez semblable à la mienne couvait en lui et, au cours des années à venir, il s'interrogerait sur le sens de son travail : il se demanderait si les récompenses qu'il se sentait obligé de briguer étaient réellement celles qu'il désirait. Mais, sachant à quel point notre père était comblé par la réussite de sa progéniture, aucun de nous n'évoquait jamais son insatisfaction à table.

Avant de rentrer chez lui, Craig jetait à mon père un dernier regard soucieux et ne posait la question traditionnelle sur sa santé que pour la voir balayée d'un guilleret : « Je vais très bien. »

Nous l'acceptions, me semble-t-il, parce que c'était stabilisant, et que nous aimions la stabilité. Cela faisait des années que papa vivait avec sa sclérose en plaques tout en restant relativement en forme. Nous ne demandions qu'à persister à nous voiler la face, même s'il déclinait visiblement. Il allait bien, nous rassurions-nous les uns les autres, parce qu'il continuait à se lever tous les matins pour aller travailler. Il allait bien parce que nous l'avions vu se resservir de pain de viande ce soir-là. Il allait bien, surtout si on ne regardait pas ses pieds de trop près.

J'ai eu plusieurs conversations tendues avec ma mère. Je lui demandais pourquoi papa n'allait pas voir le médecin. Comme moi, elle avait plus ou moins jeté l'éponge ; elle l'avait exhorté à s'y rendre je ne sais combien de fois et s'était fait systématiquement rembarrer. Pour mon père, les médecins n'avaient jamais été porteurs de bonnes nouvelles ; il valait donc mieux les éviter. Autant il aimait parler, autant il refusait de parler de ses problèmes. Il n'y voyait que de la complaisance. Il voulait s'en sortir par ses propres moyens. Comme ses pieds avaient enflé, il a simplement demandé à ma mère de lui acheter une paire de chaussures de travail plus grandes.

La fin de non-recevoir médicale a persisté tout au long des mois de janvier et février cette année-là. Mon père se déplaçait avec une lenteur douloureuse, utilisant un déambulateur en aluminium pour évoluer dans la maison et s'arrêtant fréquemment pour reprendre son souffle. Il lui fallait maintenant plus longtemps, le matin, pour se rendre de son lit à la salle de bains, de la salle de bains à la cuisine, avant de gagner enfin la porte de derrière et de descendre les trois marches conduisant au garage pour prendre sa voiture et aller travailler. Malgré ses difficultés manifestes à la maison, il prétendait qu'il n'y avait aucun problème à l'usine. Il utilisait une trottinette à moteur pour passer de chaudière en chaudière et s'enorgueillissait d'être indispensable. En vingt-six ans, il n'avait pas manqué une seule journée de travail. Si une chaudière était en surchauffe, mon père affirmait être l'un des rares ouvriers assez expérimentés pour pouvoir éviter rapidement et efficacement une catastrophe. Il avait même récemment présenté une demande d'avancement, ce qui donnait la mesure de son optimisme.

Ma mère et moi essayions d'accorder ce qu'il nous disait à ce que nous voyions de nos propres yeux. C'était de plus en plus difficile. Le soir, mon père passait une grande partie de son temps à regarder des matchs de basket et de hockey à la télé, affalé dans son fauteuil, visiblement faible et épuisé. Nous avions remarqué que, en plus de ses pieds, son cou s'était mis à enfler, ce qui prêtait un curieux râle à sa voix.

Un soir, nous avons fini par prendre le taureau par les cornes. Craig n'avait jamais aimé endosser le rôle du méchant, et ma mère s'en tenait au cessez-le-feu qu'elle s'était imposé s'agissant de la santé de mon père. Dans ce genre de conversation, le rôle de rabat-joie m'incombait presque toujours. J'ai dit à mon père qu'il devait se faire aider ; que, s'il ne le faisait pas pour lui, il fallait qu'il le fasse pour nous, et que j'avais l'intention d'appeler son médecin le lendemain matin. Il a fini par céder à contrecœur, me promettant que si je prenais un rendez-vous, il s'y rendrait. Je l'ai encouragé à faire la grasse matinée le lendemain pour accorder un peu de repos à son corps.

Ce soir-là, ma mère et moi sommes allées nous coucher soulagées d'avoir enfin obtenu plus ou moins gain de cause.

MON PÈRE ÉTAIT TIRAILLÉ entre deux devoirs. Le repos était pour lui une forme d'abdication. Quand je suis descendue le lendemain matin, ma mère était déjà partie au travail et mon père était assis à la table de la cuisine, son déambulateur à côté de lui. Il portait son uniforme bleu marine d'employé municipal et essayait d'enfiler ses chaussures. Il s'apprêtait à partir au travail.

« Papa, ai-je protesté, on avait dit que tu allais te reposer. Je vais prendre un rendez-vous pour toi chez le médecin... »

Il a haussé les épaules. « Je sais, ma chérie, m'a-t-il répondu d'une voix éraillée par le nouveau mal qui touchait sa gorge. Mais là, je vais bien. »

Son obstination se tapissait sous tant de couches d'orgueil que je ne pouvais pas me fâcher. Il était impossible de lui faire entendre raison. Mes parents nous avaient appris à nous occuper de nos affaires ; je devais donc lui faire confiance pour s'occuper des siennes même si, en cet instant précis, il était à peine capable d'enfiler ses chaussures. Je l'ai laissé faire. J'ai réprimé mon inquiétude, embrassé mon père et suis remontée me préparer. J'avais l'intention d'appeler ma mère plus tard à son bureau pour lui annoncer que nous allions devoir mettre au point une autre stratégie pour obliger cet homme à prendre un congé.

J'ai entendu claquer la porte de derrière. Quelques minutes plus tard, je suis revenue à la cuisine. Elle était vide. Le déambulateur de mon père était près du seuil. Impulsivement, je m'en suis approchée et ai collé l'œil au judas, qui offrait une vue à grand angle sur le perron arrière et sur le sentier menant au garage, pour m'assurer que son monospace était bien parti.

Le monospace était là. Mon père aussi. Il avait enfilé une casquette et sa veste d'hiver, et me tournait le dos. Il n'avait réussi à descendre qu'une partie des marches avant d'être obligé de s'asseoir. Je remarquais son épuisement à l'angle de son corps, à l'inclinaison latérale de sa tête et à la lourdeur presque affaissée avec laquelle il s'appuyait contre la rampe de bois. Il s'agissait moins d'une crise que d'un accablement général qui l'empêchait d'aller plus loin. Manifestement, il cherchait à mobiliser assez de forces pour faire demi-tour et rentrer.

Je l'avais surpris dans un instant de défaite complète.

Quelle solitude avait-il dû éprouver à vivre plus de vingt ans avec cette maladie, à persévérer sans se plaindre alors que son corps se consumait lentement, inexorablement ! En voyant mon père sur ce perron, j'ai ressenti une douleur que je n'avais encore jamais connue. Mon instinct me commandait de courir dehors et de l'aider à regagner la chaleur de la maison, mais j'ai résisté, sachant que mon intervention aurait porté un coup de plus à sa dignité. J'ai inspiré profondément et me suis détournée.

Je le verrais bien quand il rentrerait, ai-je pensé. Je l'aiderais à retirer ses chaussures de travail, lui apporterais un verre d'eau et le conduirais jusqu'à son fauteuil, et il y aurait désormais entre nous l'aveu tacite qu'à présent, sans conteste, il devrait accepter un minimum d'aide.

Ayant regagné mon appartement à l'étage, j'étais assise, attendant d'entendre s'ouvrir la porte de derrière. J'ai attendu cinq minutes, puis cinq autres, avant de finir par descendre pour regarder de nouveau par le judas et m'assurer qu'il avait réussi à se relever. Le perron était désert. Je ne sais comment, au mépris de tout ce qui avait enflé et qui lâchait dans son corps, mon père avait trouvé en lui la volonté de descendre ces marches, de parcourir le sentier verglacé et d'entrer dans sa voiture, qui devait être maintenant à mi-chemin de l'usine. Il refusait d'abdiquer.

CELA FAISAIT DES MOIS, à présent, que Barack et moi tournions autour de l'idée de mariage. Nous étions ensemble depuis un an et demi, et nous étions toujours aussi amoureux. Il terminait son dernier semestre à Harvard et était très pris par son travail à la *Law Review*, mais il n'allait pas tarder à revenir pour passer le barreau de l'Illinois et chercher un emploi. Nous avions décidé qu'il viendrait s'installer dans l'appartement d'Euclid Avenue, de façon plus permanente cette fois. C'était une raison de plus pour être impatiente que l'hiver se termine.

Nous avions discuté de nos visions respectives du mariage, et nos divergences me préoccupaient parfois. J'avais toujours eu dans l'idée que je me marierais un jour ; c'était aussi évident pour moi que d'avoir des enfants, depuis le temps où, petite fille, je m'occupais avec tendresse de mes baigneurs. Barack n'avait rien contre le mariage, mais il n'était pas particulièrement pressé. Tout ce qui comptait pour lui était notre amour. Il y voyait une base suffisante pour une vie commune pleine et heureuse – avec ou sans bague au doigt.

Nous étions l'un et l'autre le produit de notre éducation. Barack voyait le mariage comme une relation éphémère : sa mère s'était mariée deux fois, avait divorcé deux fois et avait réussi dans un cas comme dans l'autre à aller de l'avant, sans que sa vie, sa carrière ou ses enfants en pâtissent. Mes parents, en revanche, s'étaient unis très jeunes, et pour la vie. Pour eux, toute décision, toute entreprise étaient communes. En trente ans, c'est à peine s'ils avaient passé une nuit l'un sans l'autre.

Que voulions-nous, Barack et moi ? Former un couple moderne qui nous conviendrait à l'un comme à l'autre. Il considérait le mariage comme l'alignement amoureux de deux êtres qui pouvaient mener des vies parallèles, sans renoncer pour autant à leurs ambitions ou à leurs rêves personnels. Pour moi, le mariage tenait plus de la fusion pure et simple, d'une reconfiguration de deux existences en une seule, le bien-être de la famille prenant le pas sur tout programme ou objectif individuel. Je ne voulais pas d'une vie parfaitement calquée sur celle de mes parents. Je ne voulais pas habiter pour toujours la même maison, exercer le même emploi sans jamais revendiquer d'espace à moi, mais j'aspirais à la stabilité, année après année, décennie après décennie, qui était la leur. « Je pense qu'il est bon que les individus cultivent leurs propres intérêts, ambitions et rêves, ai-je écrit dans mon journal. Mais je ne crois pas que la poursuite des rêves de l'un doive se faire au détriment du couple. »

Je pensais que nous ferions le point sur nos sentiments quand Barack serait de retour à Chicago, quand il ferait plus chaud, quand nous aurions à nouveau le luxe de passer nos week-ends ensemble. Je n'avais qu'à attendre, même si ce n'était pas facile. J'éprouvais un profond besoin d'ancrage. Depuis mon salon, je surprenais parfois le murmure des voix de mes parents qui parlaient un étage plus bas. J'entendais ma mère rire quand mon père racontait une histoire. Je les entendais éteindre la télé avant d'aller se coucher. J'avais 27 ans désormais, et il y avait des jours où je n'avais qu'une envie : vivre pleinement ma vie. Je voulais m'emparer de tout ce que j'aimais et le planter fermement dans le sol. J'avais déjà fait l'expérience de la perte, et je savais que ce n'était qu'un début.

C'EST MOI QUI AI PRIS LE RENDEZ-VOUS médical pour mon père, mais, au bout du compte, c'est ma mère qui l'a accompagné – en ambulance. Ses pieds avaient enflé et étaient devenus douloureux au point qu'il a fini par admettre que c'était comme s'il marchait sur des aiguilles. Au moment de partir, il n'arrivait même plus à tenir debout. J'étais au travail ce jour-là, mais ma mère m'a décrit la scène plus tard – papa emmené par des brancardiers costauds, cherchant encore à plaisanter avec eux.

On l'a conduit directement à l'hôpital de l'université de Chicago. La suite a été une série de journées perdues, passées dans le purgatoire des prises de sang, des prises de pouls, des plateaux repas intacts et des tournées de brigades de médecins. Pendant tout ce temps, mon père a continué à enfler. Son visage est devenu bouffi, son cou s'est épaissi, sa voix s'est affaiblie. Le diagnostic a été posé : syndrome de Cushing, lié peut-être ou peut-être pas à la sclérose en plaques. En tout état de cause, il était nettement trop tard pour mettre en place un traitement, même palliatif. Son système endocrinien était complètement chamboulé. Un scanner a montré qu'il avait une grosseur dans la gorge de telle dimension qu'elle n'était pas loin de l'étouffer.

« Je ne sais pas comment j'ai pu laisser passer ça », a dit mon père au médecin, l'air sincèrement perplexe, comme s'il n'avait pas souffert du moindre symptôme avant d'en arriver là, comme s'il n'avait pas passé des semaines, des mois, voire des années, à ignorer sa douleur.

Nous nous relayions à son chevet, ma mère, Craig, Janis et moi. Nous avons fait des allées et venues pendant des jours, tandis que les médecins le bourraient de médicaments, ajoutaient des tuyaux, branchaient des machines. Nous essayions de comprendre ce que les spécialistes nous disaient, mais c'était du chinois pour nous. Nous retapions les oreillers de mon père, nous parlions inutilement de basket universitaire et du temps qu'il faisait, sachant qu'il nous écoutait, mais était trop fatigué pour parler. Nous étions une famille d'organisateurs, et voilà que tout semblait désorganisé. Lentement, mon père s'enfonçait, il s'éloignait de nous, entraîné par une mer invisible. Nous le rappelions à nous à l'aide de vieux souvenirs, qui ramenaient un peu d'éclat dans ses yeux. Tu te rappelles la Deux vingt-cinq et nos chahuts sur l'immense banquette arrière quand on allait au drive-in en été ? Tu te rappelles les gants de boxe que tu nous as offerts, et la piscine du Dukes Happy Holiday Resort ? Et les décors que tu fabriquais pour l'Operetta Workshop de Robbie ? Et les dîners chez Dandy ? Tu te rappelles les crevettes frites que nous faisait maman pour le Nouvel An ?

Un soir, j'ai fait un saut à l'hôpital et j'ai trouvé mon père seul. Ma mère était rentrée pour la nuit, les infirmières étaient dans leur salle, au fond du couloir. La chambre était paisible. Tout le service était calme. C'était la première semaine de mars, la neige hivernale venait de fondre, la ville était saturée d'humidité. Cela faisait dix jours maintenant que mon père était hospitalisé. Il n'avait que 55 ans, et pourtant il ressemblait à un vieillard, avec ses yeux jaunes, ses bras trop lourds pour bouger. Il était conscient, mais incapable de parler, à cause de la grosseur qui lui encombrait la gorge, ou de l'émotion, je ne le saurai jamais.

Je me suis assise sur une chaise à son chevet et l'ai regardé respirer laborieusement. Quand j'ai glissé ma main dans la sienne, il l'a serrée pour me réconforter. Nous nous contemplions en silence. Nous avions trop de choses à nous dire et, en même temps, c'était comme si nous nous étions déjà tout dit. Il ne restait qu'une vérité. Nous approchions de la fin. Il ne guérirait pas. Il manquerait tout le reste de ma vie. Je perdais sa stabilité, son réconfort, sa joie quotidienne. Je sentais les larmes ruisseler sur mes joues.

Sans me quitter des yeux, mon père a porté le dos de ma main à ses lèvres et l'a embrassé encore et encore. C'était sa manière de dire : *Chut, ne pleure pas.* Il exprimait du chagrin et un sentiment d'urgence, mais aussi quelque chose de plus calme et de plus profond, un message qu'il voulait me transmettre clairement. Par ces baisers, il me disait qu'il m'aimait de tout son cœur, qu'il était fier de la femme que j'étais devenue. Il me disait qu'il savait bien qu'il aurait dû aller voir le médecin plus tôt. Il me demandait pardon. Il me disait au revoir.

Je suis restée près de lui jusqu'à ce qu'il s'endorme, ce soir-là. Puis j'ai laissé l'hôpital dans ses ténèbres glaciales et suis rentrée à Euclid Avenue, où ma mère avait déjà éteint les lumières. Nous étions seules dans la maison désormais, ma mère et moi, avec l'avenir qui nous attendait. Parce que, au moment où le soleil s'est levé, il n'était plus là. Mon père – Fraser Robinson III – a fait une crise cardiaque et est mort dans la nuit, après nous avoir donné absolument tout.

11

Ça fait mal de vivre après la mort de quelqu'un. Ça fait mal, c'est tout. Ça fait mal de longer un couloir, d'ouvrir le frigo. Ça fait mal d'enfiler ses chaussettes, de se brosser les dents. La nourriture n'a pas de goût. Les couleurs sont ternes. La musique fait mal, les souvenirs aussi. Vous regardez quelque chose que vous trouvez beau, d'habitude – un ciel qui s'empourpre au coucher du soleil, une aire de jeux remplie d'enfants –, et ça ne fait qu'aggraver votre sentiment de perte. Le chagrin peut être tellement solitaire.

Le lendemain de la mort de mon père, Craig, ma mère et moi sommes allés chez un entrepreneur de pompes funèbres du South Side pour choisir un cercueil et préparer la cérémonie. *Prendre des dispositions*, comme on dit dans ces circonstances. Je ne me rappelle pas grand-chose de notre visite, si ce n'est notre état d'hébétude, chacun de nous emmuré dans son chagrin. Pourtant, alors que nous accomplissions le rituel traumatisant consistant à acheter la boîte dans laquelle serait enterré notre père, nous nous sommes débrouillés, Craig et moi, pour avoir notre première et unique querelle de frère et sœur adultes.

Elle se résumait à cela : je voulais acheter le cercueil le plus luxueux, le plus cher du magasin, avec toutes les poignées, tous les coussins possibles. Ce désir ne répondait à aucune logique. J'avais l'impression que c'était ce qu'il y avait à faire quand il n'y avait rien d'autre à faire. L'éducation pragmatique que nous avions reçue m'interdisait d'accorder un grand crédit aux banalités doucereuses et bien intentionnées qu'on nous débiterait quelques jours plus tard à l'enterrement. Je n'étais pas du genre à me consoler aisément en pensant que mon père était parti pour un monde meilleur, ou assis au milieu des anges. Dans mon esprit, il méritait un beau cercueil, c'est tout.

Craig, lui, affirmait que papa aurait voulu quelque chose de simple – un cercueil modeste, pratique, rien d'autre. Ça lui ressemblait davantage. Tout le reste serait trop tape-à-l'œil.

Nous avons discuté calmement, jusqu'au moment où nous avons explosé. L'aimable directeur des pompes funèbres a fait comme si de rien n'était, tandis que notre mère se contentait de nous jeter un regard implacable à travers le brouillard de sa propre douleur.

Nous hurlions pour des raisons qui n'avaient rien à voir avec le sujet concret de notre dispute. Aucun de nous ne tenait réellement à l'emporter et, pour finir, nous avons enterré notre père dans un cercueil de compromis – ni trop extravagant ni trop simple – et nous n'en avons plus jamais reparlé. C'était une chamaillerie absurde et indécente parce que, après un décès, n'importe quoi sur terre semble absurde et indécent.

Puis nous avons raccompagné maman à la maison. Nous étions assis tous les trois au rez-de-chaussée, à la table de la cuisine, épuisés et moroses à présent, notre chagrin ravivé par la vision de la quatrième chaise, vide. Nous n'avons pas tardé à sangloter. Nous sommes restés assis pendant un temps qui nous a paru interminable, à pleurer jusqu'à ce que nous soyons épuisés, vides de larmes. Ma mère, qui n'avait pas dit grand-chose de la journée, a fini par faire une observation.

« Regardez-nous », a-t-elle dit, d'une voix vaguement contrite.

Il y avait aussi une nuance de légèreté dans son ton. Elle nous faisait remarquer que nous, les Robinson, étions réduits à un état d'épaves parfaitement ridicules, méconnaissables avec nos paupières gonflées et nos nez qui coulaient, notre impuissance blessée et déplacée ici, dans notre propre cuisine. Qui étions-nous ? Ne le savions-nous pas ? Ne nous l'avait-il pas montré ? En deux mots, elle nous arrachait à notre solitude, comme elle seule pouvait le faire.

Maman m'a regardée, j'ai regardé Craig, et soudain la situation nous a paru assez cocasse. Le premier à pouffer, nous le savions, aurait dû être assis sur cette chaise vide. Peu à peu, nous avons craqué et nous sommes mis à glousser pour finir par nous écrouler, pris d'un authentique fou rire. Je sais bien que ça peut paraître incongru, mais nous étions bien meilleurs pour rire que pour pleurer. Il aurait apprécié.

PERDRE MON PÈRE A EXACERBÉ EN MOI le sentiment que je ne pouvais pas me permettre de rester là, les bras croisés, à me demander quelle orientation donner à ma vie. Mon père n'avait que 55 ans quand il est mort. Suzanne en avait 26. La leçon était simple : la vie est courte et il ne faut pas la gâcher. Si je mourais, je ne voulais pas laisser le souvenir des piles de rapports que j'avais rédigés ou des sociétés que j'avais défendues. J'étais certaine d'avoir un peu plus que cela à offrir au monde. Il était temps d'avancer.

Ne sachant pas encore très bien où j'espérais aboutir, j'ai rédigé des CV et des lettres de motivation que j'ai envoyés un peu partout à Chicago. J'ai écrit aux responsables de fondations, d'associations qui s'occupaient des communautés et aux grandes universités de la ville, en m'adressant plus particulièrement à leurs services juridiques – non pas parce que j'avais envie de poursuivre dans le droit, mais parce que j'imaginais qu'ils seraient plus intéressés par mon parcours. À mon grand soulagement, un certain nombre de gens m'ont répondu, m'invitant à déjeuner ou à venir les voir, même quand ils n'avaient pas de poste à me proposer. Tout au long du printemps et de l'été 1991, j'ai fait le siège de tous ceux que je pensais être en mesure de me conseiller. Je cherchais moins à trouver un nouveau job qu'à élargir mon appréhension de ce qui était possible, et de l'itinéraire que d'autres avaient suivi. Je commençais à comprendre que personne ne déroulerait un tapis rouge sous mes pieds pour l'étape suivante de mon chemin, que mes formidables diplômes universitaires ne m'ouvriraient pas automatiquement la porte d'emplois épanouissants. Trouver une carrière, et non un simple job, ne se ferait pas en épluchant les pages d'un répertoire d'anciens élèves ; cela exigerait une réflexion et un effort plus soutenus. J'allais devoir me remuer et apprendre. À cette fin, j'ai exposé encore et encore mon dilemme professionnel à ceux que je rencontrais, les interrogeant sur ce qu'ils avaient accompli, sur les gens qu'ils connaissaient. Je posais des questions sérieuses sur le type de travail qui pourrait convenir à une avocate qui n'avait pas envie de faire du droit.

C'est ainsi que, un après-midi, je me suis retrouvée dans le bureau d'Art Sussman, un homme sympathique et bienveillant qui était conseiller juridique de l'université de Chicago. Il se trouve que, quand j'étais en deuxième année de lycée, avant que ma mère ne prenne son emploi à la banque, elle avait été sa secrétaire pendant un an, prenant des textes en dictée et classant les dossiers du département de droit. Art s'est étonné que je ne sois jamais venue la voir au bureau – que je n'aie même jamais posé le pied sur le campus gothique immaculé de l'université, alors que j'avais grandi à quelques kilomètres de là.

Pour être honnête, je n'avais eu aucune raison d'y aller. Mon école de quartier n'y organisait pas de sorties pédagogiques. Si l'université programmait des événements culturels ouverts à la communauté quand j'étais petite, ma famille n'en avait rien su. Nous n'avions pas d'amis – ni même de connaissances – qui y faisaient leurs études ou qui étaient d'anciens élèves. L'université de Chicago était un établissement d'élite et, pour presque tous les gens que j'ai côtoyés pendant mon enfance, le mot « élite » signifiait en réalité *pas pour nous*. Ses bâtiments de pierre grise tournaient littéralement le dos aux rues qui entouraient le campus. Quand nous passions devant, mon père levait les yeux au ciel en voyant les troupeaux d'étudiants traverser Ellis Avenue en dehors des clous, s'étonnant que des gens aussi intelligents n'aient jamais appris à traverser correctement une rue.

Comme beaucoup d'habitants du South Side, ma famille avait, je dois le reconnaître, une vision aussi vague que limitée de l'université, même si ma mère avait été heureuse d'y travailler un an. Quand Craig et moi avions eu à réfléchir à nos études supérieures, nous n'avions même pas envisagé de postuler à l'université de Chicago. Princeton, je ne sais pourquoi, nous avait paru plus accessible.

Art n'en croyait pas ses oreilles : « Vous n'êtes vraiment jamais venue ici ? Jamais ?

– Non. Pas une fois. »

Prononcer ces mots tout haut possédait un étrange pouvoir. Je n'y avais jamais réfléchi jusque-là, mais il m'est venu à l'esprit que j'aurais fait une étudiante de l'université de Chicago tout à fait correcte si le gouffre entre la ville et la fac n'avait pas été aussi profond – si j'avais connu cet établissement, et si cet établissement m'avait connue. En y pensant, j'ai éprouvé un petit tressaillement, un vague frémissement souterrain d'intérêt. La juxtaposition entre le lieu d'où je venais et celui où j'avais abouti m'offrait un certain recul. Être noire et du South Side, je l'ai compris soudain, me permettait de mettre le doigt sur des problèmes dont un homme comme Art Sussman ne soupçonnait même pas l'existence.

Quelques années plus tard, j'aurais l'occasion de travailler pour l'université et d'aborder de front certains de ces problèmes de relations avec les communautés ; mais, en cet instant, Art m'a seulement proposé avec gentillesse de faire circuler mon CV.

« Vous devriez peut-être rencontrer Susan Sher », a-t-il ajouté, déclenchant sans s'en douter ce que je vois rétrospectivement comme une réaction en chaîne bien inspirée. Susan avait une quinzaine d'années de plus que moi. Elle avait été associée dans un grand cabinet juridique et avait fini par laisser tomber le monde de l'entreprise, exactement comme j'espérais le faire. Elle n'avait pas renoncé au droit pour autant, et avait mis son savoir au service de la municipalité de Chicago. Susan avait des yeux gris ardoise, un teint pâle digne d'une reine victorienne et un rire qui s'achevait souvent par un gloussement espiègle. Sûre d'elle, sans affectation et talentueuse, elle allait devenir mon amie pour la vie. « Je serais prête à vous embaucher sur-le-champ, m'a-t-elle déclaré, mais vous venez de me dire que vous n'avez pas envie de travailler comme juriste. »

En revanche, Susan m'a suggéré – encore une recommandation avisée – d'aller me présenter avec mon CV à l'une de ses collègues de l'hôtel de ville – une autre juriste qui avait quitté le navire et aspirait à travailler dans le service public. Ce coup-ci, c'était une fille du South Side, comme moi, qui allait changer le cours de ma vie, et ce à plusieurs reprises. « Il y a quelqu'un que vous devez absolument rencontrer, m'a dit Susan. C'est Valerie Jarrett. »

Valerie Jarrett était depuis peu sous-directrice de cabinet du maire de Chicago et entretenait d'étroites relations avec toute la communauté afro-américaine de la ville. Comme Susan, elle avait

été assez douée pour décrocher un emploi dans une boîte prestigieuse après la fac de droit, et assez lucide pour se rendre compte
qu'elle n'avait pas envie d'y rester. Elle avait travaillé à la mairie
en grande partie par admiration pour Harold Washington, qui avait
été élu maire en 1983 quand j'étais à la fac et avait été le premier Afro-Américain à exercer cette fonction. Washington était un
homme politique volubile à l'esprit exubérant. Mes parents l'adoraient parce qu'il était capable d'émailler ses discours de citations
de Shakespeare tout en s'exprimant avec naturel et simplicité ; il
était également célèbre pour l'appétit avec lequel il s'empiffrait
de poulet frit lors des fêtes communautaires du South Side. Point
essentiel, il n'éprouvait qu'aversion pour la machine démocrate
solidement implantée qui avait longtemps gouverné Chicago en
accordant de lucratifs contrats municipaux aux donateurs politiques
et en faisant souvent travailler des Noirs au service du parti sans
leur permettre de monter suffisamment en grade pour occuper des
fonctions électives officielles.

Ayant fait campagne sur la nécessité de réformer le système
politique de la ville et de mieux s'occuper de ses quartiers déshé-
rités, Washington avait remporté l'élection de justesse. Son style
était effronté, son tempérament hardi. Il était capable d'étriper ses
adversaires grâce à son éloquence et à son intelligence. C'était un
super-héros noir, une tête. Il se heurtait régulièrement à la vieille
garde des conseillers municipaux, blancs pour la plupart, et était
considéré comme une sorte de légende vivante, surtout parmi ses
concitoyens noirs, qui estimaient que son leadership encourageait
un esprit progressiste plus vaste. Sa vision avait été une source
d'inspiration précoce pour Barack, lorsqu'il était arrivé à Chicago
pour travailler comme organisateur en 1985.

Valerie avait été attirée, elle aussi, par Washington. Elle avait
30 ans quand elle avait rejoint son équipe en 1987, au début de
son deuxième mandat. Elle était alors mère d'une petite fille et
sur le point de divorcer ; le moment n'était donc pas très bien
choisi pour faire face à la baisse de revenus à laquelle il faut s'attendre quand on quitte un cabinet d'avocats rupin pour prendre un
emploi à la municipalité. Pour couronner le tout, elle n'occupait
son nouveau poste que depuis quelques mois quand une tragédie
était survenue : Harold Washington avait succombé subitement

à une crise cardiaque et était mort dans son bureau, une demi-heure après une conférence de presse sur les logements sociaux. Un conseiller municipal noir avait été nommé pour prendre sa place, mais son mandat avait été relativement court. Par une décision dans laquelle de nombreux Afro-Américains avaient vu un retour rapide et décourageant aux vieilles habitudes blanches de la politique de Chicago, les électeurs avaient alors choisi Richard M. Daley, fils d'un précédent maire, Richard J. Daley, largement considéré comme le père du célèbre système clientéliste de Chicago.

Malgré ses réserves sur la nouvelle administration, Valerie avait décidé de rester à la mairie, quittant toutefois le service juridique pour travailler directement dans le bureau du maire. Elle était contente de ce changement, ne fût-ce que pour le contraste. Elle m'a confié que le passage du droit des sociétés à l'administration municipale lui avait apporté un vrai soulagement, un bond stimulant dans le monde réel – au cœur du monde réel –, bien loin de l'univers abstrait, ultra-léché, du droit raffiné pratiqué aux étages supérieurs des gratte-ciel.

Le City Hall and County Building de Chicago est un monolithe de granit gris de onze étages au toit plat, qui occupe tout un pâté d'immeubles entre Clark Street et LaSalle, au nord du Loop. Par comparaison avec les immenses tours de bureaux qui l'entourent, il paraît trapu, mais n'est pas dépourvu de grandeur. Il arbore de hautes colonnes corinthiennes sur sa façade et des vestibules gigantesques, remplis d'échos, presque entièrement en marbre. Le comté administre ses affaires dans la moitié est du bâtiment ; la ville utilise la moitié ouest, qui abrite le maire et les membres du conseil municipal ainsi que le secrétaire de mairie. La mairie, comme je l'ai découvert par l'étouffante journée d'été où je suis venue voir Valerie Jarrett pour un entretien d'embauche, grouillait de monde – une effervescence à la fois inquiétante et exaltante.

Des gens se mariaient, d'autres faisaient immatriculer leur voiture. D'autres encore se plaignaient de l'apparition de nids-de-poule, de leurs propriétaires, de leurs canalisations, bref de tout ce à quoi ils imaginaient que la ville pouvait remédier. Il y avait des bébés en poussette et de vieilles dames en fauteuil roulant, et aussi des SDF qui cherchaient simplement à échapper à la chaleur. Sur le trottoir, une poignée de militants brandissaient des pancartes et criaient des slogans – j'ai oublié contre quoi ils protestaient. Ce que je sais, c'est que j'ai été tout à la fois déconcertée et totalement fascinée par la pagaille impressionnante et contrôlée qui régnait. La mairie appartenait au peuple. Il en émanait une immédiateté bruyante, abrupte, que je n'avais jamais ressentie chez Sidley.

Valerie avait réservé vingt minutes de son emploi du temps pour me parler ce jour-là, mais notre conversation a finalement duré une heure et demie. J'ai découvert une Afro-Américaine mince, au teint clair, vêtue d'un tailleur très bien coupé. Elle s'exprimait posément et rayonnait de sérénité tout en vous dévisageant attentivement de ses yeux bruns. Elle témoignait d'une connaissance impressionnante du fonctionnement de la ville. Elle aimait son travail, mais n'a pas cherché à me dissimuler les embûches administratives auxquelles elle était confrontée. Elle avait quelque chose qui m'a immédiatement mise à l'aise. Des années plus tard, Valerie me confierait que, à son grand étonnement, j'avais ce jour-là réussi à inverser le processus normal d'entretien – je lui avais livré quelques informations essentielles et utiles à mon sujet, mais j'avais passé tout le reste du temps à la cuisiner, tenant à tout savoir de ce que lui inspirait son travail, et de l'attitude du maire à l'égard de ses employés. Je voulais m'assurer que cet emploi me convenait autant qu'elle cherchait à s'assurer que je convenais à cet emploi.

Rétrospectivement, je suis convaincue que je ne faisais qu'exploiter ce qui m'apparaissait comme la chance exceptionnelle de discuter avec une femme dont le parcours reflétait le mien, mais dont la trajectoire professionnelle avait quelques années d'avance sur la mienne. Valerie était calme, audacieuse et sage comme peu de ceux que j'avais rencontrés jusque-là. C'était une femme dont il y avait beaucoup à apprendre, une femme qu'on avait tout intérêt à bien connaître. Je m'en suis rendu compte tout de suite.

Avant mon départ, elle m'a offert un emploi, me proposant de rejoindre son équipe comme assistante du maire. Je pouvais commencer dès que je serais prête. Je ne ferais plus de droit. Je toucherais un salaire annuel de 60 000 dollars, à peu près la moitié de ce que je gagnais chez Sidley & Austin. Elle m'a conseillé de prendre le temps d'étudier la question, d'être sûre que j'étais vraiment prête à franchir le pas. Ce grand saut, c'était à moi d'y réfléchir, à moi de le faire.

Je n'avais jamais tenu la mairie en très haute estime. Mon enfance de Noire du South Side ne m'avait inspiré qu'une confiance très limitée dans la politique. Elle avait traditionnellement été utilisée contre les Noirs pour les isoler et les exclure, les condamner à rester sous-éduqués, sous-employés et sous-payés. Mes grands-parents avaient vécu les horreurs des lois Jim Crow[1] et l'humiliation de la discrimination en matière de logement. Ils nourrissaient une méfiance instinctive envers toute forme d'autorité. (Southside, vous vous en souvenez peut-être, était persuadé que même le dentiste cherchait à l'escroquer.) Mon père, qui avait été employé municipal presque toute sa vie, avait dû, *grosso modo*, accepter d'être chef de circonscription démocrate avant qu'on envisage de lui accorder de l'avancement. Il appréciait la dimension sociale de ses missions au sein de la circonscription, mais avait toujours été rebuté par les méthodes clientélistes de la mairie.

Or, c'était là que j'envisageais de travailler. La baisse de revenus m'avait fait tiquer, mais, à un niveau plus viscéral, j'étais intriguée. Je sentais un autre frémissement, une petite impulsion qui m'incitait à m'engager dans un avenir sans doute très différent de celui que j'avais prévu. J'étais presque prête à faire le saut, à un détail près. Je n'étais plus la seule concernée. Quand Valerie m'a appelée quelques jours plus tard pour savoir où j'en étais, je lui ai répondu que je réfléchissais encore. Et puis, je lui ai posé une dernière question, qu'elle a dû trouver étrange : « Accepteriez-vous que je vous présente mon fiancé ? »

Je PENSE QU'IL SERAIT OPPORTUN, à cet instant de mon récit, de faire marche arrière, de rembobiner le film pour nous replonger dans la lourde chaleur de cet été, dans le brouillard déroutant des longs mois qui avaient suivi la mort de mon père. Barack était revenu à Chicago pour passer avec moi autant de temps que possible avant et après l'enterrement de mon père. Il avait ensuite regagné Harvard et fini son année. Il a passé son diplôme fin mai, fait ses bagages, vendu sa Datsun jaune banane, repris

---

1. Ensemble de lois légalisant la ségrégation raciale entrées en vigueur dans les États du sud des États-Unis à partir de 1876, et abolies par le Civil Rights Act en 1964.

l'avion pour Chicago, et s'est précipité au 7436 South Euclid Avenue et dans mes bras. Je l'aimais. Je me sentais aimée. Notre couple avait tenu malgré la distance pendant presque deux ans et, enfin, la distance était abolie. Nous pourrions recommencer à traîner au lit le week-end, lire le journal tranquillement, sortir prendre un brunch et partager toutes nos idées. Nous pourrions dîner ensemble le lundi, et puis aussi le mardi, le mercredi et le jeudi. Nous pourrions faire les courses ensemble et plier le linge devant la télé. Les soirs où je pleurais encore la disparition de mon père, et ils étaient nombreux, Barack était désormais là pour m'envelopper de ses bras et m'embrasser sur la tête.

Il était soulagé d'en avoir fini avec la fac de droit, impatient de quitter la sphère abstraite des études et de s'investir enfin dans un travail qui le mettrait aux prises avec la réalité. Il avait également vendu son projet d'essai sur la race et l'identité à un éditeur new-yorkais, ce qui, pour un adorateur des livres comme lui, était un accomplissement considérable. Il avait touché une avance et disposait d'un peu moins d'un an pour écrire son texte.

Comme toujours, Barack avait d'innombrables possibilités. Sa réputation – les commentaires dithyrambiques de ses professeurs de droit, l'article du *New York Times* sur son élection à la tête de la *Law Review* – lui valait une avalanche de propositions. L'université de Chicago lui a proposé un stage non rémunéré et mettait à sa disposition un petit bureau pour l'année, l'idée étant qu'il y écrirait son livre avant de devenir chargé de cours à la fac de droit. Mes collègues de Sidley & Austin, qui espéraient toujours que Barack viendrait travailler à temps complet au cabinet, lui ont réservé une table de travail pour les quelque huit semaines qui précédaient son examen du barreau en juillet. Il envisageait également de prendre un emploi chez Davis, Miner, Barnhill & Galland, une petite société d'intérêt public qui défendait les droits civiques et l'égalité d'accès au logement, et dont, argument puissant aux yeux de Barack, les avocats suivaient de près la ligne de Harold Washington.

Un homme qui considère que ses chances sont infinies et qui ne perd ni son temps ni son énergie à se demander si elles ne vont pas finir par s'épuiser un jour a quelque chose d'encourageant en soi. Barack avait travaillé avec acharnement et sérieux pour obtenir tout ce qu'on lui offrait à présent, mais il n'était pas du genre à cocher ses réussites sur une liste ni à mesurer ses progrès à l'aune de ceux des autres, comme le faisaient tant de gens que je connaissais – et comme il m'arrivait de le faire moi-même. Par moments, il semblait oublier superbement la gigantesque foire d'empoigne de l'existence et tous les biens matériels qu'un avocat trentenaire était censé convoiter, depuis une voiture dont vous n'ayez pas à rougir jusqu'à une maison de banlieue avec jardin ou un appartement confortable donnant sur le Loop. J'avais déjà relevé cette qualité chez lui, mais, maintenant que nous vivions ensemble et que j'envisageais d'accomplir la première véritable embardée de mon existence, je ne l'appréciais que davantage.

En résumé, Barack était porté par une foi et une confiance que seul lui possédait. Il avait la conviction simple et stimulante que, si on restait fidèle à ses principes, les choses finissaient par s'arranger. J'avais déjà eu tant de conversations pointilleuses, raisonnables, avec tant de gens sur la manière de me soustraire à une carrière dans laquelle, selon toutes les apparences, je réussissais brillamment. Encore et encore, je lisais l'incitation à la prudence et la préoccupation sur les visages quand je parlais de prêts à rembourser ou que j'avouais ne pas encore être propriétaire de mon logement. Je ne pouvais m'empêcher de penser à mon père, à sa volonté de s'en tenir à des objectifs modestes, d'éviter tous les risques pour nous assurer la stabilité. Le conseil de ma mère résonnait encore à mes oreilles : « Gagne de l'argent d'abord, tu t'occuperas de ton bonheur après. » Mon angoisse se nourrissait de l'unique aspiration profonde qui éclipsait de loin tout désir matériel : je savais que je voulais des enfants dans un futur pas trop éloigné. Comment allais-je faire si je bifurquais vers un domaine dont j'ignorais tout ?

De retour à Chicago, Barack m'a fait l'effet d'un antidote apaisant. Il amortissait mes inquiétudes, m'écoutait patiemment dresser la liste de toutes mes obligations financières et affirmait qu'il avait, lui aussi, très envie d'avoir des enfants. Il admettait qu'il était impossible de prédire comment nous allions gérer tout ça, dans la mesure où ni l'un ni l'autre n'avions envie d'être prisonniers de la prévisibilité confortable d'une vie d'avocat. À bien considérer les choses, nous étions loin d'être pauvres et notre avenir était prometteur, peut-être plus prometteur précisément parce qu'on ne pouvait pas le planifier.

Il était le seul à me dire de foncer, d'oublier mes soucis et d'aller vers ce qui pouvait, selon moi, me rendre heureuse. Rien ne m'empêchait de faire un saut dans l'inconnu parce que – une telle affirmation n'aurait pas manqué de faire bondir presque tous les membres de la famille Shields/Robinson, en remontant jusqu'à Dandy et Southside – l'inconnu n'allait pas me tuer.

Ne t'en fais pas, disait Barack. *Tu peux le faire. On va trouver comment.*

Un mot encore sur l'examen du barreau : c'est une corvée indispensable, un rite de passage pour tout jeune avocat qui désire exercer, et, bien que le contenu et l'organisation varient légèrement selon les États, les épreuves proprement dites – un examen de douze heures, sur deux jours, censé prouver votre maîtrise de l'ensemble du droit, de la législation sur les contrats aux règles ésotériques régissant la sécurité des transactions – passent presque universellement pour un véritable enfer. Comme Barack avait l'intention de le faire, j'avais présenté l'examen du barreau de l'Illinois trois ans plus tôt, l'été qui avait suivi mon diplôme à Harvard, après ce qui aurait dû être deux mois de vie ascétique à accumuler des heures comme collaboratrice de première année chez Sidley, tout en suivant un cours de préparation au barreau et en potassant des annales d'examen d'une épaisseur à vous faire fuir.

C'est ce même été que Craig a épousé Janis à Denver, sa ville natale. Janis m'avait demandé d'être sa demoiselle d'honneur et, pour toutes sortes de raisons – dont la moindre n'était pas que je venais de passer sept ans à bûcher sans relâche à Princeton, puis Harvard –, je m'étais jetée à corps perdu, et précocement, dans ce rôle. Je m'étais extasiée devant des robes de mariée et j'avais participé à la préparation de son enterrement de vie de jeune fille. Je n'avais reculé devant rien pour contribuer à rendre ce jour sacré encore plus joyeux. Bref, j'étais bien plus emballée par la perspective des vœux de mariage de mon frère que par la révision de la définition d'un acte délictueux.

Cela se passait dans le temps reculé où les résultats d'examen arrivaient par la poste. Cet automne-là, alors que l'examen du barreau et le mariage étaient passés, j'ai appelé mon père du bureau pour lui demander si le courrier était arrivé. Oui. Je lui ai demandé s'il y avait une lettre qui m'était adressée. Oui. Venait-elle de l'Association du barreau de l'État de l'Illinois ? Oui, c'était bien ce qu'indiquait l'enveloppe. Je l'ai alors prié de l'ouvrir pour moi. J'ai entendu un bruissement de papier, puis un long silence accablant au bout du fil.

J'étais recalée.

De toute ma vie, je n'avais jamais raté un examen, à moins de prendre en compte le jour de maternelle où je m'étais levée en classe et avais été incapable de déchiffrer le mot « WHITE » sur la planche en kraft que brandissait mon institutrice. Mais j'avais raté l'examen du barreau. J'étais morte de honte, persuadée d'avoir déçu tous mes enseignants, tous ceux qui m'avaient encouragée ou employée un jour. Je n'avais pas l'habitude de me planter. J'avais plutôt tendance à en faire trop, surtout quand il s'agissait de préparer un événement important ou un examen. Il n'empêche que, cette fois, je m'étais ramassée. J'ai tendance à penser que c'était un effet du désintérêt qui m'avait accablée pendant toutes mes études de droit, de toutes ces années où j'avais été épuisée et barbée par des sujets que je trouvais ésotériques et à cent lieues de la vraie vie. J'avais envie de fréquenter des gens, pas des livres, raison pour laquelle les meilleurs souvenirs que je gardais de la fac de droit étaient le travail de bénévole que j'avais accompli au bureau d'aide juridique, où je pouvais aider quelqu'un à obtenir un chèque de la Sécurité sociale ou à tenir tête à un propriétaire qui dépassait les bornes.

Mais tout de même, l'échec, ça ne me plaisait pas. Cette mortification m'accompagnerait pendant des mois, même si un grand nombre de mes collègues de chez Sidley m'ont avoué qu'ils n'avaient pas non plus réussi l'examen du barreau du premier coup. Plus tard au cours de l'automne, je m'y suis attelée pour de bon et j'ai bûché pour passer les épreuves de rattrapage, que j'ai réussies haut la main. Finalement, à part ma blessure d'amour-propre, ce revers n'avait rien changé pour moi.

Quelques années plus tard pourtant, ce souvenir m'a incitée à observer Barack avec encore plus de curiosité. Il suivait les cours de préparation et trimbalait ses propres manuels, qu'il ne semblait pas ouvrir aussi souvent qu'il l'aurait dû, selon moi – aussi souvent que je l'aurais fait, moi, forte de mon expérience. Mais je n'avais pas l'intention de lui casser les pieds ni même de me citer en exemple de ce qui pouvait mal tourner. Nous étions faits si différemment, lui et moi. Pour commencer, la tête de Barack était une malle bourrée d'informations, un disque dur d'où il pouvait extraire des bribes de données disparates à volonté. Je l'appelais « *the fact guy* » (« Monsieur Chiffres »), parce que j'avais l'impression quand nous discutions qu'il avait toujours une statistique à présenter pour illustrer n'importe quel sujet. Sa mémoire n'était pas tout à fait photographique, mais presque. La vérité était que je ne m'en faisais pas beaucoup pour son examen et, chose qui m'énervait un peu, il n'avait pas l'air très inquiet non plus.

Nous avons donc fêté ça sans attendre, le jour même où il a terminé les épreuves – le 31 juillet 1991 –, réservant une table au Gordon, dans le centre. C'était un de nos restaurants préférés, l'un de ceux où nous allions pour les grandes occasions, avec ses lampes Art déco, ses nappes blanches amidonnées, son caviar et ses beignets d'artichaut. C'était le milieu de l'été et nous étions heureux.

Chez Gordon, nous commandions toujours un menu complet. Nous avons pris des martinis dry et des amuse-gueule. Nous avons choisi un bon vin pour accompagner nos entrées. Nous discutions de tout et de rien, béats, peut-être vaguement sentimentaux. Vers la fin du repas, Barack m'a souri et a évoqué la question du mariage. Il m'a pris la main et m'a dit qu'il avait beau m'aimer de toute son âme, il n'en voyait vraiment pas la nécessité. J'ai immédiatement senti le sang me monter aux joues. C'était comme si on avait appuyé sur un bouton – un de ces gros boutons rouges clignotants qu'on trouve dans les centrales nucléaires, entourés de signaux d'avertissement et de plans d'évacuation. Quoi ? Il pensait vraiment que c'était le moment d'aborder le sujet ?

Eh bien, oui. Nous avions déjà évoqué la question d'un mariage hypothétique je ne sais combien de fois, et la discussion avait toujours pris plus ou moins la même tournure. J'étais traditionaliste, Barack non. De toute évidence, nous ne changerions d'avis ni l'un ni l'autre. Pourtant, ça ne nous a pas empêchés – nous étions, après tout, deux avocats – de débattre avec fièvre. Entourée d'hommes en vestes sport et de femmes en jolies robes qui dégustaient des plats raffinés, j'ai fait tout mon possible pour ne pas élever la voix.

« Si notre relation est sérieuse, lui ai-je dit aussi calmement que possible, pourquoi ne pas l'officialiser ? En quoi est-ce que ce serait un si grand sacrifice ? »

À partir de là, nous avons parcouru tous les méandres de cette vieille querelle. Le mariage était-il important ? Pourquoi ? Qu'est-ce qui n'allait pas chez lui ? Qu'est-ce qui n'allait pas chez moi ? Quel était notre avenir si nous n'étions pas capables de résoudre ce conflit ? Nous ne nous battions pas, mais nous nous disputions, en recourant à notre rhétorique d'avocats. Nous nous accrochions et ripostions, disséquions et analysions, mais, de toute évidence, j'étais la plus remontée, et je monopolisais la parole.

Finalement, notre serveur s'est approché avec une assiette surmontée d'un couvercle d'argent. Il l'a glissée devant moi et a soulevé le couvercle. J'étais presque trop contrariée pour baisser les yeux, mais, quand je l'ai fait, j'ai vu, là où aurait dû se trouver un gâteau au chocolat, un écrin de velours foncé. Il contenait une bague de diamant.

Barack m'a jeté un regard goguenard. Il m'avait piégée. Tout cela n'avait été qu'une ruse. Il m'a fallu une seconde pour oublier ma colère et m'abandonner à une joyeuse émotion. Il m'avait taquinée parce que, aussi longtemps que nous vivrions, ce serait la toute dernière fois qu'il m'imposerait ses arguments stupides contre le mariage. Le débat était clos. Il a mis un genou en terre et, avec un trémolo dans la voix, il m'a demandé si je voulais bien lui faire l'honneur de l'épouser. J'apprendrais plus tard qu'il était déjà allé voir ma mère et mon frère pour leur demander leur consentement. Quand j'ai répondu oui, tous les clients du restaurant ont applaudi.

Pendant une ou deux minutes, j'ai contemplé, hébétée, la bague que j'avais au doigt. J'ai levé les yeux vers Barack pour m'assurer que tout cela était bien réel. Il souriait. Il m'avait bien eue. En un sens, nous avions gagné tous les deux. « Bien, a-t-il dit avec désinvolture. Voilà qui devrait te clouer le bec. »

J'AVAIS DIT OUI À BARACK et, peu après, j'ai dit oui à Valerie Jarrett, en acceptant sa proposition de venir travailler à la mairie. Avant de m'engager, toutefois, j'ai voulu aller jusqu'au bout de ma requête et faire les présentations entre Barack et Valerie, autour d'un dîner où nous pourrions discuter à trois.

J'y tenais pour deux raisons. D'abord, parce que j'appréciais Valerie. Elle m'impressionnait et, que j'accepte le poste ou non, j'avais envie de mieux la connaître. Je savais qu'elle impressionnerait aussi Barack. Ensuite et surtout, j'avais envie qu'il entende l'histoire de Valerie. Comme lui, elle avait passé une partie de son enfance à l'étranger – en l'occurrence, en Iran, où son père était médecin hospitalier – et elle avait regagné les États-Unis pour sa scolarité, ce qui lui avait donné un recul qui me rappelait celui de Barack. Mon projet de travailler à la mairie n'emballait pas Barack. À l'image de Valerie, il avait été inspiré par le leadership de Harold Washington du temps où il était maire, mais éprouvait nettement moins d'attirance pour l'establishment vieillot incarné par Richard M. Daley. C'était l'ancien animateur social qui s'exprimait : même quand Washington était maire, il avait dû batailler constamment, et parfois en vain, avec la ville pour obtenir ne fût-ce qu'un minimum de soutien pour des projets sociaux. Même s'il approuvait inconditionnellement mon désir de changer d'emploi, je pense qu'il redoutait au fond de lui que je ne finisse par être déçue ou frustrée si je travaillais pour Daley.

Valerie était la personne idéale pour apaiser ses soucis. Elle avait réorganisé sa vie pour travailler aux côtés de Washington et l'avait perdu presque immédiatement. Le vide qui avait suivi la mort de Washington constituait une sorte de conte moral, de leçon pour l'avenir, comme j'essaierais un jour de l'expliquer à tous les Américains : à Chicago, nous avions commis l'erreur de placer tous nos espoirs sur une seule personne, sans construire l'appareil politique nécessaire pour étayer sa vision. Les électeurs, principalement de gauche et noirs, considéraient Washington comme une sorte de sauveur, un symbole, un homme qui pourrait tout changer. Il avait assumé cette charge admirablement, en incitant des gens comme Barack et Valerie à quitter le secteur privé pour se lancer dans le travail communautaire et le service public. Mais, à sa mort, Harold Washington a emporté avec lui l'essentiel de l'énergie qu'il avait suscitée.

Valerie n'avait pas décidé à la légère de continuer à travailler pour le maire. Elle nous a expliqué pourquoi elle estimait que c'était un bon choix. Elle se sentait soutenue par Daley et se savait utile à la ville. C'était aux principes de Harold Washington plus qu'à l'homme lui-même qu'allait sa loyauté. L'inspiration à elle seule manquait de substance ; il fallait la consolider en travaillant dur. Cette idée rencontrait un écho en Barack comme en moi, et j'ai eu le sentiment que cet unique dîner avait scellé quelque chose : Valerie Jarrett faisait désormais partie de nos vies. Sans que les choses aient jamais été exprimées clairement, c'était comme si nous avions accepté tous les trois de nous soutenir mutuellement pendant un bon bout de chemin.

Il NOUS RESTAIT UNE DERNIÈRE CHOSE À FAIRE, maintenant que nous étions fiancés, que j'avais un nouveau travail et que Barack s'était engagé à entrer chez Davis, Miner, Barnhill & Galland, le cabinet juridique spécialisé dans les causes d'intérêt public qui lui avait fait une offre d'emploi : nous avons pris des vacances ou, plus exactement, nous avons entrepris une sorte de pèlerinage. Nous avons décollé de Chicago un mercredi à la fin du mois d'août ; nous nous sommes posés à l'aéroport de Francfort, en Allemagne, où nous avons attendu un bon moment avant de prendre un autre avion. Au terme de huit heures de vol, nous sommes arrivés à Nairobi juste avant l'aube, débarquant sous le clair de lune kenyan dans ce qui m'a fait l'effet d'un monde tout à fait différent.

J'étais déjà allée à la Jamaïque et aux Bahamas, ainsi qu'en Europe à plusieurs reprises, mais c'était la première fois que je me trouvais aussi loin de chez moi. Malgré la fatigue du petit matin, j'ai immédiatement perçu l'altérité de Nairobi – ou plutôt ma propre altérité par rapport à ce lieu. C'est une sensation que j'en suis venue à apprécier de plus en plus au fil de mes voyages, cette manifestation instantanée et sans simulacre d'un lieu nouveau. L'air n'a pas le même poids que celui auquel vous êtes habitué ; il est chargé d'odeurs qu'il vous est impossible d'identifier précisément, une faible trace de fumée de bois ou de fioul, peut-être, ou le parfum sucré d'arbres en fleur. Le même soleil se lève, mais il paraît légèrement différent de celui que vous connaissez.

Auma, la demi-sœur de Barack, est venue nous chercher à l'aéroport et nous a accueillis chaleureusement. Barack et elle ne s'étaient pas vus souvent depuis la première visite d'Auma à

Chicago, six ans auparavant, mais ils étaient très liés. Auma est née un an avant Barack. Sa mère, Grace Kezia, était enceinte d'elle en 1959, au moment où Barack Obama senior avait quitté Nairobi pour aller faire ses études à Hawaï. (Ils avaient également un fils, Abongo, tout petit à cette date.) Après le retour de Barack senior au Kenya dans les années 1960, Kezia et lui ont eu deux autres enfants.

Auma avait un teint d'ébène et des dents d'une blancheur éclatante ; elle parlait avec un accent britannique marqué. Son sourire était immense et réconfortant. À mon arrivée au Kenya, j'étais tellement fatiguée que j'étais à peine capable de tenir une conversation ; mais, en rejoignant la ville sur la banquette arrière de la Coccinelle Volkswagen bringuebalante d'Auma, j'ai remarqué qu'elle avait le sourire facile, comme Barack, et que l'arrondi de sa tête ressemblait au sien. De toute évidence, Auma avait hérité de l'intelligence familiale : elle avait grandi au Kenya et y retournait fréquemment, mais avait fait ses études supérieures en Allemagne où elle vivait toujours, préparant un doctorat. Elle parlait couramment anglais, allemand, swahili ainsi que la langue locale de la famille, le luo. Comme nous, elle n'était là qu'en visite.

Auma nous avait trouvé un hébergement dans l'appartement vide d'un ami, un deux-pièces spartiate dans un immeuble banal en parpaings recouverts de peinture rose vif. Les deux premiers jours, nous étions tellement abrutis par le décalage horaire que nous faisions tout à vitesse réduite. Ou peut-être était-ce simplement le rythme de Nairobi, qui répondait à une logique complètement différente de celle de Chicago, avec ses rues et ses ronds-points à l'anglaise encombrés d'un assortiment de piétons, de bicyclettes, de voitures et de *matatus* – les espèces de minibus informels qu'on voyait partout, peints de fresques aux couleurs vives et de louanges à Dieu, aux toits chargés de monceaux de bagages sanglés, si bondés qu'il arrivait aux passagers de voyager accrochés en équilibre précaire à l'extérieur.

J'étais en Afrique. C'était grisant, exténuant et entièrement nouveau pour moi. La VW bleu ciel d'Auma était si vieille qu'il fallait souvent la pousser pour la faire démarrer. J'avais eu la mauvaise idée de m'acheter une nouvelle paire de baskets blanches pour le voyage, et en moins d'un jour, à force de pousser la voiture, elles avaient tourné au brun rougeâtre, maculées de la poussière couleur cannelle de Nairobi.

Barack était davantage dans son élément que moi à Nairobi, où il était déjà venu une fois. Je me déplaçais pour ma part avec la balourdise d'une touriste, consciente que nous étions des étrangers, malgré la couleur de notre peau. Les gens nous dévisageaient parfois dans la rue. Bien sûr, je n'avais pas imaginé m'intégrer immédiatement, mais je pensais naïvement que je ressentirais en arrivant je ne sais quel lien viscéral avec le continent dans lequel mon enfance m'avait appris à voir une forme de patrie mythique, que j'éprouverais un sentiment de complétude. Mais l'Afrique ne nous devait rien. C'est une étrange prise de conscience que cette impression d'entre-deux qui s'empare d'un Afro-Américain en Afrique. Elle m'a inspiré une tristesse indéfinissable, la sensation d'être déracinée sur les deux continents.

Quelques jours plus tard, je n'étais pas encore retombée sur mes pieds et nous avions mal à la gorge tous les deux. Nous nous sommes disputés, Barack et moi – je ne sais même plus à quel propos. Nous étions éblouis par le Kenya, mais aussi épuisés. Nous nous sommes chamaillés pour une raison quelconque et nous sommes emportés. « Je suis furieuse contre Barack, ai-je écrit dans mon journal. Je crois que nous n'avons rien en commun. » Je ne suis pas allée plus loin dans mes pensées, mais, pour donner la mesure de mon exaspération, j'ai barré le reste de la page d'une longue balafre véhémente.

Comme tout nouveau couple, nous apprenions à nous disputer. Cela ne nous arrivait pas souvent et, le cas échéant, c'était pour des bêtises, une accumulation de contrariétés qui débordait généralement quand l'un de nous était particulièrement fatigué ou stressé. Mais nous nous disputions. Et, pour le meilleur et pour le pire, j'ai tendance à hurler quand je suis en colère ; j'éprouve une sensation physique intense, une sorte de boule de feu qui remonte le long de ma colonne vertébrale et explose avec une telle force qu'il m'arrive de ne plus me rappeler ensuite ce que j'ai dit sur le moment. Barack, en revanche, reste toujours calme et rationnel, ses propos s'écoulant en un flot éloquent (et d'autant plus agaçant). Il nous a fallu du temps – des années – pour comprendre que c'est simplement l'expression de nos natures respectives, que nous sommes la somme de nos codes génétiques et de tout ce que nos parents et leurs parents avant eux nous ont légué. Au fil du temps, nous avons appris à exprimer et à surmonter nos irritations et nos colères occasionnelles. Quand il nous arrive aujourd'hui de nous disputer, nos querelles sont beaucoup moins spectaculaires, souvent plus productives, et jamais, quelles que soient les tensions, nous ne perdons de vue l'amour qui nous unit.

Nous nous sommes réveillés le lendemain matin à Nairobi sous un ciel pur, requinqués, moins abrutis par le décalage horaire et avec la délicieuse impression d'être redevenus nous-mêmes. Nous avons retrouvé Auma dans une gare du centre et sommes montés tous les trois à bord d'un train aux fenêtres à claire-voie en partance pour l'ouest, afin de rejoindre la maison ancestrale de la famille Obama. Assise près d'une fenêtre dans un compartiment bourré de Kenyans dont certains voyageaient avec des poulets vivants dans des corbeilles et d'autres avec de gros meubles qu'ils avaient achetés en ville, j'ai constaté avec surprise l'étrange tournure qu'avait soudain prise mon existence de fille de Chicago et d'avocate bien établie : l'homme qui était assis à côté de moi s'était pointé un jour dans mon bureau avec son nom bizarre et son sourire généreux, et il avait chamboulé ma vie. Je suis restée collée à la fenêtre pendant que le quartier tentaculaire de Kibera, le plus grand bidonville d'Afrique, défilait sous mes yeux, avec ses baraques basses aux toits de tôle ondulée, ses rues boueuses et ses égouts à ciel ouvert, un abîme de pauvreté tel que je n'en avais encore jamais vu et que j'aurais eu peine à imaginer.

Nous avons passé plusieurs heures dans le train. Barack a fini par ouvrir un livre tandis que je restais le nez à la fenêtre à regarder, pétrifiée, les bidonvilles de Nairobi céder la place à une campagne vert émeraude, et que le train se dirigeait cahin-caha vers la ville de Kisuma. Nous sommes descendus, Auma, Barack et moi, dans une chaleur équatoriale dévorante pour effectuer la dernière partie du trajet dans un *matatu* qui faisait un bruit de marteau-piqueur et nous a conduits à travers les champs de maïs jusqu'à Kogelo, le village de leur grand-mère.

Je n'oublierai jamais l'argile d'un rouge sombre de cette région du Kenya, si riche qu'elle semblait presque primordiale, et dont la poussière s'incrustait dans la peau et les cheveux noirs des enfants qui nous criaient bonjour depuis les bas-côtés. Je me rappelle avoir été en nage et morte de soif en parcourant à pied le dernier tronçon de chemin jusqu'au domicile de la grand-mère de Barack, une maison de béton bien entretenue qu'elle occupait depuis des années, avec un potager contigu et quelques vaches. Ils l'appelaient Granny Sarah. C'était une petite dame solidement charpentée aux yeux pleins de sagesse qui se plissaient dès qu'elle souriait. Elle ne parlait pas anglais, seulement luo, et s'est dite ravie que nous ayons fait un aussi long voyage pour venir la voir. À côté d'elle, j'avais l'impression d'être très grande. Elle m'a examinée avec une vive curiosité, intriguée, comme si elle cherchait à me situer et à comprendre ce qui m'avait amenée sur son seuil. Une de ses premières questions a été : « Lequel de tes parents est blanc ? »

J'ai ri et lui ai expliqué, par le truchement d'Auma, que j'étais intégralement noire, aussi noire qu'on peut l'être en Amérique.

Granny Sarah a trouvé ça drôle. Tout paraissait l'amuser. Même le fait que Barack ne sache pas parler sa langue, ce dont elle ne se privait pas de le chambrer. Sa joie si simple me sidérait. En début de soirée, elle a tué un poulet et nous a préparé un ragoût servi avec de l'*ugali*, une bouillie de semoule de maïs. Pendant ce temps, des voisins et des parents entraient dire bonjour aux jeunes Obama et nous féliciter pour nos fiançailles. J'ai englouti le repas avec gratitude tandis que le soleil se couchait et que la nuit tombait sur le village qui n'avait pas l'électricité. Les étoiles s'allumaient comme de fines gouttelettes lumineuses au firmament. Ma présence en ce lieu me faisait l'effet d'un petit miracle. Je partageais avec Barack une chambre rudimentaire, d'où nous écoutions le chant en stéréo des grillons dans les champs de maïs qui nous entouraient, et le bruissement d'animaux invisibles. Je me rappelle avoir été confondue par l'immensité de la terre et du ciel qui m'environnaient. En même temps, je me sentais à l'abri, en sécurité dans cette toute petite maison douillette. J'avais un nouveau job, un fiancé et une famille élargie – et même une mamie kenyane bienveillante. Tout ça était bien réel : j'avais été précipitée hors de mon univers et, pour le moment, tout allait bien.

12

Nous nous sommes mariés, Barack et moi, par un samedi enso-
leillé d'octobre 1992, en présence de plus de trois cents de
nos amis et parents, à l'église de la Trinité du South Side. C'était
un grand mariage ; il ne pouvait pas en être autrement. Si nous
nous mariions à Chicago, il n'était pas question d'élaguer la liste
d'invités. Mes racines étaient trop profondes pour cela. Je n'avais
pas seulement des cousins, mais des cousins de cousins, et ces
cousins de cousins avaient eux-mêmes des enfants, qui devaient
tous être là et qui ont tous contribué à ajouter du sens et de la
joie à cette journée.

Les frères et sœurs cadets de mon père étaient venus. Toute la
famille de ma mère aussi. S'y ajoutaient de vieux copains de classe
et d'anciens voisins, des gens de Princeton, d'autres de Whitney
Young. Mme Smith, l'épouse du proviseur adjoint de mon lycée
qui habitait à quelques maisons de la nôtre sur Euclid Avenue, a
participé à l'organisation de la noce, tandis que nos voisins d'en
face, M. et Mme Thompson, se sont produits avec leur groupe de
jazz en fin de journée. Santita Jackson, pétulante dans une robe
noire au décolleté plongeant, était ma demoiselle d'honneur. J'avais
invité d'anciens collègues de chez Sidley et de nouveaux collègues
de la mairie. Les associés du cabinet de Barack étaient là, ainsi que
ses vieux amis organisateurs de communautés. La bande de copains
de lycée hawaïens chahuteurs de Barack se mêlait joyeusement à
une poignée de ses parents kenyans qui arboraient des chapeaux
d'Afrique orientale aux couleurs vives. Malheureusement, Gramps
– le grand-père de Barack – avait succombé l'hiver précédent à un

cancer, mais sa mère et sa grand-mère étaient venues à Chicago, tout comme Auma et Maya, ses demi-sœurs de deux continents différents, unies dans leur affection pour Barack. C'était la première fois que nos deux familles se rencontraient, et l'atmosphère était joyeuse.

Nous étions entourés d'amour – l'amour éclectique, multiculturel des Obama et celui, puissamment ancré, des Robinson-du-South-Side, désormais entremêlés et se tenant côte à côte sur les bancs de l'église. Je me suis cramponnée au bras de Craig quand il m'a conduite à l'autel. Au moment où nous sommes arrivés au niveau de la première rangée, mon regard a croisé celui de ma mère. Elle était assise tout devant, majestueuse dans une longue robe à paillettes noir et blanc que nous avions choisie ensemble, le menton relevé, les yeux emplis de fierté. Nous souffrions encore tous les jours de l'absence de mon père, mais, comme il l'aurait voulu, nous continuions à aller de l'avant.

En se réveillant ce matin-là, Barack avait un méchant rhume qui avait disparu comme par enchantement à son arrivée à l'église. Il me souriait à présent, les yeux brillants, depuis sa place devant l'autel, vêtu d'un smoking de location et d'une paire de chaussures neuves cirées. Le mariage restait plus mystérieux pour lui que pour moi, mais, durant les quatorze mois de nos fiançailles, il s'était donné à fond. Nous avions tout préparé minutieusement. Alors qu'il avait commencé par prétendre ne pas s'intéresser aux menus détails de la journée, Barack avait bien entendu fini par donner son avis sur tout, tendrement et fermement, depuis les arrangements floraux jusqu'aux petits fours qui seraient servis au Centre culturel dans South Shore. Nous avions choisi notre musique de mariage, que Santita interpréterait de sa voix superbe, accompagnée d'un pianiste.

C'était le morceau de Stevie Wonder intitulé *You and I (We Can Conquer the World)*. J'étais toute petite quand je l'avais entendu pour la première fois. Je devais être en CE2 ou en CM1, et Southside m'avait offert l'album *Talking Book* – mon premier disque, auquel je tenais comme à la prunelle de mes yeux. Je le gardais chez lui et avais le droit de l'écouter chaque fois que je venais. Il m'avait appris à l'entretenir, à nettoyer la poussière des sillons, à soulever l'aiguille de l'électrophone et à la poser délicatement au bon endroit. Généralement, il me laissait seule en compagnie de la musique, se faisant discret pour me permettre de découvrir, dans l'intimité, tout ce que cet album avait à m'apprendre, essentiellement en chantant les paroles à tue-tête, encore et encore, de tous mes poumons de petite fille. « *Well, in my mind, we can conquer the world/ In love you and I, you and I, you and I...* » (« Tu sais, je crois que nous pouvons conquérir le monde/ Par notre amour, toi et moi, toi et moi, toi et moi... »)

J'avais alors 9 ans. J'ignorais tout de l'amour, de l'engagement, de la conquête du monde. Je ne pouvais qu'échafauder des idées scintillantes de ce à quoi pouvait ressembler l'amour, et de celui qui un jour me donnerait l'impression de posséder cette force. Serait-ce Michael Jackson ? José Cardenal des Cubs ? Un homme qui ressemblerait à mon père ? J'étais parfaitement incapable, en réalité, d'imaginer celui qui serait le « toi » de mon « moi ».

Et maintenant nous étions là, tous les deux.

L'église de la Trinité était considérée comme une paroisse dynamique qui avait une belle aura spirituelle. Barack avait commencé à la fréquenter du temps où il travaillait comme organisateur et, plus récemment, nous en étions officiellement devenus membres, lui et moi, emboîtant le pas à nos nombreux jeunes amis « professionnels » afro-américains de la ville. Le pasteur, le révérend Jeremiah Wright, était connu pour être un prédicateur remarquable, et un fervent défenseur de justice sociale. C'est lui qui a célébré notre mariage. Il a souhaité la bienvenue à nos amis et à notre famille, puis a brandi nos alliances pour que tout le monde les voie distinctement. Il a parlé avec éloquence de ce que former une union voulait dire, sous le regard d'une communauté attentionnée, de tous ces gens qui nous connaissaient, Barack et moi, sous toutes nos facettes.

En cet instant où nous nous trouvions là, avec nos avenirs encore à écrire, les inconnues encore totalement inconnues, nous tenant simplement par la main en prononçant nos vœux, j'ai pleinement ressenti la puissance de l'acte, la signification de ce rituel que nous accomplissions.

Nous ne savions pas de quoi l'avenir serait fait, mais nous nous y engagerions ensemble. Je m'étais investie corps et âme dans la préparation de cette journée, j'avais cherché à donner de la tenue à toute la cérémonie, mais je comprenais à présent que ce qui comptait vraiment, ce dont je me souviendrais éternellement, c'était ma main dans la sienne. Elle m'apportait un équilibre que rien d'autre ne m'avait jamais donné. J'avais confiance en cette union, confiance en cet homme. Le déclarer était la chose la plus facile au monde. En regardant le visage de Barack, j'étais certaine qu'il éprouvait le même sentiment. Nous n'avons pas pleuré ce jour-là. Notre voix n'a pas tremblé. Tout au plus étions-nous pris d'un léger vertige. Nous allions ensuite réunir nos centaines de témoins et filer à la réception. Nous allions manger, boire et danser jusqu'à être recrus de joie.

NOUS AVIONS CHOISI UNE LUNE DE MIEL REPOSANTE, un voyage discret en Californie du Nord, avec vin, sommeil, bains de boue et bons repas. Le lendemain du mariage, nous avons pris l'avion pour San Francisco, passé quelques jours à Napa, puis descendu la Highway 1 en voiture jusqu'à Big Sur, pour lire des livres, admirer la vasque d'azur de l'océan et nous vider l'esprit. Notre séjour a été génial, malgré le rhume de Barack qui est revenu, plus pernicieux que jamais, et malgré l'expérience des bains de boue dont nous n'avons pas su apprécier les vertus apaisantes et que, pour tout dire, nous avons trouvés plutôt répugnants.

Après une année très occupée, nous étions ravis de décompresser. Alors que Barack avait initialement prévu de passer les mois précédant notre mariage à finir son livre et à travailler dans son nouveau cabinet juridique, il avait soudain décidé de mettre presque tout en veilleuse. Au début de 1992, il avait été sollicité par les responsables d'une organisation nationale apolitique appelée Projet VOTE !, dont l'objectif était de convaincre de nouveaux électeurs de s'inscrire sur les listes dans des États où la participation des minorités aux scrutins était traditionnellement faible. Ils avaient proposé à Barack de se charger de ce projet dans l'Illinois et d'ouvrir une antenne locale à Chicago pour inscrire des citoyens noirs en prévision des élections de novembre. On estimait qu'environ 400 000 Afro-Américains de l'État étaient en droit de voter, mais n'étaient pas inscrits sur les listes, dont une majorité à Chicago et aux alentours.

Le salaire était dérisoire, mais le poste ne pouvait que séduire Barack, car il allait dans le sens de ses convictions fondamentales.

En 1983, une campagne comparable lancée à Chicago n'avait pas été étrangère à l'élection de Harold Washington. En 1992, les enjeux semblaient à nouveau importants : une nouvelle candidate afro-américaine, Carol Moseley Braun, avait créé la surprise en remportant l'investiture démocrate pour les élections au Sénat des États-Unis et elle s'apprêtait à livrer une course serrée aux législatives. Dans le même temps, Bill Clinton se présenterait contre George H. W. Bush à la présidentielle. La participation des électeurs des minorités était capitale.

Dire que Barack s'est jeté à corps perdu dans cette nouvelle mission serait au-dessous de la vérité. L'objectif du Projet VOTE ! était d'arriver au chiffre ahurissant de 10 000 inscriptions par semaine. Le travail n'était pas très différent de celui qu'il avait fait comme organisateur de base : dans le courant du printemps et de l'été, ses collaborateurs et lui avaient foulé quantité de sous-sols d'églises et avaient fait du porte-à-porte pour discuter avec des électeurs potentiels. Il avait côtoyé régulièrement des responsables de communautés et présenté ses arguments je ne sais combien de fois à de riches donateurs pour financer la diffusion d'annonces à la radio et la publication de brochures d'information à distribuer dans les cités et les quartiers noirs. Le message, clair et limpide, reflétait parfaitement ce que pensait Barack au fond de lui : voter donnait du pouvoir. Si vous vouliez que les choses changent, vous ne pouviez pas rester chez vous le jour des élections.

Le soir, Barack rentrait à la maison d'Euclid Avenue et s'effondrait sur le canapé, empestant le tabac, car il continuait à fumer hors de ma vue. Il avait l'air fatigué, mais jamais à bout de forces. Il tenait soigneusement le compte des chiffres d'inscription : s'ils atteignaient la moyenne impressionnante de 7 000 par semaine au cœur de l'été, ils restaient cependant en deçà de l'objectif fixé. Il imaginait des stratégies pour mieux faire passer le message, mobiliser plus de bénévoles et repérer des poches de gens qui leur avaient échappé. Il considérait toutes les difficultés comme un Rubik's Cube, un casse-tête qui ne pourrait être résolu que s'il réussissait à faire pivoter les pièces dans le bon sens. Les plus difficiles à atteindre, me disait-il, étaient les jeunes, la tranche des 18 à 30 ans, qui semblaient n'avoir aucune confiance dans le gouvernement.

Pendant ce temps, j'étais plongée dans les affaires de la municipalité. Cela faisait maintenant un mois que je travaillais avec Valerie dans le bureau du maire où je servais d'intermédiaire avec plusieurs services de la ville, parmi lesquels le département de la santé et des services à la personne. Mon champ d'activité était vaste et les gens avec qui je travaillais, mus par le sens du service, étaient stimulants et presque toujours intéressants. Alors que j'avais autrefois passé mes journées à rédiger des rapports dans un bureau paisible, somptueusement moquetté, avec vue sur le lac, je travaillais à présent dans une pièce sans fenêtre à l'un des étages supérieurs de la mairie, tandis qu'une foule de citoyens entraient bruyamment dans le bâtiment à toute heure du jour.

La gestion municipale, étais-je en train d'apprendre, était une entreprise complexe et illimitée. J'assistais à des réunions successives avec différents chefs de service et je collaborais avec les membres de commissions municipales. Il arrivait aussi qu'on m'envoie dans divers quartiers de Chicago à la suite de plaintes personnelles reçues par le maire. Je partais en mission pour inspecter des arbres tombés qu'il fallait dégager, je parlais à des pasteurs préoccupés par les questions de circulation ou d'enlèvement des ordures, et je représentais souvent le bureau du maire à des événements communautaires. Un jour, j'ai été amenée à séparer des gens qui s'étaient empoignés à un pique-nique du troisième âge du North Side. Je découvrais un Chicago inconnu.

J'apprenais d'autres leçons précieuses en compagnie de Susan Sher et de Valerie Jarrett, deux femmes qui se révélaient être à la fois incroyablement sûres d'elles et incroyablement humaines. Susan dirigeait les réunions avec une poigne d'acier et une grâce imperturbable. Valerie n'hésitait pas à dire ce qu'elle pensait devant une salle bourrée d'hommes aux idées bien arrêtées, réussissant souvent à convaincre habilement les gens de se ranger à son avis. Elle était comme une comète fulgurante, quelqu'un qui, de toute évidence, irait loin. Peu avant mon mariage, elle avait obtenu le poste de déléguée chargée de la planification et du développement économique de la ville, et m'avait proposé celui de déléguée adjointe. Je devais commencer dès notre retour de voyage de noces.

Je voyais plus souvent Valerie que Susan, mais j'observais soigneusement ce que faisait chacune d'elles, comme je l'avais fait avec

Czerny, mon mentor à la fac. C'étaient des femmes qui savaient se faire entendre et avaient le cran d'imposer leur avis. Elles pouvaient se montrer pleines d'humour et modestes quand les circonstances le permettaient, mais ne se laissaient pas impressionner par les arrogants et ne doutaient pas du pouvoir de leurs points de vue personnels. Et puis, chose essentielle, c'étaient des mères qui travaillaient. J'étais également très attentive à cet aspect de leur vie, car je voulais un jour, moi aussi, être comme elles. Valerie n'hésitait pas à quitter une réunion quand elle était appelée par l'école de sa fille. Susan filait, elle aussi, au milieu de la journée si l'un de ses fils faisait un pic de fièvre ou participait à un spectacle musical de maternelle. Elles n'éprouvaient aucun remords à accorder la priorité à leurs enfants, même si cela les obligeait dans certains cas à perturber leur rythme de travail, et elles n'édifiaient pas de cloison étanche entre travail et maison comme avaient tendance à le faire les associés masculins de Sidley. Je doute même que le cloisonnement ait été une option envisageable pour Valerie et Susan, obligées de jongler avec les exigences imposées aux mères et, de surcroît, divorcées l'une comme l'autre – une situation qui s'accompagnait de ses propres tensions émotionnelles et financières. Elles ne cherchaient pas à être parfaites, mais réussissaient, je ne sais comment, à être excellentes en tout. Elles étaient par ailleurs attachées l'une à l'autre par une amitié profonde et solidaire qui m'a fait, elle aussi, une profonde impression. Elles avaient renoncé à tout faux-semblant et étaient juste merveilleusement, puissamment et exemplairement elles-mêmes.

UNE BONNE ET UNE MAUVAISE NOUVELLE nous attendaient, Barack et moi, à notre retour de voyage de noces en Californie du Nord. La bonne nouvelle a pris les traits de l'élection de novembre, marquée par un mouvement encourageant en faveur du changement. Bill Clinton l'avait emporté à une majorité écrasante dans l'Illinois et à travers tout le pays, délogeant le président Bush au terme d'un unique mandat. Carol Moseley Braun avait, elle aussi, remporté une victoire décisive, devenant ainsi la première Afro-Américaine à occuper un siège sénatorial. Mais ce qui réjouissait Barack par-dessus tout, c'était la participation électorale, qui avait été franchement spectaculaire : le Projet VOTE ! avait permis l'inscription de 110 000 nouveaux électeurs et sa campagne de plus grande envergure pour convaincre les citoyens d'aller voter avait sans doute dopé, elle aussi, le taux de participation.

Pour la première fois depuis dix ans, plus d'un demi-million d'électeurs noirs de Chicago s'étaient rendus aux urnes, prouvant qu'ils avaient collectivement le pouvoir de peser sur les résultats des élections. Ces chiffres adressaient un message limpide aux législateurs et aux politiques futurs. Ils restauraient un sentiment qu'on avait cru disparu à la mort de Harold Washington : les voix afro-américaines comptaient. Ignorer ou minimiser les besoins et les problèmes des Noirs serait politiquement coûteux. Ce message en contenait un autre, adressé à la communauté noire elle-même : le progrès était possible, notre valeur était mesurable. Tout cela était encourageant pour Barack. Si épuisant qu'ait été son travail, il l'avait adoré pour ce qu'il lui avait appris du système politique complexe de Chicago en lui prouvant que ses talents d'organisateur pouvaient s'exercer sur une plus grande échelle. Il avait collaboré avec des responsables sur le terrain, avec des citoyens ordinaires et avec des élus, et les résultats avaient été presque miraculeux. Plusieurs organes de presse ont relevé l'impressionnante efficacité du Projet VOTE ! Un rédacteur de la revue *Chicago* a décrit Barack comme « un grand bourreau de travail affable », suggérant qu'il devrait lui-même se présenter un jour aux élections – une idée qu'il a écartée d'un simple haussement d'épaules.

Quant à la mauvaise nouvelle, c'était la suivante : ce grand bourreau de travail affable que je venais d'épouser avait laissé passer le délai de remise de son manuscrit. Il avait été tellement pris par la campagne d'inscription des électeurs qu'il n'avait pu livrer qu'un manuscrit incomplet. À notre retour de Californie, nous avons appris que l'éditeur avait annulé son contrat, réclamant à Barack par l'intermédiaire de son agent littéraire le remboursement de son avance de 40 000 dollars.

S'il s'est affolé, il ne m'en a rien laissé voir. J'étais très occupée à prendre mes marques dans mon nouveau poste à la mairie, qui m'obligeait à assister à moins de pique-niques de seniors qu'auparavant mais à davantage de réunions du bureau de l'aménagement. Si je n'abattais plus les interminables journées de travail d'une avocate d'entreprise, j'étais plus épuisée le soir par le tohu-bohu quotidien de la ville. Je n'avais aucune envie de gérer d'éventuelles situations de stress à la maison et étais plutôt encline à me verser un verre de vin, à débrancher mon cerveau et à regarder la télé, étalée sur le canapé. Si l'engagement obsessionnel de Barack dans le Projet VOTE ! m'avait appris quelque chose, au demeurant, c'est qu'il ne servait à rien que je me préoccupe de ses soucis – notamment parce que j'avais tendance à en être plus accablée que lui-même. Le chaos me perturbait autant qu'il semblait revigorer Barack. Il était comme un jongleur de cirque qui aime faire tourner des assiettes : quand les choses se calmaient, il y voyait le signe qu'il fallait en faire plus. C'était un vrai serial bosseur, commençais-je à comprendre, un homme qui s'engageait dans de nouveaux projets sans réellement tenir compte des limites de temps et d'énergie. Il avait accepté, par exemple, d'être membre du conseil d'administration de plusieurs associations et s'était dit prêt à exercer un emploi d'enseignant à temps partiel à l'université de Chicago au prochain semestre de printemps, tout en prévoyant de travailler à temps plein pour le cabinet juridique.

Et puis, il y avait le livre. L'agent de Barack était certaine de pouvoir revendre le projet à un autre éditeur, mais il était indispensable qu'il termine rapidement un premier jet. Alors que ses tâches d'enseignant allaient commencer et qu'il avait obtenu le feu vert du cabinet juridique qui attendait depuis un an déjà qu'il vienne travailler à temps complet, il a imaginé une solution qui lui convenait parfaitement : il écrirait son livre dans la solitude et éviterait les distractions quotidiennes en louant une petite cabane quelque part et en mettant impitoyablement la tête dans le guidon. C'était l'équivalent d'une nuit blanche de travail intense pour finir une dissertation à la fac, à cette différence près que Barack estimait qu'il lui faudrait environ deux mois pour terminer son livre. Il m'a expliqué tout ça un soir chez nous, deux ou trois mois après notre mariage, en gardant une dernière information pour la fin : sa mère lui avait trouvé la cabane idéale. Elle était même déjà louée. Elle était bon marché, au calme, sur la plage. À Sanur. Autrement dit, sur l'île indonésienne de Bali, à près de 15 000 kilomètres de moi.

ON DIRAIT UN PEU UNE MAUVAISE PLAISANTERIE, vous ne trouvez pas ? Que se passe-t-il quand un individualiste amoureux de la solitude épouse une femme extravertie, qui ne jure que par la famille et déteste la solitude ?

Selon moi, il n'y a qu'une réponse, la meilleure et la plus positive dès qu'il se pose une question dans un couple, quels que soient les conjoints et quel que soit le problème : il faut trouver le moyen de s'adapter. Si vous voulez que votre couple dure, il n'y a pas d'autre solution.

C'est ainsi que, au début de 1993, Barack a pris l'avion pour Bali et a passé près de cinq semaines seul avec ses pensées à travailler sur l'ébauche de son livre, *Les Rêves de mon père*, remplissant des feuillets jaunes de blocs-notes de son écriture minutieuse, distillant ses idées au cours de promenades quotidiennes nonchalantes sous les cocotiers, au son du clapotis des vagues. Et moi, je suis restée à la maison, à Euclid Avenue, au-dessus de l'appartement de ma mère, tandis qu'un autre hiver plombé de Chicago s'abattait sur nous, vernissant les arbres et les trottoirs de glace. Je m'occupais, voyais des amis et allais à des cours de gym le soir. Dans mes interactions régulières au travail et en ville, je me prenais à prononcer cette curieuse expression encore nouvelle pour moi – « mon mari ». *Mon mari et moi voudrions acheter une maison. Mon mari est écrivain, il est en train de finir un livre.* C'était étrange et délicieux, de convoquer le souvenir d'un homme qui n'était tout simplement pas là. Barack me manquait affreusement, mais je m'efforçais de me faire une raison, en me répétant que même si nous étions de jeunes mariés, cet intermède avait probablement du bon.

Il avait pris à bras-le-corps le chaos de son live inachevé et avait mis les voiles pour s'en dépêtrer tout seul. Peut-être était-ce après tout une faveur qu'il me faisait, m'évitant ainsi le spectacle de ce chaos. J'avais épousé un intellectuel pas très enclin à fouler les sentiers battus. Il gérait ses affaires de la manière qui lui paraissait la plus raisonnable et la plus efficace, même si, extérieurement, on pouvait considérer son absence comme des vacances à la plage – une lune de miel avec lui-même (ne pouvais-je m'empêcher de penser dans mes moments de grande solitude) après celle qu'il avait passée avec moi.

Toi et moi, toi et moi, toi et moi. Nous apprenions à nous adapter, à nous souder en un *nous* solide et éternel. Même si nous étions les mêmes qu'autrefois, ce même couple que nous formions depuis des années, nous portions à présent de nouvelles étiquettes, une deuxième identité à assumer. Il était mon mari. J'étais sa femme. À l'église, nous l'avions proclamé tout haut, l'un à l'autre, et au monde entier. Il me semblait que nous nous devions de nouvelles choses.

Dans l'esprit de nombreuses femmes, dont je fais partie, le terme d'« épouse » est chargé de toute une histoire. Pour ceux qui ont grandi, comme moi, dans les années 1960 et 1970, il paraissait désigner le type de femmes blanches qu'on voyait dans les sitcoms – toujours enjouées, coiffées, corsetées. Elles restaient à la maison, s'occupaient des enfants et tenaient le dîner prêt sur le coin du fourneau. Il leur arrivait de prendre un petit verre de sherry ou de flirter avec le représentant en aspirateurs, mais l'excitation n'allait pas plus loin. Ce qui ne manquait pas d'ironie, c'est que je regardais ces séries dans notre salon d'Euclid Avenue pendant que ma propre mère au foyer préparait le dîner sans récriminer et que mon propre papa soigné se reposait de sa journée de travail. Chez mes parents, la répartition des tâches était aussi convenue que ce que nous voyions à la télé. Barack disait parfois en plaisantant que mon éducation avait tout d'une version noire de la série *Leave It to Beaver*[1], avec les Robinson de South Shore rangés et proprets dans le rôle des Cleaver rangés et proprets de Mayfield, même si, bien sûr, nous incarnions une version plus pauvre des Cleaver, l'uniforme bleu d'employé municipal de mon père remplaçant le costume de M. Cleaver. Barack faisait cette comparaison avec une pointe d'envie, car sa propre enfance avait été très différente, mais aussi pour rejeter le stéréotype solidement ancré selon lequel la majorité des Afro-Américains habitent des maisons délabrées et ne sont pas vraiment susceptibles de partager le même rêve que leurs voisins blancs – celui d'accéder aux standards de vie de la classe moyenne.

Personnellement, quand j'étais petite, je préférais *The Mary Tyler Moore Show*[2], qui me fascinait. Mary exerçait un emploi,

---

1. Série télévisée américaine très populaire à la fin des années 1950 racontant la vie d'un garçon de 10 ans, Theodore Cleaver, et de sa famille, dans la banlieue de Mayfield. La famille Cleaver représentait l'idéal de la famille de la classe moyenne américaine, et June Cleaver, la mère de famille parfaite.

2. Sitcom américaine des années 1970. Le personnage principal, interprété par l'actrice Mary Tyler Moore, est une femme sans enfant, indépendante et préoccupée par sa carrière, présentant un modèle de femme très différent de celui qu'on pouvait voir à la télévision à cette époque.

elle avait une garde-robe à la pointe de la mode et des cheveux absolument magnifiques. Elle était indépendante et drôle, et, à la différence des autres dames de la télé, ses problèmes étaient intéressants. Toutes ses conversations ne tournaient pas autour des enfants ou de la tenue du ménage. Elle ne laissait pas son patron, Lou Grant, lui donner d'ordres et elle n'était pas obnubilée par la chasse au mari. Elle avait une allure jeune, et pourtant elle était très adulte. Dans le panorama pré-pré-pré-Internet, du temps où le monde vous arrivait conditionné presque exclusivement par trois chaînes de télévision, cela n'avait rien d'anodin. Pour toute fille dotée d'un minimum de jugeote et qui avait vaguement conscience qu'elle ne voulait pas se contenter d'être une épouse quand elle serait grande, Mary Tyler Moore était une déesse.

Et voilà que je me retrouvais, à 29 ans, dans le même appartement que celui où j'avais regardé toutes ces émissions de télé et avalé tous les repas servis par la patiente et dévouée Marian Robinson. Je possédais de nombreux atouts – une éducation, une solide assurance, un riche arsenal d'ambition – et j'étais assez lucide pour reconnaître à ma mère, en particulier, le mérite de m'avoir inculqué tout cela. Elle m'avait appris à lire avant mon entrée en maternelle, m'avait aidée à déchiffrer les mots, pelotée sur ses genoux comme un chaton, tournant les pages d'un exemplaire de *Dick and Jane* emprunté à la bibliothèque. Elle nous avait préparé à manger avec soin, nous servant des brocolis et des choux de Bruxelles que nous étions obligés de manger. Elle avait cousu de ses mains – oui, de ses propres mains – ma robe pour le bal de fin d'année. Bref, elle avait donné sans trêve, et elle avait tout donné. Elle s'était laissé définir par notre famille. J'avais désormais l'âge de me rendre compte que toutes les heures qu'elle nous avait consacrées, à Craig et moi, étaient autant d'heures dont elle s'était privée pour elle-même.

Je contemplais les bienfaits dont j'avais bénéficié au cours de ma vie en éprouvant un intense tiraillement. Mon éducation m'avait appris à être confiante et à ne pas m'imposer de limites, à croire que je pouvais briguer et obtenir absolument tout ce que je voulais. Et je voulais tout. Parce que, comme aurait dit Suzanne, *pourquoi pas ?* Je voulais vivre avec l'entrain, l'optimisme, l'indépendance d'une femme qui ne songe qu'à sa carrière, comme Mary Tyler Moore, et, en même temps, j'étais attirée par la normalité rassurante d'une existence – promise au sacrifice de soi et apparemment insipide – d'épouse et de mère. Je voulais conjuguer vie professionnelle et vie familiale, tout en étant assurée qu'aucune des deux n'écraserait l'autre. J'avais envie à la fois d'être exactement comme ma propre mère et de ne pas du tout être comme elle. Cela éveillait en moi des réflexions étranges et déconcertantes. Est-ce que je pouvais tout avoir ? Est-ce que j'aurais tout ? Je n'en savais rien.

Sur ces entrefaites, Barack est rentré de Bali, bronzé et chargé d'un cartable bourré de blocs-notes. Il avait transformé son isolement en victoire littéraire. Son livre était fini pour l'essentiel. Il n'a fallu que quelques mois à son agent pour le revendre à un nouvel éditeur, rembourser la dette de Barack et décider d'une date de publication. Mais le plus important pour moi était qu'il ne nous avait fallu que quelques heures pour reprendre le cours paisible de notre existence de jeunes mariés. Barack était là, sa parenthèse de solitude était refermée, il avait repris pied dans mon monde. *Mon mari*. Il souriait aux blagues que je faisais, me demandait comment s'était passée ma journée, m'embrassait pour me dire bonsoir.

Les mois s'écoulaient. Nous faisions la cuisine, nous travaillions, nous riions, nous échafaudions des projets. Dans le courant du printemps, nous avons été suffisamment à flot sur le plan financier pour pouvoir acheter un logement. Nous avons donc quitté le 7436 South Euclid Avenue pour emménager dans un joli appartement aux pièces en enfilade à Hyde Park, avec parquet et cheminée carrelée – un nouveau tremplin pour notre vie. Avec le soutien de Barack, j'ai repris des risques et changé à nouveau d'emploi. J'ai fait mes adieux à Valerie et à Susan, à la mairie, pour me lancer enfin dans le domaine du travail associatif qui m'avait toujours intriguée, et où j'ai trouvé un poste à responsabilité qui m'offrait des perspectives d'évolution. Il restait encore bien des questions en suspens dans ma vie – comment être à la fois une Mary et une Marian, par exemple ? –, mais, pour le moment, j'ai relégué toutes ces questions sérieuses sur les marges de mon esprit, où elles allaient rester assoupies et négligées pendant un certain temps. Tous les soucis pouvaient attendre, pensais-je, puisque maintenant nous étions *nous*, et que nous étions heureux. Or le bonheur semblait être le point de départ de tout.

13

MON NOUVEAU BOULOT M'ANGOISSAIT. J'avais été embauchée comme directrice exécutive de la toute nouvelle section de Chicago de « Public Allies », une association créée elle aussi très récemment. Je démarrais dans une structure qui elle-même démarrait, dans un domaine où je n'avais pour ainsi dire aucune expérience professionnelle. Public Allies, fondé un an auparavant à Washington, était une initiative de Vanessa Kirsch et Katrina Browne, fraîches émoulues de l'université l'une comme l'autre, et qui cherchaient à aider plus de gens à trouver leur voie dans des emplois de service public et de travail associatif. Barack les avait rencontrées à un colloque et était entré à leur conseil d'administration. Il avait fini par leur suggérer de prendre contact avec moi au sujet de ce poste.

Le modèle était un peu le même que celui de « Teach for America », une jeune association qui recrutait des enseignants s'engageant à faire cours pendant au moins deux ans dans des établissements de quartiers en difficulté : Public Allies recrutait des jeunes gens doués, leur assurait un encadrement et une formation intensive, et leur offrait un stage rémunéré de dix mois dans des associations communautaires et des organismes publics, l'idée étant qu'ils s'y épanouiraient et apporteraient leur pierre à l'édifice. L'objectif plus global était de procurer à ces recrues – que nous appelions les « Alliés » – l'expérience et la motivation nécessaires pour qu'elles continuent à travailler dans le secteur associatif ou public au cours des années suivantes, permettant ainsi la création d'une nouvelle génération de responsables de communautés.

Ce projet trouvait de puissants échos en moi. Je me rappelais que, au cours de ma dernière année à Princeton, nous avions été très nombreux à nous présenter aux examens d'entrée en fac de médecine ou de droit, ou à vouloir passer des entretiens pour des programmes de formation professionnelle, sans penser une seule fois (s'agissant de moi, en tout cas) à la multitude de possibilités d'emploi engagés au cœur de la société, ou peut-être même sans avoir conscience de leur existence. Public Allies était censé remédier à cette lacune, en élargissant l'horizon des jeunes gens qui réfléchissaient à leurs perspectives de carrière. Mais j'étais surtout séduite par le fait que ses fondateurs cherchaient moins à parachuter d'anciens élèves de l'Ivy League dans les quartiers qu'à dénicher et cultiver les talents qui s'y trouvaient déjà. Il était inutile d'avoir un diplôme universitaire pour devenir un Allié. Il suffisait d'avoir un certificat de fin d'études secondaires, d'être âgé de plus de 17 ans et de moins de 30, et de disposer de qualités de leadership, même si elles n'avaient pas encore pu se déployer.

Le potentiel : voilà ce qui intéressait le plus Public Allies – le déceler, le cultiver, l'exploiter. Cette association se donnait pour mission de chercher des jeunes dont les qualités auraient pu passer inaperçues et de leur offrir la chance de se lancer dans une activité qui avait du sens. À mes yeux, cet emploi était presque un appel du destin. J'avais passé tant de moments à contempler avec nostalgie le South Side depuis ma fenêtre du quarante-septième étage de chez Sidley, et voilà qu'on me proposait enfin de mettre en œuvre ce que je savais. Je sentais tout le potentiel latent encore inexploité dans des quartiers comme le mien, et j'étais sûre de savoir le débusquer.

Pendant que je réfléchissais à ce nouvel emploi, j'ai souvent repensé à mon enfance, et plus particulièrement au mois que j'avais passé au milieu du tohu-bohu et des crayons volants de ma classe de CE1 à l'école élémentaire de Bryn Mawr, avant que ma mère ne réussisse à m'y soustraire. Sur le moment, j'avais simplement été heureuse de cette aubaine. Mais comme, à partir de cet instant, une bonne étoile avait semblé guider ma vie, multipliant les coups de chance, j'avais repensé à la vingtaine d'élèves abandonnés dans cette salle de classe avec une institutrice insensible et démotivée. Je savais bien que je n'étais pas plus intelligente qu'eux. J'avais seulement eu l'avantage que quelqu'un prenne ma défense. J'y réfléchissais plus souvent maintenant que j'étais adulte, surtout quand on me félicitait de ma réussite, comme si tout cela ne dépendait pas d'un hasard aussi étrange que cruel. Alors qu'ils n'y étaient pour rien, ces élèves de CE1 avaient perdu une année d'enseignement. J'avais suffisamment de bouteille à présent pour savoir avec quelle rapidité les déficits, même infimes, peuvent se multiplier, eux aussi.

À Washington, les fondateurs de Public Allies avaient rassemblé une classe débutante de quinze Alliés employés dans différentes associations de la ville. Ils avaient également collecté assez d'argent pour lancer une nouvelle section à Chicago, devenant ainsi l'une des premières associations à bénéficier d'un financement fédéral grâce au programme de service civique de l'AmeriCorps créé sous le président Clinton. C'est à cet instant que je suis entrée dans le tableau, ravie et angoissée à parts égales. Au moment de négocier mes conditions d'embauche, cependant, j'avais eu une révélation – qui n'aurait pas dû en être une – à propos du travail associatif : il ne paie pas. On m'a proposé au départ un salaire si modeste, tellement inférieur à ce que j'avais gagné comme avocate, qu'il m'était franchement impossible d'accepter. Ce qui a débouché sur une seconde révélation concernant certaines associations, surtout dirigées par des jeunes, comme Public Allies, et bon nombre de gens au grand cœur, mus par une passion invincible, qui y travaillaient : contrairement à moi, ils avaient visiblement les moyens d'être là, leur vertu étant discrètement garantie par leurs privilèges, que ce fût parce qu'ils n'avaient pas d'emprunts d'études à rembourser ou parce que, sachant qu'ils pouvaient compter sur un héritage tôt ou tard, ils ne se souciaient pas de mettre de l'argent de côté.

J'ai compris que, si je voulais rejoindre cette tribu, il faudrait que je négocie mon engagement et que je réclame un salaire conforme à mes besoins, soit nettement plus que ce que Public Allies avait l'intention de me payer. Je ne pouvais pas me permettre de jouer les timides ou les gênées. Un remboursement mensuel de crédits d'études d'environ 600 dollars venait s'ajouter à mes dépenses courantes, et j'avais épousé un homme qui avait sa propre charge de prêts étudiants à assumer. Les responsables de l'association m'ont à peine crue quand je leur ai révélé quelle somme j'avais dû emprunter pour pouvoir aller à la fac, et ce que cela représentait en termes de remboursement mensuel. Mais ils se sont mis en quatre et ont trouvé une nouvelle source de financement qui m'a permis de monter à bord du navire.

Ce point étant réglé, je me suis investie à fond, impatiente de tirer le maximum de l'occasion qui m'était offerte. C'était la toute première fois que j'étais appelée à construire quelque chose littéralement de zéro : le succès ou l'échec de l'entreprise dépendrait entièrement de mes efforts, et non de ceux de mon patron ou de quelqu'un d'autre. J'ai passé le printemps 1993 à bosser comme une dingue pour aménager un bureau et engager du personnel afin de pouvoir accueillir une promotion d'Alliés à l'automne. Nous avons trouvé un local bon marché dans un immeuble de Michigan Avenue et réussi à dénicher des chaises et des tables d'occasion, offertes par une société de conseil en entreprise qui rénovait ses bureaux.

Pendant ce temps, j'ai battu le rappel de presque toutes les relations que nous avions pu nous faire à Chicago, Barack et moi, en quête de donateurs et de gens qui nous assureraient un soutien de base à plus long terme, cherchant par ailleurs à mobiliser tous ceux qui travaillaient dans le domaine du service public et seraient prêts à accueillir un Allié dans leur organisation pour l'année à venir. Valerie Jarrett m'a aidée à trouver des stages dans le bureau du maire et aux services municipaux de la santé, où des Alliés seraient employés dans le cadre d'un programme de vaccination des enfants des quartiers. De son côté, Barack a activé son réseau d'organisateurs de communautés pour nous faire bénéficier d'aides juridiques, de soutiens publics et d'offres d'enseignement. Un certain nombre d'associés de Sidley ont signé des chèques et m'ont présentée à d'importants donateurs potentiels.

Réunir les Alliés eux-mêmes a été pour moi le volet le plus passionnant de cette mission. Avec l'aide de l'organisation nationale, nous avons diffusé sur les campus universitaires de tout le pays des annonces pour rechercher des candidats, tout en nous mettant en quête de talents plus proches de nous géographiquement. Avec mon équipe, je me suis rendue dans des instituts universitaires et dans plusieurs grands lycées urbains des environs de Chicago. Nous avons frappé aux portes de la cité Cabrini-Green, assisté à des réunions communautaires et sollicité des responsables de programmes destinés aux mères célibataires. Nous avons interrogé tous les gens que nous rencontrions, pasteurs, professeurs et même le responsable du McDo local, leur demandant de bien vouloir nous indiquer les jeunes gens les plus intéressants qu'ils connaissaient. Qui étaient les leaders ? Quels jeunes avaient l'ambition de dépasser leur condition ? C'étaient eux que nous voulions encourager à se présenter, eux que nous voulions exhorter à oublier, l'espace d'un instant, les obstacles qui contrariaient habituellement la réalisation de ces objectifs, promettant que notre organisation ferait tout son possible – que ce soit en finançant une carte de bus ou une solution de garde d'enfant – pour les aider à couvrir leurs dépenses.

À l'automne, nous avions un groupe de vingt-sept Alliés dispersés dans tout Chicago. Ils faisaient des stages dans toutes sortes d'organismes, de la mairie à un service d'aide communautaire du South Side en passant par Latino Youth, un lycée alternatif du quartier de Pilsen. Dans l'ensemble, nos Alliés formaient un groupe éclectique, plein d'entrain, bourré d'idéalisme et d'aspirations, et représentant un large éventail d'origines. Il y avait par exemple un ancien membre de gang, une Latina qui avait grandi dans les quartiers sud-ouest de Chicago et était entrée à Harvard, une autre jeune femme d'une vingtaine d'années qui vivait dans les Robert Taylor Homes, une cité du Southside, et élevait son enfant tout en cherchant à mettre de l'argent de côté pour pouvoir s'inscrire à la fac, et un jeune homme de 26 ans de Grand Boulevard qui avait quitté le lycée, mais avait continué à s'instruire en empruntant des livres à la bibliothèque avant de retourner sur les bancs de l'école pour passer son diplôme.

Tous les vendredis, notre groupe d'Alliés se rassemblait au complet dans un bureau d'une de nos agences d'accueil ; ils passaient la journée à rendre compte de leurs expériences, à discuter entre eux et à suivre des ateliers de développement professionnel. C'étaient les moments que je préférais. J'adorais le bruit qui emplissait progressivement la salle au fur et à mesure de l'arrivée des Alliés, qui laissaient tomber leurs sacs à dos dans un coin et se dépouillaient de toutes leurs couches de vêtements d'hiver avant de s'installer en cercle. J'adorais les aider à régler leurs problèmes, qu'il s'agisse de maîtriser Excel, de choisir une tenue appropriée pour travailler dans un bureau ou d'avoir le courage de présenter leurs idées devant une salle bourrée de gens plus instruits, plus sûrs d'eux. Il m'arrivait aussi de devoir remonter les bretelles d'un Allié. Si j'apprenais que l'un ou l'autre arrivait en retard au travail ou ne prenait pas ses responsabilités au sérieux, je lui faisais fermement savoir que nous attendions mieux de lui. Quand des Alliés étaient exaspérés par des réunions communautaires mal organisées ou par des clients pénibles, je leur conseillais de relativiser, leur rappelant qu'ils avaient plus de chance que beaucoup d'autres.

Mais, surtout, nous encensions la moindre parcelle de progrès ou de nouvelle compétence. Et il n'en manquait pas. Tous les Alliés n'étaient pas destinés à travailler dans les secteurs associatifs ou publics, et tous ne seraient pas capables de surmonter les obstacles d'un départ difficile dans la vie, mais j'ai été surprise avec le temps de voir combien de nos recrues allaient effectivement réussir, et s'engager à long terme au service de causes publiques plus vastes. Certains ont été directement embauchés par Public Allies ; d'autres ont si bien mené leur barque qu'ils dirigent aujourd'hui des services gouvernementaux et des associations nationales. Vingt-cinq ans après sa fondation, Public Allies est toujours très actif, avec des antennes à Chicago et dans une vingtaine d'autres villes. L'association compte par ailleurs des milliers d'anciens à travers tout le pays. Savoir que j'ai joué un modeste rôle dans cette entreprise, que j'ai participé à la création de quelque chose de durable, est un des sentiments les plus gratifiants qu'il m'ait été donné d'éprouver dans toute ma vie professionnelle.

J'ai veillé sur Public Allies avec la fierté souvent fourbue d'un jeune parent. J'allais me coucher tous les soirs en réfléchissant à ce qui me restait à faire, et j'ouvrais les yeux chaque matin avec à l'esprit ma liste de tâches à accomplir dans la journée, la semaine, le mois. Après avoir remis au printemps leur diplôme aux vingt-sept Alliés de notre première promotion, nous en avons accueilli quarante nouveaux à l'automne et n'avons cessé de nous développer par la suite. Rétrospectivement, je considère que c'est l'emploi le plus satisfaisant que j'aie jamais exercé : pendant tout ce temps, je me suis sentie merveilleusement sur la brèche, et la plus petite victoire – trouver un bon stage en entreprise pour un hispanophone ou apaiser les craintes de celui ou celle qui devait aller travailler dans un quartier inconnu – devait être obtenue d'arrache-pied.

Pour la première fois de ma vie, j'avais l'impression de faire quelque chose qui avait immédiatement du sens, qui exerçait un effet direct sur la vie d'autrui, tout en restant au contact de ma ville et de ma culture. Cela m'a permis de mieux comprendre ce qu'avait éprouvé Barack en travaillant comme organisateur ou pour le Projet VOTE !, entièrement absorbé par la primauté dévorante d'un dur combat – le seul genre de combat que Barack aimait et aimerait toujours –, sachant qu'il peut vous épuiser tout en vous offrant tout ce dont vous aurez jamais besoin.

Pendant que je consacrais toute mon énergie à Public Allies, Barack s'était installé dans ce qui était – pour lui en tout cas – une période de monotonie et de prévisibilité relatives. La fac de droit de l'université de Chicago lui avait confié un cours sur le racisme et la loi qui portait principalement sur des affaires de droit de vote et de discrimination à l'embauche. Il s'occupait aussi ponctuellement d'ateliers d'organisation communautaire et a dirigé quelques séances du vendredi avec mon groupe de Public Allies. En apparence, ça ressemblait à s'y méprendre à une existence idéale pour un intellectuel d'une trentaine d'années à l'esprit civique qui avait refusé catégoriquement un certain nombre de propositions plus lucratives et plus prestigieuses pour rester fidèle à ses principes. De mon point de vue, il avait réussi. Il avait trouvé une forme supérieure d'équilibre. Il était avocat, enseignant et organisateur. S'y ajouterait bientôt, pour couronner le tout, le statut d'écrivain.

À son retour de Bali, Barack a mis plus d'un an à rédiger une seconde mouture de son livre, en y consacrant tous ses moments de loisir. Il travaillait jusqu'à une heure avancée de la nuit dans une petite pièce au fond de notre appartement que nous avions aménagée en bureau – un bunker bourré, tapissé de livres que j'appelais affectueusement « *The Hole* » (« le Trou »). Il m'arrivait de l'y rejoindre, d'enjamber ses piles de papiers pour m'asseoir sur l'ottomane devant son fauteuil pendant qu'il écrivait, cherchant à le ramener à moi d'une plaisanterie ou d'un sourire, d'une taquinerie à le faire revenir des champs lointains qu'il parcourait au galop. Il supportait mes intrusions avec bonne humeur, pourvu qu'elles ne s'éternisent pas.

Barack fait partie de ceux qui ont besoin d'un trou, d'un petit terrier bien clos où lire et écrire sans être dérangé. Une sorte de trappe qui donne directement accès aux vastes cieux de son esprit. Le temps qu'il y passe le nourrit. Conscients de cette nécessité, nous avons réussi à recréer ce trou dans tous les endroits où nous avons habité – n'importe quel coin tranquille, n'importe quelle alcôve fait l'affaire. Aujourd'hui encore, quand nous arrivons dans une location à Hawaï ou à Martha's Vineyard, Barack se met en quête d'une pièce vide qui puisse lui servir de trou de vacances. Dans ce refuge, il peut passer d'un livre à l'autre parmi les six ou sept qu'il lit en même temps et jeter ses journaux par terre. Son Trou est pour lui une sorte de sanctuaire, où ses idées prennent naissance et accèdent à la clarté. Pour moi, c'est une pagaille désorganisée et rebutante. J'ai toujours exigé que le Trou, où qu'il soit, ait une porte que je puisse fermer – pour des raisons que chacun comprendra.

Les Rêves de mon père a finalement été publié dans le courant de l'été 1995. Le livre a obtenu de bonnes critiques, mais les ventes ont été modestes. Peu importe. Ce qui comptait, c'était que Barack ait réussi à distiller le récit de sa vie, à réunir les éléments disparates de son identité afro-kansaise-indonésienne-hawaïenne-chicagoane et à accéder ainsi, par le biais de l'écriture, à une forme d'unité. J'étais fière de lui. À travers ce récit, il avait conclu une sorte de paix littéraire avec son père fantomatique. Le travail nécessaire pour en arriver là avait été unilatéral, bien sûr, Barack étant le seul à chercher à combler les lacunes et à déchiffrer tous les mystères dont s'était entouré Obama senior. De toute manière, il n'avait jamais procédé autrement. Depuis qu'il était petit, il s'était toujours appliqué à tout faire tout seul.

L E LIVRE ACHEVÉ, un nouvel espace s'ouvrait dans sa vie et, fidèle à lui-même, Barack s'est cru obligé de le combler au plus vite. Sur le plan personnel, il avait dû faire face à une mauvaise nouvelle : Ann, sa mère, était atteinte d'un cancer des ovaires et avait quitté Jakarta pour regagner Honolulu et y suivre un traitement. D'après ce que nous savions, elle était bien soignée et la chimiothérapie faisait effet. Maya et Toot s'occupaient d'elle à Hawaï, et Barack s'y rendait souvent. Mais le diagnostic avait été posé tardivement, alors que le cancer était déjà avancé, et il était difficile de présager l'avenir. Je savais que cette inquiétude pesait lourdement sur l'esprit de Barack.

À Chicago, les palabres politiques avaient repris avec ardeur. Le maire, Richard M. Daley, avait été élu pour un troisième mandat au printemps de 1995 et tout le monde se préparait à présent pour les élections de 1996, qui verraient l'Illinois choisir un nouveau représentant au Sénat des États-Unis et le président Bill Clinton briguer un second mandat. Par ailleurs, un de nos membres du Congrès en exercice avait été mis en examen pour délits sexuels, laissant la porte ouverte à un nouveau candidat dans le deuxième district de l'État, qui englobait une grande partie du South Side de Chicago. Une sénatrice de l'État appréciée, Alice Palmer, qui représentait Hyde Park et South Shore, et dont Barack avait fait la connaissance dans le cadre du Projet VOTE !, avait commencé à faire connaître en privé son intention de se présenter. Ce qui, par ricochet, laisserait vacant son siège au sénat local, offrant à Barack la possibilité d'être candidat.

Cela l'intéressait-il ? Se présenterait-il ?

Je ne le savais pas encore, mais ces questions allaient dominer les dix années à venir, lancinantes comme un roulement de tambour accompagnant presque le moindre de nos gestes. *Voulait-il ? Pouvait-il ? Devait-il ? Le ferait-il ?* Mais toutes ces interrogations étaient invariablement précédées d'une autre question, posée par Barack lui-même, une question préliminaire et censément préventive chaque fois qu'il envisageait de se présenter à une fonction officielle, quelle qu'elle fût. Il l'a posée pour la première fois le jour où il m'a parlé d'Alice Palmer, de son siège vacant et de l'idée que, peut-être, il pourrait ne pas être seulement avocat/professeur/organisateur/écrivain, mais tout cela et, en plus, membre du corps législatif local : « Qu'est-ce que tu en penses, Miche ? »

À dire vrai, je n'ai jamais eu beaucoup de mal à répondre à cette question. Je n'en pensais jamais rien de bon. Mon raisonnement a pu varier légèrement chaque fois que la question est revenue sur le tapis, mais ma position fondamentale tiendrait bon, tel un séquoia solidement enraciné dans le sol. Vous aurez sans doute constaté que mes réticences n'ont eu strictement aucun effet.

Dans le cas du sénat de l'Illinois en 1996, mon raisonnement était le suivant : je n'appréciais pas beaucoup les hommes politiques ; forcément, l'idée que mon mari rejoigne leurs rangs ne m'enchantait guère. Je devais l'essentiel de ce que je savais de la politique de l'État à la lecture de la presse et je n'y voyais rien de particulièrement bon ou productif. Mon amitié avec Santita Jackson m'avait appris que les hommes politiques étaient obligés de passer beaucoup de temps loin de chez eux. De façon générale, je considérais les législateurs comme des espèces de tortues, la carapace coriace, le cuir épais, lents à se mouvoir, pétris d'égoïsme. Barack était trop honnête, il portait des projets trop idéalistes, selon moi, pour supporter les animosités éprouvantes et sans fin qui faisaient rage sous le dôme du capitole de Springfield, dans le sud de l'État.

Au fond de moi, je pensais tout bonnement que quelqu'un de bien pouvait trouver de meilleures façons d'exercer une influence sur le monde. Très honnêtement, j'étais d'avis que Barack allait se faire dévorer tout cru.

Mais, déjà, un argument contraire mijotait dans les tréfonds de ma conscience. Si Barack estimait pouvoir faire quelque chose en politique, de quel droit lui mettrais-je des bâtons dans les roues ? De quel droit me permettrais-je de piétiner un tel projet sans même le laisser essayer ? Après tout, c'était lui, et lui seul, qui m'avait poussée en avant quand j'avais souhaité abandonner ma carrière d'avocate ; lui qui, tout en doutant de la pertinence de mon choix d'aller travailler à la mairie, ne m'en avait pas moins soutenue dans cette entreprise ; lui qui, en cet instant précis, exerçait plusieurs emplois à la fois, en partie pour compenser la baisse de salaire que j'avais acceptée pour le plaisir de devenir bonne âme à plein temps chez Public Allies. Depuis six ans que nous étions ensemble, il n'avait pas douté une seule fois de mon instinct ni de mes capacités. Son refrain n'avait jamais varié : *Ne t'en fais pas. Tu peux le faire. On va se débrouiller.*

Voilà comment j'ai donné mon feu vert à sa première candidature politique, l'assaisonnant tout de même d'une pincée de prudence conjugale. « J'ai peur que tu sois déçu, lui ai-je dit. Si tu es élu, tu vas descendre siéger dans le sud et rien ne se fera, malgré tous tes efforts. Ça va te rendre fou.

— Peut-être, a répondu Barack avec un haussement d'épaules perplexe. Mais j'arriverai peut-être aussi à faire quelque chose de bien. Qui sait ?

— Tu as raison », ai-je acquiescé, haussant les épaules à mon tour. Ce n'était pas à moi de doucher son optimisme. « Qui sait ? »

CELA NE SURPRENDRA PERSONNE, mais mon mari est effectivement devenu un homme politique. C'était un homme bon qui voulait contribuer à la bonne marche du monde. Malgré mon scepticisme, il a jugé que c'était la meilleure façon d'y parvenir. Telle était la nature de sa foi.

Barack a été élu au sénat de l'Illinois en novembre 1996 et a prêté serment deux mois plus tard, au début de l'année suivante. À ma grande surprise, j'ai pris beaucoup de plaisir à suivre le déroulement de la campagne. Je l'ai aidé à rassembler les signatures nécessaires pour lui permettre de participer au scrutin, j'ai passé mes samedis à faire du porte-à-porte dans mon ancien quartier, écoutant les remarques des habitants sur l'État et son gouvernement, sur tout ce qui avait grand besoin d'être amélioré à leurs yeux. Ça m'a rappelé les week-ends que j'avais passés, enfant, à emboîter le pas à mon père pendant qu'il gravissait tous ces perrons dans le cadre de ses activités de chef de circonscription. Pour le reste, on n'avait pas vraiment besoin de moi, ce qui me convenait parfaitement. Je pouvais considérer la campagne comme un passe-temps, donnant un coup de main quand j'en avais envie, me distrayant un peu avant de revenir à mon propre travail.

La mère de Barack était morte à Honolulu peu après l'annonce de sa candidature. Son déclin avait été si rapide qu'il n'avait pas eu le temps de lui dire au revoir. Il en a été anéanti. C'était Ann Dunham qui lui avait fait découvrir la richesse de la littérature et le pouvoir d'une argumentation solidement étayée. Sans elle, il n'aurait jamais senti les averses de la mousson sur sa peau à Jakarta, ni vu les temples de l'eau à Bali. Il n'aurait peut-être jamais appris qu'il était aussi facile et aussi excitant de sauter d'un continent à l'autre, ou d'épouser l'inconnu. Ann était une exploratrice, une femme qui suivait courageusement les élans de son cœur. Je retrouvais son esprit chez Barack, dans toutes sortes de traits, grands et petits. La douleur de sa disparition s'est fichée en nous comme une lame, juste à côté de celle qui s'était enfoncée quand nous avions perdu mon père.

Maintenant que l'hiver était venu et que la session législative était ouverte, nous étions séparés une bonne partie de la semaine. Barack faisait quatre heures de route le lundi soir pour rejoindre Springfield et descendait dans un hôtel bon marché où logeaient un grand nombre de ses collègues. Il revenait généralement tard le vendredi soir. Il avait un petit bureau au siège de l'assemblée législative de l'État, et un collaborateur à temps partiel à Chicago. Il avait réduit ses horaires au cabinet juridique, mais en contrepartie, afin de pouvoir continuer à rembourser nos dettes, il avait alourdi sa charge d'enseignement à la fac de droit, programmant des cours supplémentaires les jours où il n'était pas à Springfield et où le sénat ne siégeait pas. Nous nous téléphonions tous les jours quand il était dans le sud, comparant nos notes et échangeant des anecdotes sur nos journées respectives. Le vendredi soir, quand il rentrait à Chicago, nous avions un rendez-vous immuable : nous nous retrouvions en ville pour dîner chez Zinfandel.

Je repense aujourd'hui à ces soirées avec une profonde tendresse, je me rappelle les lumières chaudes et tamisées du restaurant, la régularité avec laquelle j'arrivais toujours la première, conséquence de ma ponctualité invétérée. J'attendais Barack et, comme c'était le début du week-end et que je commençais à y être habituée, son retard ne me contrariait pas. Je savais qu'il finirait par arriver et que mon cœur ferait, comme chaque fois, un bond dans ma poitrine quand je le verrais franchir la porte, tendre son manteau à la dame de la réception, se frayer un passage entre les tables, et sourire au moment où son regard croiserait enfin le mien. Il m'embrasserait, puis retirerait sa veste, qu'il poserait sur le dossier de sa chaise avant de s'asseoir. *Mon mari*. La routine m'apaisait. Nous commandions plus ou moins la même chose tous les vendredis – rôti à la cocotte, choux de Bruxelles, purée de pommes de terre – et, quand les plats arrivaient, nous les dévorions jusqu'à la dernière bouchée.

Ça a été une période bénie pour nous et pour l'équilibre de notre couple : Barack avait son objectif, moi le mien. Au début de son mandat au sénat de Springfield, Barack avait présenté au cours d'une unique semaine de travail dix-sept nouveaux projets de lois – un record peut-être, et en tout cas un bon indice de son impatience à faire bouger les choses. Certains de ces textes seraient finalement adoptés, mais la plupart seraient promptement rejetés par la chambre dominée par les républicains, victimes de l'esprit de parti et d'un cynisme que ses nouveaux collègues faisaient passer pour du pragmatisme. Au cours de ces premiers mois, j'ai constaté que, conformément à mes prévisions, la vie politique serait une lutte, une lutte usante, remplie d'impasses et de trahisons, de sales combines et de compromis souvent douloureux. Mais j'ai également constaté que les prévisions de Barack étaient exactes, elles aussi. Chose curieuse, il était effectivement dans son élément au milieu de la mêlée législative, capable de conserver son calme en plein maelström, habitué à ne pas rentrer dans le rang, encaissant les défaites avec sa nonchalance hawaïenne. Il gardait toujours espoir, obstinément, convaincu qu'un jour, d'une manière ou d'une autre, une partie de sa vision finirait par l'emporter. Il prenait déjà des coups, mais ça le laissait froid. Il semblait fait pour ça. Il en ressortait un peu cabossé, mais toujours rutilant, comme un vieux chaudron de cuivre.

J'étais, moi aussi, en pleine transition. J'avais pris un nouvel emploi, me surprenant moi-même en décidant de quitter Public Allies, l'association que j'avais contribué à construire et développer avec tant de passion. Pendant trois ans, je m'étais consacrée à elle avec ardeur, me chargeant des tâches opérationnelles les plus importantes comme les plus modestes, jusqu'au réapprovisionnement en papier de la photocopieuse. Public Allies étant prospère et sa longévité quasiment assurée grâce à des subventions fédérales pluriannuelles et au soutien de fondations, j'estimais pouvoir prendre le large la conscience tranquille. Or il s'est trouvé que, en cet automne 1996, une nouvelle chance m'est pour ainsi dire tombée du ciel. Art Sussman, le juriste de l'université de Chicago dont j'avais fait la connaissance quelques années auparavant, m'a appelée pour m'annoncer qu'un poste venait d'y être créé.

La fac était à la recherche d'un doyen adjoint chargé des relations communautaires. En effet, elle s'était enfin décidée à améliorer son intégration avec la ville, et plus particulièrement avec le quartier du South Side qui l'entourait, notamment grâce à la création d'un programme de service communautaire destiné à faire connaître aux étudiants les possibilités de bénévolat disponibles dans le voisinage. À l'image de ma mission auprès de Public Allies, ce nouvel emploi était en résonance avec une réalité que j'avais personnellement vécue. Comme je l'avais expliqué à Art bien des années plus tôt, l'université de Chicago m'avait toujours paru moins accessible et moins intéressée par mon cursus que les facs prestigieuses de la côte Est que j'avais finalement fréquentées. Pour moi, c'était un établissement qui tournait le dos à son environnement. L'idée d'essayer de faire tomber ces barrières, de resserrer les liens entre les étudiants et la ville, et entre les habitants et l'université, ne pouvait que me séduire.

Toute séduction mise à part, des raisons plus concrètes m'incitaient à sauter le pas. Un poste universitaire offrait une stabilité institutionnelle qu'une association encore récente ne pouvait pas m'assurer. Mon salaire serait plus élevé, mes horaires plus raisonnables et d'autres que moi seraient chargés de vérifier qu'il y avait encore du papier dans la photocopieuse, ou de réparer l'imprimante laser quand elle tombait en panne. J'avais maintenant 32 ans et je commençais à réfléchir plus sérieusement à la charge que j'étais prête à assumer. Au cours de nos rendez-vous chez Zinfandel, nous poursuivions souvent, Barack et moi, une conversation que nous avions entamée, sous une forme ou une autre, de longues années auparavant – il s'agissait de savoir comment mener une action efficace, comment et dans quel contexte chacun de nous pouvait faire la différence, comment mobiliser au mieux notre temps et notre énergie.

Certaines des vieilles questions que je me posais sur moi-même et sur ce que je voulais faire de ma vie recommençaient à m'envahir l'esprit et à s'imposer au premier plan de mes réflexions. J'avais accepté ce nouveau poste en partie pour ménager un peu plus de place dans notre existence, mais aussi parce qu'il assurait une couverture sociale plus favorable que toutes celles que j'avais eues jusqu'ici. Cela finirait par avoir de l'importance. Pendant que nous étions assis, Barack et moi, un nouveau vendredi soir chez Zinfandel, nous tenant la main de part et d'autre de la table à la lueur d'une bougie, le rôti en cocotte expédié et le dessert commandé, il n'y avait qu'une ombre à notre bonheur. Nous essayions d'avoir un enfant et les choses ne se passaient pas comme nous l'aurions souhaité.

Il se trouve que même deux fonceurs motivés, unis par un profond amour et une solide éthique de travail, ne peuvent pas faire un enfant par la seule force de leur volonté. La fertilité ne se conquiert pas. Dans ce domaine-là, il n'y a pas, et c'est à devenir fou, de corrélation directe entre effort et résultat. Pour Barack et moi, cette réalité était aussi surprenante que décevante. Nous avions beau essayer, je ne parvenais pas à tomber enceinte. Pendant un temps, j'ai pensé que c'était simplement par manque d'opportunités, à cause des va-et-vient de Barack entre Chicago et Springfield. Nos tentatives de procréation avaient tendance à respecter non pas un calendrier mensuel hormonal incontournable, mais plutôt le planning législatif de l'Illinois. C'était un élément auquel nous pouvions essayer de remédier.

Mais nos tentatives d'ajustement n'ont pas marché. Barack avait beau parcourir l'autoroute pied au plancher après un vote tardif pour arriver pile poil au moment de ma fenêtre d'ovulation, nous avions beau mettre à profit les semaines estivales de suspension des séances du sénat où il était à la maison et disponible à plein temps, rien n'y faisait. Après avoir pris toutes les précautions pendant des années pour éviter d'être enceinte, j'étais soudain curieusement obnubilée par la démarche inverse. J'y voyais une mission. Un test de grossesse positif nous a fait chavirer de joie et oublier tous nos soucis, mais deux semaines plus tard, j'ai fait une fausse couche qui m'a laissée épuisée et a balayé tout l'optimisme qui avait pu renaître en nous. Quand je voyais des femmes se promener gaiement dans la rue avec leurs enfants, j'éprouvais un élan de mélancolie suivi d'un douloureux sentiment d'insuffisance. Notre seul réconfort était la proximité de Craig et de sa femme, qui habitaient près de chez nous et avaient maintenant deux beaux enfants, Leslie et Avery. Jouer et lire des histoires avec eux m'apportait une certaine consolation.

Si je devais dresser la liste de ce que personne ne vous dit avant que ça vous tombe dessus, je pourrais commencer par les fausses couches. Une fausse couche est une expérience solitaire, douloureuse et démoralisante, presque au niveau cellulaire. Quand cela vous arrive, vous risquez fort d'y voir un échec personnel, ce que ça n'est pas. Ou une tragédie, ce que ça n'est pas non plus, si profondément affligeant que cela puisse être sur le moment. Ce que personne ne vous dit, c'est que ça arrive tout le temps, à bien plus de femmes qu'on n'aurait tendance à le croire eu égard au silence qui les entoure. Je n'en ai pris conscience qu'après avoir évoqué ma propre fausse couche en présence de quelques amies, qui ont réagi en m'abreuvant d'amour et de soutien, et en me racontant leurs propres expériences en la matière. La douleur n'en était pas moindre, mais, en me confiant leurs propres difficultés, elles m'ont ragaillardie et m'ont aidée à considérer ce qui m'était arrivé comme un simple contretemps biologique ordinaire, un ovule fécondé qui avait été expulsé, probablement pour une très bonne raison.

Une de ces amies m'a également donné les coordonnées d'un spécialiste de la fertilité auquel son mari et elle avaient fait appel. Nous sommes allés faire des analyses, Barack et moi, et, quand le médecin nous a reçus pour nous communiquer les résultats, il nous a annoncé qu'il n'y avait de problème manifeste ni d'un côté ni de l'autre. Le mystère demeurait donc entier. Il m'a tout de même conseillé de prendre pendant quelques mois du Clomid, un médicament qui stimule l'ovulation. Ça n'a rien changé. Il nous a alors recommandé de passer à la fécondation *in vitro*. Nous avons eu la chance extraordinaire que mon assurance maladie de l'université couvre l'essentiel de ces frais.

C'est un peu comme avoir un billet de loterie susceptible de rapporter gros, à cette différence près que la science entre ici en jeu. Au moment où les procédures médicales préliminaires ont été achevées, la session d'automne du corps législatif de l'État avait malheureusement commencé, engloutissant mon mari prévenant et attentionné, et me laissant pour l'essentiel manipuler toute seule mon système reproductif afin de lui donner une efficacité maximale. J'ai suivi un régime d'injections quotidiennes pendant plusieurs semaines. Je devais m'administrer d'abord un produit destiné à mettre mes ovaires au repos, puis un autre censé les stimuler, dans l'espoir qu'ils produiraient une flopée d'ovules viables.

Tout ce travail et toute cette incertitude m'angoissaient, mais je voulais un bébé. C'était un besoin que j'éprouvais depuis toujours. Petite fille, quand je m'étais lassée d'embrasser la peau en celluloïd de mes baigneurs, j'avais supplié ma mère d'avoir un autre bébé, un vrai, juste pour moi. Je lui avais promis que je m'occuperais de tout. Comme elle refusait, j'avais fouillé dans son tiroir à sous-vêtements à la recherche de ses plaquettes de pilules, me figurant que si je les confisquais, j'arriverais peut-être à mes fins. En vain, manifestement. Bref, j'avais envie d'un bébé depuis longtemps. Je voulais fonder une famille, Barack aussi. Et voilà que je me retrouvais seule, dans la salle de bains de notre appartement, à essayer, au nom même de ce désir, de trouver le courage d'enfoncer une seringue dans ma cuisse.

C'est peut-être à cet instant que j'ai senti naître une première étincelle de ressentiment contre la politique et contre la passion de Barack pour son travail. Ou peut-être ai-je seulement éprouvé avec acuité le fardeau de la nature féminine. Quoi qu'il en soit, Barack était parti et je me retrouvais avec toute la responsabilité de cette entreprise sur le dos. Je sentais déjà que les sacrifices seraient pour moi plus que pour lui. Dans les semaines à venir, il vaquerait paisiblement à ses affaires pendant que je m'appuyais des échographies quotidiennes pour suivre mes ovules à la trace. On ne lui ferait pas de prises de sang. Il ne serait pas obligé d'annuler une réunion pour un examen du col de l'utérus. Mon mari était aux petits soins et s'investissait autant qu'il le pouvait. Il lisait toute la littérature existante sur la FIV et était capable de m'en parler toute la nuit, mais sa seule contrainte réelle était de passer au cabinet du médecin pour fournir du sperme. Ensuite, si ça lui disait, il était libre d'aller prendre un martini dry. Il n'y pouvait rien, bien sûr, mais nous n'étions pas égaux dans ce combat et, pour une femme convaincue de l'importance de l'égalité des sexes, cette réalité peut être vaguement déroutante. C'était moi qui devais bouleverser tous mes plans, mettre mes passions et mes projets de carrière entre parenthèses pour réaliser cette partie de notre rêve. J'ai dû me livrer à quelques calculs. Était-ce ce que je voulais ? Oui, et de toutes mes forces. Alors j'ai pris l'aiguille, et l'ai plantée dans ma chair.

HUIT SEMAINES PLUS TARD, j'ai entendu un bruit qui a effacé toute trace de ressentiment : un battement de cœur sifflant, aqueux, capté par l'échographe, au sein de la grotte chaude de mon corps. Notre bébé était en route. Pour de bon. Soudain, le poids de la responsabilité et les sacrifices que j'avais dû endurer ont pris un sens totalement différent, comme un paysage qui se pare de nouvelles couleurs ou les meubles d'une maison dont on change la disposition, et qui paraissent désormais parfaitement à leur place. Je me promenais avec un secret en moi. C'était mon privilège, le don d'être une femme. Je rayonnais de la promesse que je portais.

Ce sentiment ne me quitterait plus pendant toute ma grossesse, même quand la fatigue des trois premiers mois m'épuiserait – mon travail m'occupait beaucoup et Barack continuait à faire ses trajets hebdomadaires vers la capitale de l'État. En apparence, nous vivions comme avant ; mais, à présent, il se produisait un phénomène intérieur : un bébé grandissait, une toute petite fille. (Comme

Barack ne jure que par les faits et que je suis une organisatrice dans l'âme, nous tenions à connaître le sexe du bébé.) Nous ne pouvions pas la voir, mais elle était là, croissant en taille et en esprit tandis que l'automne cédait la place à l'hiver, puis au printemps. Ce que j'avais éprouvé – la jalousie qui m'avait tenaillée parce que Barack pouvait rester à l'écart de ce qui se passait – s'était désormais entièrement inversé. Il était condamné à être à l'extérieur alors que moi, je vivais tout le processus de l'intérieur. J'*étais* le processus, indivisible de cette petite vie à peine éclose qui envoyait maintenant des coups de coude et m'enfonçait son talon dans la vessie. Je n'étais jamais seule, je ne souffrais jamais de la solitude. Elle était là, toujours, quand j'allais au travail, quand je hachais des légumes pour faire une salade ou que j'étais au lit, le soir, à feuilleter *Ce qui vous attend si vous attendez un enfant* pour la neuf centième fois.

Les étés à Chicago ont quelque chose de particulier pour moi. J'adore ces longues soirées, j'adore voir le lac Michigan émaillé de voiliers, j'adore sentir la chaleur monter au point de faire presque oublier les affres de l'hiver. J'adore que l'activité politique se calme enfin et que la balance de la vie penche davantage du côté du plaisir.

Bien que nous n'ayons exercé aucun contrôle sur quoi que ce soit, en définitive, on aurait pu croire que nous avions tout méticuleusement planifié. De très bonne heure, le matin du 4 juillet 1998, j'ai ressenti les premières contractions. Nous avons filé, Barack et moi, à l'hôpital de l'université de Chicago, emmenant Maya – qui était venue de Hawaï pour être avec nous pendant la semaine prévue pour l'accouchement – et ma mère, pour me soutenir. Plusieurs heures s'écouleraient encore avant que le charbon de bois des barbecues ne commence à s'embraser à travers la ville et que les gens étalent leurs couvertures sur les berges du lac, agitent des drapeaux et attendent que les feux d'artifice de la ville s'épanouissent et retentissent au-dessus de l'eau. Nous allions manquer tout ça cette année, pris dans un flamboiement et un épanouissement bien différents. Ce n'est pas à notre pays que nous penserions, mais à notre famille, au moment où Malia Ann Obama, l'un des deux bébés les plus parfaits à être jamais nés, a fait son apparition dans notre monde.

14

L A MATERNITÉ EST DEVENUE MON MOTEUR. Elle dictait mes gestes, mes décisions, le rythme de mes journées. Il ne m'a pas fallu un moment, pas un instant de réflexion, pour me lancer à corps perdu dans mon nouveau rôle de mère. Je suis une maniaque du détail, et un bébé est une incroyable mine de détails. Nous observions la petite Malia, Barack et moi, captivés par le mystère de ses lèvres en bouton de rose, de sa tête noire frisée, de son regard flou et des mouvements saccadés et incontrôlés de ses membres miniatures. Nous lui donnions son bain, nous la langions, nous la tenions blottie contre nous. Nous surveillions attentivement ses repas, ses heures de sommeil, le moindre de ses gazouillis. Nous analysions le contenu de ses couches comme s'il pouvait nous livrer tous ses secrets.

C'était une toute petite personne qui nous était confiée. J'étais grisée par cette responsabilité, totalement esclave de ce petit être. Je pouvais passer une heure à la regarder respirer. Quand il y a un bébé dans une maison, le temps s'étire et se contracte, il ne respecte plus aucune règle. Une seule journée peut paraître interminable, et voilà que, soudain, six mois se sont écoulés comme par enchantement. Les effets que la parentalité avait sur nous nous faisaient rire, Barack et moi. Alors qu'autrefois nous pouvions consacrer tout un dîner à évoquer les complexités du système judiciaire des mineurs, comparant ce que j'avais appris lors de mon passage chez Public Allies à certaines idées que Barack cherchait à intégrer dans un projet de loi de réforme à présenter au sénat, nous discutions désormais, et avec une passion égale, de la trop grande dépendance de Malia à sa tétine, quand nous ne mettions pas en balance nos méthodes respectives pour l'endormir. Nous étions, comme la plupart des parents, obsessionnels et légèrement casse-pieds, et rien n'aurait su nous rendre plus heureux. Nous trimbalions la petite Malia dans son couffin chez Zinfandel lors de nos rendez-vous du vendredi, adaptant nos commandes pour pouvoir arriver et repartir rapidement, avant qu'elle ne commence à s'agiter.

Quelques mois après la naissance de Malia, j'ai repris mon travail à l'université de Chicago. J'avais négocié de ne revenir qu'à mi-temps, pensant que ce serait un arrangement gagnant-gagnant – j'imaginais pouvoir ainsi être à la fois une femme active et une mère parfaite, réalisant l'équilibre Mary Tyler Moore/Marian Robinson dont j'avais toujours rêvé. Nous avions trouvé une nounou, Glorina Casabal, d'une dizaine d'années mon aînée, qui adorait les tout-petits et savait y faire avec eux. Née aux Philippines, elle avait fait des études d'infirmière et avait élevé ses deux enfants. Glorina – « Glo » – était une petite femme infatigable, avec une coupe de cheveux courte toute simple et des lunettes à monture dorée. Elle était capable de changer une couche en douze secondes chrono. Elle possédait l'énergie polyvalente et l'hyper-compétence d'une infirmière et serait un membre à part entière, indispensable et adoré, de notre famille pendant les quelques années à venir. Sa qualité première : elle avait une passion pour mon bébé.

Ce que je n'avais pas compris – une réalité de plus à faire figurer sur ma liste de tout ce que beaucoup d'entre nous apprennent trop tard –, c'est qu'un emploi à temps partiel, surtout quand il est censé être une version abrégée de votre ancien poste à plein temps, peut être une forme de piège. C'est en tout cas ce qui s'est passé pour moi. Au travail, je continuais à assister à toutes les réunions, exactement comme avant, et j'assumais pour l'essentiel les mêmes responsabilités. La seule différence réelle était que je gagnais à présent la moitié de mon ancien salaire et que je devais m'évertuer à faire tenir dans une semaine de vingt heures tout ce que j'avais à faire. Si une réunion traînait, j'en sortais ventre à terre pour passer prendre Malia à la maison dans l'espoir d'arriver à temps (Malia impatiente et ravie, moi en nage et hors d'haleine) à la séance d'après-midi de Wiggleworms, un atelier de musique pour tout-petits organisé dans un centre musical du North Side. Ce redoublement des contraintes me rendait folle. Je me sentais coupable quand je devais prendre des coups de fil professionnels à la maison. Je me sentais coupable quand j'étais au bureau et que je me surprenais à être distraite, me demandant, par exemple, si Malia ne serait pas allergique aux arachides. Le travail à temps partiel était censé m'accorder plus de liberté, mais il me donnait surtout l'impression de tout faire à moitié. Toutes les lignes de ma vie étaient comme estompées.

Pendant ce temps, Barack semblait faire un parcours sans faute. Quelques mois après la naissance de Malia, il avait été réélu pour un nouveau mandat de quatre ans au sénat de l'Illinois, avec 89 % des voix. Il était populaire et la réussite était au rendez-vous. En jongleur habile qu'il était, il commençait déjà à voir plus grand : il envisageait de se présenter à la Chambre des représentants, espérant évincer un certain Bobby Rush, un démocrate qui achevait son quatrième mandat. Est-ce que je pensais que c'était une bonne idée ? Non. Je jugeais tout à fait improbable qu'il l'emporte, car Rush était célèbre et Barack encore quasiment inconnu. Il n'empêche que c'était désormais un homme politique et qu'il gagnait du terrain au sein du Parti démocrate. Certains de ses conseillers et partisans l'exhortaient à tenter le coup. Quelqu'un avait réalisé un sondage préliminaire qui indiquait qu'il pourrait l'emporter. Et s'il y a une chose que je sais à propos de mon mari, c'est qu'il ne faut pas lui faire miroiter une possibilité, une occasion d'élargir sa sphère d'influence, et imaginer qu'il reculera. Il ne recule pas. Jamais.

À LA FIN DE 1999, quand Malia avait presque dix-huit mois, nous l'avons emmenée à Hawaï au moment de Noël pour aller voir son arrière-grand-mère Toot, qui avait à présent 77 ans et occupait toujours l'appartement où elle vivait depuis des décennies. Il devait s'agir d'une visite de famille – la seule occasion de l'année où Toot pourrait voir son petit-fils et son arrière-petite-fille. L'hiver s'était refermé une fois de plus sur Chicago, absorbant entièrement la chaleur de l'air et le bleu du ciel. Nous commencions à fatiguer à la maison comme au travail et avions réservé une chambre dans un petit hôtel de Waikiki Beach. Nous comptions déjà les jours.

Barack avait terminé son semestre de cours à la fac de droit, et j'ai pris un congé. Mais voilà que la politique est venue nous mettre des bâtons dans les roues.

Le sénat de l'Illinois était plongé dans un débat marathon pour mettre au point les dispositions d'une loi majeure sur la criminalité. Au lieu d'interrompre sa session pour la période des fêtes, il s'est réuni en séance extraordinaire, espérant pouvoir passer au vote avant Noël. Barack m'a appelée depuis Springfield pour m'annoncer qu'il faudrait retarder notre voyage de quelques jours. La nouvelle n'avait rien de réjouissant, mais il n'y était pour rien. Tout ce que j'espérais était que nous finirions par partir. Je ne voulais pas que Toot passe Noël seule. Sans compter que nous avions grand besoin, Barack et moi, de faire une pause. Ce voyage à Hawaï devait, dans mon esprit, nous couper un peu de nos activités professionnelles et nous permettre de souffler.

Barack était désormais officiellement candidat aux primaires démocrates pour la Chambre des représentants et travaillait donc presque sans relâche. Dans une interview qu'il a accordée plus tard à un journal local, il a estimé que, au cours des quelque six mois qu'avait duré sa campagne électorale, il avait passé moins de quatre jours entiers chez nous, avec Malia et moi. Telle était la dure réalité de la campagne. En plus de ses autres responsabilités, Barack vivait avec le tic-tac d'une horloge qui lui rappelait inexorablement combien il restait d'heures et de minutes avant la primaire de mars. Ce à quoi il consacrerait chacune de ces minutes et de ces heures pouvait, théoriquement en tout cas, affecter le résultat. J'apprenais aussi que, aux yeux des organisateurs de campagne, les minutes et les heures qu'un candidat passe dans l'intimité de sa famille sont considérées comme un gaspillage de ce temps si précieux.

J'avais maintenant assez d'expérience pour être capable de me tenir relativement à l'écart des vicissitudes quotidiennes de la campagne. J'avais accordé du bout des lèvres ma bénédiction à la candidature de Barack, adoptant la position « débarrassons-nous-au-plus-vite-de-cette-corvée ». Je me disais qu'il allait peut-être se lancer, mais qu'il manquerait son entrée dans la politique nationale et que ça l'inciterait à s'engager dans tout autre chose. Dans un monde idéal (dans mon monde idéal en tout cas), Barack deviendrait quelque chose comme responsable d'une fondation, une activité où il pèserait sur des sujets importants et rentrerait dîner à la maison tous les soirs.

À mon grand soulagement, nous avons pris l'avion pour Hawaï le 23 décembre, le sénat ayant enfin interrompu sa séance sans avoir pour autant réussi à trouver un accord. Waikiki Beach a été une révélation pour la petite Malia. Elle allait son petit bonhomme de chemin le long de la plage, donnait des coups de pied dans les vagues et s'épuisait de bonheur. Nous avons passé un Noël joyeux et paisible chez Toot ; nous avons déballé nos cadeaux et admiré la patience avec laquelle elle avait entrepris de réaliser un puzzle de 5000 pièces sur une petite table. Comme toujours, les eaux vertes et indolentes d'Oahu et la gaieté de sa population nous ont aidés à déconnecter et à oublier nos tracas quotidiens, à nous plonger dans un état de béatitude, à nous laisser envahir par la délicieuse sensation de l'air chaud sur notre peau et à nous abreuver du ravissement que tout, absolument tout, inspirait à notre fille. Comme les médias ne cessaient de nous le rappeler, l'aube d'un nouveau millénaire approchait à grands pas. Et nous étions dans un endroit divin pour vivre les derniers jours de 1999.

Tout se passait à merveille jusqu'à ce que Barack reçoive un coup de fil de quelqu'un, dans l'Illinois, qui lui annonçait que le sénat avait décidé inopinément de rouvrir sa séance pour terminer l'examen de la loi sur la criminalité. S'il avait l'intention de participer au vote, il avait quelque chose comme quarante-huit heures pour regagner Springfield. Une nouvelle horloge venait de commencer à égrener les minutes. Le cœur gros, j'ai vu Barack s'agiter immédiatement, changer nos billets pour que nous puissions repartir dès le lendemain, mettant fin à nos vacances. Il fallait rentrer. Nous n'avions pas le choix. J'aurais sans doute pu rester seule avec Malia, mais ça n'aurait pas été très amusant. L'idée d'avancer notre départ ne me réjouissait pas, mais j'ai compris, une fois de plus, qu'en politique les choses se passaient comme ça. Ce scrutin était important – ce projet de loi comprenait de nouvelles mesures sur le contrôle des armes, que Barack soutenait passionnément – et s'était révélé assez clivant pour que l'absence d'un unique sénateur puisse empêcher la loi de passer. Nous devions rentrer.

Le sort en a décidé autrement. Pendant la nuit, Malia a été prise d'une forte fièvre. Elle était allée se coucher en pleine forme après avoir donné coup de pied sur coup de pied dans les vagues et, moins de douze heures plus tard, ce n'était plus qu'une masse brûlante et léthargique de souffrance, une toute petite fille aux yeux vitreux, gémissant de douleur, mais trop jeune encore pour nous expliquer où elle avait mal. Nous lui avons donné du paracétamol, ce qui n'a pas servi à grand-chose. Comme elle se tirait une oreille, j'ai soupçonné une otite. Nous avons commencé à prendre conscience de ce que cela signifiait. Assis sur le lit de Malia, nous la regardions s'enfoncer dans un sommeil agité, pénible. Nous devions monter dans l'avion quelques heures plus tard. Je voyais l'inquiétude creuser le visage de Barack, pris en étau entre deux obligations. La portée de la décision que nous allions prendre dépassait de loin l'instant présent.

« Elle ne peut pas voyager, ai-je dit. C'est hors de question.

– Je sais.

– Il va falloir rechanger les billets.

– Je sais. »

La possibilité qu'il parte seul planait dans l'air, tacite. Il pouvait franchir la porte, sauter dans un taxi pour l'aéroport et arriver à temps à Springfield pour voter. Il pouvait laisser sa fille malade et sa femme inquiète de l'autre côté du Pacifique et rejoindre ses collègues. C'était une option. Mais je n'avais pas l'intention de faire acte d'héroïsme en la lui soufflant. Je l'admets, j'étais vulnérable, d'autant que je ne savais toujours pas ce dont Malia souffrait. Et si la fièvre s'aggravait ? Et s'il fallait l'hospitaliser ? Pendant ce temps, aux quatre coins du monde, des gens plus paranos que nous préparaient des abris antiatomiques, faisaient des réserves d'argent et d'eau, redoutant que les pires prédictions du bug de l'an 2000 ne se réalisent et que l'on n'assiste à une gigantesque panne de tous les réseaux d'électricité et de communication parce que les ordinateurs seraient incapables de procéder au changement de millénaire. Rien de tout ça ne se produirait, mais tout de même. Envisageait-il vraiment de partir ?

Eh bien non. Ça ne lui a même pas traversé l'esprit.

Je n'ai pas écouté ce qu'il a dit ce jour-là à son assistant parlementaire pour expliquer son absence lors du scrutin. Ça ne m'intéressait pas. Je ne pensais qu'à notre fille. Et, dès que Barack a raccroché, il en a fait autant. Elle était la prunelle de nos yeux. Elle passait avant tout le reste.

Finalement, nous avons franchi le cap de l'an 2000 sans incident. Après deux jours de repos et d'antibiotiques, ce qui était effectivement une vilaine otite a été guéri, et notre petite Malia a recouvré son entrain habituel. La vie reprenait son cours normal. Par une autre journée au ciel d'azur, nous sommes montés dans l'avion à Honolulu pour rentrer à Chicago, où nous allions retrouver le froid hivernal et ce qui, pour Barack, a pris la tournure d'un désastre politique.

L E PROJET DE LOI SUR LA CRIMINALITÉ a été retoqué à cinq voix près. Pour moi, le calcul était simple : même si Barack était rentré à temps de Hawaï, sa voix n'aurait pas suffi à faire basculer le vote. Son absence n'en a pas moins été vertement critiquée. Ses adversaires à la primaire du Congrès ont bondi sur l'occasion et ont présenté Barack comme un élu qui manquait de sérieux, prenant du bon temps – à Hawaï, qui plus est – et ne daignant même pas rentrer de ses vacances pour voter sur un sujet aussi capital que le contrôle des armes.

Bobby Rush, titulaire sortant à la Chambre des représentants, avait perdu dans des circonstances tragiques un membre de sa famille, victime de la violence armée à Chicago quelques mois auparavant seulement. Ce drame donnait de Barack une image encore plus négative. Personne ne semblait prendre en considération qu'il était originaire de Hawaï, qu'il était allé voir sa grand-mère veuve et que sa fille était tombée malade. La seule chose qui comptait était le scrutin. La presse a enfoncé le clou pendant des semaines. L'éditorial du *Chicago Tribune* éreintait le groupe de sénateurs qui n'étaient pas venus voter ce jour-là, les présentant comme une « bande de moutons sans tripes ». L'autre adversaire de Barack, un sénateur du nom de Donne Trotter, n'y est pas allé de main morte, lui non plus, déclarant à un journaliste que « se servir de son enfant comme excuse pour ne pas aller bosser donne une piètre opinion du caractère de l'individu en question ».

Je ne m'attendais pas à ça. Je n'avais pas l'habitude de subir des attaques, ni que ma famille soit soumise au regard scrutateur de la presse. Jamais encore je n'avais vu mon mari ainsi remis en cause. J'étais outrée à l'idée qu'une bonne décision – la seule bonne décision, à mes yeux – risque de lui coûter aussi cher. Dans un article qu'il a rédigé pour l'hebdomadaire de notre quartier, Barack a calmement défendu sa décision de rester avec Malia et moi à Hawaï. « Nous entendons souvent les politiques disserter sur l'importance des valeurs familiales, écrivait-il. Votre sénateur devrait pouvoir compter sur votre compréhension quand il s'efforce de se montrer à la hauteur de ces valeurs. »

C'était comme si, avec la fugacité d'une otite d'enfant, les trois années de travail sénatorial accomplies par Barack avaient été quasiment effacées. Il avait pourtant pris l'initiative d'une refonte des lois de financement des campagnes au niveau de l'État qui avait renforcé les règles éthiques imposées aux élus. Il s'était battu pour obtenir des abattements et des réductions d'impôts pour les travailleurs pauvres et il cherchait à réduire le prix des médicaments sur ordonnance pour les personnes âgées. Il avait gagné la confiance des membres du corps législatif de l'État, républicains comme démocrates. Or aucun de ces résultats concrets ne semblait plus avoir d'importance. La course électorale avait dégénéré en une série de coups bas.

Dès le début de la campagne, les adversaires de Barack et leurs acolytes avaient propagé des idées ignobles, destinées à attiser les peurs et les soupçons des électeurs afro-américains. Ils donnaient à entendre que Barack était impliqué dans une combine des résidents blancs de Hyde Park – comprenez, les Juifs blancs – pour imposer leur candidat au South Side. « Barack est considéré par certains comme le Blanc déguisé en Noir de notre communauté », a ainsi déclaré Donne Trotter au *Reader* de Chicago. S'exprimant dans la même publication, Bobby Rush insistait : « Il est allé à Harvard et est devenu un crétin savant. Ces types bardés de diplômes réservés à l'élite de l'Est ne nous impressionnent pas. » Autrement dit, il n'est pas des nôtres. Barack n'était pas un vrai Noir, un Noir à leur image – un homme avec tant d'éloquence, tant d'allure et qui lisait tant de livres ne pourrait jamais l'être.

Ce qui me préoccupait le plus, c'est que Barack incarnait tout ce que les parents du South Side prétendaient souvent vouloir pour leurs enfants. Il personnifiait ce dont des gens comme Bobby

Rush, Jesse Jackson et tant d'autres leaders noirs parlaient depuis des années : il avait fait des études et, au lieu de tourner le dos à la communauté afro-américaine, il se plaçait désormais à son service. C'était une élection qui déchaînait les passions, nous sommes bien d'accord, mais Barack se faisait écharper pour de mauvaises raisons. J'étais surprise de constater que nos responsables politiques ne voyaient en lui qu'une menace contre leur pouvoir et n'hésitaient pas à éveiller la méfiance en jouant sur des idées rétrogrades, anti-intellectuelles, à propos de race et de classe.

J'en étais malade.

Barack, quant à lui, encaissait mieux que moi. Springfield lui avait déjà appris combien la politique pouvait être nauséabonde et il n'ignorait pas que la vérité était fréquemment déformée au service des objectifs politiques. Blessé mais déterminé, il a continué à faire campagne pendant tout l'hiver, poursuivant ses allers-retours à Springfield tout en luttant vaillamment dans la tourmente, même lorsque les dons ont commencé à refluer et les soutiens à Bobby Rush à se multiplier. À l'approche des primaires, nous ne le voyions presque plus, Malia et moi, mais il nous appelait quand même tous les soirs pour nous souhaiter bonne nuit.

Je n'en étais que plus reconnaissante des quelques jours de plage dont nous avions pu profiter. Je savais que, au fond de lui-même, Barack partageait mes sentiments. Malgré tout ce tapage, malgré toutes ces nuits passées loin de nous, jamais l'attention qu'il nous portait n'a faibli. Il ne prenait rien de ce qui nous concernait à la légère. J'entendais un frémissement d'angoisse dans sa voix presque chaque fois qu'il raccrochait. C'était un peu comme si, chaque fois, il était obligé de voter à nouveau, de choisir entre famille et politique, entre politique et famille.

En mars, Barack a perdu la primaire démocrate, qui s'est achevée par la victoire écrasante de Bobby Rush.

Pendant tout ce temps, je n'ai cessé de serrer notre petite fille dans mes bras.

PUIS NOUS AVONS EU NOTRE SECONDE FILLE. Natasha Marian Obama est née le 10 juin 2001 au centre hospitalier de l'université de Chicago, après une unique tentative de FIV, une grossesse d'une simplicité divine suivie d'un accouchement facile, pendant que

Malia, qui avait maintenant presque 3 ans, attendait à la maison avec ma mère. Notre bébé était superbe, un petit agneau avec une tignasse de cheveux noirs et des yeux bruns attentifs – le quatrième coin de notre carré. Barack et moi étions aux anges.

Nous avions décidé de l'appeler Sasha. J'aimais le côté effronté de ce nom. Une Sasha ne se laisserait pas faire. Comme tous les parents, je voulais ce qu'il y avait de mieux pour nos enfants, je priais pour qu'il ne leur arrive aucun mal. J'espérais qu'en grandissant mes filles seraient brillantes et énergiques, optimistes comme leur père et déterminées comme leur mère. Plus que tout, je voulais qu'elles soient fortes, qu'elles possèdent une forme d'inflexibilité qui leur permettrait de rester debout et d'avancer, envers et contre tout. J'ignorais ce qui nous attendait, je ne savais pas quelle tournure prendrait notre vie familiale – la vie serait-elle un long fleuve tranquille, une route semée d'embûches, ou bien, comme pour la plupart des gens, un mélange des deux ? Quel que soit l'avenir, ma responsabilité consistait seulement à les y préparer.

Mon travail à l'université m'avait usée. Il m'avait imposé un périlleux numéro de funambulisme tout en grevant notre budget en frais de garde d'enfant. Après la naissance de Sasha, je me suis interrogée. Avais-je vraiment envie de reprendre mon travail ? Notre famille n'avait-elle pas tout à gagner à ce que je reste à la maison à temps plein ? Glo, notre précieuse nounou, s'était vu proposer un emploi d'infirmière mieux payé et avait décidé à contrecœur de poursuivre son chemin. Je ne pouvais pas le lui reprocher, évidemment, mais son départ a tout chamboulé dans mon cœur de mère active. En s'investissant dans ma famille, elle m'avait permis de continuer à m'investir dans mon travail. Elle aimait nos enfants comme les siens. J'ai versé toutes les larmes de mon corps le jour où elle nous a annoncé sa décision, car je savais que nous aurions bien du mal à conserver notre équilibre sans elle. Je savais aussi que nous avions eu, au départ, beaucoup de chance de disposer des ressources nécessaires pour l'engager. Maintenant qu'elle était partie, j'avais l'impression d'être amputée d'un bras.

J'adorais être avec mes petites filles. J'avais une conscience aiguë du prix de chaque heure, de chaque minute passée à la maison, surtout avec l'emploi du temps irrégulier de Barack. J'ai repensé à la décision de ma mère de rester chez nous pour s'occuper de Craig et moi. J'avais certainement tort d'idéaliser sa vie – d'imaginer qu'elle s'épanouissait en nettoyant les rebords de fenêtre et en cousant nos vêtements –, mais, en songeant à la vie que j'avais menée, j'étais séduite par le charme suranné de cette existence. Je pensais que c'était possible et que ça valait le coup d'essayer. L'idée de n'avoir plus qu'une tâche à assumer au lieu de deux, de ne plus avoir le cerveau brouillé par les récits concurrents de la maison et du travail, m'attirait. Par ailleurs, nous pouvions nous le permettre financièrement. De chargé de cours à la fac de droit, Barack avait été promu maître de conférences, ce qui nous donnait droit à une réduction des frais de scolarité à la Laboratory School de l'université, où Malia allait bientôt entrer en maternelle.

C'est à cette époque que j'ai reçu un coup de fil de Susan Sher, mon ancienne collègue de la mairie dont j'avais été si proche, et qui était désormais avocate principale et vice-présidente du centre hospitalier de l'université de Chicago où venait de naître Sasha. Le centre avait un nouveau président dont tout le monde chantait les louanges, et dont une des priorités était d'améliorer le programme de sensibilisation en direction des communautés. Il désirait engager un directeur exécutif chargé des affaires communautaires, un poste qui paraissait fait sur mesure pour moi. Étais-je partante pour passer un entretien ?

J'ai hésité ne serait-ce qu'à envoyer mon CV. C'était une occasion en or, mais je venais de me convaincre que j'avais tout à gagner – que nous avions tout à gagner – à ce que je reste à la maison. En plus, je n'étais pas au mieux de ma forme et je me voyais mal me faire un brushing et enfiler un tailleur. Je me levais régulièrement la nuit pour allaiter Sasha. Je manquais de sommeil, et mon moral s'en ressentait. Même si j'étais toujours une maniaque de l'ordre, j'étais en train de perdre la bataille. Notre appartement était jonché de jouets de bébé, de livres d'enfants et de paquets de couches. Je ne sortais jamais sans une poussette géante et un sac à langer pas très glamour contenant la panoplie indispensable : un sachet en plastique rempli de Cheerios, quelques jouets fétiches et un jeu de vêtements de rechange – pour tout le monde.

Mais la maternité m'avait aussi valu de merveilleuses amitiés. J'avais pu entrer en relation avec un groupe de femmes actives et former un petit cercle où nous bavardions et échangions des conseils pratiques. Nous avions pour la plupart une bonne trentaine d'années et nous exercions toutes sortes de métiers, dans le secteur bancaire, pour le gouvernement ou dans le milieu associatif. Nous étions plusieurs à avoir eu des enfants au même moment. Plus nous en avons eu, plus nous avons été soudées. Nous nous voyions presque tous les week-ends. Nous faisions du baby-sitting les unes pour les autres, organisions des sorties communes au zoo et achetions des billets de groupe pour Disney on Ice. Quelquefois, le samedi après-midi, nous lâchions toute notre bande de gamins dans la salle de jeux de l'une d'entre nous et nous débouchions une bouteille de vin.

Toutes ces femmes étaient instruites, ambitieuses, dévouées à leurs enfants, et, pour la plupart, se posaient autant de questions que moi sur la manière d'arriver à concilier leurs multiples obligations. S'agissant de nos tâches professionnelles et maternelles, tous les modèles coexistaient. Certaines travaillaient à temps complet, certaines à temps partiel, d'autres étaient mères au foyer. Certaines laissaient leurs enfants manger des hot dogs et des chips ; d'autres n'autorisaient que les céréales complètes. Quelques-unes avaient des maris super-impliqués ; d'autres, des maris comme le mien, surbookés et souvent absents. Certaines de mes amies étaient parfaitement heureuses ; d'autres étaient en quête de changements, cherchant un équilibre différent. Nous vivions pour la plupart dans un état de réajustement permanent, apportant des modifications à telle ou telle sphère de notre vie en espérant qu'une autre gagnerait ainsi en stabilité.

Nos après-midi m'ont appris qu'il n'y a pas de recette pour être une bonne mère. Aucune façon de faire ne peut être recommandée ni condamnée. C'était un enseignement précieux. Le mode de vie et les raisons de chacune avaient beau être complètement différents, tous les petits enfants réunis dans cette salle de jeux étaient aimés et grandissaient bien. Chaque fois que nous nous retrouvions, j'éprouvais intensément la force collective de toutes ces femmes qui cherchaient à bien faire avec leurs gamins : quoi qu'il advînt, je savais qu'on se serrerait les coudes et qu'on s'en sortirait toutes.

Après en avoir longuement discuté avec Barack et avec mes amies, j'ai décidé de passer un entretien pour le poste à l'hôpital de l'université, histoire de voir au moins de quoi il s'agissait. Je pensais avoir le profil parfait. Je possédais les compétences nécessaires et je ne manquais pas de passion. Mais si j'acceptais cette offre, il faudrait que je négocie en position de force, et que j'obtienne des conditions dont ma famille ne pâtisse pas. J'étais capable de m'en sortir, pourvu que je ne sois pas surchargée de réunions stériles et que j'aie la liberté de gérer mon temps à ma guise, de travailler chez moi au besoin et de quitter le bureau pour filer à la garderie ou passer chez le pédiatre quand il le fallait.

Par ailleurs, je ne voulais plus travailler à temps partiel. J'en avais fini avec ça. Je voulais un poste à temps plein, et un salaire confortable pour que nous puissions plus facilement financer un système de garde d'enfants et employer une femme de ménage – ce qui me permettrait de laisser tomber le chiffon à poussière et de passer mon temps libre à jouer avec les filles. Et je ne cacherais rien de la pagaille de mon existence, depuis le bébé à allaiter et ma fille de 3 ans en maternelle jusqu'à l'agenda politique chaotique de mon mari, qui m'obligeait à assumer plus ou moins la responsabilité de tous les aspects de notre vie familiale.

Un peu impudemment sans doute, j'ai déballé tout ça lors de mon entretien avec Michael Riordan, le nouveau président de l'hôpital. J'avais même emmené avec moi Sasha, qui avait alors trois mois. Je ne me rappelle plus très bien comment les choses s'étaient passées, si j'avais été incapable de trouver une baby-sitter ce jour-là ou si je n'avais même pas pris la peine d'en chercher une. Sasha était toute petite et avait encore besoin de moi. C'était une réalité de ma vie – une réalité mignonne, gazouillante, mais incontournable – et quelque chose m'a poussée, presque littéralement, à la mettre sur la table lors de cet entretien. *Me voici, disais-je, et voici mon bébé.*

Par miracle, mon futur patron a paru comprendre. S'il a éprouvé la moindre réserve quand je lui expliquais que j'avais absolument besoin d'horaires aménagés tout en faisant sauter Sasha sur mes genoux, il n'en a rien dit. Je suis sortie de cet entretien plutôt satisfaite et à peu près certaine qu'on me proposerait le poste. Quelle que soit l'issue, je savais que j'avais fait quelque chose de bon pour moi en exposant mes besoins. Le simple fait de les formuler à haute et intelligible voix me donnait du pouvoir. Avec les idées claires et un bébé qui commençait à s'agiter, je me suis dépêchée de rentrer à la maison.

NOTRE BILAN FAMILIAL se présentait désormais ainsi : nous avions deux enfants, trois emplois, un appartement et zéro temps libre. J'ai accepté le poste qu'on me proposait à l'hôpital ; Barack continuait d'enseigner et d'exercer ses fonctions de sénateur. Nous étions tous les deux membres du conseil d'administration de plusieurs associations. Barack avait beau avoir été meurtri par sa défaite à la primaire des élections à la Chambre des représentants, il n'avait pas renoncé à briguer des fonctions plus élevées. George W. Bush était maintenant président. Notre pays avait subi le choc et la tragédie des attentats terroristes du 11 Septembre. La guerre faisait rage en Afghanistan, les États-Unis avaient mis en place un nouveau système d'alerte basé sur un code couleur en cas de menace terroriste, et Oussama Ben Laden se terrait, semblait-il, quelque part dans une grotte. Comme toujours, Barack assimilait attentivement chaque bribe d'information et vaquait à ses affaires tout en élaborant silencieusement ses propres idées sur tout ce qui se passait.

Je ne me rappelle pas exactement quand il a évoqué pour la première fois l'éventualité de sa candidature au Sénat des États-Unis. Cette idée était encore en germe et la décision concrète ne se prendrait pas avant plusieurs mois, mais, visiblement, elle avait commencé à frémir dans l'esprit de Barack. En revanche, je me souviens parfaitement de ma réaction. Elle s'est limitée à un regard incrédule qui disait clairement : *Tu ne crois pas que nous sommes déjà assez occupés comme ça ?*

Mon aversion pour la politique ne faisait que grandir, moins à cause de ce qui se passait à Springfield ou à Washington que parce que, cinq ans après le début de son mandat de sénateur de l'Illinois, l'emploi du temps surchargé de Barack commençait sérieusement à me porter sur les nerfs. Alors que Sasha et Malia grandissaient, je constatais que le rythme ne cessait de s'accélérer et que la liste de choses à faire s'allongeait, m'obligeant à vivre

constamment en surrégime. Nous faisions tout ce que nous pouvions, Barack et moi, pour protéger les filles et leur assurer une
vie calme. Nous avions recruté une nouvelle nounou pour nous
aider à la maison. Malia était heureuse à la Laboratory School de
l'université de Chicago, elle s'était fait des copines et remplissait
son petit calendrier personnel, entre fêtes d'anniversaire et cours de
natation le week-end. Sasha avait maintenant un an, elle avançait
en chancelant sur ses deux jambes et commençait à prononcer des
mots et à nous faire craquer avec ses sourires à 100 000 watts.
Elle était très curieuse et bien décidée à faire tout comme Malia
et ses copains de 4 ans. Mon travail à l'hôpital me plaisait, bien
que j'aie découvert que le meilleur moyen de ne pas me laisser
déborder était de m'arracher de mon lit à 5 heures du matin et
de passer deux heures devant l'ordinateur avant que le reste de
la famille se réveille.

Le soir venu, j'étais épuisée, ce qui créait parfois des tensions
avec mon oiseau de nuit de mari qui arrivait le jeudi soir de
Springfield plein d'entrain, impatient de se jeter tête la première
dans la vie de famille pour rattraper le temps perdu. Or le temps
était officiellement devenu un problème entre nous. Si le mépris
de Barack pour la ponctualité avait pu m'inspirer autrefois de
tendres taquineries, il s'était transformé en motif d'exaspération
pure et simple. Je savais qu'il était heureux quand le jeudi soir
arrivait. Son enthousiasme était perceptible quand il m'appelait
pour m'annoncer qu'il avait fini son travail et prenait enfin la
route pour rentrer. Je comprenais qu'il était plein de bonnes
intentions quand il me disait : « J'arrive ! », ou : « Je suis presque
à la maison. » Et, l'espace d'un instant, j'y croyais. Je donnais
leur bain aux filles, mais je retardais l'heure du coucher pour
qu'elles puissent embrasser leur papa. Ou bien je les faisais dîner
et les couchais, mais je repoussais mon propre dîner, allumais
quelques bougies et me réjouissais de partager un repas avec
Barack.

Puis j'attendais. J'attendais si longtemps que les yeux de
Sasha et de Malia commençaient à se fermer et que j'étais obligée de les porter dans leurs lits. Ou j'attendais seule, affamée
et de plus en plus contrariée, sentant mes propres paupières
s'alourdir et voyant la cire des bougies former des flaques sur

la table. *J'arrive* était en réalité l'expression de l'éternel optimisme de Barack, l'affirmation de son impatience de rentrer, qui ne signifiait absolument pas qu'il était effectivement sur le point d'arriver. *Je suis presque à la maison* n'était pas une indication de la distance qui le séparait de chez nous, mais plutôt un état d'esprit. Certaines fois, il était effectivement en route, mais devait passer voir un collègue pour une dernière conversation de quarante-cinq minutes avant de monter en voiture. D'autres fois, il était presque à la maison, mais oubliait de préciser qu'il avait décidé de faire un saut à la salle de sport.

Dans la vie que nous menions avant d'avoir les enfants, ces sources d'agacement pouvaient paraître futiles. Mais j'étais désormais une mère de famille qui travaillait à plein temps, avait un mari à mi-temps et se levait avant l'aube, et je sentais ma patience faiblir peu à peu jusqu'à disparaître complètement. Quand Barack arrivait enfin à la maison, il me trouvait fulminante ou indisponible, après avoir éteint toutes les lampes de la maison pour aller me coucher, boudeuse.

Nous REPRODUISIONS LES MODÈLES que nous avions connus. Barack avait grandi sans père, et sa mère allait et venait. Elle lui était dévouée, mais ne s'était jamais enchaînée à lui, et il ne voyait rien à redire à cette attitude. Il avait eu les collines, les plages et son propre esprit pour lui tenir compagnie. L'indépendance était importante dans le monde de Barack. Elle l'avait toujours été et le serait toujours. Pour ma part, j'avais été élevée à l'intérieur de la trame compacte de ma propre famille, dans notre appartement exigu, dans notre quartier exigu du South Side, entourée de mes grands-parents, d'oncles et de tantes, tout le monde serré autour de la même table pour nos dîners dominicaux rituels. Au bout de treize ans d'amour, il fallait que Barack et moi réfléchissions attentivement à ce que cela signifiait.

En résumé, je me sentais vulnérable quand il n'était pas là. Non pas parce qu'il n'était pas entièrement dévoué à notre couple – ce dévouement est et a toujours été une certitude absolue de ma vie –, mais parce que, ayant été élevée dans une famille où tout le monde était toujours présent, je pouvais me sentir abandonnée dès que quelqu'un manquait à l'appel. La solitude me pesait et désormais, de surcroît, je prenais farouchement la défense des filles et de leurs besoins. Nous voulions qu'il soit là. Il nous manquait quand il était parti. J'avais peur qu'il ne comprenne pas ce que nous ressentions. J'avais peur que la voie sur laquelle il s'était engagé – et qu'il paraissait bien décidé à poursuivre – ne finisse par éclipser tous nos besoins. Quand il avait évoqué pour la première fois son projet de se présenter aux sénatoriales de l'Illinois plusieurs années auparavant, nous n'étions que deux en cause. Je n'imaginais pas les conséquences que le choix de la politique pourrait avoir plus tard, quand deux enfants seraient venus s'ajouter à l'équation. Or les années m'avaient appris que la politique n'est jamais très douce pour les familles. J'en avais eu un aperçu dès le lycée, grâce à mon amitié avec Santita Jackson, et j'avais pu le constater une nouvelle fois quand les adversaires politiques de Barack avaient exploité à ses dépens sa décision de rester à Hawaï aux côtés de Malia malade.

Certains jours, en regardant les infos ou en lisant le journal, je me prenais à scruter les photos de personnes qui s'étaient entièrement consacrées à la vie politique – les Clinton, les Gore, les Bush, de vieux clichés des Kennedy – et à me demander quelles histoires se cachaient derrière ces images. Est-ce qu'ils étaient normaux ? Heureux ? Est-ce que leurs sourires étaient sincères ?

Nos frustrations commençaient à se manifester souvent et intensément. Nous nous aimions profondément, Barack et moi, mais c'était comme si au cœur de notre relation s'était formé un nœud que nous étions incapables de démêler. J'avais 38 ans et j'avais vu d'autres couples se déliter, ce qui m'incitait à vouloir protéger le nôtre. Certaines de mes amies proches avaient vécu des ruptures dévastatrices, imputables à des problèmes mineurs dont personne ne s'était préoccupé ou à un manque de communication qui avait fini par provoquer des failles irréparables. Deux ans plus tôt, mon frère Craig était revenu s'installer provisoirement dans l'appartement du premier où nous avions vécu, au-dessus de chez notre mère, parce que son propre mariage s'était désagrégé lentement et douloureusement.

Au départ, Barack n'était pas très chaud pour aller consulter un conseiller conjugal. Il avait l'habitude de s'atteler à des problèmes complexes et de trouver des solutions en mobilisant son intelligence.

L'idée de s'asseoir devant un inconnu lui paraissait gênante, voire un tantinet dramatique. Ne suffisait-il pas de faire un saut chez Borders et d'acheter un livre sur les problèmes de couple ? Ne pouvions-nous pas discuter de tout ça en tête-à-tête ? Mais moi, je voulais vraiment parler, je voulais vraiment écouter, et pas tard dans la nuit ni à des moments de la journée que nous aurions pu passer avec les filles. Les rares personnes que je connaissais qui étaient allées voir un conseiller conjugal et qui étaient assez ouvertes pour en parler m'affirmaient que ça leur avait fait du bien. J'ai donc pris rendez-vous chez un psychologue que m'avait recommandé une amie et nous sommes allés le voir plusieurs fois, Barack et moi.

Notre conseiller – appelons-le M. Woodchurch – était un Blanc à la voix calme et posée qui avait fréquenté de bonnes universités et était toujours habillé en treillis. J'étais partie de l'hypothèse qu'il écouterait ce que Barack et moi avions à dire et validerait immédiatement tous mes griefs. Parce que, à mes yeux, chacun de ces griefs était parfaitement justifié. Je ne peux que supposer que Barack devait en penser autant des siens !

Et voici la grande découverte que j'ai faite en matière de conseil conjugal : il n'y a pas eu de validation. M. Woodchurch n'a pas pris parti. Quand il a été question de nos dissensions, il n'a à aucun moment accordé sa voix à l'un ou l'autre d'entre nous. En revanche, il s'est montré plein d'empathie, il nous a écoutés patiemment, nous guidant doucement l'un et l'autre à travers le dédale de nos sentiments, retirant délicatement nos armes de nos plaies. Il nous rappelait à l'ordre quand notre côté juriste menaçait de l'emporter, et nous posait des questions subtiles destinées à nous faire réfléchir sérieusement aux raisons pour lesquelles nous éprouvions tel ou tel sentiment. Peu à peu, au fil de longues heures de discussion, le nœud a commencé à se desserrer. Chaque fois que nous sortions de son cabinet, Barack et moi, nous nous sentions un peu plus proches l'un de l'autre.

J'ai commencé à admettre qu'il existait des solutions pour que je sois plus heureuse, et qu'elles n'impliquaient pas obligatoirement que Barack renonce à la politique pour aller travailler dans une fondation de 9 heures à 18 heures. (Nos séances avaient au moins eu le mérite de me faire comprendre que c'était un espoir irréaliste.) J'ai commencé à reconnaître que j'avais attisé ce qu'il y avait de plus négatif en moi, convaincue d'être victime d'une injustice flagrante avant de rassembler, en bonne avocate formée à Harvard, les preuves susceptibles d'étayer cette hypothèse. J'ai alors formulé à titre d'essai une nouvelle hypothèse : peut-être étais-je davantage responsable de mon bonheur que je ne me permettais de l'être. J'étais, par exemple, trop occupée à en vouloir à Barack de réussir à intégrer dans son emploi du temps une séance de sport pour tenter même de réfléchir à la manière dont je pourrais, moi aussi, faire un peu d'exercice. J'avais passé tant de temps à me mettre dans tous mes états en me demandant s'il arriverait à l'heure pour le dîner que les dîners, avec ou sans lui, ne m'apportaient plus aucun plaisir.

Tel a été l'instant charnière pour moi, ma position d'arrêt. Comme un alpiniste sur le point de dévisser, j'ai solidement enfoncé mon piolet dans le sol. Je ne veux pas dire que Barack n'a rien changé à sa façon d'être – le conseiller conjugal l'a aidé à prendre conscience de notre manque de communication et il s'est efforcé d'y remédier –, mais j'ai de mon côté procédé à un certain nombre de rectifications. Elles m'ont aidée, ce qui nous a aidés. Pour commencer, je me suis à nouveau préoccupée de ma forme. Nous fréquentions le même club de gym, Barack et moi, dirigé par un entraîneur jovial et stimulant, Cornell McClellan. J'avais fait de l'exercice avec Cornell pendant plusieurs années, mais la naissance des filles avait eu raison de mes bonnes habitudes. J'ai pu les reprendre grâce à ma mère, qui travaillait encore à plein temps, mais qui a eu la bonté d'accepter de venir chez nous à 4 h 45 le matin plusieurs fois par semaine – ce qui me permettait de filer chez Cornell, où je rejoignais une amie pour une séance de gym. Je rentrais à 6 h 30 pour lever les filles et les préparer. Ce nouvel emploi du temps a tout changé : j'avais retrouvé calme et force, deux qualités que je craignais de perdre tout à fait.

Quant au dilemme du dîner, j'ai instauré de nouvelles règles, qui nous convenaient mieux, aux filles et à moi. Nous avions un horaire et nous nous y tenions. Nous dînions à 18 h 30 tous les soirs. Le bain était à 19 heures, suivi par un moment de lecture, un câlin et l'extinction des feux à 20 heures tapantes. Cet emploi du temps était irrévocable. À Barack de voir s'il réussissait à y trouver place ou non. Cela relevait de sa responsabilité. À mes yeux, cette solution était bien plus raisonnable que de retarder l'heure du dîner ou de faire attendre les filles, à moitié endormies, pour qu'elles puissent dire bonsoir à leur papa. Je souhaitais les voir grandir solides, concentrées sur elles-même, mais aussi rétives à l'égard de toute forme de patriarcat désuet : je ne voulais pas qu'elles s'imaginent que la vie ne commençait que quand l'homme de la maison rentrait. Nous n'attendions pas papa. À lui de se débrouiller pour nous rattraper.

15

CLYBOURN AVENUE, juste au nord du centre de Chicago, abritait un étrange paradis qui semblait fait pour les parents actifs, qui semblait fait pour moi : un centre commercial ordinaire, éminemment américain, où l'on trouvait tout. Il y avait un BabyGap, un Best Buy, un Gymboree et une pharmacie auxquels s'ajoutait une poignée d'autres chaînes, grandes et petites, destinées à satisfaire les besoins urgents de tout consommateur, qu'il s'agisse d'une ventouse, d'un avocat bien mûr ou d'un bonnet de bain pour enfant. Il y avait aussi, juste à côté, un Container Store et, pour couronner le tout, un grill mexicain. C'était mon endroit de prédilection. Je pouvais me garer, traverser ventre à terre deux ou trois boutiques en attrapant ce dont j'avais besoin, avaler en vitesse un burrito et être de retour au bureau en moins d'une heure. J'étais une pro du raid de midi – je remplaçais les chaussettes égarées, dénichais un cadeau pour le petit qui fêtait ses 5 ans le samedi suivant, nous réapprovisionnais en packs de jus de fruits et en compotes de pommes.

Sasha et Malia avaient à présent 3 et 6 ans. C'étaient des petites filles futées et pleines d'entrain, qui grandissaient à toute allure. Leur énergie entamait un peu la mienne, ce qui ne faisait qu'accroître l'attrait du centre commercial. Certains jours, je restais assise dans ma voiture en stationnement et je prenais mon déjeuner seule en écoutant l'autoradio, dans un état de soulagement béat, épatée par ma propre efficacité. C'était ça, la vie avec de jeunes enfants. C'était ce qu'on pouvait parfois considérer comme un exploit. J'avais bien pensé à la compote de pommes. Je prenais le temps de déjeuner. Tout le monde était encore en vie.

Vous avez vu un peu comment je gère tout ça ? avais-je envie de dire à mon public absent. *Comme je m'en sors haut la main ?*

C'était moi à 40 ans, un peu June Cleaver, un peu Mary Tyler Moore. Dans mes meilleurs jours, je me félicitais de ce succès. L'équilibre de ma vie n'était élégant que de loin, et encore fallait-il plisser les yeux, mais au moins il y avait un semblant d'équilibre. J'étais contente d'avoir pris ce poste à l'hôpital : c'était un travail exigeant, satisfaisant et conforme à mes convictions. J'ai été étonnée de découvrir qu'un grand établissement aussi réputé qu'un centre hospitalier universitaire employant 9 500 salariés fonctionnait de façon aussi traditionnelle. Il était dirigé pour l'essentiel par des universitaires qui faisaient de la recherche médicale, publiaient des articles et, en règle générale, semblaient trouver le quartier qui les entourait trop effrayant pour qu'ils aient l'audace de traverser une seule rue en dehors du campus. Leur peur me galvanisait. C'était elle qui me tirait du lit tous les matins.

J'avais vécu presque toute ma vie près de ces barrières – j'avais pu observer l'inquiétude des Blancs de mon quartier, relever les stratagèmes subtils que mettaient en place les gens plus ou moins influents pour prendre leurs distances avec ma communauté d'origine et s'agglutiner au sein d'îlots de richesse qui paraissaient de plus en plus éloignés. Je pouvais désormais m'atteler à détruire au moins une partie de ces cloisons, à abattre les barrières partout où c'était possible – essentiellement en encourageant les gens à essayer de mieux se connaître. J'étais soutenue par mon nouveau patron ; il m'accordait la liberté de construire un projet personnel, de créer un lien plus solide entre l'hôpital et la communauté qui l'entourait. Ayant commencé avec un seul collaborateur, je me suis trouvée pour finir à la tête d'une équipe de vingt-deux personnes. J'ai mis au point des programmes pour conduire le personnel et les administrateurs de l'hôpital dans des quartiers situés autour du South Side et leur faire visiter des centres communautaires et des écoles. Je les ai recrutés pour des heures de soutien scolaire et pour servir d'animateurs et de jurés dans des exposciences, je leur ai fait essayer les restaurants à grillade du coin. Nous avons emmené les gamins du quartier en stages d'observation auprès du

personnel hospitalier, nous avons développé un programme destiné
à inciter les habitants à venir en plus grand nombre faire du bénévolat à l'hôpital et nous avons pris part à des stages d'orientation
mis en place par la fac de médecine afin d'encourager les élèves
de la communauté à envisager une carrière médicale. Convaincue
que le système hospitalier avait tout à gagner à confier les tâches
externalisées à des entreprises dirigées par des membres des minorités ou par des femmes, j'ai également contribué à la création du
Bureau pour la diversité en entreprise.

Enfin, je me suis intéressée au problème de tous ceux qui
avaient désespérément besoin de se faire soigner. Le South Side,
qui comptait pourtant un peu plus d'un million d'habitants, était
un désert médical. Or sa population était affectée, bien plus que la
moyenne, par le type de maladies chroniques qui tendent à acca-
bler les pauvres – asthme, diabète, hypertension, affections car-
diaques. Un nombre considérable de gens ne disposaient d'aucune
assurance santé et beaucoup d'autres dépendaient de Medicaid[1].
Aussi les patients avaient-ils tendance à encombrer les services
d'urgence de l'hôpital universitaire pour des pathologies qui ne
relevaient pas de ce type de médecine ou parce qu'ils avaient
échappé si longtemps aux programmes de prévention qu'ils se
trouvaient dans une situation de détresse extrême. Le problème
était flagrant : ce mode de fonctionnement était onéreux, ineffi-
cace et stressant pour tous. De plus, la santé à long terme des
patients ne tirait pas grand avantage d'un passage aux urgences.
Tâcher de remédier à cette situation a été l'un de mes principaux
chevaux de bataille. Nous avons entrepris, entre autres, d'engager
et de former des accompagnateurs médicaux – des gens du coin
gentils et bienveillants – qui escortaient les patients aux urgences,
les aidaient à respecter leurs rendez-vous de suivi dans des centres
de santé communautaires et leur expliquaient à qui ils pouvaient
s'adresser pour obtenir des soins réguliers corrects et abordables.

Mon travail était intéressant et gratifiant, mais il fallait que
je veille à ne pas me laisser dévorer. J'avais le sentiment que
je devais ça à mes filles. Notre décision de laisser Barack poursuivre sa carrière politique – de lui accorder la liberté de façonner

---

1. Programme destiné à fournir une assurance maladie aux personnes disposant de
faibles ressources. Il est géré par les États, et cofinancé par le gouvernement fédéral.

et de concrétiser ses rêves – m'a conduite à brider mon propre acharnement professionnel. J'ai délibérément laissé mon ambition s'étioler et j'ai reculé à des moments où, normalement, j'aurais foncé. Je ne pense pas que qui que ce soit dans mon entourage ait pu estimer que je n'en faisais pas assez, mais j'étais perpétuellement consciente d'être en défaut sur certains points. Il y avait des projets mineurs auxquels je décidais de ne pas m'atteler ; de jeunes employés que j'aurais pu mieux accompagner. On entend constamment parler des compromis que sont obligées de faire les mères de famille qui travaillent. J'avais le nez dessus. Moi qui m'étais toujours jetée à corps perdu dans toutes les tâches, j'étais à présent plus prudente, plus économe de mon temps, consciente qu'il fallait que je garde suffisamment d'énergie pour ma vie de famille.

MES OBJECTIFS SE RÉSUMAIENT POUR L'ESSENTIEL à préserver la normalité et la stabilité. Ces objectifs ne seraient jamais ceux de Barack. Nous l'admettions et l'acceptions mieux qu'avant. Un yin, un yang. J'étais obsédée par la routine et l'ordre, pas lui. Il pouvait vivre dans l'océan ; j'avais besoin d'un bateau. Mais, quand il était à la maison, il était merveilleusement présent ; il se mettait à plat ventre par terre pour jouer avec les filles, lisait *Harry Potter* à haute voix avec Malia le soir, riait à mes blagues, me serrait dans ses bras, nous rappelait son amour et son soutien avant de redisparaître pour quatre jours ou davantage. Nous profitions au mieux de ses instants de liberté en dînant à l'extérieur et en voyant des amis. Il me faisait plaisir en regardant (une fois de temps en temps) *Sex and the City*. Je lui faisais plaisir en regardant (une fois de temps en temps) *Les Soprano*. Je m'étais faite à l'idée que ses absences étaient indissociables de son travail. Ça ne me plaisait pas, mais, pour l'essentiel, j'avais cessé de me battre. Peu m'importait, après tout, que Barack finisse tranquillement sa journée dans un hôtel lointain tandis que couvaient toutes sortes de luttes politiques et qu'une masse de problèmes restaient en suspens. Pendant ce temps, moi, je vivais pour le cocon familial – pour le sentiment de plénitude que j'éprouvais chaque soir après avoir bordé Sasha et Malia, quand le lave-vaisselle ronronnait dans la cuisine.

J'avais intérêt, en tout état de cause, à m'habituer aux absences de Barack, parce qu'elles avaient peu de chances de prendre fin. En plus de son travail habituel, il était de nouveau en campagne, cette fois pour briguer un siège au Sénat des États-Unis lors des élections de l'automne 2004.

Il avait peu à peu commencé à trépigner à Springfield, agacé par le rythme languissant de l'administration de l'État, convaincu qu'il pourrait faire plus et mieux à Washington. Sachant aussi bien l'un que l'autre que j'avais mille raisons d'être hostile à une candidature au Sénat et que lui-même ne manquait pas d'arguments à m'opposer, nous avons rassemblé au milieu de l'année 2002 une dizaine de nos meilleurs amis chez Valerie Jarrett pour une réunion informelle autour d'un brunch : nous prévoyions de leur exposer l'affaire et de voir ce qu'ils en pensaient.

Valerie vivait dans un grand immeuble pas très loin de chez nous, à Hyde Park. Son appartement était propre et moderne, avec des murs et des meubles blancs, des gerbes de superbes orchidées ajoutant quelques touches de couleurs vives. Elle était alors vice-présidente exécutive d'une société immobilière et administratrice du centre hospitalier de l'université de Chicago. Elle avait soutenu mes efforts chez Public Allies et avait participé aux collectes de fonds pour les différentes campagnes de Barack, n'hésitant jamais à mettre son épais carnet d'adresses au service de nos entreprises les plus diverses. Pour cette raison, et parce qu'elle était chaleureuse et clairvoyante, Valerie occupait une place à part dans nos vies. Notre amitié était, à parts égales, personnelle et professionnelle. Et Valerie était aussi, à parts égales, mon amie et celle de Barack, ce qui, à en juger par mon expérience personnelle, n'est pas fréquent dans un couple. J'avais mon groupe de mamans de choc tandis que Barack passait le peu de temps libre dont il disposait à jouer au basket avec sa bande de copains. Nous avions quelques couples d'excellents amis, dont les enfants jouaient avec les nôtres, des familles avec qui nous aimions prendre nos vacances. Mais Valerie, c'était autre chose. Elle était comme une grande sœur pour chacun de nous, quelqu'un qui nous aidait à prendre du recul et à évaluer plus justement nos dilemmes quand il s'en présentait. Elle voyait clairement en nous, voyait clairement nos objectifs, et nous protégeait l'un comme l'autre.

Avant cette réunion, elle m'avait confié n'être pas convaincue de l'opportunité d'une candidature de Barack au Sénat. Je suis donc arrivée au brunch, ce matin-là, persuadée que l'affaire était pliée.

Je m'étais trompée.

La course au Sénat était une occasion unique, nous a expliqué Barack ce jour-là. Il pensait avoir une chance réelle de l'emporter. Le sénateur sortant, Peter Fitzgerald, était un républicain conservateur dans un État de plus en plus démocrate, qui avait par ailleurs du mal à conserver le soutien de son propre parti. Selon toute probabilité, il y aurait des candidatures multiples à la primaire, ce qui voulait dire que Barack n'aurait besoin que d'une majorité relative pour obtenir l'investiture démocrate. S'agissant d'argent, il m'a assuré qu'il n'aurait pas besoin de toucher à nos finances personnelles. Quand je lui ai demandé comment il envisageait de couvrir nos dépenses quotidiennes si nous devions avoir un logement à Washington et un autre à Chicago, il m'a répondu : « Eh bien, je vais écrire un autre livre ; ce sera un livre important, un livre qui rapportera de l'argent. »

J'ai éclaté de rire. Il n'y avait que Barack pour avoir ce genre d'idées, pour imaginer qu'un livre pouvait résoudre tous les problèmes. Il était comme le petit garçon de « Jack et le haricot magique », l'ai-je taquiné, qui échange l'unique moyen de subsistance de sa famille contre une poignée de graines de haricot, convaincu qu'elles produiront quelque chose, même si personne d'autre n'y croit.

Sur tous les autres fronts, la logique de Barack était d'une rationalité consternante. J'observais Valerie pendant qu'il parlait et j'étais bien obligée de constater qu'il marquait rapidement des points et avait réponse à tous les « Est-ce que tu as pensé à... ? » que nous pouvions lui soumettre. Je savais que ce qu'il disait tenait la route, et je résistais vaillamment à la tentation de faire le compte des heures supplémentaires qu'il passerait désormais loin de nous, sans parler du spectre d'un déménagement à Washington. Cela avait beau faire des années désormais que nous discutions du coût de sa carrière politique pour notre famille, j'aimais Barack et j'avais confiance en lui. Il avait déjà deux familles, puisqu'il se partageait entre les filles et moi, et ses quelque 200 000 électeurs

DEVENIR
MICHELLE OBAMA

L'album

Devenir moi

Voici ma famille, vers 1965, sur son trente et un pour une occasion particulière. Vous remarquerez l'expression protectrice de mon frère, Craig, et sa petite main posée sur mon poignet.

Nous avons grandi dans l'appartement situé au-dessus de celui de ma grand-tante, Robbie Shields, que l'on voit ici me tenant dans ses bras. Au cours des années où elle a été mon professeur de piano, nous nous sommes souvent accrochées, mais elle a toujours su faire ressortir ce qu'il y avait de meilleur en moi.

Mon père, Fraser Robinson, a travaillé plus de vingt ans pour la ville de Chicago. Il entretenait les chaudières d'une station d'épuration des eaux au bord du lac. Il n'a jamais manqué une journée de travail, même lorsque la sclérose en plaques a rendu ses déplacements difficiles.

La Buick Electra 225 de mon père – la Deux vingt-cinq, comme nous l'appelions – faisait sa fierté et sa joie, et bien des souvenirs heureux lui sont attachés. Tous les étés, nous allions passer des vacances au Dukes Happy Holiday Resort, dans le Michigan. C'est là que cette photo a été prise.

Quand je suis entrée en maternelle, en 1969, mon quartier du South Side de Chicago était habité par des familles de la classe moyenne de différentes origines. Mais le départ d'un grand nombre de familles plus aisées vers les banlieues – un phénomène appelé la « fuite des Blancs » – a entraîné une rapide évolution démographique. Quand j'ai atteint le CM2, cette diversité avait disparu.
En haut : ma classe de maternelle ; je suis au troisième rang, la deuxième à partir de la droite.
En bas : ma classe de CM2 ; je suis au troisième rang, au milieu.

Me voilà à Princeton (*à gauche*). Partir pour l'université m'inquiétait, mais je m'y suis fait de très bonnes amies, dont Suzanne Alele (*ci-dessus*), qui m'a appris à profiter des joies de la vie.

Devenir nous

Barack et moi avons habité quelque temps l'appartement d'Euclid Avenue où j'ai grandi. Nous étions alors tous deux de jeunes avocats. Je commençais à me poser des questions sur mon parcours professionnel et à essayer de trouver un travail qui me permette de mener une action utile et coïncide avec mes valeurs.

Notre mariage, le 3 octobre 1992, a été l'un des plus beaux jours de ma vie. Mon père nous avait quittés un an et demi auparavant, et c'est Craig qui m'a conduite à l'autel à sa place.

J'ai su très tôt que Barack serait un père formidable. Il a toujours aimé les enfants, et s'en occupait très bien. Quand Malia est née, en 1998, nous avons eu le coup de foudre. Son arrivée a bouleversé nos vies pour toujours.

Sasha est née un peu plus de trois ans après Malia, venant compléter notre famille avec ses joues rondes et son esprit indomptable. Nos voyages de Noël à Hawaï, l'État où est né Barack, sont devenus une tradition incontournable pour nous, le moment où nous pouvions renouer avec sa famille et profiter d'un climat plus doux.

J'ai été pendant trois ans directrice exécutive de la section de Chicago de Public Allies, une association qui cherchait à aider les jeunes à faire carrière dans le service public. On me voit ici (*à droite*) avec un groupe de jeunes responsables de communautés à une manifestation en compagnie du maire de Chicago, Richard M. Daley.

J'ai ensuite travaillé au centre hospitalier de l'université de Chicago, où je me suis efforcée d'améliorer les relations entre les communautés et où j'ai créé un service qui a aidé des milliers d'habitants du South Side à bénéficier de soins médicaux accessibles.

Mère de famille exerçant un emploi à temps complet et dont le conjoint était souvent absent, j'ai eu l'occasion de me familiariser avec le numéro de corde raide auquel se livrent de nombreuses femmes, essayant de trouver un équilibre entre les besoins de ma famille et les exigences de mon travail.

J'ai fait la connaissance de Valerie Jarrett (*à gauche*) en 1991, à l'époque où elle était directrice de cabinet adjointe du bureau du maire de Chicago. Elle est vite devenue une amie et conseillère de confiance pour Barack comme pour moi. On nous voit ici pendant la campagne de Barack au Sénat des États-Unis en 2004.

Nos filles rejoignaient parfois Barack pendant sa tournée électorale. On voit ici Malia qui, en 2004, regarde son père prononcer un énième discours par la fenêtre du car de campagne.

Barack a annoncé sa candidature à la présidence à Springfield, dans l'Illinois, par une journée glaciale de février 2007. J'avais, pour l'occasion, acheté à Sasha un bonnet rose trop grand et j'avais peur qu'elle ne le perde ; mais, miraculeusement, elle a réussi à le garder sur sa tête.

Nous voici en tournée électorale, accompagnés comme toujours d'une bonne dizaine de membres de la presse, sinon plus.

J'ai aimé faire campagne et les liens que j'ai pu nouer avec des électeurs à travers toute l'Amérique n'ont cessé de me stimuler. Le rythme pouvait cependant être éreintant. Je profitais de tous les instants de repos qui se présentaient.

Au cours des mois qui ont précédé les législatives, j'ai pu disposer d'un avion de campagne, ce qui a accru mon efficacité et rendu les déplacements bien plus agréables. Je suis ici avec mon équipe rapprochée (*de gauche à droite*) : Kristen Jarvis, Katie McCormick Lelyveld, Chawn Ritz (notre hôtesse de l'air ce jour-là) et Melissa Winter.

Joe Biden a été un remarquable colistier pour Barack à maints égards, et nos deux familles ont immédiatement sympathisé. Nous avons commencé à discuter très tôt, Jill et moi, de la façon dont nous pourrions aider les familles de militaires. Cette photo a été prise en 2008, alors que nous faisions une pause pendant notre campagne en Pennsylvanie.

Après un printemps et un été difficiles en tournée électorale, j'ai pris la parole à la convention nationale démocrate de 2008 à Denver, ce qui m'a permis de raconter pour la première fois mon histoire devant un vaste public, à une heure de grande écoute. Sasha et Malia m'ont ensuite rejointe sur l'estrade pour dire bonjour à Barack en vidéo.

Le 4 novembre 2008, le soir des élections, ma mère, Marian, était assise à côté de Barack. Ils regardaient tranquillement les résultats tomber.

Devenir plus

Malia avait 10 ans et Sasha à peine 7 en janvier 2009 lorsque leur père, élu président, a prêté serment. Sasha était si petite qu'on a dû lui installer une plate-forme spéciale pour qu'elle soit visible pendant la cérémonie.

Barack et moi, officiellement surnommés « POTUS » et « FLOTUS », avons assisté à dix bals le soir de l'investiture, et avons dansé sur scène à chacun d'eux. J'étais éreintée après les festivités de la journée, mais cette superbe robe dessinée par Jason Wu m'a redonné des forces. Et puis, mon mari – mon meilleur ami, mon compagnon en toutes circonstances – a l'art de conférer de l'intimité à tous les moments que nous passons ensemble.

Laura Bush a eu la gentillesse de m'accueillir avec les filles pour une visite de la Maison-Blanche avant que nous nous y installions. Ses propres filles, Jenna et Barbara, ont montré à Sasha et Malia les coins les plus amusants de la résidence, leur apprenant notamment à utiliser ce couloir en pente comme toboggan.

Je n'oublierai jamais cette image du petit visage de Sasha regardant par la vitre blindée lors de sa première rentrée des classes. À l'époque, je n'ai pas pu m'empêcher de m'inquiéter des conséquences de cette expérience sur nos filles.

Il nous a fallu un temps d'adaptation pour nous habituer à la présence constante d'agents du Secret Service dans notre vie ; mais, au fil du temps, plusieurs sont devenus de vrais amis.

Wilson Jerman (*ci-contre*) a commencé à travailler à la Maison-Blanche en 1957. Comme de nombreux majordomes et membres du personnel de la résidence, il a servi avec dignité sous plusieurs présidents.

Le jardin potager de la Maison-Blanche devait être un symbole
de diététique et de mode de vie sain, un tremplin me permettant
de lancer une initiative plus importante comme « Let's Move ! ».
Mais je l'aimais aussi parce que je pouvais m'y salir les mains
en remuant la terre avec des enfants.

Je voulais que la Maison-Blanche soit un lieu où tout le monde se sente
chez soi et où les enfants puissent être eux-mêmes. J'espérais qu'ils
verraient dans notre histoire un reflet de la leur, et auraient peut-être
l'occasion de faire de la corde à sauter avec la première dame.

Barack et moi éprouvions une sympathie toute particulière pour
la reine Élisabeth, qui rappelait à Barack sa grand-mère, si directe.
Lors de nos visites, elle m'a montré que l'humanité passe avant
le protocole ou la solennité.

La rencontre de Nelson Mandela m'a apporté le recul dont j'avais besoin
deux ans après le début de notre aventure à la Maison-Blanche : le vrai
changement nécessite du temps, il ne se fait ni en quelques mois ni
en quelques années. Il lui faut plusieurs décennies, des vies entières.

Pour moi, serrer quelqu'un dans mes bras, c'est faire disparaître tout faux-semblant et établir un lien, tout simplement. Je suis ici à l'université d'Oxford avec les élèves de l'Elizabeth Garrett Anderson School de Londres.

Je n'oublierai jamais l'optimisme et la résilience des membres de l'armée et des familles de militaires que j'ai rencontrés lors de mes visites au Walter Reed Medical Center.

La mère de Hadiya Pendleton, Cleopatra Cowley-Pendleton, a tout fait bien pour son enfant, mais n'a pas pu la protéger de l'horreur aveugle de la violence armée. Lorsque je l'ai rencontrée aux obsèques de Hadiya, à Chicago, j'ai été accablée par l'injustice de ce qui lui était arrivé.

J'essayais d'être à la maison aussi souvent que possible pour accueillir les filles quand elles rentraient de l'école. C'était un des avantages d'habiter au-dessus de son bureau.

Barack a toujours maintenu une saine séparation entre son temps de travail et le temps familial ; il montait dîner avec nous presque tous les soirs et faisait en sorte d'être pleinement présent quand il était à la maison. En 2009, les filles et moi avons abattu cette barrière, lui faisant la surprise d'envahir le Bureau ovale pour son anniversaire.

Nous avions promis à Malia et à Sasha que, si Barack devenait président, nous prendrions un chien. Nous avons doublement tenu parole, puisque nous avons fini par en avoir deux. Bo (sur la photo) et Sunny ont apporté un peu de légèreté à notre vie.

Le 4 juillet nous donne doublement l'occasion de faire la fête, puisque c'est aussi l'anniversaire de Malia.

Nous sommes profondément reconnaissants à tous les membres du personnel qui nous ont permis de mener une vie sans heurt pendant huit ans. Nous avons fait la connaissance de leurs enfants et petits-enfants, et avons fêté avec eux des événements importants, comme ici l'anniversaire de l'huissier adjoint, Reggie Dixon, en 2012.

Chaque année au printemps, j'espérais profiter de mes discours
de remise des diplômes pour encourager les étudiants et les aider
à apprécier la puissance de leurs propres histoires. Je m'apprête
ici à prendre la parole au Virginia Tech, en 2012. À l'arrière-plan,
Tina Tchen, mon infatigable directrice de cabinet pendant cinq ans,
dans son élément : sur son téléphone, gérant plusieurs choses à la fois.

Les chiens étaient libres de se promener à leur guise dans presque toute
la Maison-Blanche. Ils aimaient tout particulièrement traîner au jardin
et à la cuisine. On les voit ici à l'office avec le majordome Jorge
Davila, espérant certainement qu'on leur donne quelque reste.

Le statut de première famille s'accompagnait de privilèges exceptionnels, mais aussi de quelques défis exceptionnels. Nous avons cherché, Barack et moi, à permettre à nos filles de conserver un semblant de normalité.

Ci-dessus, à gauche : Barack, Malia et moi acclamons l'équipe de basket de Sasha, les « Vipères ».

Ci-dessus, à droite : Les filles se détendent dans le Bright Star, l'indicatif désignant l'avion de la première dame.

Nous avons veillé à ce que nos filles aient la possibilité d'avoir des activités de leur âge, comme apprendre à conduire, même si cela impliquait de prendre des cours de conduite avec le Secret Service.

S'il y a une chose que j'ai apprise dans la vie, c'est qu'il est important de faire entendre sa voix. J'ai cherché aussi souvent que possible à dire la vérité et à mettre en lumière les histoires de gens qu'on a tendance à ignorer.

En 2015, ma famille a rejoint le parlementaire John Lewis et d'autres personnalités emblématiques du mouvement des droits civiques pour célébrer le cinquantième anniversaire de la traversée du pont d'Edmund Pettus à Selma, dans l'Alabama. Ce jour-là, j'ai pris conscience du chemin parcouru par notre pays – et du chemin qu'il lui reste à parcourir.

du South Side. Accorder une place à l'État de l'Illinois change-rait-il vraiment quelque chose ? Je n'en savais rien, mais je ne pouvais pas non plus me résoudre à faire obstacle à ses aspirations, à cette force qui le poussait inlassablement à viser plus haut.

Ce jour-là, donc, nous avons conclu un accord. Valerie a accepté de se charger du financement de la campagne de Barack. Un certain nombre de nos amis ont bien voulu consacrer du temps et de l'argent à cette cause. J'ai tout approuvé, à une importante réserve près, énoncée à haute et intelligible voix afin que tout le monde l'entende bien : s'il perdait, il renoncerait définitivement à la politique et chercherait un autre travail. Si les choses tournaient mal le jour des élections, ce serait fini.

Fini, pour de vrai, pour de bon.

Mais voilà que, pour Barack, la suite n'a été qu'une succession de coups de chance. Pour commencer, Peter Fitzgerald a décidé de ne pas se présenter aux élections, laissant ainsi le champ libre aux challengers et aux relatifs nouveaux venus comme mon mari. Puis, par une curieuse coïncidence, le favori démocrate aux primaires et le candidat républicain se sont trouvés mêlés l'un comme l'autre à des scandales impliquant leurs ex-épouses. Quelques mois avant l'élection, Barack n'avait même pas d'adversaire républicain.

Certes, il avait mené une excellente campagne, grâce notam-ment aux nombreuses leçons qu'il avait tirées de sa défaite à la Chambre des représentants. Il avait éliminé sept adversaires à la primaire et obtenu l'investiture avec plus de la moitié des voix. L'homme qui parcourait l'État et discutait avec des électeurs potentiels était le même que celui que je connaissais à la maison – drôle et charmant, intelligent et parfaitement prêt. Ses réponses excessivement prolixes aux questions lors des débats de campagne et des forums organisés dans des salles municipales ne faisaient que souligner à quel point il serait tout à fait à sa place au Sénat. Il n'empêche que, abstraction faite de tous ses efforts, la route de Barack vers le Sénat semblait jonchée de trèfles à quatre feuilles.

Et tout cela avant même que John Kerry ne l'invite à pronon-cer le discours inaugural de la convention nationale démocrate de 2004, qui se tenait à Boston. Kerry, qui était alors sénateur du Massachusetts, s'était engagé dans un duel en dents de scie avec George W. Bush pour la présidence.

Dans toute cette affaire, mon mari était un parfait inconnu – un modeste législateur régional qui n'avait jamais affronté une foule de 15 000 personnes ou plus, comme celle qui se rassemblerait à Boston. Il ne s'était jamais servi d'un téléprompteur, n'avait jamais parlé en direct à la télévision à une heure de grande écoute. C'était un nouveau venu, un Noir dans ce qui était historiquement la chasse gardée des Blancs. Il surgissait du néant avec un nom bizarre et une histoire étrange, espérant toucher une corde sensible chez les électeurs démocrates. Comme le reconnaîtraient plus tard les experts du parti, choisir Barack Obama pour prendre la parole devant des millions d'auditeurs était un pari pour le moins risqué.

Et pourtant, à sa manière singulière et contournée, il semblait être destiné à cet instant précis. Je le savais parce que j'avais observé de près le bouillonnement continu de son cerveau. Au fil des ans, je l'avais vu avaler des livres, des journaux et des idées, s'animant chaque fois qu'un de ses interlocuteurs lui offrait une nouvelle bribe d'expérience ou de savoir. Il avait tout enregistré. Il travaillait, je m'en rends compte aujourd'hui, à l'élaboration d'une vision – et non des moindres. C'était exactement ce à quoi j'avais dû faire place dans notre vie commune, ce avec quoi j'avais dû apprendre à composer, bon gré mal gré. Même si ça me hérissait parfois au plus haut point, je ne pourrais jamais le reprocher à Barack. Il y avait œuvré, tranquillement et méticuleusement, depuis que je le connaissais. Et, à présent, peut-être la taille de son auditoire serait-elle enfin à la mesure de ce qu'il croyait possible. Il était prêt à répondre à l'appel. Il n'avait qu'une chose à faire : parler.

« Faut croire que c'était un bon discours » est devenu mon leitmotiv. C'était une boutade entre Barack et moi, un refrain que j'ai souvent répété, non sans ironie, après cette soirée du 27 juillet 2004.

J'avais laissé les filles à la maison avec ma mère et pris l'avion afin d'être à ses côtés à Boston au moment où il prononcerait son discours. Je me tenais dans les coulisses du centre de la convention quand Barack s'est avancé sous le feu brûlant des projecteurs, surgissant aux regards de ces millions de gens. Il était un peu nerveux, et moi aussi, bien que nous fassions tout, l'un comme l'autre, pour ne rien laisser paraître. De toute façon, Barack fonctionnait comme ça. Plus il était sous pression, plus il semblait calme. Il avait passé plusieurs semaines à prendre des notes, peaufinant son texte entre les votes du sénat de l'Illinois. Il l'avait appris par cœur et l'avait répété soigneusement, au point qu'il n'aurait pas besoin du téléprompteur, sauf si ses nerfs le lâchaient et qu'il avait un trou de mémoire. Ce n'est pas du tout ce qui s'est passé. Barack a regardé le public, il a regardé les caméras de télévision et, comme s'il faisait démarrer un moteur interne, il a souri et s'est mis en marche.

Il a parlé pendant dix-sept minutes ce soir-là, expliquant qui il était et d'où il venait – il a parlé de son grand-père GI qui avait rejoint l'armée de Patton, de sa grand-mère qui avait travaillé à la chaîne pendant la guerre, de son père qui, enfant, gardait des chèvres au Kenya, de l'amour peu banal de ses parents, de leur conviction de ce qu'une bonne éducation pouvait apporter à un fils qui n'avait, de naissance, ni richesse ni relations. Avec sérieux et adresse, il s'est présenté non pas comme un outsider, mais plutôt comme l'incarnation au sens propre de l'histoire américaine. Il a rappelé à ses auditeurs qu'un pays ne pouvait pas se découper en rouge et bleu[1], que nous étions unis par une humanité commune, et obligés de nous préoccuper de l'intégralité de la société. Il a appelé au triomphe de l'espoir sur le cynisme. Il a parlé avec espoir, il a projeté de l'espoir. Il l'a presque chanté, en fait.

Dix-sept minutes de démonstration de l'habileté et de l'aisance de Barack avec les mots, dix-sept minutes d'affirmation de son optimisme invétéré, éblouissant. Quand il a conclu son allocution sur un dernier éloge de John Kerry et de son colistier John Edwards, la foule était debout, rugissante, un tonnerre d'applaudissements s'élevant des gradins. Je suis montée sur scène, sous les lumières aveuglantes, en talons hauts et tailleur blanc, pour féliciter Barack et le serrer contre moi avant de me retourner pour agiter le bras avec lui face à l'auditoire en liesse.

L'énergie était électrique, le bruit assourdissant. Tout le monde avait pu se convaincre que Barack était un type bien, doté d'un esprit remarquable et d'une foi inébranlable dans la démocratie.

---

1. Référence au découpage du pays entre les États rouges, où la population vote majoritairement républicain, et les États bleus, où l'on vote majoritairement démocrate.

J'étais fière de ce qu'il avait accompli, mais je n'étais pas étonnée. C'était le type que j'avais épousé. J'avais toujours su de quoi il était capable. Rétrospectivement, je pense que c'est à cet instant que j'ai doucement cessé d'imaginer pouvoir lui faire faire machine arrière, cessé de croire qu'il pourrait un jour n'appartenir qu'à nous, les filles et moi. Je l'entendais presque dans la pulsation des applaudissements. *On en veut encore, encore, encore.*

La réaction des médias au discours de Barack a été dithyrambique. « Je viens de voir le premier président noir », a déclaré Chris Matthews aux autres reporters de NBC. Le lendemain, le *Chicago Tribune* titrait à la une : « Le phénomène », tout simplement. Le portable de Barack s'est mis à sonner sans discontinuer. Des journalistes des chaînes câblées le qualifiaient de « rock star » et parlaient d'une « révélation fulgurante », comme s'il n'avait pas consacré des années à préparer le moment où il monterait sur l'estrade, comme si c'était son discours qui l'avait créé et non l'inverse. Il n'empêche que cette allocution a marqué un seuil, non seulement pour lui, mais pour nous, pour toute la famille. Nous avons accédé sans le vouloir à un autre niveau de visibilité, et avons été emportés par le torrent des attentes d'autrui.

Tout cela était surréaliste. La seule chose que je pouvais faire, en réalité, c'était d'en plaisanter.

« Faut croire que c'était un bon discours », disais-je avec un haussement d'épaules quand les gens ont commencé à aborder Barack dans la rue pour lui demander un autographe ou lui déclarer qu'ils avaient adoré son allocution. « Faut croire que c'était un bon discours », disais-je quand nous sortions d'un restaurant de Chicago pour découvrir une foule qui l'attendait sur le trottoir. J'ai prononcé la même phrase quand les gens ont commencé à demander à Barack son avis sur d'importantes questions nationales, quand des stratèges politiques de haut vol se sont mis à tourner autour de lui et quand, neuf ans après la publication des *Rêves de mon père*, resté confidentiel jusque-là, le livre est ressorti en poche pour atterrir sur la liste des meilleures ventes du *New York Times*.

« Faut croire que c'était un bon discours », ai-je dit quand Oprah Winfrey, resplendissante et sémillante, est venue chez nous et a passé une journée à interroger Barack pour son émission.

Que nous arrivait-il ? J'avais du mal à suivre. En novembre, Barack a été élu au Sénat des États-Unis, remportant 70 % des voix au sein de l'État, le plus confortable score de l'histoire de l'Illinois et la victoire la plus écrasante de toutes les courses au Sénat du pays cette année-là. Il avait obtenu une importante majorité parmi les Noirs, les Blancs, les Latinos ; les hommes et les femmes ; les riches et les pauvres ; les citadins, les banlieusards et les ruraux. Quand nous nous sommes réfugiés dans l'Arizona pour souffler un moment, il a été assiégé, là aussi, par des sympathisants. C'est ce qui m'a donné la pleine mesure, la mesure étrange, de sa célébrité : même les Blancs le reconnaissaient, maintenant.

J'AI PRIS CE QUI RESTAIT DE MA VIE NORMALE et je m'y suis emmitouflée. Quand nous étions à la maison, tout était comme avant. Quand nous étions avec nos amis et notre famille, tout était comme avant. Avec nos enfants, c'était toujours comme avant. Mais, à l'extérieur, c'était différent. Barack faisait régulièrement la navette avec Washington, à présent. Il avait un bureau au Sénat et un appartement dans un immeuble délabré sur la colline du Capitole, un petit deux-pièces déjà encombré de livres et de papiers, son Trou hors de la maison. Quand nous venions le voir, les filles et moi, nous ne faisions même pas mine d'envisager d'y loger. Nous préférions réserver une chambre d'hôtel pour nous quatre.

Je m'accrochais à mon train-train de Chicago. Gym, boulot, maison, et ainsi de suite. Les assiettes sales dans le lave-vaisselle. Leçons de natation, foot, danse. Je suivais la cadence, comme toujours. Barack avait une vie à Washington, désormais, et il avait adopté un peu de la gravité qui accompagne le statut de sénateur, alors que moi, j'étais toujours la même et je n'avais rien changé au cours normal de ma vie. Un jour, j'étais assise dans ma voiture rangée devant le centre commercial de Clybourn Avenue. Je mangeais un burrito et soufflais un peu après avoir fait une course à BabyGap, quand ma secrétaire m'a téléphoné sur mon portable. Pouvait-elle me transmettre un appel ? Elle avait en ligne une dame de Washington – quelqu'un que je ne connaissais pas, la femme d'un autre sénateur – qui avait déjà cherché plusieurs fois à me joindre.

« Bien sûr, passe-la-moi », ai-je répondu.

La voix de cette épouse de sénateur, agréable et chaleureuse, a résonné à mes oreilles. « Bonjour ! Quel plaisir de vous parler enfin ! »

Je lui ai répondu que j'étais ravie, moi aussi, de lui parler.

« Je vous appelle pour vous souhaiter la bienvenue, a-t-elle poursuivi, et vous inviter à participer à quelque chose de tout à fait spécial. »

Elle voulait me proposer d'entrer dans une sorte d'association privée, un club qui rassemblait essentiellement les épouses de personnalités de Washington. Ces dames se retrouvaient régulièrement pour déjeuner et discuter de l'actualité. « C'est un excellent moyen de rencontrer des gens. C'est pas toujours facile quand on vient juste de s'installer. »

De toute ma vie, on ne m'avait jamais proposé de faire partie d'un club. J'avais vu des amies de lycée partir aux sports d'hiver avec leurs groupes de Jack and Jill. À Princeton, il m'était arrivé d'attendre que Suzanne revienne, un peu pompette et gloussante, de ses soirées du club de restauration. La moitié des avocats de chez Sidley, semblait-il, appartenaient à des country clubs. J'avais mis les pieds dans un certain nombre de ces endroits à l'occasion des collectes de fonds pour Public Allies et pour les campagnes de Barack. On apprenait vite que les clubs, en général, regorgeaient d'argent. En être membre avait des implications qui dépassaient une simple adhésion.

C'était une gentille proposition, présentée avec sincérité, mais je me suis empressée de la décliner.

« Merci, c'est vraiment aimable d'avoir pensé à moi. Mais, pour tout vous dire, nous avons décidé que je ne m'installerais pas à Washington. » Je lui ai fait comprendre que nous avions deux petites filles scolarisées à Chicago et que j'appréciais beaucoup mon travail. Je lui ai expliqué que Barack s'adaptait à la vie à Washington et rentrait à la maison chaque fois qu'il le pouvait. Je ne lui ai pas dit que nous étions tellement attachés à Chicago que nous envisagions d'acheter une nouvelle maison grâce aux droits d'auteur que commençait à rapporter la réédition de son livre et à une offre généreuse pour un deuxième livre – la récolte surprise du haricot magique de Barack.

La femme du sénateur a marqué une pause, un ange est passé. Quand elle a repris la parole, c'était d'une voix onctueuse. « C'est une situation qui peut être très difficile pour un couple, vous savez. Certaines familles n'y résistent pas. »

J'ai senti le poids de son jugement. Cela faisait plusieurs années qu'elle-même vivait à Washington. Elle me laissait entendre qu'elle avait vu les choses mal tourner quand une épouse ne suivait pas son mari. Elle me laissait entendre que je faisais un mauvais choix, qu'il n'y avait qu'une bonne manière d'être l'épouse d'un sénateur et que ma décision n'était pas la bonne.

Je me suis encore répandue en remerciements, j'ai raccroché et soupiré. Au départ, rien de tout cela n'avait été mon choix. Rien de tout cela n'était mon choix. J'étais désormais, comme elle, l'épouse d'un sénateur des États-Unis – Mme Obama, m'avait-elle appelée tout au long de notre conversation. Cela ne me condamnait pas pour autant à renoncer à tout pour soutenir mon mari. En réalité, je n'avais envie de renoncer à rien.

Je savais que les épouses de certains sénateurs préféraient vivre dans leur ville d'origine plutôt qu'à Washington. Je savais que le Sénat, qui ne comptait que quatorze femmes sur une centaine de membres, n'était plus tout à fait aussi archaïque qu'autrefois. Je n'en trouvais pas moins présomptueux qu'une autre femme se permette de me dire que j'avais tort de refuser de changer mes enfants d'école et de vouloir garder mon emploi. Quelques semaines après l'élection, j'avais accompagné Barack à Washington pour une journée d'orientation proposée aux nouveaux sénateurs et à leurs conjoints. Nous n'étions que quelques-uns à y assister cette année-là et, après une brève présentation, les sénateurs sont partis d'un côté, tandis que les conjoints étaient conduits dans une autre pièce. J'étais arrivée avec une longue liste de questions, sachant que les responsables politiques et leurs familles étaient censés respecter des règles d'éthique fédérales très strictes concernant absolument tout, depuis les personnes dont ils avaient le droit de recevoir des cadeaux jusqu'à la manière dont ils finançaient leurs allers-retours entre Washington et leur domicile. J'avais pensé que nous discuterions de l'attitude à avoir avec les lobbyistes lors de mondanités, ou des moyens légaux de lever des fonds pour financer une future campagne.

Au lieu de cela, on nous a infligé un interminable laïus sur l'histoire et l'architecture du Capitole et on nous a permis d'admirer les motifs de la porcelaine officielle fabriquée pour le Sénat, avant un déjeuner guindé assaisonné de bavardages. Le tout avait duré des heures. J'aurais peut-être trouvé ça drôle si je n'avais pas pris un jour de congé et confié les petites à ma mère pour pouvoir y assister. Puisque j'étais l'épouse d'un homme politique, je tenais à prendre mon rôle au sérieux. La politique en soi ne m'intéressait pas, mais je ne voulais pas compromettre quoi que ce soit.

En vérité, Washington me déroutait, avec ses traditions bienséantes et son nombrilisme posé, sa blancheur et sa masculinité, ses dames condamnées à déjeuner de leur côté. Au plus profond de ma confusion s'était logée une peur : alors que je n'avais pas choisi d'être mêlée à tout ça, je craignais d'être irrésistiblement aspirée. Cela faisait douze ans que j'étais Mme Obama, mais, tout à coup, cela revêtait un tout autre sens. Dans certaines sphères du moins, j'étais désormais Mme Obama d'une manière qui pouvait avoir quelque chose de dégradant, une madame entièrement définie par son monsieur. J'étais la femme de Barack Obama, la rock star de la politique, le seul Noir du Sénat – l'homme qui avait parlé d'espoir et de tolérance en des termes si poignants et si forts qu'il était dorénavant suivi d'un essaim d'attentes.

Mon mari était sénateur, mais, allez savoir pourquoi, les gens semblaient incapables de s'en contenter. Tout le monde voulait savoir s'il serait candidat à l'élection présidentielle en 2008. Il était impossible d'éluder cette question. Tous les journalistes la posaient. Presque tous les gens qui abordaient Barack dans la rue la posaient. Mes collègues de l'hôpital se présentaient à la porte de mon bureau et me sondaient, l'air de rien, dans l'espoir d'en être informés avant tout le monde. Même Malia, qui avait 6 ans et demi le jour où elle avait enfilé une robe de velours rose et s'était tenue à côté de Barack quand il avait prêté serment devant Dick Cheney lors de son entrée au Sénat, voulait savoir. Mais, à la différence de beaucoup d'autres curieux, notre petite élève de CP était assez sensée pour sentir que c'était un peu prématuré.

« Papa, est-ce que tu vas essayer de devenir président ? avait-elle demandé. Tu ne crois pas que tu devrais d'abord être vice-président ou quelque chose comme ça ? »

J'étais parfaitement d'accord avec Malia. Mon pragmatisme invétéré me poussait à préférer une approche progressive, à cocher toutes les cases l'une après l'autre. J'étais une adepte de l'attente longue et raisonnable. Je respirais mieux chaque fois que j'entendais Barack envoyer sur les roses ses interrogateurs avec une modestie gênée, esquiver les questions à propos de la présidence et expliquer que son unique projet était de s'atteler à la tâche et de travailler d'arrache-pied au Sénat. Il rappelait souvent aux gens qu'il n'était qu'un membre subalterne du parti minoritaire, un sénateur de base tout à fait ordinaire. De plus, ajoutait-il parfois, il avait deux enfants à élever.

Mais le roulement de tambour avait commencé. Il était difficile de le faire cesser. Barack écrivait ce qui deviendrait *L'Audace d'espérer* – il réfléchissait attentivement à ses convictions et à sa vision pour le pays et les distillait en mots sur ses blocs-notes, tard dans la nuit. Il était tout à fait satisfait, m'assurait-il, de rester où il se trouvait, de gagner peu à peu en influence, d'attendre son tour pour faire entendre sa voix dans la cacophonie des délibérations du Sénat. C'est alors qu'une une tempête s'est levée.

L'ouragan Katrina a soufflé sur la Côte du Golfe des États-Unis en août 2005, submergeant les digues de La Nouvelle-Orléans, inondant les basses terres, obligeant les habitants – les Noirs surtout – à se réfugier sur le toit de leurs maisons détruites. Les conséquences ont été désastreuses. On voyait au journal télévisé des hôpitaux privés d'alimentation électrique de secours, des familles désemparées parquées dans le stade du Superdome, des secouristes réduits à l'impuissance par le manque de matériel. Le bilan définitif a été de quelque 1 800 morts et de plus d'un demi-million de déplacés, une tragédie aggravée encore par l'incapacité du gouvernement fédéral à faire face au drame. C'était une révélation déchirante des fractures structurelles de notre pays, et plus particulièrement de la vulnérabilité effroyable, disproportionnée, des Afro-Américains et des pauvres de toutes origines en cas de catastrophe naturelle.

Où était l'espoir, désormais ?

J'ai suivi les informations concernant Katrina l'estomac noué, sachant que si un désastre avait frappé Chicago, un grand nombre de mes tantes et oncles, cousins et voisins auraient subi un sort comparable. Barack a réagi avec ses tripes, lui aussi. Une semaine après l'ouragan, il a pris l'avion pour Houston, où il a rejoint l'ancien président George H. W. Bush, ainsi que Bill et Hillary Clinton – celle-ci était à présent l'une de ses collègues au Sénat –, pour consacrer un peu de temps aux dizaines de milliers d'habitants évacués de La Nouvelle-Orléans qui avaient trouvé asile à l'Astrodome de la ville. Cette expérience l'a secoué et lui a inspiré le sentiment tenace qu'il n'en faisait pas encore assez.

CETTE IDÉE M'EST REVENUE à l'esprit un an plus tard environ, quand les roulements de tambour sont devenus franchement assourdissants et que nous étions soumis tous les deux à une pression considérable. Nous vaquions à nos occupations habituelles, mais la question de l'éventuelle candidature de Barack à la présidence agitait l'air autour de nous. *Pouvait-il ? Devait-il ? Le ferait-il ?* Dans le courant de l'été 2006, les personnes interrogées dans le cadre de sondages et de questionnaires le mentionnaient parmi les candidats possibles ; d'un autre côté, Hillary Clinton arrivait clairement en tête des choix. À l'automne, cependant, la cote de Barack avait commencé à monter en partie grâce à la publication de *L'Audace d'espérer* et aux retombées médiatiques de la tournée de promotion du livre. Témoignage éloquent de son potentiel, les chiffres des sondages égalaient désormais, voire dépassaient, les résultats d'Al Gore et de John Kerry, les deux précédents candidats investis par les démocrates. Je n'ignorais pas que Barack en discutait en privé avec des amis, des conseillers, de futurs donateurs, faisant ainsi savoir à tous qu'il y réfléchissait. Mais il y avait une conversation qu'il évitait soigneusement : celle qu'il devait avoir avec moi.

Il savait, bien sûr, ce que j'en pensais. Nous en avions discuté indirectement, en marge d'autres sujets. Cela faisait si longtemps que nous vivions avec les attentes d'autrui qu'elles étaient pour ainsi dire incrustées dans toutes nos conversations. Le potentiel de Barack s'asseyait avec notre famille pour dîner. Le potentiel de Barack m'accompagnait en voiture quand je conduisais les filles à l'école ou que j'allais travailler. Il était même présent quand nous ne voulions pas de lui, imprégnant tout d'une curieuse énergie. Je trouvais que mon mari en faisait déjà beaucoup. S'il devait ne serait-ce qu'envisager d'être un jour candidat à la présidence, j'espérais qu'il emprunterait la voie de la prudence, se préparerait doucement, prendrait son temps au Sénat et attendrait que les filles aient grandi – en 2016, peut-être.

Depuis que je le connaissais, j'avais l'impression que Barack avait toujours eu le regard fixé sur un horizon lointain, avec en ligne de mire sa conception du monde tel qu'il devrait être. Pour une fois, juste pour cette fois, j'aurais voulu qu'il se satisfasse de la vie telle qu'elle était. Je ne comprenais pas qu'il puisse regarder Sasha et Malia, qui avaient maintenant 5 et 8 ans, avec leurs tresses et leur exubérance rieuse, et ne pas ressentir la même chose. J'étais parfois blessée de constater que c'était pourtant le cas.

Nous faisions de la balançoire, lui et moi, le monsieur d'un côté, la madame de l'autre. Nous vivions dans une jolie maison, une demeure de brique géorgienne dans une rue tranquille du quartier de Kenwood avec une vaste véranda et un jardin planté de grands arbres – exactement le genre de propriété qui nous laissaient bouche bée, Craig et moi, pendant nos sorties du dimanche dans la Buick de papa. Je pensais souvent à mon père, à tout ce qu'il avait investi en nous. J'aurais tant voulu qu'il soit encore vivant, qu'il puisse voir comment les choses avaient tourné pour nous. Craig était très heureux, à présent. Il avait fini par faire une embardée, lui aussi : il avait renoncé à sa carrière dans la banque d'investissement pour revenir à ses premières amours – le basket. Après avoir été assistant à Northwestern pendant quelques années, il était désormais entraîneur en titre à l'université Brown de Rhode Island. Il était sur le point de se remarier avec Kelly McCrum, une belle femme pragmatique, directrice des admissions universitaires, originaire de la côte Est. Ses deux enfants avaient grandi et, avec leur assurance et leur dynamisme, ils étaient des publicités vivantes pour les possibilités offertes à la prochaine génération.

J'étais femme de sénateur, mais aussi, et surtout, j'avais un métier qui m'intéressait. Au printemps, j'avais obtenu de l'avancement et j'étais devenue vice-présidente du centre hospitalier de l'université de Chicago. J'avais passé les deux dernières années à diriger la création d'un programme appelé South Side Healthcare Collaborative, qui avait déjà mis en relation plus de 1 500 patients admis aux urgences avec des médecins qu'ils pouvaient consulter régulièrement, qu'ils aient les moyens de payer ou non. Mon travail me touchait de façon très personnelle. Je voyais se présenter aux urgences des Noirs atteints d'affections chroniques longtemps négligées – des diabétiques dont les problèmes de circulation n'avaient pas été soignés et qu'il fallait amputer d'une jambe, par exemple – et je ne pouvais m'empêcher de penser à tous les rendez-vous médicaux que mon père n'avait pas pris pour lui-même, à tous les symptômes de sa sclérose en plaques qu'il avait minimisés pour ne pas faire d'histoires, ne pas coûter d'argent à qui que ce soit, ne pas entraîner de paperasserie inutile, ou encore pour s'épargner le sentiment d'être méprisé par un riche médecin blanc.

J'aimais mon boulot et, même si elle n'était pas parfaite, j'aimais ma vie. Alors que Sasha s'apprêtait à entrer à l'école primaire, j'avais l'impression d'aborder une nouvelle phase de mon existence, d'être sur le point de pouvoir réveiller mes ambitions et d'envisager une nouvelle série d'objectifs. Quelle serait la conséquence d'une campagne présidentielle ? Elle torpillerait tous ces projets. J'avais assez de bouteille pour le comprendre dès à présent. Barack et moi avions déjà vécu cinq campagnes en onze ans, et chacune m'avait obligée à batailler un peu plus dur pour m'accrocher à mes priorités. Chacune de ces campagnes avait laissé une petite cicatrice à mon âme, et à notre couple. J'avais peur qu'une campagne présidentielle ne nous porte le coup de grâce. Barack serait bien plus absent qu'il ne l'avait été quand il devait se rendre à Springfield ou à Washington – ce ne serait plus quelques jours par semaine, mais des semaines entières ; plus des périodes de quatre à huit semaines entrecoupées de pauses, mais des mois d'affilée. Quels seraient les effets sur notre famille ? Quels seraient les effets du battage médiatique sur nos filles ?

J'ai fait mon possible pour ignorer le tourbillon qui entourait Barack, même s'il ne montrait aucun signe d'apaisement. Des reporters des chaînes câblées débattaient de ses chances de l'emporter. David Brooks, le chroniqueur conservateur du *New York Times*, a publié une curieuse sorte de plaidoyer à la « vas-y, lance-toi », intitulé « Run, Barack, Run » (« Allez Barack, présente-toi »). On le reconnaissait presque partout où il allait, à présent, mais je jouissais encore de la grâce de l'invisibilité. Alors que je faisais la queue dans une supérette un jour d'octobre, j'ai repéré la couverture du *Time*. Je me suis détournée : c'était un très gros plan du visage de mon mari, flanqué du titre suivant : « Pourquoi Barack Obama pourrait être notre prochain président. »

J'espérais qu'un jour ou l'autre Barack lui-même mettrait fin aux spéculations et se déclarerait hors course, incitant les médias à porter leurs regards ailleurs. Mais il ne l'a pas fait. Il voulait se présenter. Il le voulait, et moi pas.

Chaque fois qu'un journaliste lui demandait s'il serait candidat à la présidence, Barack tergiversait. « J'y réfléchis encore. C'est une décision familiale », répondait-il simplement. Autrement dit : « Seulement si Michelle accepte. »

Les nuits où Barack était à Washington, seule dans mon lit, j'avais l'impression que le monde entier se liguait contre moi. Je voulais Barack pour notre famille. Tous les autres semblaient le vouloir pour notre pays. Il avait son équipe de conseillers – David Axelrod et Robert Gibbs, les deux stratèges de campagne qui avaient joué un rôle crucial dans son élection au Sénat, David Plouffe, un autre consultant de la société d'Axelrod, Pete Rouse, son chef de cabinet, et Valerie – qui lui accordaient tous un soutien prudent. Mais ils nous avaient aussi fait comprendre clairement qu'une campagne présidentielle ne se menait pas à moitié et que, le cas échéant, Barack et moi devrions nous y engager pleinement. Il serait soumis à des exigences inimaginables. Sans restreindre le moins du monde ses activités au Sénat, il allait devoir mettre sur pied et assurer une organisation de campagne nationale, élaborer un programme politique et collecter des sommes fabuleuses. Quant à moi, je ne pourrais pas me contenter d'accorder un soutien tacite à la campagne, il faudrait que j'y participe. Nous devrions accepter, mes filles et moi, de nous montrer en public, de décocher des sourires approbateurs et de serrer une flopée de mains. Tout, maintenant, tournerait autour de lui, au profit de cette cause supérieure.

Même Craig, qui m'avait protégée avec une telle passion depuis le jour de ma naissance, s'était laissé emporter par l'excitation d'une candidature potentielle. Il m'a appelée un soir, sans se cacher de chercher à me convaincre. « Écoute, Miche, m'a-t-il dit en utilisant, comme souvent, le jargon du basket. Je sais que toute cette affaire te pèse, mais si Barack peut tenter un tir, il faut qu'il essaie. Tu comprends ça, non ? »

Ça dépendait de moi. Tout dépendait de moi. J'hésitais. Était-ce la peur ou seulement la fatigue ?

Pour le meilleur ou pour le pire, j'étais tombée amoureuse d'un homme qui avait une vision, qui était optimiste sans être naïf, que le conflit n'effrayait pas et que la complexité du monde intriguait. La masse de travail à accomplir le laissait étrangement froid. L'idée de nous abandonner, les filles et moi, pendant de longues périodes ne l'enchantait pas, mais il s'évertuait à me rappeler la force de notre amour. « On va arriver à gérer ça, d'accord ? » m'a-t-il dit un soir, me tenant par la main alors que nous étions assis dans son bureau à l'étage, enfin disposés à en discuter pour de bon. « On est solides et on est intelligents. Les petites aussi. Ça va aller. On peut le faire. »

Il voulait dire que, en effet, la campagne aurait un coût. Elle nous obligerait à renoncer à certaines choses – du temps à nous, du temps passé ensemble, notre intimité. Il était encore trop tôt pour prévoir exactement ce qu'elle exigerait de nous – mais ce serait, assurément, une immense charge. Dans mon esprit, c'était comme dépenser de l'argent sans avoir consulté mon relevé de compte. Quelle capacité de résistance avions-nous ? Quelles étaient nos limites ? Que nous resterait-il à la fin ? L'incertitude à elle seule était menaçante, elle pouvait nous noyer. J'avais été élevée, après tout, dans une famille qui croyait dans les vertus de l'anticipation – qui organisait des exercices d'évacuation et arrivait systématiquement en avance partout. Ayant grandi dans un quartier ouvrier avec un père infirme, j'avais appris que la préparation et la vigilance étaient primordiales. Elles pouvaient faire toute la différence entre la stabilité et la pauvreté. L'écart m'avait toujours paru étroit. Un chèque de paie en moins pouvait vous priver d'électricité ; un devoir manqué pouvait vous faire prendre du retard et peut-être même vous reconduire à la porte de l'université.

Moi qui avais perdu un camarade d'école de CM2 dans un incendie, qui avais vu Suzanne mourir avant d'avoir vraiment eu le temps de devenir adulte, je savais que le monde pouvait être d'une brutalité aveugle, que travailler dur ne garantissait pas forcément des résultats satisfaisants. Ce sentiment ne ferait que croître en moi dans les années à venir, mais en cet instant précis, assise dans notre maison de brique paisible dans notre rue paisible, je ne pouvais m'empêcher de vouloir protéger ce que nous avions – m'occuper de nos filles et oublier le reste, au moins jusqu'à ce qu'elles soient un peu plus grandes.

Le tableau comportait cependant une autre dimension, Barack et moi en étions bien conscients. Nous avions suivi les ravages de Katrina à une distance confortable. Nous avions vu des parents porter leurs bébés à bout de bras au-dessus des eaux et des familles afro-américaines chercher à rester soudées dans la dépravation déshumanisante du Superdome. Mes différents emplois – de la mairie à l'université en passant par Public Allies – m'avaient fait comprendre à quel point il pouvait être difficile pour certains d'avoir accès à des ressources aussi fondamentales que les soins médicaux et un logement. J'avais observé la ligne précaire entre garder la tête hors de l'eau et sombrer. Barack, quant à lui, avait passé beaucoup de temps à écouter des ouvriers d'usine licenciés, de jeunes vétérans condamnés à une infirmité à vie, des mères excédées d'envoyer leurs enfants dans des écoles médiocres. Nous savions, autrement dit, la chance presque indécente qui était la nôtre, et nous sentions une obligation de ne pas nous complaire dans notre confort.

Consciente qu'il allait bien falloir que j'y réfléchisse, j'ai fini par ouvrir la porte et par laisser cette éventualité s'imposer. Nous en avons discuté, Barack et moi, à maintes reprises, examinant la question sous tous les angles, jusqu'à notre voyage de Noël à Hawaï, où nous allions rendre visite à Toot, et même au cours de notre séjour. Certaines de nos conversations ont amené larmes et crispations, d'autres nous ont permis de parler franchement et d'avancer. Elles ne faisaient en réalité que poursuivre un dialogue engagé depuis déjà dix-sept ans : *Qui étions-nous ? Qu'est-ce qui comptait pour nous ? Que pouvions-nous faire ?*

En définitive, j'ai dit oui parce que je pensais que Barack pourrait être un grand président. Il était sûr de lui comme peu de gens le sont. Il avait l'intelligence et la discipline nécessaires pour assumer cette charge, le tempérament pour encaisser les coups, et ce rare degré d'empathie qui lui permettrait d'être entièrement à l'écoute des besoins du pays. Il était entouré de gens bien, de gens intelligents, prêts à l'aider. De quel droit l'aurais-je arrêté ?

Comment pouvais-je accorder la priorité à mes propres besoins, et même à ceux de nos filles, alors que, s'il devenait président, Barack contribuerait peut-être à améliorer la vie de millions de gens ?

J'ai dit oui parce que je l'aimais et que j'avais confiance dans sa capacité d'agir.

J'ai dit oui, tout en nourrissant au fond de moi une conviction douloureuse que je n'étais pas prête à partager : je l'ai soutenu pendant sa campagne, mais j'étais persuadée qu'il n'irait pas jusqu'au bout. Il parlait si souvent et avec tant de passion de combler les fractures de notre pays en faisant appel à de nobles idéaux, qu'il croyait innés chez la plupart des gens. Mais j'avais observé ces fractures d'assez près pour refréner mes propres espoirs : Barack était, après tout, un Noir en Amérique. Je ne croyais pas vraiment à sa victoire.

16

Presque à la minute où nous nous sommes mis d'accord sur le principe de sa candidature, Barack est devenu une sorte de tourbillon humain, une version pixellisée de l'homme que je connaissais – un homme qui, tout d'un coup, devait être partout en même temps, porté et tenu par la force de l'élan collectif. Il restait un peu moins d'un an avant les caucus de l'Iowa, qui donneraient le coup d'envoi des primaires. Barack n'avait que le temps d'embaucher des collaborateurs, d'attirer de gros donateurs, et de réfléchir au moyen d'assurer le plus de retentissement possible à l'annonce de sa candidature. Il s'agissait d'entrer dans le radar des Américains et d'y rester jusqu'au jour des élections. Une campagne peut se gagner ou se perdre dès les premiers instants.

L'ensemble de l'opération serait supervisée par les deux David – Axelrod et Plouffe –, totalement investis dans l'aventure. Le premier, que tout le monde appelait Axe, avait une voix posée, des manières courtoises, et une moustache broussailleuse lui couvrait la lèvre supérieure. Ancien journaliste au *Chicago Tribune* reconverti en consultant politique, il se chargerait de la communication et de l'image de Barack. Plouffe, un garçon de 39 ans au sourire gamin, qui nourrissait une passion pour les chiffres et la stratégie, serait quant à lui le chef d'orchestre de la campagne. L'équipe s'étoffait rapidement. On recrutait des professionnels chevronnés pour s'occuper du volet financier et planifier les événements.

Quelqu'un a eu la bonne idée de suggérer que Barack annonce officiellement sa candidature à Springfield. De l'avis général, cette toile de fond, en plein cœur de l'Amérique, se prêtait parfaitement à ce que nous envisagions comme une campagne d'un genre nouveau – une campagne menée par la base, essentiellement par des gens qui s'engageaient pour la première fois en politique. C'était sur eux que Barack fondait ses espoirs. Son expérience d'organisateur de communautés dans les quartiers lui avait fait prendre conscience que trop de citoyens avaient le sentiment de ne pas être entendus et d'être exclus de notre démocratie. À travers le projet VOTE !, il avait vu tout ce qu'il devenait possible de réaliser à partir du moment où on leur rendait leur voix. Sa candidature à la présidentielle serait un test grandeur nature de cette ambition. Son message passerait-il à l'échelle d'un État, à l'échelle du pays ? Mobiliserait-il assez de monde pour l'aider ? Barack savait qu'il était un candidat atypique. Et il voulait une campagne atypique.

C'était donc décidé : il ferait son annonce sur les marches de l'ancien Capitole de l'État, un lieu hautement symbolique qui renverrait une image autrement marquante que n'importe quel stade ou centre de conférences. Mais il se retrouverait aussi en extérieur, au beau milieu de l'Illinois et en plein mois de février, quand le mercure descendait souvent au-dessous de zéro. L'idée partait certes d'un bon sentiment, mais ne me paraissait pas très sage, et elle n'a pas beaucoup contribué à me rassurer sur l'équipe de campagne qui régentait désormais plus ou moins notre vie. Pour tout dire, elle ne me plaisait pas du tout. Je nous voyais déjà, les filles et moi, forcer des sourires sous les bourrasques de neige, dans un vent glacial. J'imaginais Barack, frigorifié, serrer les dents pour afficher son dynamisme. Et je pensais à tous les gens qui, au lieu de venir piétiner des heures debout dans le froid, préféreraient rester bien au chaud chez eux ce jour-là. J'étais une fille du Midwest et j'étais bien placée pour savoir que la météo pouvait tout gâcher. Je savais aussi que Barack ne pouvait pas se permettre de démarrer sur un échec.

Hillary Clinton, rayonnante d'assurance, avait officialisé sa candidature un mois plus tôt. John Edwards, ancien sénateur de Caroline du Nord et colistier de John Kerry à la présidentielle de 2004, avait lancé sa campagne un mois avant elle, dans un quartier de La Nouvelle-Orléans dévasté par l'ouragan Katrina. En tout, pas moins de neuf démocrates briguaient l'investiture de leur parti. Il y aurait donc de la concurrence, et la bataille promettait d'être rude.

Les communicants de Barack misaient donc sur un discours en extérieur. Je n'avais pas vraiment mon mot à dire, mais j'ai tout de même demandé à l'équipe logistique de prévoir au moins un radiateur sous le pupitre, pour qu'il n'ait pas l'air trop crispé pour sa première grande sortie médiatique. Pour le reste, je m'abstenais de tout commentaire. Je ne contrôlais plus grand-chose. Je voyais tout ce petit monde planifier des événements de terrain, élaborer des stratégies, mobiliser des volontaires. La campagne était lancée et il était hors de question de sauter du train en marche.

Poussée sans doute par un instinct de préservation, je me suis concentrée sur une mission qui était encore de mon ressort : acheter des bonnets convenables à Malia et Sasha pour le grand jour. Je leur avais déjà trouvé de nouveaux manteaux d'hiver, mais j'avais complètement oublié les bonnets, et il était déjà presque trop tard.

Quelques jours avant la date fatidique, je suis allée écumer les boutiques du Water Tower Place après le travail, fouinant dans ce qui restait des stocks de la collection d'hiver, traquant vainement l'aubaine dans les bacs de soldes. Très vite, je me fichais bien de savoir si Sasha et Malia seraient assez présentables pour des filles de futur président, mais je voulais au moins qu'elles aient l'air d'avoir une mère. Au troisième soir de shopping express, j'ai enfin déniché au rayon femme deux bonnets de laine en taille « small » – un blanc pour Malia, un rose pour Sasha. Celui de Malia lui allait parfaitement, mais l'autre glissait sur le visage de sa sœur. Sans être particulièrement élégants, ils étaient assez mignons et, surtout, ils leur tiendraient chaud dans le froid mordant de l'hiver du Midwest. Je venais de remporter une victoire – une petite victoire, mais c'était la mienne.

Au MATIN DE L'ANNONCE PUBLIQUE, le 10 février 2007, le ciel était clair et dégagé. C'était un de ces beaux samedis d'hiver, qui ont l'air bien plus agréables qu'ils ne le sont. La température frisait les – 10 °C et une brise légère balayait l'air. Arrivés à Springfield la veille au soir, nous avions passé la nuit dans une suite d'un hôtel du centre-ville, où nous avions réservé tout un étage pour loger une vingtaine de proches et amis qui avaient également fait le voyage depuis Chicago.

Nous ressentions déjà les pressions propres à une campagne nationale. La déclaration de Barack avait malencontreusement été pro-
grammée le même jour que la réunion annuelle de l'état de l'Union
noire, organisée par le célèbre animateur de radio Tavis Smiley
qui, naturellement, était furieux. Il avait clairement dit son mécontentement à l'équipe de campagne, jugeant que le choix de cette
date témoignait d'un mépris pour la communauté afro-américaine
et finirait par se retourner contre la candidature de Barack. Je ne
m'attendais pas à ce que les premiers coups de griffe viennent de
la communauté noire. Puis, la veille du jour J, le magazine *Rolling
Stone* a publié un portrait de Barack. Le journaliste était allé enquêter
à l'église de la Trinité de Chicago, qui était toujours notre paroisse
même si, depuis la naissance des filles, nous n'y allions plus beaucoup. Il citait dans son papier des extraits d'un sermon incendiaire
que le révérend Jeremiah Wright avait prononcé des années auparavant, fustigeant en termes virulents le traitement réservé aux Noirs
dans notre pays et laissant entendre que les Américains étaient plus
attachés à la suprématie blanche qu'à Dieu.

Alors qu'en soi l'article était plutôt positif, le magazine avait
choisi de titrer en une : « Les racines radicales de Barack Obama »
– argument que les médias conservateurs s'empresseraient d'instru-
mentaliser. Nous courions à la catastrophe. Pour ne rien arranger,
Barack avait invité le révérend Wright à diriger la prière publique,
juste avant son discours. Le 9 février au soir, il a dû se résoudre à
l'appeler pour lui demander s'il accepterait de se faire plus discret
et de nous donner sa bénédiction en coulisse. Le pasteur était vexé,
mais, d'après Barack, il semblait aussi comprendre ce qui se jouait et
nous pensions que, malgré sa déception, il nous garderait son soutien.

C'est ce matin-là que j'ai pleinement pris conscience que nous
ne pourrions plus faire machine arrière. Nous allions très littéralement livrer notre famille au peuple américain. Cette journée devait
être une grande fête de lancement de la campagne, un événement
spectaculaire que tout le monde préparait depuis des semaines. Soudain, mon côté parano a repris le dessus : et si, au dernier moment,
personne ne venait ? Contrairement à Barack, il m'arrivait de douter. Je ne m'étais jamais défaite des angoisses qui me tenaillaient
depuis l'enfance. Étions-nous vraiment à la hauteur ? Peut-être que
tout ce qu'on nous avait dit était exagéré ; que Barack était moins

populaire que ne le pensaient ses équipes ; que son moment n'était pas encore venu. Je m'efforçais de chasser ces appréhensions de mon esprit en arrivant par une porte dérobée dans une salle d'attente de l'ancien Capitole. Ma mère était là, avec Kaye Wilson – *alias* « Mama Kaye », une ancienne mentor de Barack qui était devenue une seconde grand-mère pour les filles. Je leur ai confié Sasha et Malia pour aller me faire briefer par l'équipe.

Apparemment, il y avait beaucoup de monde, dehors. Les gens avaient même commencé à arriver avant l'aube. Barack entrerait en scène le premier, puis les filles et moi le rejoindrions sur l'estrade pour saluer la foule. J'avais bien précisé que nous ne resterions pas sur scène pendant son discours. C'était trop demander à deux petites filles que de rester sagement assises pendant vingt minutes en faisant semblant de s'intéresser à ce que racontait leur père. Si elles avaient l'air de s'ennuyer, si l'une ou l'autre éternuait ou se tortillait sur son siège, cela ne servirait pas la cause de Barack. Quant à moi, je savais que j'étais censée incarner la parfaite épouse, impeccablement mise, sourire figé aux lèvres, couvant son mari d'un regard admiratif, buvant chacune de ses paroles. Mais voilà : ce n'était pas moi et ce ne le serait jamais. J'étais prête à le soutenir, mais je ne pouvais pas me transformer en robot.

Après le briefing et un moment de prière avec le révérend Wright, Barack est sorti saluer la foule. Son entrée en scène a été accueillie par un rugissement qui a retenti jusqu'à l'intérieur du Capitole. L'estomac noué, je suis retournée chercher Malia et Sasha.

« Vous êtes prêtes, les filles ?

– Maman, j'ai chaud ! a pleurniché Sasha en arrachant son bonnet rose.

– Allons, ma puce, garde-le, il fait très froid dehors.

– Mais on n'est pas dehors, on est dedans. »

Je reconnaissais bien là notre Sasha, si pragmatique derrière sa bouille ronde. Sa logique était imparable, mais ce n'était pas le moment de discuter et je lui ai remis son bonnet sur la tête. J'ai avisé une assistante qui se trouvait là – une jeune femme qui n'avait sans doute pas d'enfant –, l'implorant du regard pour lui faire comprendre que si on ne commençait pas tout de suite, je ne répondais plus de mes filles. Par miracle, elle a saisi le message et, d'un signe de tête, nous a dirigées vers l'entrée. Il était temps !

J'avais accompagné Barack dans pas mal de réunions politiques, et je l'avais souvent vu engager le dialogue avec de grandes assemblées d'électeurs. J'avais assisté à des lancements de campagne, à des levées de fonds et à des soirées électorales. J'avais vu des salles remplies d'amis de toujours et de soutiens de longue date. Mais Springfield ne ressemblait à rien de tout cela.

J'ai retrouvé toute mon assurance dès l'instant où je suis montée sur l'estrade. Je ne me suis plus occupée que de Sasha, veillant à ce qu'elle n'oublie pas de sourire et ne s'emmêle pas les pieds dans ses petites bottes. « Lève la tête, mon cœur ! Souris ! » Malia, menton haut et sourire éclatant, avait déjà filé rejoindre son père et saluait joyeusement l'assistance. Ce n'est qu'au moment où nous avons gravi les marches que j'ai enfin vu la foule, ou du moins ce que je pouvais en voir. L'affluence était considérable. Plus de 15 000 personnes s'étaient déplacées ce jour-là. Une marée humaine se déployait sur un panorama à 360 degrés autour du Capitole, nous enveloppant de son enthousiasme.

Je n'ai jamais été de celles qui choisiraient de passer un samedi dans un meeting politique. Je ne comprenais pas qu'on puisse s'agglutiner dans un gymnase ou un auditorium de lycée pour entendre débiter de grandes promesses et des platitudes. Pourquoi tous ces gens étaient-ils là ? Qu'est-ce qui avait bien pu les pousser à superposer pulls et chaussettes pour tenir des heures, debout, dans un froid polaire ? Je concevais que l'on soit prêt à s'emmitoufler et à passer des heures à piétiner pour un groupe de rock dont on connaissait par cœur tous les morceaux, ou que l'on affronte un SuperBowl sous la neige pour soutenir une équipe que l'on suivait depuis l'enfance. Mais pour un meeting politique ? Je n'avais jamais rien vu de tel.

Puis l'évidence m'est tombée dessus : le groupe de rock, c'était nous. L'équipe qui s'apprêtait à entrer sur le terrain, c'était nous. Et là, soudain, j'ai senti tout le poids de notre responsabilité. Nous étions redevables à chacune de ces personnes. Nous leur demandions de nous faire confiance et, maintenant, c'était à nous de transformer ce qu'ils nous apportaient, de porter cet enthousiasme pendant vingt mois et dans cinquante États, jusqu'aux portes de la Maison-Blanche. Je n'y avais pas vraiment cru jusqu'à présent, mais, à cet instant, tout me semblait possible. C'était la dynamique d'échange de la démocratie en action, un contrat passé avec chaque individu, un à un. *Vous êtes là pour nous, nous serons là pour vous.* J'avais 15 000 raisons de plus de vouloir la victoire de Barack.

J'étais désormais pleinement impliquée. Toute notre famille était impliquée, même si tout cela était un peu terrifiant. Je n'avais encore aucune idée de ce qui nous attendait. Mais nous étions là – dehors –, tous les quatre, devant la foule et les caméras, à nu, avec nos manteaux sur le dos et un bonnet rose un peu trop grand sur une petite tête.

HILLARY CLINTON ÉTAIT UNE ADVERSAIRE déterminée et redoutable. Tous les sondages la plaçaient largement en tête des intentions de vote aux primaires démocrates, alors que Barack était à 20 points derrière elle, talonné par John Edwards. La base démocrate connaissait les Clinton et ne voulait surtout pas laisser filer la victoire. Face à cela, très peu parvenaient à prononcer correctement le nom de mon mari. Nous savions tous pertinemment – Barack, moi et l'équipe de campagne – que, en dépit de tout son charisme et de tout son talent politique, un homme noir qui s'appelait Barack Hussein Obama partait forcément avec un sérieux handicap.

Nous rencontrions les mêmes réticences dans la communauté noire. Beaucoup de Noirs étaient aussi réservés que je l'avais moi-même été sur la candidature de Barack et refusaient de croire qu'elle avait vraiment une chance d'aboutir. Doutant fort qu'un Afro-Américain puisse rafler des régions majoritairement blanches, ils préféraient souvent se rabattre sur une « valeur sûre », fût-ce sans grande conviction. L'un des aspects du défi que devait relever Barack consistait à détourner les électeurs noirs de leur longue allégeance à Bill Clinton, qui était incroyablement à l'aise avec la communauté afro-américaine et y avait noué beaucoup de relations. Barack s'était déjà constitué une base solide auprès d'un électorat très divers dans toutes les circonscriptions de l'Illinois, et jusque dans les régions rurales blanches du sud de l'État. Il avait démontré qu'il pouvait toucher toutes les catégories de population, mais nombreux étaient ceux qui ne comprenaient pas encore qu'il était prêt.

Tous les faits et gestes de Barack seraient observés à la loupe, commentés et amplifiés. En tant que candidat noir, il n'avait droit à aucun faux pas. Il devrait tout faire deux fois mieux que quiconque.

Pour Barack, comme pour les autres prétendants qui ne s'appelaient pas Clinton, la seule façon de décrocher l'investiture démocrate était de lever beaucoup d'argent et de l'utiliser vite et bien, en espérant qu'une bonne performance aux premiers caucus donnerait suffisamment d'élan à sa campagne pour battre la machine Clinton.

Tous nos espoirs reposaient sur l'Iowa. Nous devions absolument le remporter – ou jeter l'éponge. Or cet État essentiellement rural et peuplé à plus de 90 % de Blancs qui, étrangement, fait office de baromètre politique, n'était sans doute pas le plus favorable pour permettre à un candidat noir ancré à Chicago de laisser sa marque. Mais il fallait faire avec. Depuis 1972, c'est dans l'Iowa que se joue la première manche, décisive, des primaires républicaines et démocrates. Le soir des fameux caucus, les électeurs des deux partis se regroupent en assemblées dans chaque circonscription pour désigner leur candidat, en plein hiver, sous le regard attentif de la nation tout entière. Une percée à Des Moines et à Dubuque se répercuterait automatiquement sur les intentions de vote à Orlando et à Los Angeles. Nous savions aussi qu'un bon score dans l'Iowa indiquerait à l'électorat noir de tout le pays qu'il pouvait commencer à y croire. David Plouffe se voulait optimiste : nous partions avec un petit avantage, assurait-il, car, en tant que sénateur de l'État voisin d'Illinois, Barack jouissait déjà d'une certaine notoriété et connaissait bien les grands enjeux de la région du Midwest. C'était cet avantage que nous devions maintenant consolider.

J'irais donc dans l'Iowa presque chaque semaine. Ce qui, concrètement, signifiait que je devrais sauter dans un avion dès l'aube et enchaîner trois ou quatre réunions dans la journée. J'avais immédiatement prévenu Plouffe : je me mettais volontiers au service de la campagne, mais à condition qu'on me ramène chaque soir à temps à Chicago pour mettre les filles au lit. Ma mère avait accepté de réduire ses horaires de travail pour être un peu plus présente auprès des enfants pendant mes déplacements. Barack sillonnerait lui aussi l'Iowa du matin au soir, mais on ne nous verrait que rarement ensemble sur le terrain – ou ailleurs. J'étais désormais l'émissaire personnel du candidat, une « doublure » qui allait à la rencontre des électeurs dans une salle polyvalente d'Iowa City pendant que lui faisait campagne à Cedar Falls ou organisait des collectes de fonds à New York. Le staff de campagne ne nous réunissait que pour les événements les plus importants.

Un essaim d'assistants suivait à présent Barack dans tous ses déplacements. Je devais moi aussi former ma propre équipe. On m'avait accordé une enveloppe pour embaucher deux personnes. Dans la mesure où je n'envisageais d'intervenir que deux ou trois fois par semaine, cela m'a paru beaucoup sur le moment. Je n'avais aucune idée de ce qu'il me fallait comme soutien. La responsable de la planification de Barack m'a recommandé Melissa Winter, une grande blonde à lunettes, frisant la quarantaine, qui avait travaillé pour le sénateur démocrate Joe Lieberman à Washington et participé à sa campagne pour la vice-présidence en 2000. J'ai reçu Melissa dans notre salon de Chicago pour un entretien, et elle m'a impressionnée par son humour impertinent et son perfectionnisme presque maladif – une qualité qui me serait indispensable pour m'aider à caser les réunions électorales dans mon emploi du temps déjà très chargé à l'hôpital. Elle était vive, très efficace et rapide. Elle évoluait depuis assez longtemps dans les milieux de la politique pour ne pas se laisser dépasser par l'intensité et le rythme d'une campagne. Elle avait à peine quelques années de moins que moi et m'apparaissait davantage comme une collègue et alliée que les petits jeunes du staff de campagne que j'avais rencontrés. Elle serait ma première recrue (et deviendrait par la suite la directrice de mon staff) et je lui ferais – et lui fais toujours – assez confiance pour la laisser gérer littéralement tous les pans de ma vie.

Katie McCormick Lelyveld, engagée comme attachée de presse, a complété notre petit trio. Elle n'avait pas 30 ans et avait déjà travaillé pour une campagne présidentielle, ainsi que pour Hillary Clinton à l'époque où elle était première dame, ce qui rendait son expérience doublement précieuse. Énergique, intelligente et toujours tirée à quatre épingles, Katie aurait à batailler avec les journalistes et les équipes de télévision, à assurer une bonne couverture médiatique de nos manifestations, et aussi – grâce à sa valisette de cuir qu'elle bourrait en permanence de détachant, de pastilles à la menthe, d'un kit de couture et d'une paire de bas de secours – à veiller à ce que je reste présentable pendant nos journées marathon, entre deux vols et deux meetings.

A U FIL DES ANS, j'avais vu à la télé des candidats à la présidence en tournée dans l'Iowa débouler dans des cafétérias pour « bavarder » avec de braves gens tranquillement attablés autour d'un café, prendre maladroitement la pose devant une sculpture de vache taillée dans le beurre, ou se gaver de saucisses frites à la foire de l'Iowa. Où s'arrêtait le dialogue, où commençait la démagogie ?

Les conseillers de Barack m'ont expliqué les règles du jeu dans l'État clé de l'Iowa : mon rôle consisterait essentiellement à visiter les circonscriptions pour rencontrer les militants démocrates, à prendre la parole devant de petits groupes, à regonfler les bénévoles, et à tâcher de convaincre les représentants communautaires. Les électeurs de l'Iowa, soulignaient-ils, prenaient très au sérieux leur rôle de faiseurs de rois. Ils décortiquaient le profil de chacun des candidats et posaient des questions pointues sur leurs programmes. Habitués à se faire courtiser pendant des mois, ils ne se laisseraient pas séduire par un sourire ou une poignée de main. Certains réserveraient leur vote jusqu'au dernier moment, attendant d'avoir discuté de vive voix avec chaque prétendant avant de s'engager enfin en faveur de l'un ou de l'autre. Ce que je ne savais pas, c'était ce que j'étais censée leur raconter. On ne m'a donné aucun scénario, aucun élément de langage, aucun conseil. Je devrais donc me débrouiller toute seule.

J'ai débuté ma tournée en solo début avril, par une réunion privée dans une modeste maison de Des Moines. Mon hôte avait rassemblé dans son salon quelques dizaines de voisins, qui avaient pris place sur les canapés et des chaises pliantes ou étaient assis par terre en tailleur. En balayant la pièce du regard avant de commencer, j'ai remarqué un détail anodin qui m'a un peu étonnée : sur les tables basses, il y avait des napperons blancs au crochet, pareils à ceux que ma grand-mère Shields avait chez elle, et sur les meubles, des figurines de porcelaine semblables à celles qui ornaient les vitrines de Robbie dans l'appartement d'Euclid Avenue. Au premier rang, un homme me souriait gentiment. J'étais dans l'Iowa, mais j'avais l'impression d'être chez moi. Les gens de l'Iowa étaient donc comme les Shields et les Robinson : ils n'aimaient pas les charlatans, ils se défiaient de l'arrogance, ils flairaient l'imposture à des kilomètres à la ronde.

J'ai alors compris ce que l'on attendait de moi : que je sois moi-même, que je parle avec ma voix. Et c'est ce que j'ai fait.

Permettez-moi de me présenter. Je m'appelle Michelle Obama, j'ai grandi dans le South Side de Chicago, dans un petit appartement au dernier étage d'une maison qui ressemblait beaucoup à celle-ci. Mon père était technicien dans une station municipale d'épuration des eaux. Ma mère est restée à la maison pour nous élever, mon frère et moi.

Puis j'ai enchaîné, leur parlant de tout – de mon frère et des valeurs avec lesquelles nous avons grandi, de ce jeune avocat fringant que j'avais rencontré au bureau, le garçon qui m'avait séduite par son pragmatisme et sa vision du monde, l'homme qui avait laissé traîner ses chaussettes n'importe où ce matin-là et à qui il arrivait de ronfler. Je leur ai expliqué que je gardais mon poste à l'hôpital, que ma mère allait chercher les filles à l'école ce jour-là.

Je ne leur ai pas caché ce que je pensais de la politique : le monde de la politique est un monde de brutes, et j'avais été très réservée sur la candidature de Barack, car je redoutais les effets de la notoriété sur notre famille. Mais si je me présentais devant eux ce jour-là, c'était parce que je croyais en mon mari, et que j'étais convaincue de ce qu'il pouvait accomplir. Quand il se penchait sur un dossier, il se documentait à fond, et en étudiait tous les tenants et aboutissants. C'était à mon sens le type même de président intelligent et honnête que je désirais pour ce pays, même si, égoïstement, je préférerais le garder un peu plus à la maison pour les années à venir.

Semaine après semaine, je tenais le même discours de ville en ville – à Davenport, à Cedar Rapids, à Council Bluffs ; à Sioux City, à Marshalltown, à Muscatine –, dans des librairies, des locaux syndicaux, une maison de retraite d'anciens combattants, et, quand il a commencé à faire un peu plus doux, sur des perrons de maisons et dans des jardins publics. Plus je répétais mon histoire, plus ma voix sonnait juste. J'aimais bien mon histoire et je la racontais naturellement. Et je m'adressais à des gens qui, même s'ils n'avaient pas la même couleur de peau, me rappelaient ma famille : des employés de la poste qui, comme Dandy autrefois, nourrissaient des rêves plus ambitieux ; des professeurs de piano animés comme Robbie d'un sens civique ; des mères au foyer comme ma mère investies dans l'association des parents d'élèves ; des ouvriers comme mon père prêts à tous les sacrifices pour leur famille. Je n'avais besoin ni de répéter ni de lire des notes. Je laissais tout simplement parler mon cœur.

Cela n'a pas empêché des journalistes et même quelques connaissances de me poser toujours la même question, sous différentes formes : que pouvait ressentir une femme noire d'un mètre quatre-vingts, sortie des prestigieuses universités de l'Ivy League, en s'adressant à des salles presque entièrement remplies d'Iowiens blancs ? Ça ne me faisait pas un peu bizarre ?

Je n'ai jamais aimé cette question. Ce d'autant qu'elle s'accompagnait systématiquement d'une petite moue embarrassée et de ce ton navré, sur le mode « Ne le prenez pas mal, mais... », que les gens adoptent souvent pour aborder la question raciale. Je trouvais qu'elle nous rabaissait tous, car elle partait du principe que la seule chose que l'on voyait, c'était les différences.

Elle m'exaspérait surtout parce qu'elle allait totalement à l'encontre de ce que j'étais en train de vivre et de ce qu'étaient en train de vivre tous ces citoyens ordinaires que je rencontrais – l'agriculteur dont la veste arborait le logo d'un maïs de semence, l'étudiant dans son pull noir et or, la dame retraitée qui avait apporté un grand pot de biscuits décorés de l'emblème du soleil levant, notre logo de campagne. Après mon discours, ils venaient me voir parce qu'ils avaient envie de parler de ce qui nous rapprochait – de leur père, qui lui aussi avait été atteint de sclérose en plaques, de leurs grands-parents, qui ressemblaient en tout point aux miens. Beaucoup me confiaient qu'ils ne s'étaient jamais engagés en politique, mais que quelque chose, dans notre campagne, leur disait que ça en vaudrait la peine. Ils proposaient de venir nous aider à la permanence locale où, disaient-ils, ils essaieraient de convaincre leur conjoint ou un voisin de les suivre.

Ces échanges étaient si naturels, si authentiques, que je me surprenais à serrer instinctivement dans mes bras des hommes et des femmes qui me rendaient la pareille.

C'EST VERS CETTE ÉPOQUE que j'ai emmené Malia chez le pédiatre que nous allions voir tous les trois à six mois pour ses problèmes d'asthme qu'elle traînait depuis tout bébé. L'asthme était bien contrôlé, mais le médecin m'a alertée sur autre chose : l'indice de masse corporelle de Malia se mettait à grimper dangereusement. Ce n'était pas un simple pic appelé à retomber rapidement, m'a-t-il prévenu, mais une tendance à prendre au sérieux. Si nous ne modifiions pas certaines habitudes, ma fille risquerait, à terme, de faire de l'hypertension et de contracter un diabète de type 2. J'ai commencé à m'affoler, mais il m'a aussitôt rassurée : c'était un problème très courant et réversible. Le taux d'obésité infantile augmentait dans tout le pays. Il voyait lui-même beaucoup d'enfants en surpoids parmi ses patients, pour la plupart des Afro-Américains de la classe ouvrière.

La nouvelle m'est tombée dessus comme la foudre sur un arbre. Je faisais pourtant tout pour que mes filles soient heureuses et bien dans leur peau. Où donc m'étais-je trompée ? Quel genre de mère pouvait passer à côté d'une chose pareille ?

C'est en discutant avec le médecin que j'ai pris conscience de l'engrenage dans lequel nous avions mis le doigt : maintenant que Barack était tout le temps parti, je m'arrangeais pour me simplifier la vie à la maison. Je n'avais plus le temps de cuisiner et, quand je n'emmenais pas les filles manger à l'extérieur, je passais souvent prendre des plats à emporter en rentrant du bureau. Le matin, je remplissais leur *lunchbox* de repas tout prêts, bourrés de sel et de sucres. Et, le week-end, nous nous arrêtions généralement au McDonald's du coin après le cours de danse et avant l'entraînement de football. En soi, m'a assuré le pédiatre, rien de tout cela n'était très exceptionnel, ni même totalement mauvais une fois de temps en temps. Le danger, c'était d'en abuser.

Je devais de toute évidence m'organiser autrement, mais par quel bout commencer ? Je réfléchissais à plusieurs solutions, mais chacune prendrait plus de temps – pour faire les courses, cuisiner, couper des légumes, dépiauter un blanc de poulet... – et cela tombait juste au moment où le temps semblait être dans mon univers une ressource en voie de disparition.

Je me suis alors souvenue d'une conversation avec une vieille amie que j'avais retrouvée par hasard sur un vol quelques semaines plus tôt : elle avait embauché un jeune cuisinier, un certain

Sam Kass, qui venait régulièrement leur préparer de bons repas équilibrés à domicile. Il se trouvait que Barack et moi avions rencontré Sam chez d'autres amis, quelques années auparavant.

Si l'on m'avait dit qu'un jour j'engagerais un cuisinier chez moi ! Ça faisait très bourgeois, et ma famille du South Side verrait cela d'un mauvais œil. Barack, qui roulait dans une Datsun au plancher troué, n'était pas très chaud non plus. Cela ne cadrait ni avec sa frugalité d'animateur social, ni avec l'image qu'il souhaitait renvoyer à ses électeurs. Mais, pour moi, c'était le seul choix raisonnable. Ça ne pouvait plus durer. Je ne pouvais me faire remplacer ni pour gérer mes programmes à l'hôpital, ni pour faire campagne comme épouse de Barack Obama, ni pour embrasser Sasha et Malia à l'heure du coucher. En revanche, je voyais très bien Sam Kass cuisiner pour nous de temps à autre.

J'ai donc repris contact avec lui et je lui ai demandé de venir deux fois par semaine nous préparer un repas pour le soir même et un autre que je n'aurais qu'à réchauffer le lendemain soir. Ce jeune Blanc de 26 ans au crâne rasé et à la barbe de trois jours faisait un peu figure d'extra-terrestre chez les Obama, mais les filles ont très vite succombé à sa cuisine et à ses blagues vaseuses. Il leur apprenait à détailler les carottes et à blanchir les légumes ; il écartait notre famille de la monotonie blafarde du supermarché du coin pour nous réconcilier avec le rythme des saisons. Il accueillait avec une ferveur presque religieuse l'arrivée des petits pois au printemps, ou des premières framboises en juin. Il attendait que les pêches soient bien mûres et juteuses pour en servir aux filles, qui finiraient peut-être par préférer de bons fruits goûteux aux bonbons. Sam s'intéressait aussi de très près aux liens entre alimentation et santé, et s'insurgeait contre l'industrie agro-alimentaire qui, au nom de la facilité, fourguait aux familles des produits transformés qui avaient des effets dévastateurs sur la santé publique. J'avais envie de creuser le sujet, car je reconnaissais là certains problèmes que j'avais constatés en travaillant à l'hôpital et ma propre difficulté à nourrir ma famille sans sacrifier à mon travail.

Un soir, j'ai passé quelques heures à bavarder avec Sam dans ma cuisine. Nous avons imaginé comment, si Barack parvenait à décrocher la présidence, je pourrais utiliser mon statut de première dame pour m'attaquer à ces questions de nutrition. Une idée en appelait une autre. Et si on faisait un potager à la Maison-Blanche pour promouvoir la consommation de légumes frais ? Cela pourrait être un tremplin pour une initiative plus ambitieuse, un programme de grande envergure pour la santé des enfants, qui permettrait aux parents d'éviter certains des écueils dans lesquels j'étais tombée...

Nous avons parlé jusque tard dans la nuit. À un moment, j'ai regardé Sam en soupirant : « Le seul problème dans tout ça, c'est qu'avec 30 points de retard, notre homme est à la traîne dans les sondages. » Nous avons éclaté de rire. « C'est sûr, il est mal barré. »

C'était un rêve, mais il me plaisait.

CÔTÉ CAMPAGNE, chaque jour était un nouveau marathon. Je m'efforçais de préserver une forme de stabilité et de normalité, pour les filles, naturellement, mais aussi pour moi-même. Mes deux BlackBerry ne me quittaient pas – l'un pour le travail, l'autre pour ma vie privée et mes activités politiques qui, pour le meilleur ou pour le pire, étaient à présent indissociables. Mes coups de fil quotidiens avec Barack se résumaient généralement à l'essentiel – *Tu es où, là ? Comment ça se passe ? Les filles vont bien ?* Nous ne parlions plus de nous, de notre épuisement ou de nos besoins personnels. À quoi bon, de toute façon, puisque nous ne pouvions rien y faire. Toute notre vie n'était plus qu'une course contre la montre.

Côté travail, je faisais de mon mieux pour suivre mes dossiers, appelant parfois le bureau depuis le siège arrière encombré de la Toyota Corolla d'une étudiante en anthropologie qui militait pour nous à Iowa, ou bien du fond d'un Burger King à Plymouth, dans le New Hampshire. Quelques mois après l'annonce officielle de Barack à Springfield, et avec l'appui de mes collègues, j'ai décidé de me mettre à temps partiel, car c'était le seul moyen de tenir. Je passais deux ou trois jours par semaine sur les routes avec Melissa et Katie. À nous trois, nous formions une équipe de choc. Nous nous retrouvions le matin à l'aéroport, jouant des coudes pour passer la sécurité, où tous les agents connaissaient mon nom. Ils n'étaient pas les seuls. En rejoignant la porte d'embarquement, j'entendais de plus en plus souvent des passagers m'interpeller – des femmes afro-américaines, surtout : « Michelle ! Michelle ! »

Un changement était en train de s'opérer, très progressivement, presque imperceptiblement au début. Par moments, il me semblait flotter dans un univers étrange, saluant des inconnus qui avaient l'air de me connaître, montant dans des avions qui m'arrachaient à mon monde ordinaire. Je devenais *connue*. Et je devenais connue comme « femme de » et comme militante politique, ce qui rendait ma notoriété doublement et triplement étrange.

Sur le terrain, l'exercice du bain de foule s'apparentait à une lutte contre un ouragan : une masse de sympathisants survoltés m'agrippait les mains, me touchait les cheveux, me tapait sur l'épaule, on me tendait des stylos, des appareils photo, des bébés. Je souriais, je serrais des mains, j'écoutais, remontant la file tant bien que mal. Et j'en ressortais tout ébouriffée, les joues couvertes de marques de rouge à lèvres, le chemisier froissé, comme si je venais de sortir d'une soufflerie.

Je n'avais pas le temps de trop y réfléchir, mais, intérieurement, je craignais que, comme je gagnais en notoriété en tant qu'épouse de Barack Obama, on ne fasse l'impasse sur les autres facettes de ma personnalité. Les journalistes m'interrogeaient rarement sur ma vie professionnelle. Quand ils parlaient de moi, ils arrivaient toujours à caser quelque part « diplômée de Harvard », mais s'en tenaient généralement à cela. J'étais tombée sur deux articles de presse qui insinuaient que je ne devais ma promotion à l'hôpital ni à mon travail acharné, ni à mon mérite, mais à l'ascension politique de mon mari, ce qui était assez blessant. Vers la fin avril, Melissa m'a appelée à la maison pour me prévenir que Maureen Dowd venait de sortir un éditorial au vitriol dans le *New York Times*. Me qualifiant de « princesse du sud de Chicago », elle me reprochait d'« émasculer » Barack en racontant qu'il laissait traîner ses chaussettes sur la moquette ou ne remettait pas le beurre au frigo. Or, si je livrais ces petites anecdotes, c'était précisément parce que je tenais à ce que les Américains voient Barack comme un être de chair et non comme un sauveur tombé du ciel. Apparemment, Maureen Dowd aurait préféré que je m'en tienne au sourire figé et au regard de l'épouse subjuguée. Je regrettais et m'étonnais qu'une critique aussi acerbe émane d'une femme qui, comme moi, menait sa carrière tambour battant, mais qui ne s'était jamais donné la peine de venir me voir et me dénigrait avec cynisme.

J'essayais de ne pas y voir une attaque personnelle, mais ce n'était pas toujours facile.

À chaque nouveau meeting, chaque nouvel article publié, chaque nouvelle percée dans les sondages, nous nous trouvions un peu plus exposés, en butte à toutes sortes d'attaques. Des rumeurs insensées circulaient sur Barack : il avait fait sa scolarité dans une école coranique dirigée par des islamistes radicaux et, pour son investiture au Sénat, il avait juré sur le Coran et non sur la Bible. Il avait refusé de prononcer le serment d'allégeance. Il refusait de mettre la main sur le cœur pendant l'hymne national. Il s'était lié d'amitié avec un terroriste d'extrême gauche des années 1970[1]. Ces allégations insidieuses avaient beau être scrupuleusement démontées par des journaux sérieux, elles se répandaient comme un feu de brousse dans des chaînes d'e-mails, diffusées par des conspirationnistes anonymes, mais aussi par des oncles, des collègues ou des voisins incapables de distinguer les faits des contre-vérités colportées sur Internet.

Je m'interdisais de penser à la sécurité de Barack, et plus encore d'en parler. Notre génération avait grandi au rythme des assassinats et des attentats retransmis aux JT du soir. Les Kennedy, Martin Luther King, Ronald Reagan, John Lennon. Tous avaient été la cible de tueurs. À partir du moment où l'on suscitait un peu trop de ferveur, on prenait un certain risque. Cela étant, Barack était noir et, pour lui, ce risque n'avait rien de nouveau. « Il pourrait tout aussi bien se prendre une balle en allant à la station-service », rappelais-je parfois dans les interviews.

À partir du mois de mai, le Secret Service a placé Barack sous protection. Jamais encore un candidat à la présidence n'avait bénéficié d'un dispositif de sécurité aussi tôt – avant même qu'il n'ait décroché l'investiture démocrate, et un an et demi avant l'échéance de l'élection –, ce qui était révélateur de la nature et de la gravité des menaces qui pesaient sur lui. Il se déplaçait à présent dans de luxueux SUV aux vitres teintées fournis par le gouvernement, suivi à la trace par une escouade d'hommes et de femmes en noir armés et équipés d'oreillettes. À la maison, un agent de sécurité montait la garde sur notre perron.

Pour ma part, je me suis rarement sentie en danger. Mes rassemblements attiraient de plus en plus de monde. J'avais commencé par de modestes réunions de proximité où je m'adressais à une vingtaine

1. Référence à Bill Ayers, militant d'un groupuscule d'extrême gauche anti-guerre du Vietnam qui a posé des bombes au Capitole et au Pentagone.

de citoyens, et je rassemblais maintenant des centaines de personnes dans un gymnase. Notre permanence de l'Iowa s'est bientôt aperçue que chacune de mes interventions rapportait beaucoup de promesses de soutien (sous forme de « cartes de sympathisants » signées, qui alimentaient la base de données de la campagne et que le staff suivait méticuleusement). À un moment donné, l'équipe s'est mise à me surnommer « *the Closer* » (« celle qui boucle l'affaire ») pour ma capacité à convaincre les électeurs indécis.

Jour après jour, j'apprenais à m'organiser plus efficacement, à éviter les petits soucis de santé et autres contrariétés susceptibles de me freiner dans mon élan. Après avoir goûté à quelques plats douteux dans des restaurants routiers par ailleurs charmants, j'ai choisi de me rabattre sur les cheeseburgers insipides, mais plus fiables, de McDonald's. Pour les repas sur le pouce à l'arrière de la voiture, entre deux étapes de campagne, j'ai appris à ne pas salir mes vêtements en préférant les snacks qui s'émiettaient à ceux qui dégoulinaient, car une tache de houmous sur ma robe aurait fait très mauvais effet devant les photographes. Je me suis astreinte à boire moins d'eau pour limiter les arrêts pendant nos longs trajets. Je me suis habituée à dormir en faisant abstraction du grondement sourd des semi-remorques qui filaient sur l'autoroute de l'Iowa après minuit, et même, dans un hôtel particulièrement mal insonorisé, des ébats bruyants de jeunes mariés dans la chambre voisine.

En dépit des hauts et des bas, cette première année de campagne a surtout été riche de moments intenses et d'éclats de rire partagés. J'emmenais aussi souvent que possible Sasha et Malia dans mes visites de terrain. Elles adoraient ces voyages et tenaient remarquablement bien le coup. Un jour de foire, dans le New Hampshire, j'étais partie dire quelques mots aux électeurs et serrer des mains, confiant les filles à une jeune militante qui leur ferait faire le tour des stands et des attractions avant de me les ramener pour une séance photo d'un magazine. Une heure plus tard, j'ai cru défaillir en voyant arriver Sasha. Ses joues, son nez, son front avaient été entièrement peints en noir et blanc : elle avait été maquillée en panda ! La journée avait été bien chargée, et j'ai aussitôt pensé aux photographes qui nous attendaient. Il fallait absolument la démaquiller et j'allais encore prendre du retard. Puis j'ai regardé sa petite frimousse de panda, et j'ai poussé un soupir.

Ma fille était adorable et heureuse. Je l'ai embrassée en riant. Il ne me restait plus qu'à trouver des toilettes pour la débarbouiller.

Nous avions parfois l'occasion de faire des déplacements en famille, tous les quatre. Nous avons ainsi passé quelques jours à sillonner les campagnes profondes de l'Iowa dans un camping-car de location, ponctuant notre tournée de parties d'Uno animées. Nous avons passé tout un après-midi à la foire de l'Iowa à nous amuser entre les autos-tamponneuses et le stand de tir aux pigeons, tandis qu'une nuée de photographes nous mitraillait au téléobjectif. Mais nous en avons encore mieux profité quand Barack a dû partir pour sa destination suivante, entraînant derrière lui la cohorte de journalistes, agents de sécurité et collaborateurs de campagne qui ne le lâchaient plus d'une semelle. La voie était enfin dégagée : nous avons pu nous promener en toute tranquillité dans les allées et dévaler à toute allure un immense toboggan jaune sur des sacs de jute.

Je retournais chaque semaine dans l'Iowa. Du hublot de mon avion, je voyais les saisons se succéder, la terre qui reverdissait lentement, et les rangées de soja et de maïs tirées au cordeau qui commençaient à strier les champs. J'adorais la géométrie impeccable de ces plaines, les taches de couleur qu'apportaient les granges, les routes de campagne planes qui filaient droit vers l'horizon. Je m'étais prise d'affection pour cet État, même si, en dépit de tous nos efforts, la victoire semblait loin de nous être acquise ici.

Barack et son équipe consacraient depuis maintenant près d'un an une grande part de leur énergie et de leurs ressources à l'Iowa, mais la plupart des sondages le plaçaient encore en deuxième, voire troisième position derrière Hillary et John Edwards. La course semblait serrée, mais tous les pronostics le donnaient perdant. À l'échelle nationale, les perspectives étaient encore moins réjouissantes : Barack avait systématiquement 15 ou 20 points de retard sur Hillary – une réalité qui me sautait à la figure chaque fois que j'entendais brailler les chaînes d'information en continu dans les aéroports ou les restaurants où nous faisions étape.

Depuis quelques mois, excédée par les boniments incessants des présentateurs de CNN, MSNBC et Fox News, j'avais définitivement banni ces chaînes de mes soirées télé, préférant me faire plaisir avec les émissions plus légères de E ! sur la vie des stars et le show-biz, ou celles de HGTV consacrées au jardinage et à la décoration intérieure. Croyez-moi, à la fin d'une journée bien remplie, il n'y a rien de mieux que de voir un jeune couple trouver la maison de ses rêves à Nashville ou une future mariée dire oui à sa robe.

À vrai dire, je ne me fiais pas à ce que pouvaient raconter les analystes politiques, et je n'étais pas non plus très convaincue par les sondages. Au fond de moi, j'étais certaine qu'ils se trompaient, forcément. L'atmosphère décrite depuis des studios urbains bien calfeutrés n'était pas celle que je trouvais dans les églises et les centres communautaires de l'Iowa. Ils ne savaient rien des « Barack Stars », ces équipes de lycéens qui, après leur entraînement de football ou leur répétition de théâtre, se portaient volontaires pour participer à la campagne. Ils n'avaient jamais tenu la main d'une grand-mère blanche qui rêvait d'un avenir meilleur pour ses petits-enfants métis. Et, visiblement, ils n'avaient pas encore pris la mesure de la gigantesque machine de notre organisation de campagne. Nous étions en train de mettre en place un immense réseau de militants de terrain – qui compterait 200 salariés répartis sur 37 permanences –, le plus vaste de l'histoire des caucus de l'Iowa.

La jeunesse était avec nous. Notre organisation tirait sa force de l'idéalisme et de l'énergie de jeunes de 22 à 25 ans qui avaient tout lâché pour venir participer à notre campagne, chacun portant quelque variante du gène qui, des années auparavant, avait poussé Barack à s'engager dans l'animation de quartiers à Chicago. Et ils avaient un esprit citoyen et des compétences qu'aucun sondage n'avait encore pris en compte. Je le sentais à chacune de mes visites – un élan d'espoir impulsé par des militants convaincus qui consacraient chaque soir quatre ou cinq heures à passer des coups de fil et à frapper aux portes, à tisser des réseaux de soutien jusque dans les petites bourgades les plus conservatrices, apprenant par cœur les détails de l'argumentaire de Barack sur le confinement des cochons ou sur son projet de réforme de la politique migratoire.

Ces jeunes qui animaient nos bureaux de campagne incarnaient à mes yeux la promesse de la prochaine génération de leaders. Loin d'être blasés, ils étaient unis et gonflés à bloc. Ils mettaient les électeurs en prise directe avec leur démocratie, que ce soit par l'intermédiaire de l'antenne de terrain installée au coin de la rue ou d'un site Internet qui leur permettait d'organiser leurs propres réunions de quartier et de passer leurs appels. Comme le disait souvent Barack, ce que nous étions en train de faire dépassait largement le cadre de ce scrutin particulier : il s'agissait de préparer la politique de l'avenir – une politique moins tributaire de l'argent, plus accessible et, au bout du compte, plus porteuse d'espoir. Même si nous ne gagnions pas, nous faisions des pas de géant. Une chose était sûre : ce que ces jeunes étaient en train d'accomplir ferait date.

À L'APPROCHE DE L'HIVER, alors que le froid revenait, Barack misait sur sa dernière chance d'inverser la tendance dans l'Iowa : il devait faire une démonstration de force au dîner Jefferson-Jackson, un rituel organisé chaque année dans tous les États afin de lever des fonds pour les démocrates. Dans l'Iowa, en période d'élection, l'événement avait lieu début novembre, environ huit semaines avant les caucus de janvier, et il était couvert par la presse nationale. Chaque candidat était invité à prononcer un discours – sans notes et sans téléprompteur – et à battre le rappel de ses soutiens. C'était en fait un gigantesque meeting où chacun s'employait à remobiliser et galvaniser ses troupes et à intimider ses adversaires.

Depuis des mois, les commentateurs des chaînes câblées répétaient que les électeurs de l'Iowa ne voteraient certainement pas pour Barack aux caucus. Ils semblaient convaincus que, même si c'était un candidat dynamique et atypique, il ne réussirait pas à transformer en votes l'enthousiasme qu'il soulevait. L'affluence au dîner Jefferson-Jackson a suffi à balayer ces doutes : près de 3 000 de nos partisans ont déferlé des quatre coins de l'État, prouvant qu'ils étaient à la fois organisés et investis – plus forts que quiconque ne le pensait.

Ce soir-là, à la tribune, John Edwards s'en est surtout pris à Hillary Clinton, soulignant dans une allusion à peine voilée que les qualités premières d'un candidat devaient être la sincérité et la fiabilité. Joe Biden, sourire narquois aux lèvres, a accueilli la foule impressionnante et tonitruante de soutiens d'Obama d'un malicieux : « Bonsoir, Chicago ! » Hillary, qui avait attrapé un rhume, s'est également saisie de l'occasion pour brocarder Barack : « Le "changement" n'est qu'un mot creux si vous n'avez pas la force et l'expérience pour le mettre en œuvre. »

Barack était le dernier à prendre la parole ce soir-là. Dans un discours enflammé, il a défendu avec force son message fondamental :

notre pays était arrivé à un tournant crucial de son histoire, et l'heure était venue de dépasser non seulement la peur et les échecs de l'administration Bush, mais aussi l'extrême polarisation qui pesait sur la vie politique depuis longtemps, y compris, bien entendu, sous l'administration Clinton. « Je ne veux pas passer l'année qui vient ou les quatre années à venir à mener les mêmes combats que ceux que nous avons menés dans les années 1990 », a-t-il conclu. « Je ne veux pas dresser l'Amérique rouge contre l'Amérique bleue. Je veux être le président des États-Unis d'Amérique. »

Un tonnerre d'applaudissements s'est élevé de la salle. Assise au premier rang, je le regardais emplie de fierté.

« Amérique, notre moment, c'est maintenant », martelait Barack. « Notre moment, c'est maintenant. »

Cette prestation a redonné à la campagne le coup de fouet dont elle avait besoin, le propulsant en tête du peloton. Près de la moitié des sondages de l'Iowa le plaçaient gagnant, et il n'a cessé de confirmer son avance à mesure que les caucus approchaient.

Après Noël, alors qu'il ne restait plus qu'une semaine pour boucler la campagne dans l'Iowa, on aurait dit que la moitié du South Side de Chicago avait émigré dans les plaines glaciales de Des Moines. Ma mère et Mama Kaye sont venues. Mon frère et Kelly sont venus, avec leurs enfants. Sam Kass était là, aussi. Valerie, qui avait rejoint l'équipe de conseillers de campagne de Barack à l'automne précédent, était présente, tout comme Susan, et ma bande de copines débarquées avec maris et enfants. J'ai été très touchée de voir arriver des collègues de l'hôpital, des amis de Sidley & Austin, des professeurs de droit qui avaient enseigné aux côtés de Barack. Et, fidèles à l'esprit participatif de la campagne, ils se sont tous investis dans la dernière ligne droite, chacun allant prendre ses instructions dans une antenne locale pour faire du porte-à-porte par – 17 °C, relayer le message de Barack et rappeler aux électeurs d'aller voter aux caucus. Au cours de la dernière semaine, des renforts sont arrivés par centaines de tous les coins du pays, pour faire campagne jour après jour et quadriller jusqu'aux hameaux les plus isolés, s'enfonçant dans les allées de terre les plus reculées.

Je n'étais quant à moi pas très présente à Des Moines, puisque j'avais chaque jour cinq ou six rassemblements publics à animer. Accompagnée de Melissa et Katie, je parcourais l'Iowa dans un van de location conduit par des volontaires qui se relayaient au volant. Barack en faisait autant de son côté, et sa voix commençait à s'érailler.

Ma base était toutefois située à Des Moines, où ma famille logeait à l'hôtel Residence Inn, et, même si je me trouvais à l'autre extrémité de l'État, je tenais à être de retour tous les soirs à 20 heures pour border Malia et Sasha. Mon absence ne leur pesait visiblement pas trop : elles étaient entourées du matin au soir d'une nuée de cousins, amis et baby-sitters avec lesquels elles jouaient dans la chambre et allaient se promener en ville. Je suis rentrée un soir exténuée avec une seule idée en tête : m'affaler sur le lit et profiter de quelques instants de silence. Mais, en poussant la porte, j'ai trouvé une chambre sens dessus dessous, jonchée d'ustensiles de cuisine : des rouleaux à pâtisserie sur le couvre-lit, des planches à découper sales sur la table basse, des sécateurs de cuisine sur la moquette. Les abat-jour et l'écran du téléviseur étaient recouverts d'un léger voile de... je rêvais ? Mais non, c'était bien de la *farine* !

Malia a déboulé en s'exclamant : « Sam nous a appris à faire des pâtes ! Du coup, on s'est un peu emballés... »

J'ai éclaté de rire. Et moi qui me demandais comment elles supporteraient leurs premières vacances de Noël loin de leur arrière-grand-mère à Hawaï ! Par bonheur, elles s'amusaient tout aussi bien avec un paquet de farine à Des Moines que sur une plage de Waikiki.

Le jeudi suivant, les caucus débutaient. Après un déjeuner rapide dans un centre commercial de Des Moines, Barack et moi sommes passés saluer les militants démocrates dans plusieurs salles de la ville. En fin de soirée, nous avons rejoint un groupe d'amis et de proches pour dîner, et les avons remerciés pour le soutien qu'ils nous avaient apporté pendant ces onze mois de folie, depuis l'annonce de Springfield. Je suis rentrée à l'hôtel avant la fin du repas pour me préparer avant le discours – de victoire ou de défaite – que Barack prononcerait à l'issue des résultats. J'étais à peine arrivée que Katie et Melissa sont entrées en trombe avec des nouvelles fraîches du QG de campagne : « On a gagné ! »

Folles de joie, nous nous sommes lâchées, hurlant si fort que les agents du Secret Service ont passé le nez par la porte pour s'assurer que tout allait bien.

Par l'une des soirées les plus froides de l'année, un nombre record de démocrates de l'Iowa s'étaient déployés dans leurs caucus locaux – près de deux fois plus que quatre ans plus tôt. Barack avait fait un tabac auprès de l'électorat blanc, des Noirs et des jeunes. Plus de la moitié des électeurs n'avaient encore jamais participé à un caucus, et ce sont sans doute ceux-là qui ont fait pencher la balance en faveur de Barack. Entre-temps, les journalistes des chaînes d'info étaient enfin arrivés dans l'Iowa et ne tarissaient plus d'éloges sur cet enfant prodige de la politique qui l'avait emporté haut la main face à la machine de guerre de Clinton et à un ancien candidat à la vice-présidence.

Cette nuit du 3 janvier 2008, en montant sur la scène du Hy-Vee Hall avec Barack, Sasha et Malia, j'étais heureuse, et un peu contrite aussi. Tout compte fait, me disais-je, peut-être que tout ce dont Barack parlait depuis des années était vraiment possible. Tous ces voyages à Springfield, toutes ses frustrations parce qu'il ne touchait pas assez de monde, tout son idéalisme ; sa conviction étrange et profonde que les Américains étaient capables de dépasser ce qui les divisait, et qu'en dernière instance l'action politique pouvait faire la différence – peut-être qu'il avait raison depuis le début.

Nous avions accompli un exploit historique, monumental – pas uniquement Barack, ni moi, mais Melissa et Katie, Plouffe, Axelrod et Valerie, et chaque jeune salarié de la campagne, chaque bénévole, chaque enseignant, chaque agriculteur, chaque retraité et chaque lycéen qui s'était battu ce soir-là pour quelque chose de nouveau.

Il était plus de minuit quand Barack et moi avons pris le chemin de l'aéroport. Nous quittions l'Iowa en sachant que nous n'y reviendrions plus pendant des mois. Les filles et moi rentrions chez nous à Chicago, pour reprendre le travail et l'école. Barack partait pour le New Hampshire, où la primaire se tiendrait dans moins d'une semaine.

L'Iowa nous avait tous changés. Pour moi, il avait surtout forgé ma conviction. Notre mission était maintenant de faire partager cette confiance au reste du pays. Dans les jours suivants, nos organisateurs de terrain de l'Iowa allaient se redéployer dans d'autres États – au Nevada, en Caroline du Sud, au Nouveau-Mexique, dans le Minnesota et en Californie – pour continuer à propager le message qui venait d'être entendu : oui, un changement était vraiment possible.

17

Un jour, à l'école, un garçon de ma classe m'a frappée en plein visage. Son poing est arrivé comme une comète, de nulle part, à toute vitesse. Nous faisions la queue à la cantine, débattant de grands sujets existentiels pour des gamins de 6 ou 7 ans – qui courait le plus vite, d'où venaient les noms bizarres des crayons de craie –, quand, *bam*, le coup est tombé. Je ne sais pas pourquoi. J'ai oublié le nom du garçon, mais je me rappelle l'avoir regardé, médusée, grimaçant de douleur, la lèvre inférieure déjà enflée, les larmes me brûlant les yeux. Trop abasourdie pour être en colère, je suis rentrée en courant me réfugier dans les jupes de ma mère.

La maîtresse a passé un savon au garçon. Ma mère est allée à l'école pour voir qui était ce gamin et s'il était vraiment dangereux. Southside, qui devait être de passage chez nous ce jour-là, s'est drapé dans sa dignité offensée de grand-père et a insisté pour l'accompagner. Je ne sais pas trop ce qu'ils se sont dit, mais je sais qu'il y a eu une conversation entre adultes. Le garçon a été puni ; il est venu me présenter ses excuses, tout piteux, et moi, on m'a conseillé de ne plus faire attention à lui.

« Ce garçon a simplement des peurs et des colères qui n'ont rien à voir avec toi », m'a expliqué ma mère ce soir-là, en préparant le repas devant la cuisinière. Elle a secoué la tête, comme pour me faire comprendre qu'elle en savait plus long qu'elle ne voulait en dire. « Il a des tas de problèmes, tu sais. »

C'était ainsi que l'on parlait des petites brutes à la maison. Pour l'enfant que j'étais, c'était limpide : les tyrans étaient des gens qui avaient peur déguisés en gens qui faisaient peur. Je retrouvais cela chez DeeDee, la petite peste du quartier, et même chez Dandy, mon grand-père, qui pouvait se montrer grossier et despotique envers sa propre femme. Ils s'en prenaient aux autres parce qu'ils perdaient pied. On les évitait si on le pouvait et on les affrontait s'il le fallait. Selon ma mère, qui mériterait sans doute une épitaphe du genre « Vivre et laisser vivre », l'essentiel était de ne jamais se laisser atteindre par les insultes ou les coups d'une petite brute.

Sans quoi, cela pouvait faire très mal.

Bien plus tard, cela me semblerait beaucoup plus facile à dire qu'à faire. Ce n'est qu'à 40 ans passés, quand j'ai voulu aider mon mari à se faire élire à la présidence, que j'ai repensé à ce jour où j'attendais tranquillement devant la cantine de l'école ; et c'est là que je me suis rappelé combien il était déstabilisant de se faire agresser, combien il était douloureux de prendre un poing dans la figure au moment où l'on se méfie le moins.

Tout au long de l'année 2008, j'ai dû me forcer à ignorer les coups bas et les attaques.

Je voudrais évoquer tout de suite un souvenir heureux de cette année-là, car j'en ai beaucoup. Nous avons passé le 4 juillet à Butte, dans le Montana. Nous célébrions le Jour de l'Indépendance, mais aussi le dixième anniversaire de Malia – quatre mois avant le scrutin présidentiel. Réputée pour ses anciennes mines de cuivre, Butte est une bourgade vigoureuse, plantée dans le décor broussailleux du sud-ouest du Montana, où la ligne de crête sombre des Rocheuses ferme l'horizon. C'était une circonscription indécise, dans un État qui n'était acquis ni aux républicains ni aux démocrates, mais dont nous espérions qu'il basculerait en notre faveur. En 2004, le Montana avait voté pour George W. Bush, mais il avait aussi élu un gouverneur démocrate. C'était manifestement un bon terrain à labourer pour Barack.

L'emploi du temps de Barack était à présent plus minuté que jamais. Il était en permanence observé, mesuré, évalué. La presse notait scrupuleusement les États dans lesquels il se rendait, les cafés où il prenait son petit déjeuner, et savait s'il commandait plutôt du bacon ou des saucisses pour accompagner ses œufs.

Un pool de quelque vingt-cinq journalistes l'accompagnait partout, remplissant l'arrière de l'avion de campagne, les couloirs et les salles à manger des hôtels de village, le suivant à la trace d'étape en étape, consignant chaque détail. Si un candidat attrapait froid, c'était dans le journal le lendemain. Pour peu que l'on fréquente un salon de coiffure un peu trop luxueux ou que l'on demande de la moutarde de Dijon dans un fast-food (ce qu'avait naïvement fait Barack neuf ans plus tôt, et qui avait mérité un article dans le *New York Times*), la presse s'en emparait et l'incident alimentait des centaines de conjectures sur la Toile. Le candidat était-il faible ? Snob ? Était-ce un imposteur ? Était-ce seulement un vrai Américain ?

Tout cela faisait partie du jeu – une épreuve destinée à voir qui avait suffisamment de trempe pour s'imposer comme chef d'État et symbole de la nation. Nous avions le sentiment que, chaque jour, notre âme était auscultée, radiographiée et scannée afin d'y déceler le moindre signe de vulnérabilité, la moindre faille. Lorsque l'on briguait de si hautes fonctions, on n'échappait pas au regard attentif des médias et des réseaux sociaux, qui allaient fouiller dans votre passé pour examiner à la loupe votre cercle d'amis, vos choix professionnels et vos déclarations d'impôts. Et ce regard était de toute évidence plus insistant et plus ouvert aux manipulations que jamais. Nous entrions dans une époque où chaque clic était analysé et monétisé. Facebook venait tout juste de décoller auprès du grand public. Twitter était relativement nouveau. La plupart des adultes américains avaient un téléphone portable, généralement équipé d'un appareil photo. Nous étions au seuil d'une ère nouvelle dont aucun d'entre nous ne savait vraiment sur quoi elle déboucherait.

Barack ne cherchait plus uniquement à rallier le soutien des électeurs démocrates. Il voulait convaincre l'Amérique entière. Après les caucus de l'Iowa, Barack et Hillary Clinton se sont affrontés dans une bataille aussi éprouvante et rude que stimulante et décisive, passant l'hiver et le printemps 2008 à arpenter chaque État et territoire, engrangeant des voix une à une pour avoir le privilège de devenir celui ou celle qui ferait tomber les barrières. (John Edwards, Joe Biden et les autres prétendants avaient tous jeté l'éponge à la fin janvier.) Les deux candidats ne se faisaient aucun cadeau, chacun poussant l'autre dans ses retranchements, et, à la mi-février, Barack avait pris une légère avance, qui se révélerait décisive. « Alors, ça y est, il est président ? » me demandait parfois Malia quand nous montions sur une estrade au son de musiques triomphales et tonitruantes. Elle était encore bien jeune pour saisir autre chose que la finalité de tout ce remue-ménage.

« Bon, là, ça y est, il est président, non ?

– Non, ma chérie, pas encore. »

Hillary a attendu la fin des primaires démocrates, en juin, pour admettre qu'elle n'avait pas assez de délégués pour l'emporter et s'effacer devant Barack. Cela nous avait fait perdre beaucoup de temps et de ressources, et avait surtout empêché Barack de réorienter sa campagne contre son adversaire républicain, John McCain. Le sénateur de l'Arizona avait obtenu l'investiture de son parti depuis le mois de mars, et il polissait son image de héros de guerre, d'esprit libre et frondeur, réputé pour avoir pris des positions bipartisanes et reconnu pour son expérience de la sécurité nationale, le message étant que, une fois aux commandes, il se démarquerait de la politique de George W. Bush.

Nous étions venus passer le 4 juillet à Butte pour deux raisons – car il fallait au moins deux raisons à tout, maintenant. En quatre jours, Barack venait de couvrir le Missouri, l'Ohio, le Colorado et le Dakota du Nord. Son temps était précieux, et il était hors de question de lui demander d'interrompre sa campagne pour l'anniversaire de sa fille. Et, en ce jour si lourd de symbole pour le pays, il se devait d'aller au contact des électeurs. C'est donc nous qui l'avons rejoint afin d'allier l'utile à l'agréable – une journée en famille, offerte à tous les regards. La demi-sœur de Barack, Maya, et son mari Konrad nous accompagnaient, avec leur fille Suhaila, une adorable petite fille de 4 ans.

Tout parent d'un enfant dont l'anniversaire tombe un jour de fête nationale sait combien il est délicat de ne pas laisser les festivités publiques éclipser les célébrations privées. Cela n'avait pas échappé aux bonnes gens de Butte : les commerçants de la grand-rue avaient placardé dans leurs vitrines de grandes affiches : « Bon anniversaire, Malia ! » Pendant le défilé de la fanfare de la ville, les spectateurs l'interpellaient sur les gradins pour la féliciter par-dessus les roulements de grosses caisses et les flûtes qui jouaient *Yankee Doodle.* Tous ces gens se montraient d'une grande gentillesse envers les filles et nous traitaient avec courtoisie – même ceux qui avouaient qu'ils se voyaient mal voter pour un démocrate.

En début d'après-midi, la campagne a organisé un pique-nique dans un champ donnant sur les crêtes dentelées des montagnes qui marquaient la ligne de partage des eaux. C'était à la fois un rassemblement pour nos quelques centaines de soutiens locaux et un repas d'anniversaire improvisé pour Malia. J'étais émue par cette foule qui s'était déplacée pour nous rencontrer, mais, en même temps, je sentais quelque chose de plus intime et de plus pressant, qui n'avait rien à voir avec le lieu où nous nous trouvions. J'ai été frappée ce jour-là par la tendresse éblouie qui nous serre le cœur, l'étrange télescopage du temps qui se produit quand, soudain, on remarque que nos bébés ont grandi, que leurs petits membres potelés se sont affinés, qu'une ombre de gravité pointe dans leur regard. Ce 4 juillet 2008 a marqué pour moi un tournant capital : dix ans auparavant, Barack et moi étions arrivés en salle de travail, convaincus de tout savoir du monde, alors qu'en fait nous n'en savions encore rien.

Depuis dix ans, je m'évertuais à trouver un équilibre entre vie familiale et vie professionnelle, à être présente et disponible pour Malia et Sasha tout en continuant à faire correctement mon travail. Mais cet axe s'était déplacé : je cherchais maintenant à concilier mon rôle de parent avec des impératifs tout à fait différents et bien plus déroutants – la politique, l'Amérique, la volonté de Barack d'impulser un changement fondamental. L'ampleur de ce qui était en train de se produire dans la vie de Barack, les contraintes de la campagne, l'attention médiatique sur notre famille, tout cela semblait aller trop vite. La campagne accaparait peu à peu toute notre vie. Après les caucus de l'Iowa, j'avais décidé de prendre un congé sans solde à l'hôpital, sachant que je ne pouvais pas tout mener de front. Depuis, je n'avais même pas eu le temps d'aller vider mon bureau et d'organiser un pot d'adieu. J'étais à présent mère et épouse à plein temps – une épouse qui défendait une cause et une mère qui protégeait ses enfants pour qu'ils ne se laissent pas engloutir par cette cause. Ce n'était pas de gaieté de cœur que j'avais renoncé à mon métier, mais je n'avais pas d'autre choix : ma famille avait besoin de moi, et c'était ma grande priorité.

Et c'est ainsi que je me suis retrouvée dans ce pique-nique de campagne dans le Montana, à diriger un chœur d'anonymes qui chantait « Happy Birthday » à Malia, assise tranquillement dans l'herbe avec un hamburger dans son assiette. Je savais que les électeurs trouvaient nos filles adorables et notre esprit de famille attachant. Mais je me demandais souvent comment nos filles voyaient tout cela, ce qu'elles pouvaient en penser. Je refoulais comme je pouvais mon sentiment de culpabilité. Nous avions organisé une vraie fête d'anniversaire pour le week-end suivant, à Chicago : Malia serait entourée de toute sa bande de copines qui dormiraient à la maison, loin du tourbillon politique. Entre-temps, nous avions prévu de nous retrouver à l'hôtel en petit comité le soir même pour lui faire souffler ses bougies. Cet après-midi-là, tout en distribuant des poignées de main et des accolades aux côtés de Barack, je regardais nos filles courir dans l'herbe et s'amuser, et je me demandais si elles garderaient un bon souvenir de cette sortie.

Dans ce genre de manifestations, je veillais plus jalousement que jamais sur Sasha et Malia. Comme moi, elles se faisaient héler par des inconnus qui voulaient les approcher, les toucher et les prendre en photo. Au début de l'année, les services fédéraux avaient estimé que les filles et moi étions assez exposées pour nous affecter des gardes du corps. Quand ma mère conduisait ses petites-filles à l'école ou au centre aéré, une voiture du Secret Service la suivait systématiquement à quelques mètres.

Au pique-nique, chacun d'entre nous était flanqué de son propre agent de sécurité, qui scrutait la foule pour détecter le moindre signe de menace, et intervenait discrètement lorsqu'un admirateur manifestait son enthousiasme avec un peu trop d'ardeur ou de familiarité. Fort heureusement, les filles les considéraient moins comme des gardes du corps que comme des amis adultes, des nouveaux venus dans notre cercle de plus en plus large de proches avec lesquels nous voyagions, et qui ne se distinguaient que par leur oreillette et leur vigilance discrète. Sasha les appelait les « gens secrets ».

Les filles apportaient une touche de légèreté à nos tournées électorales, ne fût-ce que parce qu'elles se préoccupaient peu de ce qui en sortirait. Pour Barack et moi, leur présence était une bouffée d'air frais et nous rappelait que, au bout du compte, notre famille comptait bien plus que les foules des meetings ou les remontées dans les sondages. Ni l'une ni l'autre n'était très impressionnée par tout le battage qui entourait leur père. Elles se fichaient bien de bâtir une meilleure démocratie ou de conquérir la Maison-Blanche. Tout ce qu'elles voulaient (ce qu'elles voulaient vraiment, plus que tout), c'était un chien. Elles profitaient des moments de répit pour jouer à chat perché ou aux cartes avec le staff de campagne et, dès qu'elles arrivaient dans une nouvelle ville, leur priorité était de trouver un glacier. Tout le reste n'était pour elles qu'un bruit de fond.

Malia et moi rions encore en nous rappelant le soir où son père, manifestement tiraillé par son sens des responsabilités, lui a demandé en allant la border : « Qu'est-ce que tu dirais si papa se présentait pour devenir président ? Tu crois que c'est une bonne idée ?

– Oui, bien sûr, papa », lui a-t-elle répondu en lui déposant un baiser sur la joue. En se lançant dans la course, il bouleverserait pratiquement toute sa vie et son avenir, mais comment aurait-elle pu le deviner ? Elle avait 8 ans. Elle s'est retournée et aussitôt endormie.

Ce jour-là, à Butte, nous avons visité le musée de la Mine, organisé une bataille de pistolets à eau et une partie de foot dans l'herbe. Barack a prononcé son discours de campagne et serré autant de mains que d'habitude, mais il a aussi eu l'occasion de réintégrer notre noyau familial et de nous consacrer du temps. Sasha et Malia lui grimpaient dessus en riant et le régalaient de leurs réflexions. Je retrouvais son sourire insouciant et j'admirais sa capacité à faire abstraction de tout ce qui se passait autour de lui pour reprendre son rôle de père à la première occasion. Il discutait avec Maya et Konrad, et me passait un bras sur les épaules partout où nous allions.

Nous n'étions jamais seuls. Nous étions entourés de membres du staff, d'agents veillant à notre sécurité, de journalistes qui attendaient une interview, de curieux qui prenaient des photos de loin. Mais c'était désormais notre vie normale. Au fil de la campagne, plus nos journées devenaient chargées et minutées, plus notre intimité et notre autonomie nous échappaient. Pratiquement tous les aspects de notre vie étaient aux mains de jeunes collaborateurs d'une vingtaine d'années, remarquablement intelligents et compétents, mais qui n'imaginaient pas à quel point c'était douloureux de renoncer à contrôler ma propre vie. Si j'avais besoin de faire une course, je devais demander à quelqu'un d'y aller pour moi. Si je voulais parler à Barack, je devais passer par l'un de ses jeunes employés. Je voyais parfois surgir sur mon agenda des événements et des activités dont personne ne m'avait rien dit.

Mais peu à peu, par instinct de survie, nous apprenions à nous accommoder de cette vie publique, à accepter cette réalité.

Avant la fin de l'après-midi, à Butte, nous avons donné une interview pour la télévision, tous les quatre – Barack, les filles et moi. Nous n'avions jamais fait cela. Nous veillions généralement à maintenir la presse à distance de nos enfants, limitant les contacts à quelques photos et à une poignée d'événements de campagne. Je ne sais pas bien ce qui nous a poussés à accepter ce jour-là. Dans mon souvenir, l'équipe de campagne pensait qu'il serait bon que Barack dévoile son côté père de famille et, sur le coup, je n'y ai rien trouvé à redire. Il adorait nos enfants, après tout. Il aimait tous les enfants. C'était justement ce qui ferait de lui un excellent président.

Nous avons passé un quart d'heure devant les caméras avec Maria Menounos, pour l'émission de divertissement « Access Hollywood », bavardant dans un parc, assis sur un banc recouvert pour l'occasion d'une jolie couverture en patchwork. Malia avait les cheveux tressés et Sasha portait une robe débardeur rouge. Comme toujours, elles étaient adorables et craquantes. Maria Menounos menait la conversation avec bienveillance et légèreté, laissant à Malia, l'intello de la famille, le temps de peser soigneusement chaque question. Elle racontait que son père la mettait parfois mal à l'aise quand il serrait la main à ses copines et que, quand il rentrait de ses tournées, il avait la manie de laisser sa valise devant la porte de la maison. Sasha faisait de son mieux pour rester tranquille et se concentrer, n'interrompant l'interview qu'une seule fois pour me demander : « C'est quand qu'on va prendre une glace ? » Mais, dans l'ensemble, elle écoutait sa sœur,

ajoutant de temps à autre son grain de sel pour partager un quelconque détail qui lui venait à l'esprit. Vers la fin de l'entretien,
elle a fait rire tout le monde en couinant : « Papa, il avait une
coiffure afro, avant ! »

Quelques jours plus tard, l'interview passait en quatre épisodes
sur ABC et faisait un tabac. Elle était reprise par d'autres journaux
avec des titres accrocheurs : « Une interview télévisée lève le voile
sur les filles Obama », ou encore : « Les deux petites filles des
Obama disent tout. » Tout d'un coup, les commentaires enfantins
de Malia et Sasha étaient relayés dans la presse internationale.

Barack et moi avons aussitôt regretté ce que nous avions fait.
Il n'y avait rien de compromettant dans cet entretien. Aucune
question pernicieuse, aucun détail révélateur. Pourtant, nous avions
conscience d'avoir commis une erreur de jugement en ajoutant
leurs voix à la sphère publique bien avant qu'elles ne puissent
vraiment en comprendre les enjeux. Rien dans la vidéo ne porterait préjudice à Sasha ni à Malia. Mais elle circulait dans le
monde entier et resterait indéfiniment sur Internet. Nous avions
pris deux petites filles qui n'avaient pas choisi cette vie et, sans
réfléchir à tout ce que cela impliquait, nous les avions jetées dans
la gueule du loup.

J E COMMENÇAIS À COMPRENDRE ce que cela signifiait. Tous les
regards étaient en permanence braqués sur nous, à présent, ce
qui animait notre quotidien d'une énergie singulière. Oprah Winfrey
m'envoyait des messages d'encouragement. Stevie Wonder, l'idole
de ma jeunesse, venait jouer dans les meetings de campagne,
plaisantait et m'appelait par mon prénom comme si nous nous
connaissions depuis toujours. Tous ces égards étaient d'autant plus
troublants que je n'avais vraiment pas fait grand-chose pour les
mériter. Nous étions portés par la force du message que défendait
Barack, mais aussi, je le savais, par la promesse et la charge symbolique du moment. Si l'Amérique élisait son premier président
noir, cela en dirait long sur Barack, mais aussi sur le pays. Pour
tant de gens et pour tant de raisons, c'était très important.

Barack, bien sûr, était le plus exposé – à l'adulation du public
comme à la curiosité plus ou moins bienveillante qui allait inévitablement avec. Plus on était populaire, plus on avait d'ennemis.

C'était presque une règle implicite, particulièrement en politique, où les prétendants de chaque camp investissaient des sommes folles pour enquêter sur leurs rivaux – embauchant des détectives pour aller fouiner dans tous les pans du passé d'un candidat, et en retirer tout ce qui pouvait exhaler un parfum de scandale.

Mon mari et moi sommes très différents, et c'est d'ailleurs pourquoi l'un a choisi la politique et l'autre non. Il n'ignorait rien des rumeurs et des persiflages mesquins qui distillaient leur venin et polluaient sa campagne, mais il ne s'en formalisait presque jamais. Il avait mené d'autres batailles. Il avait étudié l'histoire politique et s'était blindé, sachant pertinemment à quoi s'attendre. Et, par nature, il n'est tout simplement pas du genre à se froisser ou à se laisser détourner de son objectif par quelque chose d'aussi abstrait que le doute ou les propos blessants.

Mais moi, j'avais encore beaucoup à apprendre sur la vie publique. Derrière l'image de femme solide et accomplie que je m'étais forgée, je restais la gamine qui disait à qui voulait l'entendre qu'elle serait pédiatre et s'attachait à ramener des bulletins impeccables de l'école. Oui, j'étais encore perméable aux jugements des autres. J'avais passé ma jeunesse à chercher l'approbation, à accumuler scrupuleusement les bons points et à éviter les situations délicates en société. Avec le temps, j'avais appris à ne pas me mesurer à l'aune des réussites convenues et attendues, mais je continuais de penser que si je travaillais bien et sans tricher, j'éviterais les petites brutes et serais toujours vue comme celle que j'étais vraiment.

Ces certitudes allaient bientôt s'effondrer.

Après la victoire de Barack dans l'Iowa, j'ai mis encore plus de passion dans mon discours, une passion à la mesure des foules qui se pressaient pour m'écouter. Mon auditoire était passé de quelques centaines de personnes à un millier ou plus. Je me rappelle être arrivée à un rassemblement dans le Delaware, avec Katie et Melissa, et avoir vu devant l'auditorium une file d'attente de cinq personnes de front qui s'étirait jusqu'à l'angle de la rue. J'en étais aussi abasourdie qu'heureuse. Et, à chaque prise de parole, j'insistais sur cette formidable mobilisation : j'étais stupéfaite par l'enthousiasme et l'engagement que tout ce monde apportait à la campagne de Barack. J'étais touchée par leur investissement, par le travail que tant de citoyens accomplissaient pour contribuer à le faire élire.

J'avais esquissé les grandes lignes de mon discours de campagne, mais je refusais d'utiliser un prompteur, préférant m'en tenir à la spontanéité qui m'avait si bien réussi dans l'Iowa, quitte parfois à dévier un peu de mon propos. Je n'utilisais pas de mots compliqués et je n'avais jamais été aussi éloquente que mon mari, mais je laissais parler mon cœur. Je racontais comment mes réticences du début sur l'action politique s'étaient estompées au fil des semaines, laissant place à quelque chose de plus stimulant, de plus prometteur. J'avais pris conscience que nous étions nombreux à partager les mêmes combats, les mêmes inquiétudes pour nos enfants et les mêmes craintes de l'avenir. Nombreux, aussi, à être convaincus que Barack était l'unique candidat capable d'opérer un vrai changement.

Barack s'engageait à organiser le retrait des troupes américaines stationnées en Irak ; à supprimer les baisses d'impôts que George W. Bush avait accordées aux plus grosses fortunes ; à donner accès à tous les Américains à l'assurance santé. C'était un programme ambitieux, mais, à chaque fois que j'entrais dans une salle remplie de supporters chauffés à blanc, il me semblait que, en tant que nation, nous étions prêts à dépasser nos différences pour le mener à bien. Il y avait de la fierté dans ces salles, un esprit d'unité qui dépassait largement la couleur de peau des uns ou des autres, un optimisme débordant et galvanisant qui me portait comme une vague. « L'espoir est de retour ! » martelais-je à chaque étape.

En février, le lendemain de notre arrivée dans le Wisconsin, Katie a reçu un appel d'un membre de l'équipe de communication de Barack : il y avait un souci. Apparemment, j'avais dérapé dans un discours que je venais de prononcer à Milwaukee. Katie ne voyait pas où il voulait en venir et moi non plus. Ce que j'avais dit à Milwaukee n'était pas très différent de ce que je venais de dire devant une foule à Madison, ni de ce que je disais depuis des mois sur toutes les estrades. Jusqu'à présent, personne n'avait rien trouvé à y redire. Où donc était le problème ?

Notre interlocuteur nous a très vite éclairées : quelqu'un avait filmé les quarante et quelques minutes de mon intervention et en avait tiré un clip de dix secondes centré sur quelques mots, sortis de leur contexte.

Soudain, des extraits de mes discours de Milwaukee et de Madison axés sur le moment où je disais combien je me sentais fière et réconfortée tournaient en boucle sur les réseaux. Mon propos complet était le suivant : « Ce que nous avons appris tout au long de cette année, c'est que l'espoir est de retour ! Et je vais vous dire une chose : pour la première fois de ma vie d'adulte, je suis vraiment fière de mon pays. Pas seulement parce que Barack s'en est bien sorti, mais parce que je suis convaincue que les gens ont soif de changement – et j'attendais depuis longtemps de voir notre pays évoluer en ce sens, et de constater que je n'étais pas la seule à être frustrée et déçue. J'ai vu des gens qui ne demandent qu'à s'unir autour de grandes questions fondamentales, et ça m'a rendue fière. C'est un privilège pour moi d'assister à cela. »

Or, les trois quarts de mes propos avaient été délibérément expurgés, y compris mes références à l'espoir et à l'unité, et à l'émotion profonde que j'éprouvais. La nuance était gommée, l'attention focalisée sur un détail. Dans la vidéo – dont les stations de radio et chaînes d'actualité conservatrices faisaient déjà leurs choux gras –, il ne restait que cette phrase : « Pour la première fois de ma vie d'adulte, je suis vraiment fière de mon pays. »

Je n'avais pas besoin d'allumer la télévision pour deviner ce qu'en concluaient les commentateurs : *Elle n'est pas patriote. Elle a toujours détesté l'Amérique. Elle montre son vrai visage. Tout le reste n'est qu'un vaste mensonge.*

Je venais d'encaisser mon premier coup. Et, apparemment, je l'avais cherché. En voulant parler normalement, j'avais oublié que l'on allait peser et décortiquer chacune de mes paroles. À mon corps défendant, j'avais donné à nos détracteurs du grain à moudre en quinze mots. Et, comme à l'école primaire, je n'avais pas vu le coup venir.

En rentrant à Chicago ce soir-là, j'étais découragée et rongée de culpabilité. Je savais que Melissa et Katie suivaient discrètement sur leur BlackBerry l'avalanche d'articles corrosifs, mais elles avaient la délicatesse de ne pas m'en parler, sachant que cela n'arrangerait rien à mon humeur. Nous travaillions ensemble depuis près d'un an, nous avions avalé plus de kilomètres que nous ne pouvions le dire, dans une perpétuelle course contre la montre pour que je puisse rentrer auprès de mes enfants le soir. Nous avions battu les estrades dans tout le pays, ingurgité des quantités impressionnantes de fast-food, assisté à des levées de fonds dans des demeures si somptueuses que nous en restions bouche bée. Pendant que Barack et son équipe de campagne se déplaçaient en avion et dans de confortables autocars, nous devions nous déchausser et faire la queue pour passer les contrôles de sécurité à l'aéroport, voyagions en classe éco sur United et Southwest, et comptions sur la bonne volonté des bénévoles pour nous conduire d'une réunion à l'autre, parfois à plus de 150 kilomètres de distance.

Il me semblait que, dans l'ensemble, nous avions fait du très bon boulot. J'avais vu Katie debout sur une chaise aboyer des ordres à des photographes deux fois plus âgés qu'elle et recadrer des journalistes qui posaient des questions hors sujet. J'avais vu Melissa organiser minutieusement mon emploi du temps, parvenant à enchaîner intelligemment plusieurs événements sur une seule et même journée, tapotant sur son BlackBerry pour parer à tous les imprévus, tout en veillant à ce que je ne rate jamais une représentation à l'école, l'anniversaire d'une amie de longue date ou une occasion d'aller à la salle de sport. Elles se donnaient toutes les deux à fond dans ce travail, sacrifiant leur vie privée pour me permettre de préserver un semblant de la mienne.

Calée dans mon fauteuil sous la lumière blafarde du plafonnier de l'avion, je craignais d'avoir tout fichu en l'air avec ces quinze mots idiots.

Une fois à la maison, après avoir mis les filles au lit et envoyé ma mère se reposer chez elle, j'ai appelé Barack sur son portable. C'était la veille de la primaire du Wisconsin et, à en croire les sondages, elle se jouerait sur le fil. Il avait une légère avance en nombre de délégués pour la convention nationale, mais Hillary l'étrillait sur tout, depuis son projet de couverture santé jusqu'à son refus de l'affronter plus souvent en débat. L'enjeu était considérable. La dynamique de la campagne ne devait surtout pas retomber. Je lui ai dit que j'étais désolée que mon discours ait soulevé un tel tollé : « Je n'avais pas conscience de faire une bourde. Je répète la même chose depuis des mois. »

Barack était sur la route entre le Wisconsin et le Texas. Je l'ai presque entendu hausser les épaules à l'autre bout du fil. « Écoute, ne t'en fais pas. C'est parce que tu attires tellement de monde. Tu pèses lourd maintenant dans la campagne, et donc on va forcément s'en prendre à toi. Ça fait partie du jeu. »

Avant de raccrocher, il m'a encore remerciée, comme il le faisait à chacun de nos appels, pour le temps que je consacrais à la campagne, ajoutant qu'il était navré que j'aie à subir ces retombées. « Je t'aime, ma chérie. Je sais que c'est un coup dur, mais ça va se tasser. Ça se tasse toujours. »

IL N'AVAIT QU'À MOITIÉ RAISON. Le 19 février 2008, il remportait la primaire du Wisconsin avec une marge confortable. Visiblement, mon impair n'avait pas eu d'effet dans cet État. Mais le même jour, à la tribune d'un meeting républicain, Cindy McCain me lançait une pique : « Moi, je suis fière de mon pays. Je ne sais pas si vous avez déjà entendu ces mots – je suis très fière de mon pays. » CNN a jugé que nous étions dans la « surenchère patriotique » et les bloggeurs y sont allés de leurs commentaires. Moins d'une semaine plus tard, le soufflé était retombé. Barack et moi avons tous deux répondu aux sollicitations des journalistes, précisant que j'étais fière de voir tant d'Américains passer des appels pour la campagne, parler à leurs voisins et recommencer à croire à leur pouvoir au sein de notre démocratie, ce qui, à mon sens, était une grande première. Puis nous sommes passés à autre chose. Dans mes discours de campagne, je pesais à présent davantage mes mots, mais le message restait le même. J'étais toujours fière, toujours déterminée. Sur ce point, rien n'avait changé.

Pourtant, une graine pernicieuse avait été semée : j'apparaissais désormais comme une femme en colère et vaguement menaçante, qui n'avait pas l'élégance que l'on pouvait attendre d'une première dame. Nous ne savions pas s'ils venaient des adversaires politiques de Barack ou d'ailleurs, mais les rumeurs et les commentaires obliques véhiculaient toujours des sous-entendus pas très subtils sur sa couleur de peau, censés éveiller les peurs les plus inavouables et les plus profondes des électeurs. *Ne laissez pas les Noirs prendre le pouvoir. Ces gens-là ne sont pas comme vous. Ils n'ont pas la même vision que vous.*

Pour ne rien arranger, ABC News avait passé au peigne fin vingt-neuf heures de sermons du révérend Jeremiah Wright et monté une vidéo explosive à partir de bribes soigneusement sélectionnées : on y voyait le pasteur se lancer dans des diatribes délirantes et totalement inacceptables contre l'Amérique blanche, des harangues pleines de rage et de rancœur, accusant les Blancs de tous les maux. Barack et moi en sommes restés sans voix. Ce montage révélait les facettes les plus sombres et les plus paranoïaques de l'homme qui nous avait mariés et avait baptisé nos enfants. Nous avions tous deux grandi dans des familles où certains de nos proches abordaient la question raciale à travers le prisme de la défiance et de la colère. J'avais entendu Dandy fulminer sur toutes les promotions qui lui étaient passées sous le nez, pendant des décennies, à cause de sa couleur de peau ; j'avais entendu Southside s'inquiéter pour ses petits-enfants qui, selon lui, n'étaient pas en sécurité dans les quartiers blancs. Barack, lui, avait entendu sa grand-mère blanche, Toot, tenir des propos racistes sur un ton désinvolte et lui avouer, à lui, son petit-fils noir, qu'il lui arrivait d'avoir peur lorsqu'elle croisait un Noir dans la rue. Nous avions vécu pendant des années avec les préjugés d'une partie de nos aînés, nous résignant à admettre que personne n'est parfait, moins encore ceux qui avaient grandi à l'époque de la ségrégation. C'était peut-être pour cela que nous n'avions pas prêté attention aux passages les plus scandaleux des prêches véhéments du pasteur Wright, même si nous n'étions présents à aucun des sermons incriminés. Nous n'en avons pas moins été horrifiés en découvrant aux actualités ce florilège de ses déclarations les plus outrancières. Cette affaire nous rappelait que, dans notre pays, les préjugés raciaux pouvaient être réciproques – que la méfiance et les stéréotypes persistaient dans les deux sens.

Entre-temps, quelqu'un avait exhumé mon mémoire de maîtrise de Princeton, rédigé plus de vingt ans plus tôt. C'était une enquête sur la façon dont les diplômés afro-américains sortis de cette université d'élite percevaient les questions de race et d'identité. Pour des raisons qui m'échapperont toujours, les médias conservateurs présentaient ce travail de fin d'études comme l'équivalent d'un manifeste secret du Black Power – une menace qu'ils venaient de révéler au grand jour. Comme si, à 21 ans, au lieu d'essayer de décrocher une bonne note en sociologie et de m'assurer une place à la fac de droit de Harvard, j'avais fomenté un complot à la Nat Turner[1] visant à renverser la majorité blanche ; et comme si j'avais enfin, grâce à mon mari, l'occasion de le mettre à exécution. « Michelle Obama est-elle responsable de la polémique déclenchée par le pasteur Jeremiah Wright ? » demandait dans un journal en ligne l'écrivain de gauche Christopher Hitchens. Il s'en prenait à la jeune étudiante que j'étais, laissant entendre que je m'étais un peu trop laissé influencer par des penseurs noirs extrémistes, et soulignant au passage que j'écrivais comme un pied. « Il serait faux de dire que ce mémoire est difficile à lire, écrivait-il. Il est carrément illisible, au sens strict du terme. Tout simplement parce qu'il n'a été écrit dans aucune langue connue. »

J'étais dépeinte non comme une simple étrangère, mais comme totalement « autre », si différente que même la langue que j'utilisais était incompréhensible. C'était une caricature mesquine et ridicule, mais cette façon de dénigrer mes facultés intellectuelles, de rabaisser la jeune fille que j'étais, trahissait une forme de mépris plus profonde. Barack et moi étions maintenant trop connus pour être relégués dans l'ombre, mais si nous étions perçus comme des étrangers et des indésirables, cela risquait de nous affaiblir. Le message semblait souvent être distillé implicitement, même s'il n'était jamais ouvertement prononcé : *Ces gens-là n'ont pas leur place ici.* Le site conservateur *Drudge Report* avait ressorti une photo de Barack coiffé d'un turban et vêtu d'un costume traditionnel somalien qui lui avait été offert lors d'une visite officielle au Kenya lorsqu'il était sénateur, ravivant les vieilles théories qui l'accusaient d'être un « crypto-musulman ». Quelques mois plus tard, une autre rumeur anonyme et infondée referait surface sur la Toile : celle-ci faisait planer le doute sur la nationalité de Barack, laissant entendre qu'il n'était pas né à Hawaï, mais au Kenya, ce qui le rendrait inéligible à la présidence.

Nous poursuivions notre tournée des primaires de l'Ohio au Texas, du Vermont au Mississippi, et je continuais à parler d'optimisme et d'unité, portée par l'état d'esprit positif de nos partisans, de plus en plus convaincus par l'idée de changement. Mais, en

---

1. Nat Turner (1800-1831) fut le meneur d'une violente révolte d'esclaves dans une plantation de Virginie, en 1831.

face, un portrait peu flatteur de moi trouvait de plus en plus d'écho dans l'opinion. Fox News parlait de ma « colère militante ». Sur Internet, des rumeurs circulaient concernant une supposée vidéo dans laquelle j'aurais prononcé le terme de « sales Blancs », ce qui était absurde et totalement faux. En juin, quand Barack a enfin décroché l'investiture démocrate, je l'avais félicité en échangeant joyeusement avec lui un *check* sur la scène d'un meeting dans le Minnesota – ce qu'un commentateur de Fox a aussitôt interprété comme « un geste terroriste », laissant une fois de plus entendre que nous étions des gens dangereux. Sur la même chaîne, le bandeau déroulant du JT me traitait de « *Obama's baby mama* », littéralement « la mère des bâtards d'Obama », expression très péjorative évoquant des clichés de l'Amérique des ghettos noirs et impliquant une altérité qui m'excluait même de mon propre couple.

J'étais à bout, non physiquement, mais moralement. Les coups faisaient mal, même si je savais qu'ils n'avaient rien à voir avec celle que j'étais réellement. Tout se passait comme si un *alter ego* de bande dessinée semait la zizanie, une femme dont j'entendais parler, mais que je ne connaissais pas, une certaine Michelle Obama, épouse d'homme politique et sorte de Godzilla, trop grande, trop forte, trop prompte à « émasculer ». J'étais tout aussi affectée par les coups de fil d'amis qui me confiaient leurs inquiétudes, m'abreuvaient de conseils à transmettre d'urgence au directeur de campagne de Barack, ou demandaient à être rassurés parce qu'ils venaient de voir un reportage négatif sur moi, sur Barack ou sur l'état de la campagne. Quand les rumeurs sur la supposée vidéo des « sales Blancs » se sont répandues, une amie qui me connaît bien m'a appelée, craignant manifestement que ce mensonge n'en soit pas un. J'ai dû passer une bonne demi-heure à la convaincre que non, je n'étais pas devenue raciste et, en raccrochant, j'étais totalement démoralisée.

J'avais le sentiment que ma cause était perdue, que ni ma force de conviction ni mon travail acharné ne me suffiraient à ignorer mes détracteurs et à surmonter leurs tentatives de déstabilisation. J'étais une femme, une femme noire et une femme forte, ce qui, pour certaines personnes imprégnées d'une certaine mentalité, ne pouvait vouloir dire qu'une chose : j'étais une « femme noire en colère ». C'était là un autre stéréotype dégradant, qui avait toujours été utilisé pour reléguer les femmes des minorités dans les marges, un signal inconscient invitant à ne pas écouter ce que nous avions à dire.

Et, de fait, je sentais la colère monter en moi, ce qui n'arrangeait rien, car cela revenait à donner raison à mes contempteurs, à céder. Les stéréotypes sont des pièges redoutables. Combien de « femmes noires en colère » se sont laissé prendre à la logique circulaire de cette expression ? Si personne ne vous écoute, pourquoi ne pas crier plus fort ? Si l'on vous catalogue comme une femme en colère ou trop sensible, cela ne peut qu'aviver votre colère ou votre sensibilité.

J'étais épuisée par les coups bas, stupéfaite par le tour personnel qu'avait pris cette campagne de calomnie, et pourtant je savais que je n'avais pas le droit de baisser les bras. En mai, le Parti républicain du Tennessee a mis en ligne une vidéo bricolée reprenant en boucle ma déclaration polémique du Wisconsin, et montrant les réactions de gens ordinaires qui, eux, se disaient « fiers d'être américains depuis toujours ». Au même moment, la radio publique NPR publiait sur son site Web un article intitulé : « Michelle Obama est-elle un atout ou un handicap ? » En dessous, en caractères gras, étaient présentés les supposés aspects équivoques de ma personnalité : « D'une sincérité rafraîchissante ou trop franche ? » et « Son physique : imposant ou intimidant ? »

Croyez-moi, ce genre de chose fait mal.

J'en voulais parfois au staff de campagne de Barack de m'avoir mise dans cette situation. Étant plus active que les conjoints de la plupart des candidats, je m'exposais forcément davantage aux attaques. Mon instinct me disait de rendre coup pour coup, de démentir fermement les mensonges et les généralisations partiales, ou de demander à Barack d'intervenir. Mais ses communicants me répétaient qu'il valait mieux ne pas réagir, aller de l'avant et encaisser – concluant toujours sur la même rengaine : « C'est ça, la politique. » Comme si nous ne pouvions rien y faire. Comme si nous nous étions transportés dans une nouvelle ville sur une nouvelle planète appelée Politique, où aucune règle normale n'avait cours.

Dès que mon moral flanchait, je ruminais mes rancœurs : je n'avais pas choisi cette vie. Je n'avais jamais aimé la politique. J'avais quitté mon job et renoncé à mon identité pour cette campagne, et voilà que j'étais un boulet ? Où était passée mon énergie ?

Un dimanche soir, dans notre cuisine, lors d'un passage éclair de Barack à la maison, j'ai craqué : « Je ne vois vraiment pas pourquoi je me donne tout ce mal. Si je fais du tort à la campagne, dis-moi ce que je fais là ! »

Je lui ai expliqué que Melissa, Katie et moi étions dépassées par les sollicitations des médias et par l'énergie qu'il fallait déployer pour voyager avec le petit budget qui nous était alloué. Je ne voulais pas compromettre quoi que ce soit et je tenais à le soutenir, mais, avec le temps et les moyens dont nous disposions, nous ne pouvions que réagir dans l'urgence. Et j'en avais assez d'être examinée sous toutes les coutures et d'essuyer des salves de critiques, assez de ne pas pouvoir me défendre, assez d'être vue comme une femme qui n'avait rien à voir avec celle que j'étais. « Si c'est mieux, je peux très bien rester à la maison et m'occuper des enfants », ai-je dit à Barack. « Je peux être une femme normale, qui se montre aux grands meetings et sourit. Ce serait peut-être beaucoup plus facile pour tout le monde. »

Barack m'écoutait attentivement. Je savais qu'il était épuisé et n'avait envie que d'une chose : monter se coucher et dormir, enfin. Je n'aimais pas la façon dont les frontières entre vie familiale et vie politique se brouillaient, parfois. Il passait ses journées à résoudre des problèmes dans l'urgence et à parler avec des centaines de gens. Je ne voulais pas être un autre problème qu'il devait gérer. Mais toute mon existence avait été happée par cette campagne. « Tu es tellement plus un atout qu'un handicap, Michelle. Il faut que tu le saches », m'a répondu Barack, visiblement peiné. « Mais si tu as envie d'arrêter ou de ralentir, je comprendrai parfaitement. Tu peux faire ce que tu veux. »

Il m'a assuré que je ne devrais jamais me sentir obligée à quoi que ce soit, ni pour lui ni pour la machine de campagne. Et si je voulais continuer, mais que j'avais besoin d'un peu plus d'aide et de moyens, il s'arrangerait pour m'en trouver.

Ses paroles m'ont rassurée, mais à peine. J'étais encore la gamine de CP qui venait de se faire tabasser devant la cantine.

Là-dessus, nous avons laissé la politique de côté et, éreintés, nous sommes allés nous coucher.

QUELQUE TEMPS PLUS TARD, Valerie m'a accompagnée dans le bureau de David Axelrod à Chicago, pour visionner des vidéos de certaines de mes interventions publiques. C'était en fait une séance de recadrage : ils essayaient de me montrer qu'il y avait dans ce processus de petits détails que je pouvais mieux contrôler. Ils ont commencé par me féliciter pour le travail extraordinaire que j'avais accompli et pour l'efficacité avec laquelle j'arrivais à rallier des soutiens à Barack. Puis Axe a repassé mon discours type de campagne, sans le son, pour faire abstraction du contenu et étudier de plus près mon langage corporel et, plus particuliè-rement, mes expressions faciales.

Ce que j'ai vu ? Je me suis vue parler avec fougue et convic-tion, sans relâche. Je parlais toujours des difficultés que connais-saient beaucoup d'Américains, des inégalités de notre système sco-laire et de notre système de santé. Mon visage reflétait la gravité des enjeux que je défendais, il disait combien le choix qui s'offrait à notre pays était important.

Mais il était trop sérieux, trop sévère – du moins, pour ce que les gens attendaient d'une femme. J'ai regardé mon expression comme pourrait la percevoir un citoyen lambda, surtout si elle était présentée avec un commentaire défavorable. Je comprenais comment l'opposition avait réussi à sélectionner savamment ces images pour me construire une image publique de harpie furi-bonde. C'était, bien entendu, un autre stéréotype, un autre piège : quoi de plus simple, pour discréditer la voix d'une femme, que de la faire passer pour une enragée ?

Personne ne reprochait à Barack d'avoir l'air trop sérieux, de ne pas sourire assez. Mais, puisque j'étais une épouse et non une candidate, on attendait sans doute de moi un peu plus de légè-reté, de frivolité. Or, pour savoir comment les femmes dans leur ensemble étaient perçues sur la planète Politique, il suffisait de regarder Nancy Pelosi, la très intelligente et énergique présidente de la Chambre des représentants, qui se faisait traiter à longueur de temps de « mégère » ; ou Hillary Clinton, qui essuyait le feu nourri des commentateurs des chaînes câblées et des éditorialistes de presse, qui décortiquaient et rabâchaient chaque nouvel épisode de la campagne. Hillary était constamment attaquée en tant que femme, et ses détracteurs ne reculaient devant aucun cliché. Elle était dominatrice, acariâtre, hargneuse. Sa voix était forcément stridente ; son rire, un gloussement. Hillary étant l'adversaire de Barack, elle ne m'était à l'époque pas particulièrement sympathique, mais j'admirais sa capacité à faire front et à continuer à se battre dans ce climat misogyne.

En étudiant la vidéo de mon discours avec Axe et Valerie ce jour-là, j'avais les larmes aux yeux. Je venais de comprendre qu'il y avait dans ce jeu politique un côté spectacle que je ne maîtrisais pas encore totalement. Je faisais campagne depuis plus d'un an. J'étais plus efficace dans les petites réunions comme celles que j'avais animées dans l'Iowa, au début. Il était plus difficile de communiquer chaleureusement devant de plus grandes salles. Face à une foule, il fallait que mon visage ait des expressions plus claires, et c'était là-dessus que je devais travailler. Mais je craignais qu'il ne soit déjà trop tard.

Valerie, une amie chère depuis plus de quinze ans, m'a pris la main.

« Mais pourquoi vous ne me l'avez pas dit plus tôt ? me suis-je exclamée. Pourquoi personne n'a essayé de m'aider ? »

La réponse était simple : personne n'avait vraiment prêté beaucoup d'attention à ce que je faisais. Du point de vue de l'équipe de campagne, je me débrouillais bien, jusqu'au jour où j'avais dérapé. Et, maintenant que je posais problème, j'étais convoquée dans le bureau d'Axe.

Cette réunion m'a ouvert les yeux. L'appareil de campagne n'existait que pour servir le candidat, pas son épouse ni sa famille. Et si les employés de Barack me respectaient et appréciaient ma contribution, ils ne m'avaient jamais vraiment beaucoup conseillée. Jusqu'à présent, aucun membre de la campagne ne s'était donné la peine de m'accompagner ni même d'assister à mes meetings. Je n'avais jamais été formée à m'exprimer dans les médias ni à préparer un discours. Si je n'insistais pas, personne ne viendrait me chercher.

Sachant que je serais encore plus sous les feux des projecteurs dans les six derniers mois de la campagne, nous sommes enfin convenus que j'avais besoin d'une aide concrète. Si je devais continuer à faire campagne comme une candidate, je devais être soutenue comme une candidate. Je me protégerais en m'organisant mieux, en réclamant les moyens qu'il me fallait pour faire correctement le boulot. Dans les dernières semaines des primaires, le staff de Barack a décidé d'étoffer mon équipe : il m'a affecté une assistante pour gérer mon emploi du temps et une assistante personnelle – Kristen Jarvis, une ancienne collaboratrice de Barack au Sénat, une femme adorable dont le calme m'aiderait à garder les pieds sur terre dans les moments les plus stressants –, ainsi qu'une spécialiste de la communication, pleine de bon sens et rompue aux arcanes de la politique, Stephanie Cutter. Avec Katie et Melissa, Stephanie m'a aidée à affiner mon message et à structurer mon exposé, à partir d'un grand discours que j'avais prononcé à la fin de l'été à la convention nationale démocrate. La campagne a également mis un avion à ma disposition, ce qui facilitait beaucoup mes déplacements. Je pouvais maintenant profiter du temps de vol pour donner des interviews aux médias, me faire coiffer et maquiller, et amener Sasha et Malia avec moi sans dépenser plus.

Tout cela me soulageait. Et je crois que c'est ce qui m'a permis de sourire davantage, d'être moins sur la défensive.

En m'aidant à préparer mes interventions publiques, Stephanie m'a conseillée de jouer sur mes forces et de me rappeler ce dont j'aimais le plus parler, à savoir mon amour pour mon mari et mes enfants, l'art de concilier vie professionnelle et vie familiale, et mes racines à Chicago, dont j'étais si fière. Sachant que j'aimais bien plaisanter, elle m'a encouragée à user de mon sens de l'humour. En d'autres termes, je pouvais être moi-même. Peu après la fin des primaires, j'ai été invitée sur le plateau de l'émission télévisée « The View ». J'ai passé une heure très agréable et très drôle à bavarder en direct avec Whoopi Goldberg, Barbara Walters et les autres invités devant le public. Je suis revenue sur les attaques dont j'avais été la cible et, sur un ton plus léger, j'ai évoqué quelques anecdotes amusantes sur mes filles, parlé des *checks*, et confié que je n'aimais pas porter des collants. Je me sentais plus à l'aise, j'avais retrouvé ma voix. L'émission a été globalement bien reçue. Je portais une robe à imprimé noir et blanc à 148 dollars et, après l'émission, de nombreuses femmes se sont précipitées pour acheter la même.

J'avais un impact et, en même temps, je commençais à m'amuser, à me sentir de plus en plus détendue et optimiste. Je m'efforçais également d'écouter ce que les Américains que je rencontrais dans tout le pays avaient à m'apprendre. J'organisais des tables rondes sur l'équilibre travail-famille, une question qui me tenait à cœur. Mais ce sont les visites sur les bases militaires qui m'ont apporté les leçons les plus touchantes, lorsque je rencontrais les conjoints de soldats partis en opérations – des femmes, surtout, mais il y avait parfois quelques hommes.

Je leur demandais de me parler de leur vie. Et j'écoutais ces femmes avec un bébé sur les genoux, dont certaines étaient encore des adolescentes, me raconter leur vie. Les unes avaient été mutées sur huit bases différentes ou davantage en autant d'années, et devaient chaque fois repartir de zéro pour réinscrire leurs enfants au cours de piano ou dans des classes d'éveil. Elles m'expliquaient aussi combien il pouvait être difficile de continuer à travailler lorsqu'on déménageait si souvent : une enseignante, par exemple, ne trouvait pas de travail parce que l'État dans lequel elle arrivait ne reconnaissait pas son diplôme délivré par un autre État. Des manucures et des kinésithérapeutes rencontraient le même problème. Les jeunes parents avaient souvent du mal à trouver des garderies abordables. À quoi, bien entendu, il fallait ajouter la charge émotionnelle et logistique quand son conjoint était déployé un an d'affilée, parfois plus longtemps, dans des endroits comme Kaboul ou Mossoul, ou sur un porte-avions en mer de Chine méridionale. Face à ces familles, mes petits malheurs me paraissaient bien insignifiants. Elles sacrifiaient bien plus que moi. J'étais totalement investie dans ces rencontres, et un peu surprise de constater que j'en savais si peu sur la vie des familles de militaires. Je n'étais sans doute pas la seule, dans le pays. Je me suis promis que, si Barack avait la chance de se faire élire, je trouverais le moyen de mieux leur venir en aide.

Tout cela me redonnait de l'énergie avant d'aborder la dernière ligne droite et d'épauler Barack et Joe Biden, l'aimable sénateur du Delaware qui serait bientôt officiellement son colistier. J'avais moins peur de suivre à nouveau mes instincts, entourée de gens en qui j'avais confiance. Lors des réunions publiques, je m'attachais à nouer des liens personnels avec les gens que je rencontrais, par petits groupes et devant des foules de plusieurs milliers de personnes, dans les discussions en coulisse et dans le feu des bains de foule. Quand des électeurs me voyaient en chair et en os, ils comprenaient que les caricatures ne me ressemblaient pas. J'ai appris qu'il est plus difficile de haïr de près.

Tout au long de l'été 2008, j'ai redoublé de zèle, accéléré la cadence, convaincue que je pouvais faire pencher la balance en faveur de Barack. La convention démocrate tirait à sa fin. J'ai travaillé pour la première fois avec une jeune et brillante rédactrice, Sarah Hurwitz, qui m'a aidée à ordonner mes idées dans un discours de dix-sept minutes. À la fin août, après des semaines de préparation minutieuse, je suis montée sur le podium de la salle omnisport Pepsi Center de Denver et, face à un auditoire de quelque 20 000 personnes et à des millions de téléspectateurs, je m'apprêtais à dire au monde qui j'étais réellement.

Mon frère Craig a annoncé mon entrée en scène. Ma mère était assise au premier rang d'une loge, l'air un peu effarée par l'incroyable tournure qu'avaient prise nos vies. J'ai parlé de mon père, de son humilité, de sa résistance, et j'ai expliqué en quoi cela nous avait forgés, Craig et moi. Je me suis efforcée de donner aux Américains une image aussi intime que possible de Barack et de son grand cœur. Quand j'ai rendu le micro, des salves d'applaudissements se sont élevées de la salle. J'ai poussé un gros soupir de soulagement. Peut-être avais-je enfin réussi à changer la perception que l'opinion avait de moi.

Ce fut incontestablement un grand moment – un événement marquant et public, qui continue de tourner sur YouTube. Mais à vrai dire, pour ces raisons mêmes, ce fut aussi un moment étrangement bref. Ma vision des choses commençait à s'inverser, comme un pull que l'on retourne lentement. Les estrades, les assistances, les éclairages éblouissants, les applaudissements... tout cela devenait plus normal que je ne l'aurais jamais cru. À présent, je vivais pour les instants qui n'avaient été ni préparés ni répétés, loin des caméras et des flashs des journalistes, où personne ne jouait ni ne jugeait personne, et où une vraie surprise était encore possible – où, parfois, on sentait soudain un minuscule verrou sauter dans son cœur.

Notre escapade du 4 juillet à Butte, dans le Montana, était un de ces instants. Notre journée tirait à sa fin, le soleil d'été s'était enfin couché derrière les montagnes, et on entendait les premiers crépitements de pétards dans le lointain. Nous passerions la nuit dans un Holiday Inn Express près de l'autoroute. Barack repartirait le lendemain pour le Missouri et les filles et moi rentrerions à la maison, à Chicago. Nous étions tous fatigués. Nous avions assisté au défilé et au pique-nique. Nous avions discuté avec pratiquement tous les habitants de la ville. L'heure était enfin venue de fêter dignement son anniversaire à Malia.

Si l'on m'avait posé la question sur le moment, j'aurais dit que nous ne le lui avions pas vraiment fêté dignement. Que, dans le tourbillon de la campagne, son anniversaire était passé à la trappe. Nous avons retrouvé notre petit cercle d'amis dans la lumière crue d'une salle de conférences au sous-sol de l'hôtel. Il y avait là Konrad, Maya et Suhaila, une poignée d'employés qui étaient proches de Malia, et, bien entendu, les agents du Secret Service, qui n'étaient jamais loin. Nous avions prévu quelques ballons, un gâteau acheté à l'épicerie du coin, dix bougies et un grand pot de glace. Quelqu'un d'autre que moi avait acheté et emballé des cadeaux. L'ambiance n'était pas vraiment morose, mais elle n'était pas festive non plus. J'ai échangé avec Barack un regard piteux. Nous savions que nous la décevions.

Pourtant, au bout du compte, comme tant de choses, c'était une question de point de vue. Tout dépendait de la façon dont nous décidions d'envisager la situation. Barack et moi ne pensions qu'à nos défauts et à nos manquements, que tout, dans cette salle morne et cette fête improvisée, semblait confirmer. Malia, elle, portait un autre regard et avait envie de voir autre chose. Et elle l'a vu. Elle a vu des visages amis, des gens qui l'aimaient, un gâteau tartiné d'un épais glaçage, une petite sœur et une cousine à ses côtés, une nouvelle année qui s'ouvrait. Elle avait passé la journée à jouer dehors. Elle avait vu un défilé. Demain, elle reprendrait l'avion.

Elle est allée vers Barack et lui a sauté dans les bras, s'écriant : « C'est l'anniversaire le plus génial de toute ma vie ! »

Elle n'a pas remarqué les yeux humides de ses parents ; elle n'a rien vu de l'émotion qui nouait la gorge à la moitié des gens qui étaient dans la pièce. Parce qu'elle avait raison. Et, à cet instant, nous l'avons tous compris. Elle avait 10 ans ce jour-là, et tout ne pouvait être que merveilleux.

18

QUATRE MOIS PLUS TARD, le 4 novembre 2008, je glissai dans l'urne mon bulletin en faveur de Barack. Nous étions arrivés de bonne heure à notre bureau de vote, dans le gymnase de l'école élémentaire Beulah Shoesmith, à quelques rues de notre maison de Chicago. Nous avions emmené Sasha et Malia, habillées et prêtes pour l'école. Même le jour des élections – et peut-être surtout le jour des élections –, il me paraissait préférable qu'elles aillent à l'école. C'était un cadre sécurisant, un rythme régulier. À l'entrée du gymnase, en passant devant la haie de photographes et de caméras de télévision, entendant tout autour de moi des commentaires sur le caractère historique de cette aventure, je me félicitais d'avoir préparé leur *lunchbox*.

Comment se passerait la journée ? Elle serait longue, à coup sûr. Mais, pour le reste, mystère…

Barack, comme toujours dans les grands moments de pression, était plus détendu que jamais. Visiblement serein, il a salué les assesseurs, pris son bulletin, et serré la main à tous ceux qu'il croisait. Ce qui, au fond, se comprenait. Après tout, les dés étaient jetés.

Nous étions côte à côte devant nos machines à voter, sous le regard intrigué des filles qui nous observaient attentivement.

J'avais déjà voté de nombreuses fois pour Barack, dans des primaires et des élections générales, lors de scrutins étatiques et nationaux, et ce passage à l'isoloir n'avait rien d'exceptionnel. Voter était pour moi une habitude, un rituel à accomplir consciencieusement à chaque fois que l'occasion se présentait. Quand j'étais petite, je suivais mes parents au bureau de vote, et j'ai toujours tenu à emmener Malia et Sasha lorsque je le pouvais, afin de leur inculquer l'importance de ce geste simple.

La carrière de mon mari m'avait permis de voir de près les rouages du pouvoir et de la machine politique. Je savais qu'une poignée de voix sur un bureau pouvait faire la différence, non seulement entre un candidat et un autre, mais entre un système de valeurs et un autre. Si dans chaque circonscription une poignée de citoyens s'abstenaient, cela pouvait déterminer ce que nos enfants apprendraient à l'école, l'offre de soins de santé, ou la décision d'envoyer ou non des soldats sur le front. Voter était tout à la fois facile et incroyablement efficace.

Devant mon écran, j'ai fixé quelques secondes la petite bulle ovale en face du nom de mon mari à la rubrique « président des États-Unis ». Au terme de près de vingt et un mois de campagne, d'attaques et d'épuisement, le moment était venu – c'était la dernière chose à faire.

Barack m'a regardée du coin de l'œil, avec un petit air taquin : « Tu hésites encore ? Il te faut un peu plus de temps ? »

S'il n'y avait pas l'angoisse des résultats, le jour des élections pourrait passer pour un genre de mini-vacances, une pause surréaliste entre tout ce qui s'est passé et la plongée dans l'inconnu qui nous attend. On a sauté, mais on n'a pas encore atterri. Et on ne sait pas encore où on va mettre les pieds. Alors que pendant des mois tout est allé trop vite, le temps ralentit, s'écoule à une lenteur désespérante. Nous sommes rentrés à la maison où j'ai joué l'hôtesse de maison pour la famille et les amis qui ont défilé toute la journée, pour nous aider à supporter l'attente.

Dans la matinée, Barack est allé jouer au basket avec Craig et quelques copains dans un gymnase voisin, ce qui était devenu une sorte de rituel, les jours de scrutin. Pour décompresser, rien ne lui réussissait mieux que de disputer âprement un bon match de basket.

« Fais gaffe à ce que personne ne lui casse le nez, ai-je lancé à Craig en les regardant partir. Il doit passer à la télé ce soir, je te rappelle.

– Et en plus ce serait ma faute, c'est ça ? » a répliqué Craig comme seul un frère sait le faire. Et, sur ce, ils ont disparu.

Selon les sondages, Barack était bien parti pour l'emporter. Il avait tout de même préparé deux discours pour la fin de soirée – un en cas de victoire, un autre pour reconnaître sa défaite. Nous connaissions désormais assez bien la politique et les sondages pour ne pas croire que le match était plié d'avance. Nous pensions au fameux « effet Bradley », du nom de ce candidat afro-américain, Tom Bradley, qui briguait le poste de gouverneur de Californie au début des années 1980. Les intentions de vote le donnaient largement vainqueur, mais, à la surprise générale, il a été battu. Sa déroute est devenue un cas d'école du sectarisme anti-noir, et le schéma s'est reproduit pendant des années d'un bout à l'autre du pays, dans différents types de scrutins où des candidats afro-américains étaient en lice. La théorie expliquait ce décalage entre sondages et résultats par le fait que, lorsqu'un candidat noir se présentait, les électeurs cachaient souvent leurs préjugés aux sondeurs, pour ne les exprimer que dans le secret de l'isoloir.

Durant toute la campagne, je n'avais cessé de me demander si l'Amérique était vraiment prête à élire un président noir, si le pays était assez fort et sûr de lui pour voir autre chose que la couleur de peau et surmonter les préjugés raciaux. Nous le saurions très bientôt.

Dans l'ensemble, la campagne nationale avait été moins éprouvante que la bataille rangée des primaires. John McCain ne s'était pas rendu service en choisissant de faire équipe avec Sarah Palin, gouverneur de l'Alaska. Inexpérimentée et mal préparée, elle était vite devenue la cible de toutes les plaisanteries. Mais, à la mi-septembre, le pays ne riait plus : la faillite soudaine de la banque d'affaires Lehman Brothers avait précipité l'économie américaine dans l'abîme. Le monde découvrait que, depuis des années, les géants de Wall Street spéculaient sur des prêts immobiliers à risques. Les cours de la Bourse s'effondraient. Les marchés hypothécaires étaient paralysés. Les fonds de pension partaient en fumée.

Barack était l'homme providentiel pour cette phase de l'histoire américaine, pour remplir une fonction qui ne serait jamais facile, mais que la crise financière rendait infiniment plus difficile. Depuis plus d'un an et demi, je le clamais dans toute l'Amérique : mon mari était maître de lui et bien préparé. La complexité ne lui faisait pas peur. Il était assez intelligent pour démêler les situations les plus inextricables. Je n'étais pas objective, bien sûr, et, personnellement, je me serais très bien accommodée d'une défaite pour retrouver une vie plus ou moins normale. Mais je savais aussi que le pays avait plus que jamais besoin de lui. Ce n'était plus le moment de s'arrêter à des détails aussi arbitraires que la couleur de peau. L'heure était grave et il serait insensé de ne pas lui confier les rênes du pays. Cela étant, la situation dont il allait hériter n'était pas un cadeau.

En fin d'après-midi, j'avais des fourmis au bout des doigts et un frisson nerveux me parcourait l'échine. Je ne pouvais rien avaler. J'en avais assez de bavarder de tout et de rien avec ma mère ou les amis venus nous tenir compagnie. J'avais besoin de me retrouver seule et je suis montée dans ma chambre.

Barack s'était, lui aussi, réfugié à l'étage pour prendre un moment à lui.

Je l'ai trouvé à son bureau, relisant le texte de son discours de victoire dans le petit réduit encombré de livres qui jouxtait notre chambre – son Trou. Passant derrière lui, je lui ai massé les épaules.

« Ça va ?

– Mouaip.

– Fatigué ?

– Non. » Il a relevé la tête et m'a souri, comme pour me convaincre. La veille, nous avions appris la triste nouvelle du décès de Toot, sa grand-mère. Elle s'était éteinte à 86 ans à Hawaï, après avoir lutté des mois contre un cancer. Comme il n'avait pas pu faire ses adieux à sa mère, Barack avait tenu à aller voir Toot. Nous avions emmené les enfants à la fin de l'été, et il était retourné la voir dix jours plus tôt, interrompant sa campagne pendant une journée pour être à ses côtés et lui tenir la main. Je prenais la mesure de la tristesse de la situation. Il avait perdu sa mère au tout début de sa carrière politique, deux mois à peine après avoir annoncé sa candidature au sénat de l'Illinois. Et, maintenant qu'il était au faîte de son parcours politique, sa grand-mère ne serait pas là pour y assister. Les femmes qui l'avaient élevé n'étaient plus là.

« Quoi qu'il arrive, je suis fière de toi, lui ai-je dit. Tu as fait tellement de bien ! »

Il s'est levé de son fauteuil et m'a serrée dans ses bras. « Toi aussi. Nous avons tous les deux fait du bon boulot. »

Je pensais surtout à tout ce qui l'attendait.

APRÈS UN DÎNER EN FAMILLE À LA MAISON, nous sommes tous allés nous habiller et nous avons filé vers le Hyatt Regency où la campagne nous avait réservé une suite pour regarder la soirée électorale avec un petit groupe d'amis et de proches. Le staff de campagne s'était cloîtré dans une autre aile de l'hôtel pour nous laisser un peu respirer. Joe et Jill Biden recevaient leurs proches dans une autre suite, sur le même palier que la nôtre.

Les premiers résultats sont tombés vers 18 heures. McCain remportait le Kentucky, Barack le Vermont. Puis la Virginie-Occidentale et la Caroline du Sud sont allées à McCain. Mes certitudes commençaient à vaciller. Mais selon Axe et Plouffe, tout se passait comme prévu. Ils allaient et venaient toutes les cinq minutes nous relayer la moindre bribe d'information qui leur était communiquée ; dans l'ensemble, les nouvelles étaient plutôt bonnes. Mais je n'avais aucune envie d'entendre leurs analyses politiques. À quoi bon commenter au fur et à mesure puisque, de toute façon, ça ne dépendait plus de nous ? Nous avions fait le grand saut et, maintenant, il ne restait plus qu'à atterrir – le mieux possible. Sur un coin de l'écran, nous voyions que des milliers de gens se regroupaient déjà à Grant Park, à quelques kilomètres de là, en bordure du lac Michigan. Des écrans géants retransmettaient en direct les résultats et c'était là que Barack était attendu dans la nuit pour prononcer l'un ou l'autre de ses deux discours. Des cordons de police bloquaient tous les carrefours, des navires de la Garde côtière patrouillaient le lac, des hélicoptères tournoyaient dans le ciel. Tout Chicago retenait son souffle en attendant le verdict.

Barack a alors engrangé une série de victoires : d'abord le Connecticut ; puis le New Hampshire ; et le Massachusetts, le Maine, le Delaware et le District de Colombie. À l'annonce des résultats de l'Illinois, une immense clameur s'est élevée dans la rue, scandée par un concert de klaxons. Voyant une chaise vide près de l'entrée de la suite, je me suis installée un peu à l'écart, seule, observant la pièce. L'effervescence était retombée et les allées et venues de l'équipe politique avaient laissé place à un calme presque solennel. Sur ma droite, les filles étaient assises sur le canapé dans leurs robes rouge et noire ; sur ma gauche, Barack, dont le costume attendait quelque part sur un cintre, était enfoncé dans un autre canapé à côté de ma mère qui, pour l'occasion, portait un élégant tailleur noir et des boucles d'oreilles en argent.

« Alors, Grandma, prête pour le grand soir ? » l'a taquinée Barack.

Ma mère, qui n'a jamais été de celles qui laissent paraître leurs émotions, lui a lancé un regard en coin en haussant les épaules. J'ai surpris leur sourire complice. Elle me dirait plus tard à quel point elle était émue sur le moment ; comme moi, elle avait été frappée par la vulnérabilité de Barack. L'Amérique avait à présent de Barack l'image d'un homme plein d'assurance et sûr de son pouvoir, mais ma mère a compris la gravité de cet instant crucial, elle a senti la solitude dans laquelle ses responsabilités l'enfermeraient. Cet homme qui n'avait plus son père ni sa mère était sur le point de devenir le leader du monde libre.

Lorsque mon regard est revenu se poser sur eux, ils se tenaient la main.

IL ÉTAIT TRÈS EXACTEMENT 22 HEURES quand les chaînes câblées ont commencé à diffuser des images de mon mari, radieux, et annoncé que Barack Hussein Obama était élu quarante-quatrième président des États-Unis. Nous avons tous bondi de nos chaises, laissant exploser notre joie. Le staff de campagne a déboulé, suivi de près par les Biden. Tout le monde étreignait tout le monde. C'était magique. J'avais l'impression de m'être détachée de mon corps et d'assister à la scène en spectatrice.

Il avait réussi. Nous avions tous réussi. Cela semblait presque inimaginable, mais la victoire était sans appel.

Et là, j'ai eu le sentiment que notre famille était propulsée par un canon dans un étrange univers sous-marin. Tout paraissait lent et fluide, légèrement déformé, alors que, dans un ballet rapide et précisément chorégraphié, nous avons suivi vers un ascenseur de service les agents du Secret Service qui nous ont exfiltrés par l'arrière de l'hôtel et fait monter dans un SUV. Ai-je inspiré une grande bouffée d'air frais en sortant ? Ai-je remercié le portier en passant ? Est-ce que je souriais ? Je n'en sais rien. Je m'efforçais de revenir à la réalité. La fatigue ne devait pas être étrangère à cette sensation de vertige. La journée avait été très longue, comme prévu. Les filles commençaient à piquer du nez. Je les avais préparées à cette fin de soirée : que papa gagne ou perde, leur avais-je expliqué, nous ferons une immense fête dans un parc, avec de la musique à fond.

Notre convoi descendait à toute allure Lake Shore Drive, escorté par des motards, direction Grant Park. J'avais parcouru cette avenue des milliers de fois, en bus pour rentrer de Whitney Young ou en voiture, avant l'aube, pour aller à la salle de gym. C'était ma ville, je la connaissais comme ma poche, et pourtant, ce soir-là, elle semblait différente, anormalement tranquille. Nous étions en suspension dans le temps et dans l'espace, un peu comme dans un rêve.

Malia, le nez collé à la vitre, l'avait remarqué. « Papa, a-t-elle dit d'une petite voix triste, il n'y a pas une voiture sur la route. Je crois que personne ne va venir à ta fête. » Avec Barack, nous nous sommes regardés et nous avons éclaté de rire. Effectivement, mis à part notre cortège, la rue était déserte. Barack était à présent le président élu. Le Secret Service avait fait évacuer le secteur, fermé tout un tronçon de Lake Shore Drive à la circulation, bloqué tous les carrefours sur notre itinéraire – une mesure de précaution normale pour un président, devions-nous bientôt apprendre. Mais, pour nous, c'était nouveau.

Tout était nouveau.

J'ai glissé un bras sur l'épaule de Malia. « Les gens sont déjà là-bas, mon cœur. Ne t'inquiète pas, ils nous attendent. »

Et, en effet, nous étions attendus. Plus de 200 000 personnes se pressaient dans le parc pour nous acclamer. En descendant de voiture, nous avons entendu enfler un bourdonnement impatient, tandis que l'on nous guidait vers une enfilade de tentes blanches débouchant sur l'estrade. Un groupe d'amis et de proches étaient venus nous accueillir, mais, en raison du protocole strict du Secret Service, ils étaient contenus derrière un cordon. Barack me tenait enlacée par les épaules, comme pour s'assurer que j'étais toujours là.

Quelques minutes plus tard, nous sommes montés sur scène, tous les quatre, moi tenant la main de Malia, Barack celle de

Sasha. J'ai vu beaucoup de choses à la fois. J'ai vu une énorme paroi de vitre pare-balles dressée autour du podium. J'ai vu un océan de gens qui, pour beaucoup, brandissaient de petits drapeaux américains. Mon cerveau n'enregistrait rien de tout cela. C'était trop, plus qu'il ne pouvait en traiter.

Je ne me souviens plus très bien du discours de Barack ce soir-là. Depuis les coulisses, Sasha, Malia et moi l'avons regardé s'adresser à la foule, entouré par ces boucliers de verre, par notre ville, et par plus de 69 millions de voix. Il me reste de cette soirée de novembre inhabituellement douce au bord du lac, à Chicago, un sentiment de quiétude, une impression de calme rare. Après tous ces mois à courir les meetings, à tout donner devant des auditoires savamment chauffés à blanc qui hurlaient et scandaient frénétiquement des slogans, nous trouvions une tout autre atmosphère à Grant Park. Nous avions devant nous une foule d'Américains en liesse, mais enveloppée, aussi, d'un recueillement palpable. Ce que nous entendions ressemblait à du silence. Il me semblait pouvoir distinguer chaque visage dans la foule. Beaucoup avaient les larmes aux yeux.

Peut-être ce calme n'était-il qu'un produit de mon imagination, ou bien, pour nous tous, de l'heure tardive. Il était près de minuit. Et nous avions tous attendu. Nous attendions depuis longtemps, très longtemps.

Devenir plus

19

Il n'y a pas de mode d'emploi pour devenir première dame des États-Unis. Ce n'est pas à proprement parler un métier, ni même un titre officiel. Ce n'est pas payé et il n'y a aucune obligation explicite. C'est un étrange strapontin de la présidence, une fonction qu'avaient occupée avant moi plus de quarante femmes, chacune s'en acquittant à sa façon.

Je ne savais pas grand-chose des précédentes premières dames ni de la manière dont elles avaient envisagé leur rôle. Je savais que Jackie Kennedy avait entrepris de rénover et réaménager la Maison-Blanche ; que Rosalynn Carter assistait aux réunions du Cabinet ; que Nancy Reagan s'était attiré quelques ennuis en acceptant des robes de couturier en cadeaux, et que Hillary Clinton avait été raillée pour s'être impliquée activement dans la politique gouvernementale de son mari. Deux ou trois ans plus tôt, invitée à un déjeuner d'épouses de sénateurs, j'avais vu, à demi consternée et à demi ébahie, Laura Bush poser tour à tour avec une bonne centaine de personnes pour des photos rituelles, sans jamais se départir de son sourire ni de sa sérénité, sans jamais perdre contenance ni même réclamer une pause. Les premières dames apparaissaient de temps à autre dans la presse, autour d'un thé avec les conjoints des dignitaires étrangers ; pour les fêtes, c'étaient elles qui envoyaient les vœux à la nation, et elles portaient de belles robes longues aux dîners officiels. Je savais aussi qu'elles choisissaient normalement une ou deux bonnes causes à défendre.

Et je savais déjà que je ne serais pas jugée à la même aune qu'elles. En tant que première *First Lady* afro-américaine à entrer à la Maison-Blanche, j'étais « autre » presque par défaut. Si on prêtait *a priori* une certaine dignité, attachée à la fonction, aux femmes blanches qui m'avaient précédée, j'étais consciente que, pour moi, ce n'était pas gagné d'avance. J'avais appris de mes déconvenues de la campagne que je devrais être meilleure, plus rapide, plus intelligente et plus forte que jamais. Je devrais gagner la sympathie du public. Je craignais que beaucoup d'Américains ne se retrouvent ni en moi ni dans mon parcours. Je n'aurais pas le luxe de m'installer lentement dans mon nouveau statut avant d'être jugée. Et, pour ce qui était des jugements, j'étais plus vulnérable que jamais aux craintes infondées et aux stéréotypes raciaux tapis juste sous la surface de la conscience collective, que la rumeur et les allusions insidieuses feraient inévitablement remonter.

J'étais émue et ravie d'être première dame, mais je n'ai pas cru une seconde me glisser dans un rôle prestigieux ou facile. D'ailleurs, une telle idée ne viendrait jamais à l'esprit de quelqu'un à qui l'on pouvait accoler les mots « première » et « noire ». J'étais au pied d'une montagne, et je devrais l'escalader à la force du poignet pour conquérir les cœurs.

Cette situation a réveillé un vieux réflexe qui remontait à mes années de lycée, et plus précisément au jour où, arrivant à Whitney Young, j'ai été saisie par le doute. L'assurance, avais-je appris, doit parfois venir de l'intérieur. Je me suis souvent répété ce mantra, pour bien des ascensions.

Suis-je à la hauteur ? Oui.

Les soixante-seize jours séparant l'élection de l'investiture me semblaient une période idéale pour commencer à esquisser dans ses grandes lignes la première dame que je voulais incarner. Je m'étais démenée pour me dégager de mon poste de juriste d'entreprise et m'investir dans un travail communautaire plus gratifiant ; je savais que je serais plus heureuse si je pouvais m'engager activement dans un travail qui débouche sur des résultats concrets. J'étais bien décidée à tenir mes promesses aux familles de soldats que j'avais rencontrées sur la route de la campagne – les encourager à faire partager leurs récits de vie et trouver des moyens de les aider. Et, bien sûr, je songeais aussi à planter un potager et, plus largement, à œuvrer pour améliorer la santé et l'alimentation des enfants.

Il n'était pas question d'improviser. Je voulais arriver à la Maison-Blanche avec une stratégie déjà bien réfléchie et une équipe solide derrière moi. Les coups bas de la campagne et les attaques de tous ceux qui avaient tenté de me faire passer pour une « femme noire en colère » ou indigne de la fonction m'avaient appris que le jugement de l'opinion s'engouffre par la moindre brèche. Si l'on ne s'impose pas pour définir ce que l'on est, d'autres se chargeront très vite de nous présenter comme ce que nous ne sommes pas. Je n'avais pas l'intention de m'installer dans un rôle passif et d'attendre que l'équipe de Barack me donne ses instructions. Après l'épreuve de la campagne, je ne prêterais plus le flanc aux médisances et aux attaques.

J'AVAIS TELLEMENT DE CHOSES À FAIRE que je ne savais plus où donner de la tête. Je n'avais pas pu préparer cette transition, car il aurait paru présomptueux de m'y prendre trop à l'avance. Pour moi qui aime planifier les choses, il avait été très difficile d'attendre tranquillement. Nous mettions donc désormais les bouchées doubles. Ma grande priorité était de m'occuper de Sasha et Malia. Je voulais qu'elles soient installées aussi vite et aussi confortablement que possible – ce qui impliquait de prévoir tous les détails de notre déménagement et de leur trouver une nouvelle école dans la capitale, un endroit où elles se sentiraient bien.

Six jours après l'élection, je suis partie pour Washington, où j'avais pris rendez-vous avec les directeurs de deux ou trois écoles. En temps normal, mon choix n'aurait été guidé que par l'offre scolaire et les valeurs de l'établissement. Mais nous n'étions plus dans la normalité. Je devais tenir compte de tout un éventail de contraintes et en discuter avec les directeurs d'école – les protocoles du Secret Service, les plans d'évacuation d'urgence, les stratégies pour protéger la vie privée de nos filles, maintenant que tous les regards du pays étaient fixés sur elles. Les variables étaient infiniment plus complexes. Barack et moi n'étions plus les seuls à décider : nous devions consulter tout un aréopage de hauts responsables avant de prendre la moindre décision.

Pendant cette phase de transition, j'ai fort heureusement pu garder mes collaboratrices de campagne – Melissa, Katie et Kristen. Nous nous sommes aussitôt attelées à la tâche : organiser le déménagement ; commencer à recruter une nouvelle équipe pour mon futur bureau de l'aile est – des responsables de la planification, des experts en politique publique, des communicants... ; faire passer des entretiens pour engager du personnel de maison pour la résidence familiale. L'une de mes premières recrues a été Jocelyn Frye, une ancienne amie de la faculté de droit dont j'appréciais l'esprit remarquablement analytique et qui a accepté de devenir ma conseillère politique. Elle m'aiderait à superviser les initiatives que j'envisageais de lancer.

Entre-temps, Barack travaillait à la composition de son gouvernement et passait son temps avec tout un panel d'experts pour réfléchir aux moyens de remettre sur pied l'économie du pays. Plus de 10 millions d'Américains étaient au chômage et l'industrie automobile était en chute libre. En voyant mon mari sortir de ces réunions les mâchoires crispées, je devinais que la situation était plus grave que ne l'imaginaient la plupart des Américains. Barack recevait également des rapports quotidiens de renseignement, et était soudain informé des secrets les mieux gardés de la nation – les menaces classées secret Défense, les alliances discrètes et les opérations clandestines dont l'opinion ne savait rien ou presque.

Le Secret Service, qui assurerait notre protection pendant quelques années, nous a affecté des noms de code officiels. Barack était « Renegade », j'étais « Renaissance ». Les filles ont eu à choisir sur une liste préétablie de noms en R. Malia a opté pour « Radiance », Sasha pour « Rosebud ». (Ma mère aurait elle aussi bientôt son propre nom de code officieux, « Raindance ».)

Lorsque les agents de sécurité s'adressaient à moi, ils m'appelaient presque toujours « *Ma'am* » – Madame. « Par ici, madame. Reculez, je vous prie, madame. » « Votre voiture sera bientôt là, madame. »

La première fois, j'avais failli leur demander : « Mais qui est cette *Ma'am* ? » Le titre m'évoquait une vieille dame accrochée à un joli sac à main, avec un port digne et des chaussures confortables, qui était peut-être assise derrière moi.

Mais non. « *Ma'am* », c'était moi. Cela faisait partie de ce grand bouleversement, de cette transition insensée que nous avions amorcée.

Je pensais à tout cela en allant faire la tournée des écoles à Washington. En sortant de l'un de mes rendez-vous, je suis retournée à l'aéroport Reagan pour accueillir Barack, qui arrivait de Chicago en jet privé. Conformément à la tradition, le président George W. Bush et son épouse nous avaient invités à la Maison-Blanche, et nous avions programmé cette visite en même temps que mon passage à Washington. J'attendais l'avion de Barack dans le hall du terminal privé, accompagnée de l'agent Cornelius Southall, l'un des responsables de mon groupe de sécurité.

Cornelius était un ancien joueur de football solidement bâti qui avait fait partie de l'équipe de protection du président Bush. Comme tous mes officiers de sécurité, c'était un garçon intelligent, formé à avoir l'œil partout à chaque instant, un vrai détecteur humain. Alors que nous regardions tranquillement l'avion de Barack atterrir et s'arrêter à une vingtaine de mètres sur le tarmac, il a repéré quelque chose avant moi. Son oreillette s'est mise à grésiller.

« Madame, dans quelques minutes, votre vie va changer à jamais », m'a-t-il annoncé.

Je l'ai regardé sans comprendre. « Attendez, vous allez voir. »

Il a pointé un doigt vers la droite et je me suis retournée. Quelque chose de spectaculaire a surgi au détour d'un virage : une longue file de véhicules composée d'une patrouille de motards et de voitures de police, plusieurs SUV noirs, deux limousines blindées arborant des drapeaux américains sur le capot, un véhicule de lutte contre les attaques nucléaires, bactériologiques et chimiques, un pick-up transportant une équipe de contre-attaque armée de fusils d'assaut, une ambulance, une camionnette de brouillage électronique, plusieurs véhicules utilitaires et, fermant la marche, un autre groupe d'escorte. C'était le cortège présidentiel. Il comptait une bonne vingtaine de véhicules, se déplaçant en formation parfaitement chorégraphiée, défilant un à un, jusqu'à ce que, enfin, tout le convoi ralentisse et s'arrête. Les deux limousines se sont garées juste devant la passerelle de l'avion de Barack.

Stupéfaite, je me suis tournée vers Cornelius : « Et il y a aussi une voiture de clown ? Non mais, sérieusement, il va devoir se déplacer avec ça, maintenant ?

– Oui. Chaque jour, pendant toute la durée de son mandat, a-t-il répondu en souriant. Ça va être ça tous les jours. »

Je n'en revenais pas : des tonnes de métal, une unité de commandos, des blindages de tous les côtés. Je l'ignorais encore, mais on ne voyait là que la moitié du dispositif. Barack serait également suivi en permanence par un hélicoptère prêt à l'évacuer ; des tireurs d'élite seraient postés sur les toits sur chacun de ses parcours ; il serait systématiquement accompagné d'un médecin personnel en cas de problème de santé ; et sa limousine contenait des poches de sang du même groupe que le sien au cas où il aurait besoin d'une transfusion. Dans quelques semaines, juste avant l'investiture, il recevrait un nouveau modèle de limousine présidentielle. Opportunément surnommée « *The Beast* » (« la Bête »), c'était un char d'assaut de sept tonnes aux allures de voiture de luxe, dissimulant dans sa carcasse des canons de gaz lacrymogène, et équipé de pneus anti-crevaison et d'un système d'aération indépendant pour parer à toute attaque chimique ou biologique.

Je me retrouvais mariée à l'un des êtres humains les mieux protégés de la terre. C'était à la fois rassurant et terrifiant.

Cornelius m'a fait signe d'avancer vers la limousine.

« Vous pouvez y aller, maintenant, *Ma'am.* »

JE N'AVAIS PÉNÉTRÉ QU'UNE SEULE FOIS à la Maison-Blanche, deux ans plus tôt. Par l'intermédiaire du secrétariat de Barack au Sénat, je m'étais inscrite avec Sasha et Malia à une visite guidée exceptionnelle qui tombait lors d'un de nos passages à Washington. Je m'étais dit que ce pourrait être amusant de faire ça avec les filles. Le lieu est généralement ouvert en visite libre, mais, ce jour-là, notre petit groupe avait le privilège d'être accueilli par un des conservateurs de la Maison-Blanche, qui nous a montré les halls majestueux et quelques pièces ouvertes au public.

Nous avons admiré les lustres de cristal qui pendaient aux hauts plafonds du salon Est, traditionnellement réservé aux bals officiels et aux grands dîners ; nous avons examiné avec attention les joues rouges et l'expression sévère de George Washington, dont le portrait est accroché à un mur dans un cadre doré. Le guide nous a appris que, à la fin du XVIIIᵉ siècle, la *First Lady* Abigail Adams utilisait cette gigantesque pièce pour faire sécher son linge et que, pendant la guerre civile, les soldats de l'Union y avaient été cantonnés quelque temps. Plusieurs filles de président avaient également célébré leur mariage dans ce salon, et c'était là qu'en 1963 le cercueil de John F. Kennedy avait été disposé, tout comme celui d'Abraham Lincoln un siècle plus tôt.

Je me repassais mentalement la liste des présidents, essayant d'imaginer, à partir de ce que j'avais retenu de mes cours d'histoire, les familles qui avaient foulé ces lieux. Malia, qui avait alors 8 ans, était surtout impressionnée par les dimensions de l'édifice, tandis que Sasha, du haut de ses 5 ans, déployait des efforts surhumains pour résister à la tentation de toucher à tout. Elle a supporté sans broncher la visite du salon Vert, tapissé de tentures d'une délicate teinte émeraude, où James Madison avait signé la déclaration de guerre contre l'Empire britannique en 1812 ; puis celle du salon Bleu, meublé dans le style Empire français et où avait été célébré le mariage de Grover Cleveland. Mais, quand notre guide nous a proposé de le suivre vers le salon Rouge, elle a levé vers moi un regard implorant : « Oh nooooon ! Pas encore un SALON ! » Je me suis empressée de la faire taire et lui ai lancé un de ces regards de mère qui veut dire : « Ne me fais pas honte, s'il te plaît ! »

Mais comment lui en vouloir ? Avec ses cent trente-deux pièces, ses trente-cinq salles de bains et ses vingt-huit cheminées réparties sur six étages, cette bâtisse chargée de plus d'histoire qu'on ne pourrait en couvrir en une seule visite est tellement immense que j'avais moi-même du mal à imaginer qu'on puisse y vivre pour de bon. Quelque part, dans les étages inférieurs, une noria de fonctionnaires s'affairait, et quelque part, au-dessus, le président et la première dame vivaient dans la résidence exécutive avec leurs terriers écossais. Mais nous nous trouvions dans une autre partie de la maison, figée dans le temps, une sorte de musée où perdurait un symbolisme important, et où étaient exposées les reliques du pays.

Deux ans plus tard, je revenais à la Maison-Blanche, cette fois-ci par une porte différente, et avec Barack. Nous allions visiter notre nouvelle demeure.

Le président Bush et son épouse nous ont accueillis dans le salon des Diplomates, ouvrant sur la pelouse sud. La première dame m'a pris chaleureusement la main. « Je vous en prie, appelez-moi Laura. » Son mari, tout aussi charmant, affichait cet esprit

magnanime propre aux Texans qui semblait l'emporter sur les rancœurs politiques. Au cours de la campagne, Barack avait durement
critiqué le bilan du président sortant, et promis aux électeurs de
revenir sur les nombreuses mesures qu'il considérait comme des
erreurs. George W. Bush avait naturellement pris fait et cause pour
le candidat républicain, John McCain. Mais il s'était aussi engagé
à assurer la passation des pouvoirs la plus souple de l'histoire,
ordonnant à chacun de ses ministères de préparer des dossiers
d'information pour la nouvelle administration. Le cabinet de la
première dame préparait également des carnets d'adresses, des
calendriers d'événements et des modèles de correspondance afin
de m'aider à prendre mes marques dans mes obligations protoco-
laires. Tous deux étaient guidés par un esprit de bienveillance, un
véritable amour du pays que j'admirerais et apprécierais toujours.

Le président Bush n'y a fait aucune allusion, mais j'ai eu la
très nette impression de voir passer sur son visage une ombre de
soulagement. Son mandat s'achevait, il avait rempli sa mission
et il pourrait bientôt rentrer chez lui, au Texas. Il était temps de
laisser la place à son successeur.

Tandis que nos époux s'éloignaient pour discuter dans le
Bureau ovale, Laura Bush m'a entraînée vers l'ascenseur lambrissé
réservé à la famille du président, auquel était affecté un élégant
Afro-Américain en smoking.

Pendant que le liftier nous menait au deuxième étage, Laura
m'a demandé des nouvelles de Sasha et Malia. Elle avait 62 ans
et avait élevé deux grandes filles à la Maison-Blanche. Ancienne
institutrice et bibliothécaire, elle avait utilisé sa fonction de première dame afin de promouvoir l'éducation et de défendre les
enseignants. Elle a posé sur moi son regard bleu chaleureux.

« Comment vous sentez-vous ? m'a-t-elle demandé.

– Un peu dépassée », lui ai-je avoué.

Elle m'a renvoyé un sourire dans lequel j'ai décelé une réelle
compassion : « Je vous comprends. Croyez-moi, je vous comprends vraiment. »

Sur le coup, je n'ai pas totalement pris la mesure de ce qu'elle
me disait, mais j'y repenserais souvent par la suite : Barack et
moi venions de rejoindre le petit cénacle très fermé, composé du
couple Clinton, des Carter, des deux générations de Bush, de Nancy

Reagan et de Betty Ford. C'étaient les seules personnes sur terre qui savaient ce qui nous attendait, qui avaient connu les bonheurs et les épreuves de la vie à la Maison-Blanche. Nous étions tous très différents, mais cette expérience unique nous lierait à jamais.

Laura m'a fait faire le tour du propriétaire, pièce par pièce. Les appartements privés de la Maison-Blanche occupent quelque 1 900 mètres carrés répartis sur les deux derniers étages du bâtiment historique – que l'on reconnaît sur les photos à ses hautes colonnes blanches emblématiques. J'ai vu la salle à manger, où les « premières familles » des États-Unis prenaient leurs repas, et j'ai passé la tête dans la cuisine impeccable où le personnel préparait déjà le dîner. J'ai vu les chambres d'invités au dernier étage, repérant les lieux en me disant que ma mère pourrait s'y installer si nous parvenions à la convaincre de venir vivre avec nous. (Il y avait aussi une petite salle de sport, là-haut, et c'est la pièce qui a suscité le plus d'enthousiasme chez Barack et le président Bush pendant leur visite entre hommes.) J'avais surtout envie de voir les deux chambres que je pressentais pour Sasha et Malia, car elles donnaient sur le même couloir que la chambre de maître.

Je tenais à ce que les filles se sentent chez elles, ici. Au-delà de la débauche de luxe – de ce rêve de conte de fées qui nous conduisait à nous installer dans une grande maison avec des chefs cuisiniers, une piste de bowling et une piscine –, Barack et moi étions en train de faire ce qu'aucun parent n'a vraiment le cœur à faire : retirer nos filles en pleine année scolaire d'une école qu'elles adoraient, les éloigner de leurs camarades, pour les installer dans une nouvelle maison et une nouvelle école sans leur donner beaucoup de temps pour se faire à l'idée. Cette perspective m'inquiétait, mais je me rassurais en me répétant que d'autres mères étaient passées par là avant moi et que leurs enfants s'en étaient bien sortis.

Laura m'a conduite dans une belle pièce lumineuse attenant à la chambre présidentielle, dont les premières dames avaient fait leur dressing. Elle m'a montré la fenêtre qui donnait sur la roseraie de l'aile ouest et sur le Bureau ovale. Elle aimait cette vue, m'a-t-elle confié, qui lui rappelait parfois toute l'importance de la mission de son mari. Hillary Clinton lui avait montré cette même vue quand elle était venue visiter la Maison-Blanche, huit ans plus tôt, a-t-elle ajouté. Et, huit ans avant cela, sa belle-mère avait montré la vue à Hillary. J'ai regardé par la fenêtre, et j'ai pris conscience que je m'inscrivais désormais dans cette humble lignée.

Au cours des mois suivants, je sentirais la force de la solidarité de ces autres femmes. Hillary a eu l'élégance de m'appeler, et m'a fait part de sa propre expérience quand elle a dû choisir une école pour Chelsea. J'ai rencontré Rosalynn Carter et bavardé au téléphone avec Nancy Reagan, qui, toutes deux, se sont montrées très chaleureuses et m'ont proposé leur aide. Laura m'a gentiment invitée à revenir avec Sasha et Malia une quinzaine de jours plus tard, quand ses filles, Jenna et Barbara, seraient là, pour présenter aux miennes les « côtés sympas » de la Maison-Blanche et leur dévoiler toutes les ressources du lieu, depuis les fauteuils moelleux de la salle de cinéma familiale jusqu'aux techniques de glissade sur une rampe du dernier étage.

Tout cela était réconfortant. J'imaginais déjà le jour où, à mon tour, je transmettrais ces menus secrets des coulisses à la première dame qui me succéderait.

NOUS NOUS SOMMES INSTALLÉS À WASHINGTON juste après notre traditionnel séjour de Noël à Hawaï, de sorte que Malia et Sasha puissent reprendre l'école au moment où leurs camarades rentreraient de leurs vacances d'hiver. Nous étions à trois semaines de la cérémonie d'investiture. Entre-temps, nous avons loué des chambres au dernier étage de l'hôtel Hay-Adams, en plein centre-ville. Nos chambres donnaient sur La Fayette Square et la pelouse nord de la Maison-Blanche, où des ouvriers montaient une tribune de métal blanc de laquelle nous assisterions à la parade d'investiture. En face de notre hôtel, quelqu'un avait déployé sur la façade d'un immeuble une grande bannière proclamant : « Bienvenue, Malia et Sasha ». J'en avais la gorge nouée.

Après bien des recherches, deux visites et de nombreuses conversations, nous avons choisi d'inscrire nos filles à Sidwell Friends, une école privée quaker qui avait une excellente réputation. Sasha rejoindrait une classe de CE1 à l'annexe réservée à l'école primaire, située dans la banlieue de Bethesda, dans le Maryland, tandis que Malia finirait son CM2 dans l'établissement principal, qui se trouvait dans un quartier tranquille à quelques kilomètres au nord de la Maison-Blanche. L'une et l'autre se rendraient à l'école en convoi, escortées par des agents spéciaux armés, dont une partie se posterait devant leur salle de classe et les suivrait à chaque récréation, visite chez les amis et séance de sport.

Nous vivions désormais dans une sorte de bulle, partiellement coupés de la vraie vie. Je ne me rappelais pas la dernière fois où j'avais fait des courses toute seule ou une petite marche dans un parc. Je ne pouvais prévoir le moindre déplacement sans en parler à mon groupe de sécurité et à ma responsable de la planification. La bulle s'était lentement formée autour de nous pendant la campagne, à mesure que Barack gagnait en notoriété et qu'il devenait indispensable de mettre une distance entre nous et le grand public – et parfois même entre nous et nos proches et amis. C'était étrange de se trouver dans cette bulle, une sensation qui ne me plaisait pas vraiment, mais je savais que c'était pour la bonne cause. Notre convoi, escorté par les forces de l'ordre, grillait tous les feux rouges. Nous entrions rarement par l'entrée principale d'un bâtiment lorsque l'on pouvait nous faire passer par une porte de service ou un quai de chargement sur une ruelle. Du point de vue du Secret Service, moins nous étions visibles, mieux c'était.

Je me raccrochais à l'espoir que la bulle de Sasha et Malia serait différente, qu'elles pourraient être en sécurité sans être enfermées, qu'elles auraient plus de liberté de mouvement que nous. Je voulais qu'elles se fassent des amis, de vrais amis – qu'elles rencontrent des enfants qui verraient en elles autre chose que les filles de Barack Obama. Je voulais qu'elles apprennent, qu'elles vivent des aventures, qu'elles fassent des erreurs et rebondissent. J'espérais que l'école serait pour elles une sorte de refuge, un endroit où elles pourraient être elles-mêmes. Sidwell Friends nous avait plu pour beaucoup de raisons, y compris parce que c'était l'école où était allée Chelsea Clinton quand son père était à la Maison-Blanche. Le personnel était habitué à protéger l'intimité des élèves en vue et l'école avait déjà mis en place le dispositif de sécurité exigé pour Sasha et Malia, si bien que leur présence ne ponctionnerait pas le budget de l'école. Mais c'était en premier lieu l'atmosphère de l'établissement qui m'avait convaincue. La philosophie quaker mettait l'accent sur la communauté et partait du principe qu'aucun individu ne valait plus qu'un autre, ce qui atténuerait les effets du battage qui entourait leur père.

Le premier jour d'école, après un petit déjeuner en famille dans notre suite, Barack et moi avons aidé les filles à enfiler leurs manteaux d'hiver. Il n'a pas pu s'empêcher de les abreuver de conseils pour leur premier jour (souriez, soyez gentilles, écoutez bien vos professeurs) et, au moment où elles enfilaient leurs sacs à dos violets, il leur a lancé : « Et, surtout, on ne se met pas les doigts dans le nez ! »

Ma mère m'a rejointe devant l'ascenseur. Dehors, le Secret Service avait installé un auvent pour nous soustraire aux regards des photographes et des équipes de télévision postées devant l'entrée, traquant les images de notre famille pendant la transition. Barack était arrivé la veille au soir de Chicago et il espérait accompagner les filles à l'école, mais il savait qu'il ne passerait pas inaperçu. Son cortège était trop lourd. J'ai lu la tristesse sur son visage quand Sasha et Malia l'ont embrassé.

Ma mère et moi les avons accompagnées dans ce qui ferait désormais pour elles office de bus scolaire – un SUV noir aux vitres fumées et blindées. Je m'efforçais de paraître confiante et détendue, souriant et plaisantant avec elles. Mais je sentais battre en moi une sourde inquiétude, cette impression de m'enfoncer inexorablement dans l'isolement. À l'école élémentaire, notre premier arrêt, Malia et moi avons dû défiler devant une haie de cameramen, encadrées par des gardes du corps. J'ai confié Malia à sa nouvelle maîtresse, puis notre convoi a poursuivi vers Bethesda, où j'ai laissé Sasha dans une jolie salle de classe avec des tables basses et de grandes baies vitrées – un endroit où j'espérais qu'elle serait heureuse et en sécurité.

J'ai rejoint mon convoi et je suis rentrée à l'hôtel, repliée dans ma bulle. Une longue journée m'attendait, rythmée par une suite ininterrompue de réunions, mais je ne pensais qu'à nos filles. Comment se passait leur journée ? Que mangeraient-elles ? Étaient-elles traitées en vedettes ou comme des petites filles normales ? J'ai vu quelques jours plus tard dans la presse une photo de Sasha, prise sur le chemin de l'école, et je n'ai pas pu retenir mes larmes. Elle avait dû être prise pendant que j'accompagnais Malia et que Sasha attendait dans la voiture avec ma mère. Sa petite bouille ronde collée à la vitre du SUV, elle regardait les photographes et les badauds avec de grands yeux, l'air pensif, le regard impénétrable, mais le visage grave.

On leur en demandait tant. Cette pensée m'a poursuivie toute la journée, et elle ne me quitterait plus pendant les mois et les années à venir.

L A CADENCE DE LA TRANSITION ne faiblissait jamais. J'étais bombardée de centaines de questions, toutes plus urgentes les unes que les autres. On me demandait de choisir la couleur des serviettes de toilette, les marques de dentifrice, de liquide vaisselle et de bière pour la résidence ; de me décider sur mes tenues pour la cérémonie d'investiture et les bals officiels ; d'organiser l'accueil des quelque cent cinquante amis proches et membres de la famille que nous avions invités. Je déléguais tout ce que je pouvais à Melissa et aux autres membres de mon équipe de transition. Nous avons aussi engagé Michael Smith, un brillant décorateur d'intérieur qui m'avait été présenté par une amie de Chicago, pour m'aider à meubler et redécorer la résidence et le Bureau ovale.

L'État fédéral mettait à la disposition du président élu un budget de 100 000 dollars pour son déménagement et la décoration, mais Barack tenait à ce que nous payions tout nous-mêmes, sur ce qu'il nous restait de ses droits d'auteur. Depuis que je le connais, il a toujours été très vigilant sur les questions d'argent et de déontologie, et s'est astreint à une discipline bien plus stricte que ne l'impose la loi. Il existe une vieille maxime dans la communauté noire : *Il faut être deux fois meilleur pour aller deux fois moins loin.* En tant que première famille afro-américaine à la Maison-Blanche, nous étions perçus comme des représentants des Noirs américains. La moindre erreur de jugement serait amplifiée, dramatisée.

Au lieu de consacrer mon énergie à réaménager la résidence et à préparer l'investiture, j'avais plutôt envie de réfléchir à ce à quoi je m'emploierais dans mes nouvelles fonctions. D'après ce que je savais, je n'étais tenue à rien. Puisqu'il n'existait pas de profil de poste, il n'y avait pas d'obligations non plus, ce qui me donnait toute liberté de fixer mon programme. Je veillerais toutefois à aligner mes initiatives sur les grandes lignes de l'action de la nouvelle administration.

À mon grand soulagement, nos deux filles sont rentrées toutes contentes de leur première journée d'école, puis de la deuxième et de la troisième. Sasha a ramené des devoirs, ce qui était nouveau pour elle. Malia s'était déjà inscrite pour participer au concert de la chorale d'un collège. Elles nous ont raconté que les élèves des autres classes avaient parfois un petit mouvement de recul en les voyant, mais que, dans l'ensemble, tout le monde était gentil avec elles. Jour après jour, elles se sont habituées à aller à l'école avec leur escorte et, au bout d'une semaine, elles se sentaient assez en confiance pour faire le trajet sans moi. C'était ma mère, à présent, qui les accompagnait, ce qui rendait les allées et venues un peu moins voyantes, puisqu'il y avait moins de gardes du corps, de véhicules et d'armes.

Ma mère avait d'abord refusé de venir vivre avec nous à Washington, mais j'avais insisté. Les filles avaient besoin d'elle. J'avais besoin d'elle. Et je voulais croire qu'elle aussi avait besoin de nous. Depuis quelques années, elle avait été une présence presque quotidienne dans notre vie et, avec son esprit pratique, elle avait le don d'apaiser toutes nos inquiétudes. À 71 ans, elle n'avait jamais vécu ailleurs qu'à Chicago. Elle n'avait aucune envie de quitter le South Side et sa maison d'Euclid Avenue. (« Je les aime beaucoup, mais j'aime aussi beaucoup mon chez-moi, avait-elle dit à un journaliste après l'élection, avec son franc-parler coutumier. Et puis je trouve que la Maison-Blanche ressemble à un musée, et comment voulez-vous dormir dans un musée ? »)

J'essayais de lui expliquer que, si elle venait à Washington, elle rencontrerait toutes sortes de gens intéressants, elle n'aurait plus à faire la cuisine ni le ménage, et qu'elle aurait plus de place au dernier étage de la Maison-Blanche qu'elle n'en avait jamais eu chez elle. Mes arguments la laissaient de marbre. Elle était totalement indifférente aux paillettes et au prestige.

J'ai fini par appeler Craig. « Il faut que tu parles à maman. Essaie de la convaincre, je t'en prie. »

Et il y est parvenu. Craig savait la faire plier quand il le fallait vraiment.

Ma mère s'est donc installée avec nous à Washington. Elle y resterait huit ans, mais, en arrivant, elle assurait à qui voulait l'entendre qu'elle n'était là que provisoirement, qu'elle repartirait dès que les filles auraient trouvé leurs marques. Et il n'était pas question qu'elle se laisse enfermer dans une quelconque bulle. Elle a refusé d'emblée la protection du Secret Service et évité scrupuleusement les médias, pour ne pas être reconnue et pouvoir se promener tout à son aise. Elle a conquis le personnel de maison de la résidence en insistant pour faire sa lessive elle-même et, tout au long de ces années, elle est entrée et sortie tant qu'elle le voulait de la résidence, franchissant les grilles pour aller faire une course au drugstore du coin, ou des emplettes en ville si l'envie lui en prenait. Elle s'est fait de nouvelles amies, avec lesquelles elle allait régulièrement déjeuner. Quand quelqu'un l'arrêtait dans la rue pour lui dire qu'elle ressemblait comme deux gouttes d'eau à la mère de Michelle Obama, elle haussait poliment les épaules et répondait : « Il paraît, oui, on me le dit souvent. » Puis elle poursuivait son chemin comme si de rien n'était. Elle avait toujours fait ce qu'elle voulait, et ce n'était pas près de changer.

Toute ma famille est venue à la cérémonie d'investiture. Mes tantes, mes oncles et mes cousins. Nos amis de Hyde Park, ainsi que mes amies d'enfance et leurs maris. Tous ont débarqué avec leurs enfants. Pour la semaine d'investiture, nous avions prévu des festivités différentes pour les adultes et pour les petits, dont, spécialement pour les enfants, un concert, un déjeuner en parallèle du déjeuner officiel au Capitole après la prestation de serment, ainsi qu'une chasse au trésor et une fête à la Maison-Blanche pendant que nous irions inaugurer les bals officiels.

L'une des plus belles surprises des derniers mois de campagne avait été notre rencontre avec les Biden : nos deux familles s'étaient spontanément rapprochées et s'entendaient à merveille. Barack et Joe, qui, quelques mois plus tôt, étaient encore rivaux, parlaient le même langage et passaient avec la même aisance du sérieux professionnel à la légèreté familiale.

Je me suis tout de suite trouvé des atomes crochus avec Jill, l'épouse de Joe. J'admirais sa force tranquille et son éthique de travail. Elle avait épousé Joe en 1977 ; il avait déjà deux fils et avait perdu sa première femme et leur fillette de treize mois cinq ans plus tôt, dans un accident de voiture. Jill et Joe avaient ensuite eu une fille ensemble. Jill venait de décrocher un doctorat en sciences de l'éducation et avait gardé son poste de professeur d'anglais dans un institut universitaire du Delaware tout au long des mandats de sénateur de son mari, mais aussi pendant ses deux campagnes présidentielles. Comme moi, elle avait envie de trouver de nouvelles façons d'aider les familles de militaires. Mais, contrairement à moi, elle était directement concernée par le problème : Beau Biden, le fils aîné de Joe, était déployé en Irak avec la Garde nationale. Il avait obtenu une brève permission pour venir à Washington assister à l'investiture de son père au poste de vice-président.

Dans la tribu Biden, il y avait aussi les petits-enfants, cinq au total, tous aussi simples et expansifs que Joe et Jill. À la convention nationale démocrate, à Denver, ils avaient embarqué Sasha et Malia dans leur petite bande turbulente, et les avaient invitées à une soirée pyjama dans la suite de leur grand-père. Les filles ne demandaient pas mieux que d'échapper au cirque politique pour aller jouer avec de nouveaux amis. La présence des enfants Biden a toujours été un bonheur pour nous.

Le mardi 20 janvier, jour de l'investiture, il faisait terriblement froid : le thermomètre semblait bloqué sur 0 °C, mais, avec le vent, le ressenti frisait plutôt les − 15 °C. Le matin, Barack et moi étions allés à l'église avec les filles, ma mère, Craig et Kelly, Maya et Konrad, et Mama Kaye. Des centaines de milliers de gens avaient commencé à converger vers le National Mall avant l'aube, attendant le début des cérémonies emmitouflés dans leurs doudounes. Je n'oublierai jamais les foules qui ont bravé le froid ce jour-là, qui ont passé des heures dehors – bien plus que moi –, convaincus que l'événement méritait ce sacrifice. Nous apprendrions plus tard qu'ils étaient près de deux millions à déferler sur le Mall. Ils venaient de toutes les régions du pays – un océan de diversité, d'énergie et d'espoir qui s'étirait sur plus de 1 500 mètres de la colline du Capitole et par-delà le Washington Monument.

Après l'office religieux, Barack et moi avons rejoint Joe et Jill à la Maison-Blanche, où nous attendaient le président Bush, le vice-président Dick Cheney et leurs épouses, qui nous ont invités à prendre un thé avant de partir tous ensemble au Capitole pour la prestation de serment. Barack avait reçu les codes nucléaires et avait été dûment briefé sur la procédure de lancement. Dorénavant, où qu'il aille, un aide de camp le suivrait comme son ombre, portant une mallette d'une vingtaine de kilos que l'on appelle familièrement le « football » : elle contient les codes d'authentification pour les ordres de tir et des systèmes de communication ultra-sécurisés. Du lourd, là encore.

Cette cérémonie resterait pour moi une de ces expériences indéfinissables que j'ai vécues au ralenti, d'une telle portée que je ne me rendais pas tout à fait compte de ce qui était en train de se passer. Avant le début de la cérémonie, nous avons été conduits dans un salon privé, le temps de permettre aux filles de manger un morceau et de nous montrer, à Barack et à moi, comment présenter et poser la main sur la petite Bible rouge qui, un siècle et demi plus tôt, avait appartenu à Abraham Lincoln. Entre-temps, à l'extérieur, nos amis, parents et collègues prenaient place sur la tribune. C'était sans doute la première fois de l'histoire qu'un aussi grand nombre de gens de couleur étaient réunis devant la foule et les téléspectateurs du monde entier, salués comme des personnalités lors de l'investiture d'un président américain.

Barack et moi savions ce que représentait cette journée pour beaucoup d'Américains, particulièrement pour la génération qui avait participé au mouvement des droits civiques. Il avait tenu à faire figurer sur sa liste d'invités les Tuskegee Airmen, les fameux pilotes et équipages terrestres afro-américains qui s'étaient distingués pendant la Seconde Guerre mondiale. Il avait aussi invité les Neuf de Little Rock, les neuf élèves noirs qui, en 1957, avaient été les premiers à confronter à l'épreuve de la réalité l'arrêt de la Cour suprême abolissant officiellement la ségrégation raciale dans les écoles publiques, en s'inscrivant dans un lycée jusqu'alors réservé exclusivement aux Blancs, subissant pendant des mois de cruelles insultes et vexations, au nom d'un principe supérieur. Ils étaient tous septuagénaires ou plus, à présent, ils grisonnaient et avaient le dos courbé sous le poids des ans et, peut-être, du fardeau qu'ils avaient porté pour les générations futures. Barack avait souvent dit qu'il espérait un jour gravir les marches de la Maison-Blanche parce que les Neuf de Little Rock avaient eu le courage de gravir celles du lycée central de l'Arkansas. De toutes les traditions dont nous étions issus, celle-ci était sans doute celle qui lui tenait le plus à cœur.

Quelques secondes avant midi, nous nous sommes présentés devant le pays avec nos deux filles. Je ne me rappelle à vrai dire que les petits détails insignifiants – l'éclat du soleil qui a brillé sur le front de Barack juste à ce moment-là, le silence respectueux qui s'est abattu sur la foule lorsque le président de la Cour suprême, John Roberts, a débuté la lecture du serment. Je me rappelle Sasha, trop petite pour que sa présence soit visible dans un océan d'adultes, se dressant fièrement sur un tabouret pour qu'on la voie bien. Je me rappelle l'air froid qui piquait le visage. J'ai tenu la Bible de Lincoln et Barack a posé la main gauche dessus, s'engageant à protéger la Constitution américaine – et, en deux phrases courtes, acceptant solennellement d'assumer tous les problèmes de la nation. C'était à la fois très solennel et joyeux, sentiment qui reviendrait dans le discours d'investiture de Barack.

« Nous sommes réunis en ce jour parce que nous avons choisi de faire triompher l'espoir sur la peur, et l'unité d'intention sur le conflit et la discorde. »

Je voyais cette vérité reflétée sur le visage de tous ces gens qui grelottaient dans le froid pour assister à ce moment. Tout autour de nous, une marée humaine s'étirait à perte de vue. Une foule serrée emplissait la vaste esplanade du National Mall et débordait tout le long du trajet de la parade. J'avais l'impression que notre famille était presque en train de leur tomber dans les bras. Nous scellions tous un pacte. Vous êtes là pour nous ; nous sommes là pour vous.

MALIA ET SASHA APPRENAIENT TRÈS VITE à vivre sous le regard du public. Je m'en suis rendu compte dès que nous sommes montés dans la limousine présidentielle et que nous avons amorcé notre lente progression vers la Maison-Blanche, ouvrant la parade inaugurale. Nous avions pris congé de George et Laura Bush, agitant la main en les regardant quitter le Capitole dans un hélicoptère des Marines. Nous avions aussi déjeuné. On nous avait servi des aiguillettes de canard sauvage dans une grande salle de réception du Capitole, avec quelque deux cents convives, parmi lesquels les

membres du futur cabinet, d'éminents parlementaires et les juges
de la Cour suprême, tandis que, dans une pièce voisine, les filles
se régalaient de leur repas préféré – des bâtonnets de poulet et
un gratin de macaronis au fromage – avec les enfants Biden et
une poignée de cousins.

Nos filles m'avaient impressionnée par leur comportement irréprochable tout au long de la cérémonie : elles n'avaient à aucun
moment manifesté le moindre signe d'impatience, relâché leur posture ni oublié de sourire. Lorsque notre convoi a remonté Pennsylvania Avenue, des milliers de gens nous observaient depuis les
gradins longeant le parcours et à la télévision, même si personne
ne pouvait nous voir derrière les vitres fumées. Quand Barack et
moi sommes descendus pour parcourir quelques mètres à pied et
saluer le public, Malia et Sasha sont restées bien au chaud dans
la voiture. Et là, comprenant soudain qu'elles étaient enfin relativement seules et à l'abri des regards, elles se sont déchaînées.

En remontant dans la limousine, nous les avons retrouvées
tout essoufflées et hilares, enfin libérées du carcan que leur imposait la cérémonie. Elles avaient arraché leurs bonnets, s'étaient
entre-ébouriffé les cheveux et lancées dans une bataille de cha-
touilles. Puis, épuisées, elles se sont affalées sur les sièges arrière
et ont passé le reste du trajet les pieds en l'air, écoutant Beyoncé
à plein tube sur l'autoradio, comme elles l'auraient fait par une
journée normale.

Ce spectacle nous a ravis et soulagés. Nous étions la « première
famille », mais nous étions toujours nous-mêmes.

Le soleil se couchait sur cette longue journée et le mercure
était encore descendu. Avec l'infatigable Joe Biden, Barack et
moi avons passé les deux heures suivantes dans la cage de verre
blindé de la tribune officielle dressée devant la Maison-Blanche,
regardant défiler sur Pennsylvania Avenue les fanfares et les chars
fleuris des cinquante États. À un moment donné, je ne sentais
plus mes orteils, malgré la couverture que l'on m'avait donnée
pour me couvrir les jambes et les pieds. Un à un, les invités de
la tribune sont venus nous saluer avant de partir se préparer pour
les bals de la soirée.

Il était près de 19 heures quand, après le passage de la dernière délégation, nous sommes sortis dans la nuit pour rejoindre la

Maison-Blanche, dont nous étions à présent les locataires officiels. En l'espace d'un après-midi, le personnel avait fait des miracles : des petites mains et des gros bras avaient réaménagé de fond en comble la résidence, déménageant les effets et le mobilier des Bush pour y mettre les nôtres. En à peine cinq heures, ils avaient nettoyé les tapis à la vapeur pour éliminer les poils des chiens de notre prédécesseur, car Malia y était allergique. Ils avaient transporté et installé nos meubles, disposé de magnifiques bouquets dans toutes les pièces. À l'étage, nos vêtements étaient impeccablement rangés dans les penderies et dressings ; les placards de la cuisine étaient remplis de nos produits préférés. Les majordomes de la résidence présidentielle, en grande majorité des Afro-Américains qui avaient à peu près notre âge ou plus, se tenaient à notre disposition pour répondre à tous nos besoins.

J'avais presque trop froid pour retenir quoi que ce soit. Nous étions attendus au premier bal d'investiture dans moins d'une heure. Je me rappelle n'avoir vu que très peu de gens à l'étage, mis à part les majordomes, que je ne connaissais pas. Je me suis soudain sentie un peu seule en descendant un long couloir bordé de portes fermées. Depuis deux ans, j'étais constamment entourée de monde. Melissa, Katie et Kristen étaient toujours à mes côtés. Et là, tout d'un coup, j'ai eu l'impression d'être laissée à moi-même. Les enfants étaient déjà partis vers un autre secteur de la maison pour leur soirée de fête. Ma mère, Craig et Maya logeaient avec nous à la résidence, mais ils avaient déjà rejoint les salles de réception. Une coiffeuse attendait pour me redonner un coup de brosse ; ma robe longue était accrochée à un cintre. Barack avait filé prendre une douche et revêtir son smoking.

Nous venions de passer une journée exceptionnelle, hautement symbolique pour notre famille et, je l'espérais, pour le pays tout entier, mais quel marathon ! Je n'ai eu que cinq minutes à moi pour me détendre dans un bain chaud et me préparer à la suite des événements. J'ai fait un saut aux cuisines pour avaler quelques bouchées de steak et de pommes de terre que Sam Kass m'avait préparé. Je me suis fait recoiffer et remaquiller en vitesse, puis j'ai enfilé la robe longue en mousseline de soie que j'avais choisie pour la soirée, une robe faite sur mesure par un jeune couturier du nom de Jason Wu. La robe se composait d'un bustier drapé, retenu par une unique bretelle et rehaussé d'appliques de fleurs d'organza blanches aux cœurs brodés de minuscules éclats de cristal, et d'une jupe qui retombait au sol dans un élégant plissé.

Jusqu'à présent, je n'avais porté que très peu de robes de soirée, mais la création de Jason Wu accomplissait un petit miracle, car, au moment où je pensais que je n'avais plus rien à donner, je me suis à nouveau sentie magnifiquement bien dans ma peau, belle et libre. La robe ressuscitait le rêve de la métamorphose de ma famille, la promesse de toute cette aventure, me transformant, sinon en princesse de conte de fées, du moins en femme capable de monter sur une autre estrade. J'étais maintenant la « FLOTUS » de mon « POTUS » de mari[1]. Il était temps de fêter cela !

Barack et moi avons d'abord inauguré le Neighborhood Ball, le bal de quartier, le premier bal d'investiture ouvert à prix modique aux résidents de la ville, et où Beyoncé – la vraie Beyoncé ! – nous a offert de sa voix bouleversante une somptueuse interprétation du classique de R'n'B *At Last*, la chanson que nous avions choisie comme « première danse ». De là, nous avons fait un tour de piste au Home States Ball, donné en l'honneur de nos États d'origine, Hawaï et l'Illinois, puis au bal du commandant en chef, poursuivant par le bal de la jeunesse et six autres encore. Nous n'avons fait qu'une relativement brève apparition à chacun, où le protocole était toujours le même : un orchestre jouait la marche présidentielle *Hail to the Chief*, Barack prononçait quelques mots, nous disions notre reconnaissance à tous ceux qui étaient venus et, devant l'assistance, nous dansions un slow aux accents de *At Last*.

Chaque fois, je me serrais contre mon mari, et mes yeux s'apaisaient sous son regard. Nous étions toujours le même duo oscillant, yin et yang, que nous formions depuis vingt ans, reliés par un amour viscéral et profondément stabilisant. S'il y avait une chose que j'ai toujours été heureuse de montrer au monde, c'était bien celle-ci.

Mais il se faisait tard et la fatigue commençait à se faire sentir.

Le meilleur moment de la soirée devait être la dernière partie des célébrations : une fête privée pour quelque deux cents amis

---

1. « FLOTUS » et « POTUS », acronymes respectifs de « First Lady of the United States » et de « President of the United States », désignent la première dame et le président des États-Unis.

à la Maison-Blanche. Enfin, je pourrais me détendre, trinquer au champagne et ne plus me soucier de notre apparence. Et, enfin, je pourrais enlever mes chaussures.

Il était près de 2 heures du matin quand nous avons rejoint nos invités. Barack et moi avons traversé le couloir de marbre menant au salon Est, où la fête battait son plein, le champagne coulait à flot, et des gens en tenue de soirée tourbillonnaient sous les lustres étincelants. Wynton Marsalis et son groupe jouaient des airs de jazz sur une petite scène au fond de la pièce. Il y avait là des amis de toutes les époques de ma vie – ceux de Princeton, ceux de Harvard, ceux de Chicago et, bien entendu, des Robinson et des Shield à profusion. C'étaient les gens avec qui j'avais envie de rire, de m'amuser et de m'exclamer : *Mais comment diable sommes-nous tous arrivés là ?*

Mais je n'en pouvais plus. J'étais au bout du rouleau. Je pensais aussi au lendemain : dans quelques heures à peine, nous devions assister au service œcuménique à la cathédrale de Washington. Puis nous passerions encore des heures debout pour accueillir deux cents citoyens ordinaires qui venaient visiter la Maison-Blanche. Barack m'a regardée et a lu dans mes pensées : « Tu n'es pas obligée de rester, m'a-t-il murmuré. Ne t'en fais pas. »

Les invités arrivaient vers moi, brûlant d'échanger quelques mots. Un donateur approchait. C'était le maire d'une grande ville. J'entendais fuser des « Michelle ! Michelle ! » dans l'assistance. J'étais tellement épuisée que j'ai failli fondre en larmes.

Barack a fait son entrée et a aussitôt été happé par la foule. Je me suis figée une fraction de seconde, puis j'ai tourné les talons et je me suis enfuie. Je n'avais plus la force de balbutier quelques paroles d'excuse dignes d'une première dame, ni même de saluer mes amis d'un signe de main. J'ai filé sur l'épais tapis rouge, sans songer aux agents qui me suivaient à la trace, sans plus songer à rien, je me suis engouffrée dans l'ascenseur de la résidence et j'ai rejoint nos appartements – au bout d'un couloir inconnu, dans une chambre inconnue, j'ai retiré mes chaussures et ma robe de soirée, et je me suis effondrée sur ce lit extravagant qui serait désormais le nôtre.

20

ON ME DEMANDE SOUVENT à quoi ressemble la vie à la Maison-Blanche. Je réponds parfois que c'est un peu comme vivre dans un hôtel de luxe, à cette différence près que, mis à part votre famille et vous, il n'y a pas d'autres clients. Dans toutes les pièces, il y a des bouquets de fleurs fraîches qui sont renouvelés presque tous les jours. En soi, la bâtisse, chargée d'histoire, est un peu intimidante. Les murs sont si épais et les planchers si massifs qu'ils étouffent rapidement tous les bruits dans la résidence. Les fenêtres, majestueuses et hautes, sont munies de vitres pare-balles et restent fermées en permanence pour des raisons de sécurité, ce qui ajoute encore à cette impression de calme. L'intérieur est d'une propreté impeccable. Il est tenu par tout un personnel composé d'huissiers, de chefs cuisiniers, de femmes de chambre, de fleuristes, et aussi d'électriciens, peintres et plombiers, qui tous vont et viennent poliment et discrètement, s'efforçant de ne pas se faire remarquer, attendant que l'on ait quitté une pièce avant de s'y glisser pour changer les serviettes ou déposer un gardénia fraîchement coupé dans un petit vase sur votre table de nuit.

Les pièces sont immenses. Toutes. Même les salles de bains et les placards sont construits à une échelle qui ne ressemble à rien de ce que j'ai jamais vu. Barack et moi n'en revenions pas d'avoir à choisir tant de meubles pour rendre chacune de ces pièces agréable à vivre. Dans notre chambre à coucher, il y avait non seulement un gigantesque lit King-size – surmonté d'un magnifique baldaquin à quatre colonnes drapé d'un dais de couleur crème –, mais aussi une cheminée et un coin salon, avec un canapé, une table basse et deux fauteuils tapissiers. La résidence comptait cinq salles de bains pour les cinq membres de notre famille qui y vivaient, et dix autres salles d'eau supplémentaires. Je disposais non d'un simple placard, mais d'un spacieux dressing attenant à ma chambre – la fameuse pièce d'où Laura Bush m'avait montré la vue sur la roseraie. J'en ai finalement fait mon bureau privé, un endroit où je pouvais me détendre et lire, travailler ou regarder la télévision, en tee-shirt et pantalon de survêtement, enfin à l'abri de tous les regards.

J'étais consciente de la chance que nous avions de vivre dans un cadre pareil. La suite parentale de la résidence était plus grande que tout l'appartement qu'occupait ma famille sur Euclid Avenue quand j'étais jeune. Un tableau de Monet était accroché devant la porte de ma chambre et un bronze de Degas trônait dans notre salle à manger. J'étais une enfant du South Side, et voilà que mes filles dormaient à présent dans des chambres décorées par de prestigieux architectes d'intérieur et pouvaient commander leur petit déjeuner à un chef cuisinier.

Je pensais parfois à tout cela, et ça me donnait le vertige.

Je me suis efforcée, à ma façon, de rendre le côté protocolaire un peu moins rigide. J'ai clairement expliqué au personnel de maison que, comme à Chicago, mes filles feraient elles-mêmes leur lit chaque matin. J'ai aussi demandé à Malia et Sasha de se conduire comme elles l'avaient toujours fait – d'être polies et courtoises avec chacun, et de ne rien demander d'autre que ce dont elles avaient vraiment besoin ou qu'elles ne pouvaient pas se procurer toutes seules. Mais il me paraissait aussi important que nos filles ne se laissent pas écraser par la solennité du lieu. *Oui, vous avez le droit de jouer à la balle dans le couloir*, leur ai-je dit. *Oui, vous pouvez aller fouiner dans les placards de la cuisine si vous avez envie de grignoter quelque chose.* Je tenais à ce qu'elles sachent qu'elles n'avaient pas besoin de demander la permission à qui que ce soit pour aller jouer dehors. J'ai été rassurée, un après-midi d'hiver, quand je les ai vues dévaler dans une tempête de neige le talus de la pelouse sud sur des luges improvisées à partir de plateaux en plastique que le personnel de cuisine leur avait prêtés.

Le fait est que, dans ce décor, les filles et moi n'étions que des personnages secondaires qui bénéficiaient de tout le luxe accordé à Barack – importantes, parce que notre bonheur était étroitement lié au sien ; protégées pour une seule et unique raison, à savoir que si notre sécurité se trouvait compromise, il n'aurait pas l'esprit assez tranquille pour gouverner le pays. Tous les rouages de la Maison-Blanche sont en réalité expressément destinés à optimiser le bien-être, l'efficacité et le pouvoir d'une seule personne : le président. Barack était maintenant entouré de gens dont le rôle consistait à le traiter comme un joyau précieux. On avait parfois l'impression d'être renvoyés à une époque révolue, en ces temps où la maison était exclusivement au service de l'homme, ce qui allait totalement à l'encontre des principes que je voulais inculquer à nos filles. Barack n'était pas très à l'aise non plus et n'aimait pas se retrouver au centre de tant d'attentions, mais il n'avait que très peu de contrôle sur tout ça.

Il était à présent épaulé par une cinquantaine d'assistants qui lisaient et répondaient à ses courriers. Des pilotes d'hélicoptère des Marines étaient en permanence à ses côtés, prêts à l'emmener à tout instant là où il devrait se rendre, et une équipe de six personnes lui préparait d'épais classeurs de briefing pour lui permettre de se tenir au courant de tous les dossiers et de prendre des décisions éclairées. Une équipe de chefs lui préparait des repas équilibrés et une poignée de commissionnaires se chargeaient de nous ravitailler, changeant régulièrement de magasin et veillant à ne jamais dire qui ils étaient ni pour qui ils travaillaient afin d'écarter tout risque d'empoisonnement.

Depuis que je le connaissais, Barack n'avait jamais aimé faire les courses, cuisiner ou bricoler dans la maison. Il ne fait pas partie de ces hommes qui collectionnent des outils à la cave ou se remettent d'une journée de travail stressante en cuisinant un risotto ou en taillant la haie. Il était très content d'être dégagé de toutes ces contingences domestiques, ne serait-ce que parce que cela lui libérait l'esprit et lui permettait de se concentrer sur des dossiers importants – et il n'en manquait pas.

À mon grand amusement, il avait désormais trois aides de camp personnels chargés de monter la garde devant sa penderie, de veiller à ce que ses chaussures soient cirées, ses chemises repassées, ses vêtements de sport toujours propres et pliés. La vie à la Maison-Blanche était décidément bien différente de celle du Trou.

« Tu as vu comme je suis ordonné, maintenant ? m'a-t-il dit un matin au petit déjeuner, un éclair de malice dans les yeux. Tu as vu mon armoire ?

– Oui, j'ai vu, ai-je répliqué avec un sourire en coin, mais tu n'y es pas pour grand-chose. »

DÈS LES PREMIERS MOIS DE SON MANDAT, Barack a signé la loi Lilly Ledbetter d'égalité salariale, visant à mieux protéger les employés des discriminations salariales fondées sur des critères tels que le sexe, l'appartenance ethnique ou l'âge. Il a ordonné de mettre fin au recours à la torture comme méthode d'interrogatoire, et a présenté un plan (qui n'a pas abouti) pour fermer dans un délai d'un an le centre de détention de Guantanamo. Il a entièrement redéfini les règles déontologiques régissant les liens des employés de la Maison-Blanche avec les groupes d'influence et, bien qu'aucun représentant républicain n'ait voté pour, il a surtout réussi à faire passer au Congrès un ambitieux plan de relance de l'économie. De mon point de vue, il semblait très bien parti. Le changement qu'il avait promis devenait réalité.

Et, cerise sur le gâteau, il arrivait à l'heure pour dîner.

Pour les filles et moi, c'était l'heureux et étonnant avantage qu'il y avait à vivre à la Maison-Blanche avec le président des États-Unis, plutôt qu'à Chicago avec un père travaillant dans un lointain Sénat et qui partait souvent en campagne pour briguer de plus hautes fonctions. Nous avions enfin papa sous la main. Sa vie était maintenant plus disciplinée. Comme il l'avait toujours fait, il abattait un nombre d'heures effarant, mais, à 18 h 30 précises, il se dirigeait vers l'ascenseur pour monter dîner en famille, même s'il devait souvent redescendre juste après dans le Bureau ovale. Ma mère nous rejoignait parfois, mais elle avait trouvé son propre rythme : elle descendait nous dire bonjour avant d'accompagner Malia et Sasha à l'école, mais préférait nous laisser seuls le soir et prendre son repas à l'étage, dans le solarium attenant à sa chambre, en regardant « Jeopardy ! » à la télé. Même lorsque nous lui proposions de rester, elle refusait la plupart du temps d'un geste de la main. « Vous avez besoin de vous retrouver », disait-elle.

Pendant les premiers mois à la Maison-Blanche, j'éprouvais le besoin d'avoir un œil sur tout. L'une des premières choses que j'ai découvertes était que vivre dans cette demeure pouvait revenir relativement cher. Nous n'avions pas de loyer, les factures et les salaires du personnel étaient payés, mais nous prenions en charge toutes nos dépenses personnelles et, le moindre article étant à la mesure d'un hôtel de luxe, l'addition grimpait très vite. Nous recevions chaque mois une facture détaillée, sur laquelle apparaissaient tous nos achats alimentaires et jusqu'au moindre rouleau de papier toilette. Lorsqu'un invité venait passer la nuit ou prendre un repas chez nous, nous réglions tous les frais. Et, avec une équipe de chefs dignes de figurer au guide Michelin et cherchant à tout prix à faire plaisir au président, je devais également surveiller de près la composition des menus. Barack avait un jour fait innocemment remarquer qu'il aimait bien voir un fruit exotique dans son assiette au petit déjeuner. Le personnel de cuisine en avait pris bonne note et s'était fait un devoir de lui en servir régulièrement. Ce n'est que plus tard, en épluchant les factures, que je me suis rendu compte que certains de ces fruits étaient importés à prix d'or de pays lointains.

Au cours de ces premiers mois, ma vigilance se portait surtout sur Malia et Sasha. Je guettais leurs états d'âme, je leur demandais comment elles s'entendaient et jouaient avec d'autres enfants. Chaque fois qu'elles me parlaient d'une nouvelle copine, j'étais ravie, mais je m'efforçais de ne pas trop le montrer. Il était très compliqué de recevoir des amies des filles à la Maison-Blanche ou de planifier des sorties pour les enfants, mais nous commencions à nous organiser.

J'étais autorisée à utiliser un BlackBerry personnel, mais on m'avait recommandé de limiter mes contacts à une dizaine d'amis très proches – ceux qui m'aimaient et me soutenaient sans aucune arrière-pensée. La plupart de mes échanges avec l'extérieur passaient par Melissa, qui était à présent mon chef de cabinet adjoint et connaissait mieux que quiconque les contours de ma vie. Elle était en contact avec tous mes cousins, tous mes amis de fac. Nous donnions son numéro et son adresse e-mail, plutôt que les miens, à tous ceux qui cherchaient à me joindre – car de vieilles connaissances et des cousins éloignés refaisaient surface et nous inondaient de toutes sortes de demandes : est-ce que Barack pourrait faire un discours pour une remise de diplôme ? Est-ce que je pourrais faire une intervention en soutien à une association ? Pouvions-nous assister à une fête, ou à une collecte de fonds ? La plupart de ces sollicitations partaient d'un bon sentiment, mais je ne pouvais pas gérer toutes ces sollicitations.

Je devais souvent faire appel à de jeunes employés pour m'aider à organiser les activités quotidiennes de nos filles. Mon équipe est très vite allée voir les enseignants et le personnel administratif de Sidwell, afin de noter les dates des fêtes d'école, de mettre à plat la marche à suivre pour répondre aux sollicitations des médias, et d'éclairer les professeurs qui se demandaient comment aborder en classe les questions de politique ou d'actualité. Quand les filles ont commencé à vouloir retrouver leurs petits groupes d'amis en dehors de l'école, mon assistante personnelle se chargeait de tout : elle récupérait les numéros de téléphone des autres parents, réservait des voitures pour aller chercher ou ramener les copines. Comme je l'avais toujours fait à Chicago, j'insistais pour rencontrer les parents des nouveaux amis de mes filles ; j'invitais des mamans à déjeuner ou je profitais des fêtes de l'école pour me présenter à d'autres. Je dois reconnaître que ces échanges n'étaient pas très spontanés. Il fallait parfois un instant à ces nouvelles connaissances pour laisser de côté l'image qu'elles pouvaient avoir de moi ou de Barack, ce qu'elles pensaient savoir de moi par la télévision ou la presse, et me voir simplement, si possible, comme la maman de Malia ou la maman de Sasha.

Il était gênant d'expliquer à ces gens que, pour que Sasha puisse venir à l'anniversaire de leur petite Julia, le Secret Service devrait passer leur domicile au peigne fin. Il était tout aussi gênant de demander son numéro de Sécurité sociale à chaque parent ou chaque nounou qui emmènerait leur enfant chez nous pour jouer. Tout cela était un peu embarrassant, mais, nous ne pouvions pas y couper. Je n'aimais pas cette étrange distance qu'il fallait combler à chaque fois que je rencontrais quelqu'un, mais, à mon grand soulagement, Sasha et Malia vivaient très différemment leur notoriété. Lorsqu'une voiture déposait leurs copines de l'école devant le salon des Diplomates – que nous surnommerions la « Dip Room » –, elles sortaient les accueillir en courant, les attrapaient par la main et les entraînaient à l'intérieur en riant. Les enfants ne se laissent impressionner par la célébrité que quelques minutes. Après ça, ils veulent juste s'amuser.

J'AI ÉTÉ INFORMÉE DÈS LE DÉBUT que j'étais censée organiser avec mon cabinet différentes fêtes et réceptions d'usage, à commencer par le bal des Gouverneurs, un gala en tenue de soirée qui se tient chaque année en février dans le salon Est. Puis viendrait le moment de la fameuse chasse aux œufs de Pâques, une grande fête familiale lancée en 1878, qui réunissait des milliers d'invités dans le parc de la Maison-Blanche. Au printemps, je devrais également honorer de ma présence les déjeuners des épouses des représentants et des sénateurs – semblables à celui où j'avais vu Laura Bush, sourire inaltérable aux lèvres, poser avec chaque convive pour une photo officielle.

À mes yeux, ces obligations mondaines me détournaient d'un travail dont j'espérais qu'il aurait davantage d'impact, mais j'ai aussi réfléchi à la façon dont je pourrais en améliorer certaines ou, tout au moins, les dépoussiérer un peu, en fissurant légèrement le carcan de la tradition. En règle générale, j'étais convaincue que la Maison-Blanche, en tant que lieu de vie, pouvait s'ouvrir davantage sur son temps sans rien perdre de son histoire ni de ses traditions. Barack et moi nous y sommes employés par petites touches, en accrochant par exemple aux murs davantage de toiles abstraites et d'œuvres d'artistes afro-américains, et en associant du mobilier contemporain aux antiquités. Dans le Bureau ovale, Barack a remplacé un buste de Winston Churchill par celui de Martin Luther King. Nous avons aussi proposé aux huissiers de troquer leur smoking contre une tenue plus décontractée les jours où l'on ne recevrait pas le public – un pantalon de toile beige et un polo de golf.

Barack et moi voulions démocratiser l'accès à la Maison-Blanche, en faire un lieu moins élitiste et plus ouvert. Lorsque nous organisions un événement, j'espérais attirer des citoyens ordinaires, et pas uniquement les gens habitués aux tenues de soirée. J'avais aussi envie d'accueillir plus d'enfants, parce que tout est toujours mieux avec des enfants dans les parages. Je voulais également ouvrir la chasse aux œufs de Pâques et élargir la liste des invités aux écoliers de la ville et aux enfants des familles de militaires, en plus des billets traditionnellement réservés aux enfants et petits-enfants des parlementaires et autres personnalités. Enfin, puisqu'il me faudrait déjeuner avec les épouses (et rares époux) des membres de la Chambre et du Sénat, peut-être pourrais-je aussi les inviter à me rejoindre dans les quartiers pour participer à un projet de service communautaire ?

Je n'avais pas perdu de vue mes priorités. Je ne voulais pas être une potiche bien habillée que l'on voyait aux réceptions et aux inaugurations. Je voulais m'investir dans des activités qui laisseraient leur marque. J'ai décidé que ma première grande initiative porterait sur le jardin.

Je n'avais pas la main verte et je n'avais jamais jardiné de ma vie, mais depuis que, grâce à Sam Kass et à la bonne volonté de notre famille, nous mangions mieux à la maison, je savais que c'est en juin que l'on trouve les meilleures fraises, que les salades au feuillage foncé ont plus de qualités nutritives, et que faire des chips de chou kale au four est à la portée de tous. En voyant mes filles se régaler de salades de pois gourmands et de gratins de chou-fleur, j'ai compris que, jusqu'à présent, pratiquement tout ce que nous connaissions de l'alimentation nous venait des publicités des géants de l'agro-alimentaire vantant des plats sous vide, congelés ou transformés, faciles à consommer, que ce soit dans des clips télévisés clinquants ou à travers des emballages judicieusement pensés pour séduire les parents épuisés qui vont faire leurs courses en quatrième vitesse après le travail. Il n'y avait personne pour mettre en avant les bienfaits des produits frais et sains – personne pour parler du plaisir de croquer dans une carotte fraîche, ou du goût inégalé d'une tomate cueillie sur sa tige.

C'est pour répondre à ce problème que j'ai décidé de planter un potager à la Maison-Blanche, dont j'espérais faire le point de départ d'un projet de plus grande ampleur. L'administration de Barack œuvrait à améliorer l'accès des Américains à une assurance-maladie abordable, et ce potager était une façon de transmettre un message similaire sur un mode de vie sain. C'était un test, un laboratoire qui me permettrait de définir ce que je pourrais accomplir dans mon rôle de première dame, une manière très littérale de m'enraciner dans cette nouvelle fonction. J'envisageais ce lopin comme une sorte de classe verte, un endroit où les enfants viendraient apprendre à faire pousser des fruits et des légumes. C'était en apparence une initiative élémentaire et apolitique, une entreprise inoffensive et innocente d'une dame jouant avec une pelle – et qui plaisait aux conseillers de l'aile ouest, soucieux d'« image » et inquiets de la façon dont tout serait perçu par l'opinion.

Dans mon esprit, c'était bien plus. Ce potager serait un tremplin pour déclencher un débat public sur l'alimentation, en particulier dans les cantines scolaires et auprès des parents, un débat qui, idéalement, porterait à réfléchir sur la manière dont est produit, étiqueté et commercialisé tout ce que les Américains mettent dans leur réfrigérateur, comme à s'interroger sur les répercussions de ces habitudes sur la santé publique. En abordant ces sujets depuis la Maison-Blanche, je m'attaquerais implicitement aux géants de l'industrie agro-alimentaire et à la façon dont ils commercialisaient leurs produits depuis des décennies.

À vrai dire, je ne savais pas du tout comment cette initiative serait accueillie. Mais lorsque j'ai demandé à Sam, qui avait rejoint le personnel de la Maison-Blanche, de commencer à planifier le jardin potager, j'ai compris que j'allais bientôt le savoir.

Au cours de ces premiers mois, mon optimisme se heurtait essentiellement à une chose : la politique. Nous vivions maintenant à Washington, dans l'ombre de cette détestable dynamique d'opposition entre républicains et démocrates, que j'avais tenté d'ignorer pendant des années, même si Barack avait choisi de se jeter dans la mêlée. Depuis qu'il était entré dans le Bureau ovale, il devait composer chaque jour avec ces forces. Des semaines avant son investiture, le très conservateur animateur de radio Rush Limbaugh avait ouvertement déclaré : « J'espère qu'Obama échouera. » J'avais vu avec consternation les républicains du Congrès lui emboîter le pas et bloquer systématiquement toutes les initiatives de Barack pour enrayer la crise économique, refusant de voter des mesures qui visaient à réduire les impôts ou à créer des millions d'emplois. Selon certains indicateurs, le jour de son investiture, l'économie américaine s'effondrait aussi vite ou plus qu'au début de la Grande Récession. Durant le seul mois de janvier, près de 750 000 personnes avaient perdu leur emploi. Et alors que Barack avait fait campagne sur l'idée qu'il était possible de rassembler les partis autour d'un consensus, que les Américains étaient fondamentalement plus unis que divisés, à l'heure où le pays était très littéralement en danger, le Parti républicain s'employait méthodiquement à lui donner tort.

Je ruminais ces pensées le soir du 24 février 2009, quand Barack a prononcé sa première allocution devant l'ensemble du Congrès réuni au Capitole, dans la salle des séances de la Chambre des représentants. Cette session plénière, qui remplace en quelque sorte pour un nouveau président le discours sur l'état de l'Union, lui permet de présenter les grandes lignes de son programme pour l'année en cours ; elle se déroule en présence des juges de la Cour suprême, des membres du cabinet, de l'état-major de l'armée et des parlementaires des deux chambres, et est retransmise en direct à la télévision à une heure de grande écoute. C'est également, par tradition, un grand spectacle où les législateurs manifestent avec exubérance leur approbation ou leur désapprobation, soit en bondissant de leur siège et en multipliant les ovations debout, soit en s'enfonçant dans leur fauteuil, la mine renfrognée.

Ce soir-là, j'ai pris place dans la galerie entre une lycéenne de 14 ans qui avait adressé une lettre émouvante à son président et un sympathique vétéran de la guerre d'Irak. Nous attendions tous que mon mari fasse son entrée. De ma place, je voyais pratiquement tout l'hémicycle. J'avais une vue plongeante, plutôt inhabituelle, sur les dirigeants de notre pays : un océan de silhouettes blanches et masculines dans des costumes sombres. L'absence de diversité était criante – et, pour tout dire, embarrassante – pour un pays moderne, multiculturel. Elle était plus flagrante encore dans le groupe républicain, qui ne comptait alors que sept parlementaires non blancs – mais pas un Afro-Américain, et une seule femme. En tout, quatre membres du Congrès sur cinq étaient des hommes.

Quelques minutes plus tard, le spectacle a commencé dans un claquement sec – un coup de maillet suivi de l'annonce du sergent d'armes. L'assistance s'est levée et a applaudi pendant plus de cinq minutes d'affilée, tandis que, des deux côtés de la salle, les élus se bousculaient pour se rapprocher de l'allée centrale. Au centre de cet ouragan, entouré d'un essaim d'agents de sécurité et d'un vidéaste qui le précédait à reculons, Barack, rayonnant, distribuait des poignées de main en se frayant lentement un passage vers la tribune.

J'avais vu de nombreuses fois ce rituel à la télévision, en d'autres temps, et avec d'autres présidents. Mais, en observant mon mari dans l'arène, j'ai pleinement pris conscience de l'ampleur de la tâche qui l'attendait et du fait qu'il lui faudrait convaincre plus de la moitié du Congrès pour accomplir quoi que ce soit.

Barack a délivré un discours sobre et précis, prenant acte de l'état déplorable de l'économie, des guerres en cours, de la menace persistante du terrorisme, et de la colère de beaucoup d'Américains qui estimaient que le sauvetage des banques représentait une aide indue aux responsables de la crise financière. Il s'est attaché à faire preuve de réalisme, mais aussi à raviver l'espoir, rappelant à son auditoire la résilience de notre pays, et sa capacité à rebondir après des périodes de crise.

De mon balcon, je voyais que les parlementaires républicains restaient assis, l'air renfrogné et en colère, bras croisés, sourcils froncés, comme des enfants contrariés. Il était évident qu'ils combattraient tout ce que ferait Barack, que ce soit bon pour le pays ou non. On aurait dit qu'ils avaient oublié que c'était un président républicain qui nous avait mis dans cette situation. Plus que tout, ils semblaient vouloir que Barack échoue. J'avoue qu'à cet instant, avec cette perspective particulière, je n'étais plus si sûre que l'on puisse aller de l'avant.

QUAND J'ÉTAIS PETITE, j'avais de vagues idées sur ce qu'il faudrait pour me rendre la vie plus agréable. En allant jouer chez les sœurs Gore, j'enviais leur espace de vie – une maison entière pour leur famille ! Je pensais que ça ferait déjà une différence si mes parents pouvaient s'offrir une plus jolie voiture. Je repérais au premier coup d'œil les copines qui avaient plus de bracelets ou de poupées Barbie que moi, ou celles qui, au lieu de porter des vêtements confectionnés par leur mère avec trois bouts de ficelle à partir d'un patron Butterick, allaient s'habiller au centre commercial du coin. Enfant, on apprend à comparer bien avant de comprendre l'importance ou la valeur des choses. Mais ensuite, avec un peu de chance, on se rend compte que l'on s'était trompé dans ses critères.

Nous habitions désormais à la Maison-Blanche. J'y trouvais peu à peu mes marques – non que je me sois jamais habituée à l'immensité de l'espace ni au mode de vie fastueux, mais simplement c'était le toit sous lequel ma famille dormait, prenait ses repas, riait et vivait. Dans leur chambre, les filles accumulaient sur leurs étagères les bibelots que leur père leur ramenait de chacun de ses voyages – des boules à neige pour Sasha, des porte-clés pour Malia. Touche par touche, nous transformions imperceptiblement la résidence, juxtaposant des luminaires modernes à des lustres traditionnels, faisant brûler des bougies parfumées pour nous aider à nous sentir chez nous. À aucun moment je n'oubliais que nous avions beaucoup de chance de vivre dans un cadre aussi confortable, mais je commençais surtout à apprécier le climat de bienveillance qui régnait dans cette maison.

Même ma mère, que la solennité de ce « musée » avait d'abord rebutée, a fini par en apprécier d'autres facettes. La Maison-Blanche comptait parmi ceux qui y étaient employés des personnes qui n'étaient pas très différentes de nous. Plusieurs majordomes travaillaient là depuis des années, qui s'étaient occupés de chaque famille présidentielle. Par leur dignité tranquille, ils me rappelaient mon grand-oncle Terry, qui vivait au rez-de-chaussée de la maison d'Euclid Avenue et tondait sa pelouse en chaussures bout golf et bretelles. Je tenais à ce que nos échanges avec le personnel soient toujours empreints de respect et de considération, de sorte qu'ils n'aient jamais l'impression d'être invisibles. Si les majordomes s'intéressaient à la politique, s'ils se sentaient plus proches d'un parti ou d'un autre, ils n'en disaient rien. Ils veillaient à respecter notre intimité tout en se montrant toujours sincères et chaleureux, et nous avons peu à peu noué des liens plus étroits avec eux. Ils sentaient d'instinct à quels moments ils devaient me laisser un peu d'espace et à quels moments ils pouvaient me taquiner gentiment. Ils s'amusaient souvent à défendre avec truculence leurs équipes de sport préférées dans la cuisine où, pendant que je feuilletais la presse matinale, ils aimaient me raconter les derniers potins des coulisses de la maison ou les exploits de leurs petits-enfants. Les soirs où il y avait un match de base-ball à la télé, Barack venait parfois le regarder un moment avec eux. Sasha et Malia adoraient l'atmosphère conviviale de la cuisine. En rentrant de l'école, elles y faisaient fréquemment un détour pour se préparer des smoothies ou du pop-corn. Beaucoup d'employés avaient un faible pour ma mère, et la rejoignaient souvent dans le solarium pour papoter avec elle.

Il m'a fallu un certain temps pour reconnaître à leur voix les différentes standardistes de la Maison-Blanche qui me réveillaient le matin ou me passaient les bureaux de l'aile est au rez-de-chaussée, mais elles aussi me sont vite devenues familières et sympathiques. Nous parlions de la météo ou plaisantions sur le nombre de fois où il avait fallu me réveiller des heures avant Barack pour me faire coiffer avant une réception officielle. Ces échanges étaient brefs, mais ils contribuaient à ramener un peu de normalité dans le quotidien.

L'un des plus anciens majordomes de la maison, James Ramsey, un Afro-Américain aux cheveux blancs, était là depuis l'administration Carter. De temps à autre, il m'apportait le dernier numéro du magazine *Jet*[1], et me le tendait avec un grand sourire : « Regardez ce que je vous ai trouvé, madame Obama. » Le genre d'attention qui rend la vie plus douce.

Plus je me familiarisais avec notre nouvelle maison, plus je me disais qu'elle était tellement grande et imposante que c'en était aberrant. Puis, en avril, je suis allée en Angleterre et j'ai rencontré Sa Majesté la reine.

C'était la première fois que j'accompagnais Barack en voyage officiel à l'étranger. L'Air Force One a atterri à Londres, où il était attendu à la réunion du G20, rassemblant les dirigeants des principales puissances mondiales. Ce forum tombait à un moment décisif : la crise économique qui sévissait aux États-Unis s'était propagée à l'ensemble de la planète, précipitant l'effondrement des marchés financiers. Il marquait également la grande entrée de Barack sur la scène internationale. Et, comme souvent dans les premiers mois de mandat, sa première mission était de réparer les dégâts de la précédente administration – et, en l'occurrence, de répondre aux récriminations de ses partenaires qui reprochaient aux États-Unis d'avoir laissé passer à plusieurs reprises l'occasion de réglementer un système bancaire irresponsable, et d'éviter ainsi la catastrophe à laquelle ils étaient à présent tous confrontés.

Rassurée de constater que Sasha et Malia s'adaptaient bien à leur rythme scolaire, je les avais confiées pour ces quelques jours à ma mère, sachant pertinemment qu'elle s'empresserait de bousculer toutes les règles que je leur fixais sur l'heure du coucher et l'obligation de finir tous les légumes de leur assiette au dîner. Elle adorait son rôle de grand-mère, plus encore lorsqu'elle pouvait désavouer mon intransigeance pour imposer son style plus flexible et plus léger – et beaucoup plus coulant qu'à l'époque où elle s'occupait de Craig et moi. Les filles étaient toujours ravies quand c'était Grandma qui s'occupait d'elles.

---

1. Hebdomadaire axé sur l'actualité et les personnalités afro-américaines. Sa réputation remonte à l'époque du mouvement des droits civiques, qu'il fut le seul à couvrir du point de vue des Noirs.

Gordon Brown, le Premier Ministre britannique, accueillait le sommet du G20, qui débuterait par une journée entière de réunions sur l'économie dans un centre de conférences de la capitale. Comme souvent lorsque des dirigeants mondiaux arrivaient à Londres pour de grands événements officiels, la reine recevrait également les participants à une grande réception au palais de Buckingham. Du fait des liens étroits entre les États-Unis et la Grande-Bretagne, et aussi, je suppose, parce que nous étions de nouveaux venus dans cette sphère, Barack et moi avons été invités à arriver un peu plus tôt pour une audience privée avec la reine.

Inutile de préciser que je n'avais jamais vu de tête couronnée. On m'avait expliqué que je pouvais soit faire la révérence à la reine, soit lui serrer la main, et que nous devions l'appeler « Votre Majesté » et donner du « Votre Altesse Royale » à son époux, le prince Philippe, duc d'Édimbourg. Mis à part ça, je ne savais pas trop où je mettais les pieds lorsque notre cortège a franchi les hautes grilles de fer forgé du palais, à proximité desquelles se pressaient des foules de curieux, passant devant une rangée de gardes et de musiciens de la fanfare royale avant de traverser une arche intérieure pour déboucher dans la cour d'honneur, où le chef du protocole nous attendait à notre descente de voiture.

Le palais de Buckingham est immense – à tel point qu'il défie toute description. Avec ses sept cent soixante-quinze pièces, il est quinze fois plus grand que la Maison-Blanche. Dans les années à venir, Barack et moi aurions le privilège d'y retourner plusieurs fois en invités. Lors de nos derniers voyages, nous dormirions dans une somptueuse suite au rez-de-chaussée du palais, entourés de valets en livrée et de dames de compagnie. Nous serions également conviés à un banquet officiel dans la Salle de bal, et nous mangerions avec des couverts plaqués or. Un jour, alors qu'on nous faisait visiter le palais, notre guide a poussé une porte : « Voici notre salon Bleu », a-t-il annoncé en indiquant d'un geste ample une salle cinq fois plus vaste que notre salon Bleu de Washington. À l'occasion d'un autre voyage, l'huissier en chef de la reine nous emmènerait, avec ma mère et les filles, nous promener dans la roseraie du palais, un superbe jardin garni de milliers de fleurs toutes plus parfaites les unes que les autres, et qui s'étendait sur près de 4 000 mètres carrés – les quelques rosiers que nous soignions fièrement devant le Bureau ovale m'ont soudain paru un peu moins impressionnants. J'ai trouvé le palais de Buckingham à la fois sidérant et incompréhensible.

Lors de cette première visite, nous avons été conduits aux appartements privés de la reine et introduits dans un salon où elle nous attendait avec son époux. La reine Élisabeth II avait alors 82 ans. C'était une petite dame frêle et gracieuse au sourire délicat et à la chevelure blanche coiffée d'une élégante mise en plis qui lui dégageait le front. Elle portait une robe rose pâle, un triple rang de perles et un petit sac à main noir sagement glissé sur un bras. Nous avons échangé une poignée de main et posé pour une photo. La reine nous a gentiment demandé si nous ne souffrions pas trop du décalage horaire et nous a invités à nous asseoir. Je ne me rappelle pas précisément de quoi nous avons parlé après cela – un peu de l'économie et de la situation de l'Angleterre, et des différents entretiens auxquels Barack avait participé ce matin-là.

Il y a toujours quelque chose d'un peu contraint dans ce type de rencontre officielle, mais, à mon avis, c'est une sensation qu'il faut s'efforcer de dépasser. En présence de la reine, j'ai dû me forcer à me détendre, à arrêter de penser à la splendeur du décor et au trac qui me paralysait en me retrouvant en face d'une véritable légende. Je connaissais bien entendu ce visage, pour l'avoir vu des dizaines de fois, dans des livres d'histoire, à la télévision et sur les pièces de monnaie. Mais la reine était là, devant moi, en chair et en os. Elle me regardait droit dans les yeux et me posait des questions. Elle était chaleureuse et affable, et j'essayais de me montrer tout aussi agréable. La reine était un symbole vivant et avait l'habitude de gérer cette image, mais elle était aussi humaine que n'importe lequel d'entre nous. Elle m'a immédiatement été très sympathique.

En fin d'après-midi, Barack et moi passions d'un groupe à l'autre à la réception du palais, grignotant des petits fours parmi les dirigeants du G20 et leurs conjoints. J'ai discuté avec Angela Merkel et Nicolas Sarkozy, j'ai été présentée au roi d'Arabie saoudite, et j'ai rencontré le président argentin, puis les Premiers ministres du Japon et d'Éthiopie. Je m'efforçais de me souvenir qui venait d'où et qui était le conjoint de qui, m'abstenant d'en dire trop de peur de faire un faux pas. C'était un cocktail distingué et convivial qui m'a rappelé que même les chefs d'État sont capables de parler de leurs enfants et de plaisanter sur la météo anglaise.

À un moment donné, vers la fin de la soirée, la reine a surgi dans mon dos, à hauteur de mon coude. Nous nous sommes soudain retrouvées seules dans une salle bondée. Elle portait toujours ses gants blancs et semblait tout aussi en forme que lors de notre entrevue privée, quelques heures plus tôt. Elle a levé le regard vers moi et m'a souri. Puis, inclinant légèrement la tête sur le côté, elle a pris un petit air amusé :

« Vous êtes drôlement grande !

– Mes chaussures me font gagner quelques centimètres, ai-je répondu en étouffant un petit rire. Mais oui, c'est vrai, je suis grande. »

Avisant mes talons aiguilles noirs Jimmy Choo, la reine a secoué la tête.

« On n'est pas bien dans ces souliers, n'est-ce pas ? » a-t-elle soupiré en pointant d'un petit geste exaspéré ses propres escarpins noirs.

Je lui ai avoué que j'avais mal aux pieds. Et elle m'a avoué qu'elle aussi. Nous nous sommes regardées avec la même expression, l'air de dire : *Combien de temps va-t-on encore devoir piétiner au milieu de tous les grands de ce monde ?* Là-dessus, elle est partie d'un rire absolument charmant.

Bien sûr, elle portait parfois une couronne de diamants, et j'étais arrivée à Londres à bord de l'avion présidentiel ; mais, ce soir-là, nous étions simplement deux dames fatiguées aux pieds en compote. J'ai alors fait ce que mon instinct me dicte à chaque fois que je rencontre quelqu'un dont je me sens proche : j'ai exprimé ouvertement mes sentiments. Et j'ai posé affectueusement une main sur son épaule.

Je n'en étais pas consciente sur l'instant, mais je venais de commettre ce qui passerait pour un faux pas monumental. J'avais touché la reine d'Angleterre. Or, devais-je apprendre, cela ne se faisait absolument pas. Des caméras avaient saisi notre échange et, au cours des jours suivants, les images feraient le tour de la presse internationale : « Michelle Obama rompt le protocole ! » « Michelle Obama ose étreindre la reine ! » Ça a ravivé les rumeurs malveillantes qui, durant la campagne, disaient que je n'avais ni le raffinement ni l'élégance d'une première dame. Je craignais également que l'incident n'éclipse les succès de Barack à l'international. J'essayais cependant de ne pas me laisser atteindre par les critiques. Je ne m'étais peut-être pas comportée comme je l'aurais dû à Buckingham, mais mon geste était simplement humain. Je crois d'ailleurs que la reine ne s'en est pas émue car, lorsque je l'ai touchée, elle s'est légèrement rapprochée de moi, m'effleurant la taille d'une main gantée.

Le lendemain, alors que Barack partait pour une journée marathon de réunions sur l'économie mondiale, je suis allée visiter une école de filles. C'était un collège public situé à Islington, dans la banlieue de Londres, non loin d'une cité de logements sociaux. Plus de 90 % des 900 élèves étaient noires ou issues d'une minorité ethnique ; 20 % étaient des enfants d'immigrants ou de demandeurs d'asile. J'avais choisi l'école Elizabeth Garrett Anderson parce que c'était un établissement multiculturel qui, malgré un budget très serré, avait la réputation d'être un centre d'excellence. Lorsque je me rendais quelque part en tant que première dame, je tenais à ce que ma visite en soit vraiment une – c'est-à-dire que je puisse rencontrer les vraies gens, et pas uniquement ceux qui les gouvernaient. À l'étranger, j'avais des possibilités que Barack n'avait pas. Je pouvais échapper aux réunions et conférences multilatérales parfaitement orchestrées avec de hauts responsables internationaux et trouver de nouvelles façons d'apporter un peu plus de chaleur à ces visites très formelles. C'était le type d'expérience que j'espérais vivre lors de chacun de mes voyages, à commencer par l'Angleterre.

Je ne m'attendais toutefois pas à être aussi émue en arrivant à l'école Elizabeth Garrett Anderson et en pénétrant dans un amphithéâtre où 200 élèves s'apprêtaient à assister au spectacle qu'avaient monté leurs camarades, avant d'écouter ce que j'étais venue leur dire. Le collège portait le nom d'une femme médecin qui avait été la première femme maire d'Angleterre et faisait figure de pionnière. Les locaux n'avaient rien de remarquable – c'était une bâtisse carrée de brique rouge dans une rue ordinaire. Mais quand, assise sur une chaise pliante sur un côté de la scène, j'ai vu le spectacle – une scène de Shakespeare, suivie d'une démonstration de danse moderne et d'une chorale qui a chanté une magnifique interprétation d'une chanson de Whitney Houston –, quelque chose a vibré en moi. Il me semblait presque être ramenée à mon propre passé.

Il suffisait de regarder les visages des jeunes filles pour savoir que, malgré leurs forces, elles devraient se battre pour être vues. Certaines portaient le hijab ; pour d'autres, l'anglais était une deuxième langue, et leurs couleurs de peau déclinaient toutes les nuances de brun. Je savais qu'elles se heurteraient à toutes sortes de préjugés, qu'elles seraient cataloguées de mille et une manières avant même d'avoir une chance de définir leur propre identité. Elles auraient à lutter pour sortir de cette invisibilité propre à leur condition de femmes, de femmes de couleur, et de femmes de couleur pauvres. Elles devraient redoubler d'ardeur pour trouver leur voie et ne pas être rabaissées, pour ne pas se laisser décourager. Et elles devraient travailler pour apprendre, tout simplement.

Mais leurs visages rayonnaient d'espoir et m'emplissaient d'espoir. C'était pour moi une révélation étrange, sereine : elles étaient celle que j'avais été. Et j'étais celle qu'elles pourraient être. L'énergie qui se dégageait de cette école ignorait les obstacles. C'était la puissance de 900 collégiennes bien décidées à percer.

Après le spectacle, je me suis avancée vers le pupitre la gorge nouée. J'ai jeté un coup d'œil sur les notes que j'avais préparées, mais elles ne m'inspiraient plus beaucoup. J'ai regardé les jeunes filles et j'ai parlé à cœur ouvert. Je leur ai expliqué que, même si je venais de très loin avec ce titre bizarre de première dame des États-Unis, je leur ressemblais plus qu'elles ne l'imaginaient. Je leur ai expliqué que, moi aussi, j'avais grandi dans un quartier ouvrier, dans une famille modeste et aimante ; que j'avais compris très tôt que c'était à l'école que je pourrais forger mon identité – et qu'il valait la peine de travailler pour recevoir une bonne éducation, car c'était ce qui leur permettrait de se faire une place dans le monde.

Je n'étais première dame que depuis un peu plus de deux mois. Il m'était arrivé de me sentir dépassée par le rythme trépidant de ma fonction, indigne de tout ce prestige, inquiète pour mes enfants, au point de douter de ma détermination. Certains aspects de la vie publique, qui obligent à renoncer à sa vie privée pour devenir le symbole d'un pays, le représenter et parler en son nom, peuvent paraître conçus expressément pour vous dépouiller d'une partie de votre identité. Mais là, enfin, face à ces collégiennes, j'éprouvais quelque chose de pur et de totalement différent – mon ancien moi était en phase avec ce nouveau rôle. *Êtes-vous à la hauteur ? Oui, vous l'êtes, toutes !* Je leur ai dit combien elles m'avaient touchée. Je leur ai dit combien elles étaient précieuses, parce qu'elles l'étaient vraiment. Et, à la fin de mon discours, c'est encore mon instinct qui l'a emporté : j'ai serré dans mes bras autant de jeunes filles que j'ai pu.

À WASHINGTON, LE PRINTEMPS ÉTAIT ARRIVÉ. Le soleil se levait un peu plus tôt et traînait un peu plus longtemps chaque jour. J'observais la pelouse sud se parer peu à peu d'un vert luxuriant et profond. Des fenêtres de la résidence, j'apercevais les plates-bandes de tulipes rouges et de jacinthes mauves qui entouraient la fontaine au pied du talus. Depuis deux mois, avec mon équipe, je m'activais pour faire sortir mon potager de terre, et nous avions dû batailler. Convaincre d'abord le National Park Service et les jardiniers de la Maison-Blanche de dégager un lopin de terre sur l'une des pelouses les plus célèbres du monde. L'idée même s'était heurtée à de farouches résistances. Pendant la guerre, Eleanor Roosevelt avait fait aménager un « Jardin de la victoire » sur le domaine de la Maison-Blanche, mais, visiblement, personne n'avait très envie de réitérer l'expérience. « Ils nous prennent pour des dingues », m'a dit un jour Sam Kass.

Nous avons quand même fini par avoir gain de cause. On nous a d'abord attribué un petit carré de terre bien caché derrière les courts de tennis, près d'une cabane à outils. Sam est revenu à la charge, exigeant une parcelle mieux exposée, et a finalement obtenu une pièce en L d'une centaine de mètres carrés dans un coin inondé de soleil de la pelouse sud, pas très loin du Bureau ovale et de la balançoire que nous avions récemment fait installer pour les filles. Nous avons vérifié avec le Secret Service que, en retournant la terre, nous ne tomberions pas sur les câbles des capteurs qui protégeaient le parc. Nous avons effectué des tests pour nous assurer que la terre était assez riche et ne contenait pas de résidus toxiques comme du plomb ou du mercure.

Nous étions prêts !

Quelques jours après mon retour d'Europe, j'ai accueilli un groupe d'élèves de l'école élémentaire Bancroft, une école bilingue des quartiers nord-ouest de la capitale, avec lesquels, armés de bêches et de pelles, nous avions préparé le sol quelques semaines plus tôt. Ils revenaient maintenant pour m'aider à planter. Notre jardin était tout près de la grille sud qui longe E Street, où les touristes se massaient souvent pour admirer la Maison-Blanche. Je me réjouissais à l'idée qu'ils verraient également le potager.

Ou, du moins, j'espérais pouvoir m'en réjouir un jour ou l'autre. Car, dans un jardin, on ne sait jamais trop ce qu'il peut ou non se passer – si quelque chose poussera vraiment. Nous avions invité les médias à assister aux plantations, les chefs cuisiniers de la Maison-Blanche à venir nous aider, ainsi que Tom Vilsack, le ministre de l'Agriculture. Nous avions demandé à tout le monde de suivre notre aventure. Il ne nous restait plus qu'à attendre les résultats. « Si tu veux mon avis, on a intérêt à ce que ça marche », avais-je dit à Sam ce matin-là avant l'arrivée des spectateurs.

À quatre pattes avec mon petit groupe d'écoliers, nous avons délicatement mis en terre de jeunes plants, tassant bien la terre autour des tiges fragiles. Après mon voyage en Europe, qui avait donné à la presse l'occasion de décortiquer chacune de mes tenues (j'avais porté un cardigan pour rencontrer la reine, ce qui était au moins aussi scandaleux que de l'avoir touchée), j'étais soulagée de m'agenouiller dans la terre en veste légère et pantalon de tous les jours. Les enfants me posaient des questions sur les légumes et les prochaines étapes de culture, et me demandaient aussi : « Il est où, le président ? », « Pourquoi il ne vient pas nous aider ? » Au bout de quelques minutes, ils ne faisaient plus du tout attention à moi, trop occupés à enfiler leurs gants de caoutchouc et à observer les vers de terre. J'adorais passer du temps avec les enfants. Tout au long de mon séjour à la Maison-Blanche, leur présence m'apaiserait, me ferait oublier mes soucis de première dame et cette désagréable impression d'être jugée en permanence. Avec eux, j'étais de nouveau moi-même. Ils ne me regardaient pas comme une bête curieuse, mais simplement comme une dame gentille et un peu trop grande.

Nous avons passé toute la matinée à nous occuper des salades, des épinards, du fenouil, des brocolis, à semer des carottes, des choux, des oignons, des petits pois, et à planter des baies et toutes sortes d'herbes aromatiques. Que récolterions-nous ? Je n'en avais aucune idée, de même que j'ignorais de quoi serait fait notre passage à la Maison-Blanche, et ce qui attendait le pays ou ces adorables gamins qui gambadaient autour de moi. Tout ce que nous pouvions faire, c'était mettre toute notre foi dans cet effort, et espérer que, avec le soleil, la pluie et le temps, quelque chose d'à peu près présentable sorte de terre.

21

Un samedi soir, à la fin du mois de mai, Barack m'a invitée à un dîner en tête-à-tête. Au cours de ses quatre premiers mois de mandat, il s'était entièrement consacré à ses dossiers afin d'honorer ses promesses de campagne aux électeurs. Il honorait à présent une promesse qu'il m'avait faite. Nous allions à New York, dîner et voir un spectacle.

Pendant des années, à Chicago, nous nous réservions chaque semaine une soirée en amoureux, un petit luxe que nous avions intégré à notre vie et que nous protégions à tout prix. J'adore bavarder avec mon mari autour d'une petite table dans une pièce tamisée. J'ai toujours aimé ces moments d'intimité, et je les aimerai toujours. Barack sait écouter, avec patience et attention. J'aime le voir renverser la tête en arrière quand il rit. J'aime l'éclat de son regard, sa profonde gentillesse. Prendre un verre ensemble et partager tranquillement un repas a toujours été une façon de revenir à nos débuts, à ce premier été caniculaire où, déjà, le courant passait si bien entre nous.

Je me suis préparée pour ma soirée à New York : j'ai passé une robe de cocktail noire, mis une touche de rouge à lèvres, et relevé mes cheveux en un chignon élégant. J'étais saisie d'un frisson d'impatience à la perspective de cette escapade, à l'idée de passer enfin un moment seule avec mon mari. Ces derniers mois, nous avions organisé des dîners et assisté ensemble à plusieurs spectacles au Kennedy Center, mais c'était presque toujours des sorties officielles avec beaucoup de monde autour de nous. Cette soirée serait une vraie pause, juste pour nous.

Barack portait un costume noir sans cravate. En fin d'après-midi, nous avons embrassé les filles et ma mère, puis traversé main dans la main la pelouse sud pour embarquer dans l'hélicoptère présidentiel, Marine One, qui nous a emmenés à la base militaire d'Andrews. De là, nous avons rejoint à bord d'un petit avion militaire l'aéroport JFK, où nous attendait un autre hélicoptère qui nous a déposés à Manhattan. Nos déplacements avaient été soigneusement préparés par nos équipes logistiques et le Secret Service, comme toujours afin d'assurer notre sécurité le plus efficacement possible.

Barack, avec la complicité de Sam Kass, avait choisi un petit restaurant discrètement niché dans une ruelle proche de Washington Square Park, le Blue Hill, sachant que sa carte de produits locaux ne pourrait que me plaire. Entre l'héliport de Manhattan et Greenwich Village, j'ai été prise de culpabilité en voyant les gyrophares de voitures de police qui bloquaient tous les carrefours pour laisser passer notre cortège. Notre simple présence dans la ville paralysait toute la circulation du samedi soir. New York m'a toujours impressionnée ; son gigantisme et son fourmillement perpétuel suffisent à écraser n'importe quel ego. Je me rappelais mon émerveillement lorsque j'avais découvert la ville des années auparavant avec Czerny, quand j'étais à Princeton. Pour Barack, je savais que c'était un retour aux sources encore plus émouvant. Par sa folle énergie et son incroyable diversité, cette ville avait été l'incubateur idéal de ses ambitions intellectuelles et de son imagination lorsqu'il étudiait à l'université Columbia.

Au restaurant, on nous a guidés vers une table dans un coin discret de la salle, tandis qu'autour de nous les gens, bouche bée, essayaient de ne pas nous regarder avec trop d'insistance. Notre présence ne passait pas inaperçue. Tous ceux qui ont franchi la porte de l'établissement après nous ont été soumis à une fouille en règle par une équipe du Secret Service – une formalité relativement rapide, mais contrariante. Là encore, je m'en suis voulue.

Nous avons commandé un martini dry, et engagé une conversation légère. Depuis quatre mois, il était président des États-Unis et moi première dame. Nous en étions encore à chercher un nouvel équilibre – à essayer de concilier identité publique et identité privée, et de comprendre les conséquences de tout cela sur notre couple. À cette époque, il n'y avait pratiquement rien dans la vie compliquée de

Barack qui n'ait de répercussions sur la mienne, et les sujets qui nous concernaient tous les deux ne manquaient donc pas – ce voyage à l'étranger que son équipe avait programmé pendant les vacances d'été des filles, par exemple, ou l'intérêt porté aux interventions de ma chef de cabinet lors des réunions du staff de l'aile ouest –, mais ce soir-là, comme tous les soirs, j'évitais de parler de tout ça. Si j'avais un problème à régler avec l'aile ouest, je passais généralement par mon personnel pour en informer le staff de Barack, afin que les affaires de la Maison-Blanche n'empiètent pas sur notre temps personnel.

Barack avait parfois envie de parler de son travail, mais la plupart du temps il s'en abstenait. Sa fonction était éreintante, les problèmes immenses et souvent difficiles à résoudre. General Motors allait mettre la clé sous la porte dans quelques jours. La Corée du Nord venait d'effectuer un test nucléaire, et Barack devait bientôt se rendre en Égypte, où il prononcerait un discours décisif visant à tendre la main aux musulmans du monde entier. La terre semblait trembler en permanence sous ses pieds. Quand nos amis venaient nous voir à la Maison-Blanche, ils s'amusaient de toutes les questions que nous leur posions sur leur travail, leurs enfants, leurs loisirs... Nous n'avions ni l'un ni l'autre envie de nous épancher sur les difficultés de notre nouvelle vie, mais nous étions tous les deux friands de potins et de nouvelles de nos proches. Ces aperçus de la vraie vie nous manquaient.

À notre table du Blue Hill, nous avons mangé, bu et bavardé à la lueur d'une bougie, savourant cette impression illusoire de nous être évadés de notre prison dorée. La Maison-Blanche est un endroit magnifique, très confortable, un foyer aux allures de forteresse, et, du point de vue des agents du Secret Service chargés de nous protéger, il aurait probablement été idéal que nous ne sortions jamais de son périmètre. Même à l'intérieur, ils préféraient nous voir prendre l'ascenseur plutôt que l'escalier, pour limiter les risques de chute. Si Barack ou moi-même devions nous rendre à Blair House, la résidence officielle des invités située de l'autre côté d'un tronçon déjà fermé de Pennsylvania Avenue, ils exigeaient de nous conduire en cortège au lieu de nous laisser faire une petite marche en plein air. Nous respections leur extrême vigilance, mais elle ajoutait à cette sensation d'enfermement. J'avais parfois du mal à concilier mes besoins avec ces nécessités pratiques. Si un membre de notre famille voulait sortir sur le balcon Truman – le charmant balcon arrondi donnant sur la pelouse sud, et notre seul espace extérieur semi-privé à la Maison-Blanche –, nous devions d'abord prévenir le Secret Service pour qu'il ferme le tronçon d'E Street sur lequel ouvrait le balcon, et évacue les hordes de touristes qui se pressaient devant les grilles à toute heure du jour et de la nuit. J'ai souvent été tentée d'aller prendre l'air sur ce balcon, mais me ravisais à chaque fois, songeant au remue-ménage que je provoquerais, aux vacances que j'interromprais, pour le simple plaisir de boire mon thé dehors.

Nos déplacements étaient si rigoureusement contrôlés que Barack et moi marchions de moins en moins. Pour compenser, nous allions aussi souvent que possible à la petite salle de sport du dernier étage de la résidence. Barack s'imposait une heure de tapis de course par jour, pour essayer de relâcher les tensions physiques. Je faisais également de l'exercice tous les matins, souvent avec Cornell, notre coach de Chicago qui, pour nous, s'était installé à mi-temps à Washington, et venait deux ou trois fois par semaine nous faire faire une séance de pliométrie et d'haltères.

Au-delà des affaires du pays, Barack et moi ne manquions jamais de sujets de conversation. Ce soir-là, nous avons parlé des cours de flûte de Malia, de Sasha qui s'accrochait encore à son doudou élimé, dont elle se couvrait la tête pour dormir. Quand je lui ai raconté l'histoire d'une maquilleuse qui s'était vainement escrimée à poser de faux cils à ma mère avant une séance photo, Barack a éclaté de rire en renversant la tête en arrière – exactement comme je m'y attendais. Et, bien entendu, nous avions mille commentaires et anecdotes à partager sur notre nouveau colocataire – un adorable chien d'eau portugais de sept mois, tout fou et turbulent, que nous avions baptisé Bo. C'était un cadeau du sénateur Ted Kennedy, et il venait remplir une promesse que nous avions faite aux filles pendant la campagne. Sasha et Malia ne se lassaient pas de jouer à cache-cache avec lui sur la pelouse sud, l'appelant à grands cris, accroupies derrière des arbres, et le regardant gambader dans l'herbe, en suivant leurs voix. Ce chien nous faisait tous fondre.

À la fin du repas, quand nous avons quitté notre table, les clients du restaurant se sont levés et nous ont applaudis, ce qui m'a paru aussi gentil qu'excessif. Il devait bien y en avoir quelques-uns qui se réjouissaient de nous voir partir.

Nous embêtions tout le monde, et perturbions tout environnement normal. C'était une évidence. Nous l'avons ressenti encore plus fortement quand notre cortège a descendu la Sixième Avenue et traversé Times Square où, depuis des heures, la police avait bouclé tout un pâté de maisons devant le théâtre ; les spectateurs faisaient la queue pour franchir des portiques de sécurité qui n'étaient habituellement pas là, et ces contrôles obligeraient les acteurs à attendre trois quarts d'heure pour entrer en scène.

Enfin, le rideau s'est levé sur une pièce merveilleuse : un drame d'August Wilson campé dans une pension de Pittsburgh pendant la Grande Migration afro-américaine qui, entre 1910 et 1970, vit des millions d'Afro-Américains quitter le Sud pour s'établir dans le Midwest – c'était l'histoire des deux côtés de ma famille. Assise dans le noir près de Barack, j'étais captivée, un peu émue, et, l'espace d'un instant, j'ai même réussi à me laisser emporter par le spectacle, savourant le bonheur simple de ne pas être en représentation et de retrouver le vrai monde.

En rentrant à Washington dans la nuit, je savais déjà que nous n'aurions plus l'occasion de renouveler l'expérience de sitôt. L'opposition s'est empressée de reprocher à Barack de m'avoir emmenée à New York pour un spectacle. Nous n'avions pas encore atterri à Washington que le Parti républicain publiait déjà un communiqué de presse, affirmant que notre escapade était une folie qui avait coûté une fortune au contribuable – argument que les chaînes d'information en continu se sont fait une joie de reprendre et qui alimenterait d'interminables débats. L'équipe de Barack enfoncerait le clou, quoique avec plus de doigté, nous engageant à mieux peser à l'avenir les possibles retombées politiques de ce genre d'initiative. Cela a achevé de me culpabiliser d'avoir volé un rare moment d'intimité avec mon mari.

Nous n'avions pas fini d'essuyer des critiques. Nos détracteurs étaient aux aguets. Les républicains ne rendraient jamais les armes. Les questions d'image dirigeraient toujours notre vie.

Avec notre soirée en amoureux, il nous semblait avoir expérimenté une théorie que nous suspections depuis toujours et confirmé ses côtés positif et négatif. Côté positif, nous pouvions nous échapper pour une soirée romantique comme nous le faisions des années auparavant, avant que la vie politique de Barack ne prenne le dessus. Nous pouvions, en tant que couple présidentiel, être proches et complices, savourer un repas et un spectacle dans une ville que nous aimions tous les deux. Mais il était plus dur d'admettre que ce choix était éminemment égoïste, sachant qu'il avait exigé des heures de réunions préparatoires entre les équipes de sécurité et la police locale. Il avait donné une surcharge de travail à nos employés, au théâtre, aux serveurs du restaurant, aux agents de la circulation, et perturbé les automobilistes qui avaient été déviés de la Sixième Avenue. Tout cela faisait partie de cette lourdeur qui pesait sur notre nouvelle vie. Le moindre de nos déplacements impliquait trop de gens, dérangeait trop de monde pour garder une quelconque légèreté.

DEPUIS LE BALCON TRUMAN, je voyais le potager s'épanouir dans toute sa splendeur à l'angle sud-ouest de la pelouse. C'était un spectacle gratifiant – un paradis miniature en devenir, où des tiges tendres s'enroulaient sur leurs tuteurs, des pousses sortaient de terre, des feuilles de carottes et d'oignons commençaient à pointer, tandis que les carrés d'épinards et de salades étaient déjà bien fournis et que les bordures de fleurs se paraient de tons rouge et jaune vif. Nous cultivions nos propres légumes !

Mes jardiniers en herbe de l'école Bancroft sont revenus en juin pour notre première récolte. Accroupis tous ensemble dans la terre, nous avons cueilli les salades et ramassé les petits pois. Cette fois-ci, Bo, notre chiot, qui adorait lui aussi le potager, est venu les distraire, et a couru en cercle autour des arbres avant de se coucher, ventre au soleil, entre les carrés surélevés.

Après notre récolte du jour, les écoliers ont suivi Sam dans la cuisine pour composer des salades de laitue et petits pois, qui nous ont ensuite été servies avec du poulet au four, le tout suivi de cup-cakes décorés avec des fruits rouges du jardin. En dix semaines, notre lopin de terre avait produit 45 kilos de légumes – tout ça en ayant investi à peine 200 dollars en semis et terreau.

Le potager avait beaucoup de succès et produisait une nourriture saine, mais je savais aussi que, pour certains, cela ne suffirait pas. J'étais observée et je suscitais d'autres attentes, surtout de la part des femmes et peut-être plus encore des femmes actives, qui se demandaient si j'avais oublié mon éducation et mon expérience professionnelle pour me replier dans le rôle convenu de première dame, et m'enfermer dans une tour d'ivoire tapissée de feuilles de thé et de serviettes roses. Certains semblaient craindre que je ne me montre pas telle que j'étais.

Je savais que, quoi que je fasse, je ne pouvais pas plaire à tout le monde. La campagne m'avait appris que chacun de mes mouvements, chacune de mes expressions, seraient scrutés et interprétés de quinze façons différentes. J'étais soit tyrannique et colérique, soit, avec mon potager et mon message en faveur d'une alimentation saine, une traîtresse à la cause féministe, manquant de véhémence. Quelques mois avant l'élection de Barack, j'avais dit à un journaliste que ma priorité à la Maison-Blanche serait de garder mon rôle de « maman en chef » au sein de notre famille. L'expression m'était venue comme ça, mais elle avait marqué les esprits et la presse s'en est emparée. Certains Américains semblaient l'approuver, sachant parfaitement combien il fallait d'organisation et d'énergie pour élever des enfants. D'autres, en revanche, vaguement consternés, avaient cru comprendre que, dans mon rôle de première dame, je me contenterais de faire des bonshommes de pâte à modeler avec mes enfants.

À vrai dire, j'avais l'intention de tout faire – travailler et m'occuper de mes enfants –, comme je l'avais toujours fait. À ceci près que, maintenant, tous les regards étaient braqués sur moi.

Dans un premier temps, je préférais travailler dans l'ombre. Je voulais prendre le temps de mettre méthodiquement en place un projet afin d'être sûre de ce que je faisais avant de le présenter au public. Comme je l'ai expliqué à mes collaborateurs, j'aimais mieux aborder les dossiers dans le détail plutôt que de voir trop grand. J'avais parfois l'impression d'être comme un cygne glissant sur un lac, sachant que ma fonction m'imposait d'évoluer gracieusement et de paraître sereine, tout en pédalant sans cesse sous l'eau. L'intérêt et l'enthousiasme que notre potager avait soulevés, les réactions favorables dans les médias, les lettres qui affluaient de tout le pays, tout cela ne faisait que confirmer que je pouvais créer le buzz autour d'une bonne idée. À partir de là, j'avais l'intention de promouvoir une cause plus importante et de proposer des solutions plus globales.

Au moment où Barack est entré en fonction, près d'un tiers des enfants américains étaient obèses ou en surpoids. En trente ans, le taux d'obésité infantile avait triplé. Le nombre d'enfants souffrant d'hypertension et de diabète de type 2 atteignait des sommets. Les responsables militaires tiraient eux aussi la sonnette d'alarme, l'obésité étant l'un des principaux critères de réforme des candidats à l'uniforme.

Tout, dans la vie quotidienne des familles, contribuait à ce problème : le prix exorbitant des fruits frais, la réduction drastique des budgets alloués aux programmes de sport et d'activités de plein air dans les écoles publiques ; la télévision, l'ordinateur et les jeux vidéo accaparaient le temps des enfants et, dans certains quartiers, il paraissait plus sûr de rester à la maison que d'aller jouer dehors, comme Craig et moi le faisions dans notre jeunesse. Dans les grandes villes, beaucoup de familles des quartiers défavorisés ne disposaient même pas de commerces alimentaires de proximité. De la même façon, dans de vastes régions rurales du pays, les habitants n'avaient aucun moyen de s'approvisionner en produits frais. Or, dans le même temps, les restaurants servaient des portions de plus en plus copieuses. Les publicités pour les céréales bourrées de sucre, les plats préparés à réchauffer au micro-ondes, les sodas et junk-food en taille « maxi » et « XXL » qui entrecoupaient les dessins animés à la télévision polluaient l'esprit des enfants.

En cherchant à faire évoluer un tant soit peu les habitudes alimentaires, je risquais toutefois de faire des vagues. Si je déclarais la guerre aux boissons sucrées astucieusement vantées aux enfants, je m'attirerais certainement les foudres non seulement des grands fabricants de boissons, mais aussi des agriculteurs, qui fournissaient le maïs à la base de la plupart des édulcorants. Si j'encourageais les cantines scolaires à composer des menus plus diététiques, je me heurterais aux puissants lobbys industriels qui décidaient de la composition du plateau repas des élèves de primaire. Les experts et défenseurs de la santé publique étaient réduits au silence depuis des années par un secteur agro-alimentaire bien mieux organisé et financé qu'eux. Aux États-Unis, les repas scolaires représentaient un marché de 6 milliards de dollars par an.

J'étais pourtant convaincue qu'il était grand temps d'impulser un changement. Je n'étais ni la seule ni la première à m'intéresser à ces questions. Dans tout le pays, un mouvement en faveur d'une alimentation saine était en train de prendre de l'ampleur. Dans les grandes villes, les expériences d'agriculture urbaine se multipliaient. Républicains et démocrates s'étaient penchés sur la question à l'échelle locale et étatique, investissant dans la construction de trottoirs et de jardins communautaires pour favoriser des modes de vie plus sains – preuve qu'il y avait là un terrain d'entente à explorer.

Vers la mi-2009, avec ma petite équipe, j'ai commencé à me coordonner avec les responsables politiques de l'aile ouest et à rencontrer des experts représentant des institutions publiques et privées pour mettre au point un projet. Nous avons décidé de concentrer notre action sur les enfants. Il est difficile, et politiquement risqué, de changer les habitudes des adultes. Nous étions sûrs que nous aurions plus de chances de faire passer notre message si nous incitions les enfants à réfléchir différemment sur l'alimentation et l'exercice physique dès le plus jeune âge. Et qui pourrait nous attaquer si nous nous préoccupions véritablement de la santé des enfants ?

C'était l'été, et Malia et Sasha étaient en vacances. Je m'étais engagée à ne consacrer que trois jours par semaine à mes activités de première dame, et à réserver le reste à ma famille. Au lieu d'envoyer les filles au centre aéré, j'ai décidé de monter ma propre colonie de vacances, que j'ai appelée le « Camp Obama ». Nous inviterions quelques amis à des excursions, afin de découvrir notre région d'adoption. Nous sommes ainsi allés en Virginie visiter Monticello, la maison de Thomas Jefferson près de Charlottesville, puis Mount Vernon, la résidence de George Washington, et nous avons exploré la vallée de la Shenandoah. Nous nous sommes rendus au Service de gravure et d'impression, en plein centre-ville, pour voir comment étaient fabriqués les billets de banque ; nous avons découvert la maison du célèbre abolitionniste Frederick Douglass à Anacostia, un quartier du sud-ouest de Washington, apprenant comment un esclave avait pu devenir un grand orateur et un héros. Dans les premiers temps, je demandais aux filles de m'écrire un petit rapport sur chacune de ces visites, résumant ce qu'elles avaient appris ; mais, face à leurs protestations, j'ai renoncé à cette idée.

Nous programmions de préférence ces sorties tôt le matin ou en fin d'après-midi, pour permettre au Secret Service de faire évacuer le site et boucler les environs avant notre arrivée sans gêner trop de monde. Nous restions des empêcheurs de tourner en rond – quoique plus discrets que si Barack nous avait accompagnés. Mais, pour tout ce qui touchait au bien-être des filles, j'essayais de ne pas culpabiliser. Je voulais qu'elles puissent se déplacer avec autant de liberté que les autres enfants.

Quelques mois auparavant, je m'étais accrochée avec le Secret Service lorsque Malia avait été invitée à suivre un groupe d'amis qui venait de décider d'aller prendre une glace. Or, pour des raisons de sécurité, elle n'avait pas le droit de monter dans la voiture d'une autre famille et, comme l'emploi du temps de ses parents était strictement minuté et fixé des semaines à l'avance, Malia a dû attendre une heure pour que l'on fasse venir son officier de sécurité d'une banlieue éloignée. Bien entendu, ce contretemps a obligé à passer un tas de coups de fil embarrassés et a retardé toute la troupe.

C'était exactement le genre de contraintes que je voulais éviter à mes filles. Je n'ai pas pu retenir ma colère. Tout cela me paraissait absurde. Nous avions des agents plantés dans pratiquement tous les couloirs de la Maison-Blanche. De ma fenêtre, je voyais des véhicules de sécurité garés dans l'allée circulaire. Mais, étrangement, ma fille ne pouvait pas se contenter de mon autorisation pour aller s'amuser avec ses amis. Elle ne pouvait rien faire sans son officier de sécurité.

« Une famille ne peut pas fonctionner comme ça et une virée chez le glacier, ce n'est pas ça ! Si vous devez protéger un enfant, vous devez être aussi mobile qu'un enfant », ai-je explosé. J'ai insisté pour que les agents revoient leur protocole de sorte que, à l'avenir, Malia et Sasha puissent sortir de la Maison-Blanche en toute sécurité et sans mettre en branle une énorme machine administrative pour planifier leur moindre allée et venue. Cet incident a été pour moi une nouvelle occasion de tester les limites. Barack et moi avions compris que nous devions faire le deuil de notre spontanéité. Il n'y avait plus de place pour les coups de tête et les caprices dans nos vies. Mais nous étions prêts à nous battre pour que nos filles continuent de vivre normalement.

Dès la campagne de 2008, le public a commencé à s'intéresser de très près à ma garde-robe. Ou du moins les médias, bientôt imités par les blogs de mode, ce qui a suscité un flot intarissable de commentaires sur Internet. Je ne comprends toujours pas vraiment pourquoi – peut-être parce que je suis grande et que je n'ai pas peur des motifs audacieux –, mais toujours est-il qu'il en était ainsi.

Quand je portais des ballerines plutôt que des escarpins, on en parlait dans la presse. Mes perles, mes ceintures, mes gilets, mes robes de la marque de prêt-à-porter J-Crew, le choix apparemment osé de ma robe blanche pour le bal d'investiture – tout cela semblait déclencher un torrent de commentaires et de réactions. Pour le discours de Barack devant le Congrès, j'avais mis une robe aubergine sans manches, et une robe noire moulante et sans manches pour ma photo officielle de la Maison-Blanche. Et, soudain, mes bras faisaient les gros titres des journaux. À la fin de l'été 2009, à l'occasion d'un week-end en famille au Grand Canyon, je me suis fait critiquer pour avoir dérogé à la dignité de ma fonction en me laissant photographier en short à la descente d'Air Force One (sous une température de 41 °C, ajouterai-je).

Apparemment, ce que je portais passionnait davantage les foules que ce que je disais. À Londres, en quittant la scène émue aux larmes après m'être adressée aux élèves de l'école Elizabeth Garrett Anderson, j'avais appris que la première question qu'une journaliste censée couvrir l'événement avait posée à l'une de mes collaboratrices était : « Qui est le créateur de sa robe ? »

Tout ça me déprimait, mais j'essayais d'y voir une occasion d'apprendre, d'utiliser mon once de pouvoir dans une situation que je n'avais pas choisie. Si les lecteurs feuilletaient les magazines pour voir ce que je portais, j'espérais qu'ils verraient aussi l'épouse de soldat qui se tenait à mes côtés, ou bien qu'ils liraient ce que j'avais à dire sur la santé des enfants. Quand *Vogue* m'a proposé de faire sa couverture peu après l'élection de Barack, mon équipe avait hésité, de crainte que cela ne renvoie une image trop frivole ou trop élitiste, à un moment où le pays traversait une grave crise, mais nous avons décidé d'accepter. Car, à chaque fois qu'une femme noire faisait la couverture d'une revue sur papier glacé, cela avait un impact. Pour les séances photo, j'ai insisté pour choisir mes propres tenues, des robes signées Jason Wu et Narciso Rodriguez, brillant créateur latino.

Je ne connaissais pas grand-chose à la mode, et moins encore à la haute couture. À l'époque où je travaillais, j'étais bien trop occupée pour me soucier de ce que je portais. Pendant la campagne, je m'habillais essentiellement dans une boutique de Chicago où j'ai eu la chance de rencontrer une jeune vendeuse, Meredith Koop. Originaire de Saint-Louis, elle connaissait très bien différents couturiers et n'avait pas peur de jouer avec les couleurs et les tissus. Quand nous avons emménagé à la Maison-Blanche, j'ai réussi à la convaincre de nous suivre à Washington pour devenir mon assistante personnelle et ma conseillère vestimentaire. Elle est aussi devenue rapidement une amie très proche.

Deux fois par mois, Meredith faisait rouler plusieurs gros portants de vêtements dans mon dressing, et nous passions une ou deux heures à faire des essayages, nous efforçant d'adapter les tenues à mes engagements des semaines à venir. J'ai toujours payé moi-même tous mes vêtements et accessoires – à l'exception des robes longues de créateur que je portais pour les réceptions officielles, qui m'étaient prêtées par les maisons de couture et seraient par la suite données aux Archives nationales, conformément aux règles de déontologie de la Maison-Blanche. Je tenais à ce que mes choix vestimentaires soient un peu imprévisibles, pour que personne n'aille chercher un quelconque message dans mes tenues. L'exercice était toujours délicat. J'étais censée me faire remarquer sans éclipser les autres, me fondre dans le décor sans m'effacer. En tant que femme noire, je savais que je serais critiquée si mes tenues apparaissaient trop voyantes et luxueuses, ou, au contraire, trop décontractées. J'ai donc opté pour un mélange des genres. Je panachais une jupe du designer Michael Kors avec un tee-shirt Gap ; une robe de la chaîne de prêt-à-porter Target un jour, et du Diane von Fürstenberg le lendemain. Je voulais faire connaître les designers américains et leur rendre hommage, et particulièrement les moins célèbres, quitte à décevoir les grands noms de la haute couture, comme Oscar de la Renta, qui regrettait que je ne porte pas ses créations. Mes choix étaient simplement une façon d'exploiter mon étrange rapport au regard du public afin de mettre en avant de jeunes talents issus de la diversité.

Puisque le pouvoir de l'image régentait pratiquement tout dans la sphère politique, j'en tenais compte dans chacune de mes tenues.

Ce qui me prenait du temps, de la réflexion, et me coûtait cher – je n'avais jamais autant dépensé pour m'habiller ! Cela obligeait aussi Meredith à préparer minutieusement ma garde-robe, notamment pour les voyages à l'étranger. Elle pouvait passer des heures à vérifier que les créateurs, les couleurs et les styles que nous sélectionnions ne heurteraient pas la sensibilité de l'opinion des pays dans lesquels nous nous rendions. Meredith s'occupait également d'habiller Sasha et Malia pour les événements publics, ce qui alourdissait encore la facture, mais elles aussi étaient exposées à la curiosité du public. Il m'arrivait de soupirer d'exaspération en voyant Barack sortir du placard son éternel costume sombre et descendre travailler sans même avoir besoin d'un coup de peigne. Son unique dilemme pour ses apparitions publiques était de savoir s'il gardait sa veste de costume, s'il mettait ou non une cravate.

Meredith et moi nous efforcions de parer à tous les imprévus. Lorsque j'essayais une nouvelle robe, je m'accroupissais, je m'étirais vers l'avant, je faisais de grands moulinets de bras, pour m'assurer que je pouvais bouger. Tout ce qui serrait trop retournait sur son cintre. Pour mes déplacements, je prévoyais des tenues de rechange, en prévision des changements de temps et de programme, et bien sûr des scénarios catastrophes du verre de vin renversé ou de la fermeture Éclair coincée. J'ai aussi appris qu'il était important d'avoir systématiquement dans ses bagages une tenue convenable pour un enterrement, car je devais parfois accompagner Barack dans l'urgence aux obsèques d'un soldat, d'un sénateur ou d'un chef d'État.

Je m'en remettais beaucoup à Meredith, mais tout autant à Johnny Wright, mon coiffeur, volubile, drôle et exubérant, et à Carl Ray, mon maquilleur, discret et appliqué. Ces trois précieux alliés (que mes collaborateurs appelaient le « trio gagnant ») m'ont donné l'assurance dont j'avais besoin pour apparaître en public jour après jour. Chacun d'entre nous savait que la moindre faute de goût déchaînerait un flot de moqueries et de commentaires malveillants. Je n'aurais jamais cru devoir un jour embaucher des gens pour s'occuper de mon image et, à l'origine, l'idée ne me plaisait pas du tout. Mais j'ai rapidement été mise face à une vérité dont personne ne parle : aujourd'hui, pratiquement toute femme publique – qu'elle soit politicienne, actrice ou autre – est épaulée par son « trio gagnant ». C'est une nécessité, la rançon de notre société à deux vitesses.

Comment les autres premières dames avaient-elles résolu leurs problèmes de coiffure, de maquillage et de garde-robe ? Je n'en avais aucune idée. Pendant cette première année passée à la Maison-Blanche, je me suis surprise plusieurs fois à ouvrir des livres sur ou par d'anciennes premières dames, que je feuilletais un instant, et ne tardais pas à refermer. Je n'avais pas vraiment envie de savoir ce qui nous rapprochait et ce qui nous différenciait.

En septembre, j'ai enfin trouvé l'occasion de partager avec Hillary Clinton un agréable déjeuner dans la salle à manger de la résidence. Après son élection, Barack l'avait nommée secrétaire d'État, ce qui m'avait un peu étonnée. Mais ils avaient l'un et l'autre tourné la page sur leur féroce affrontement des primaires et établi une relation de travail solide. Nous avons parlé à cœur ouvert et elle m'a très sincèrement avoué qu'elle s'était trompée en pensant que le pays n'était pas prêt à voir une professionnelle avertie et dynamique dans le rôle de première dame. À l'époque où elle était première dame de l'Arkansas, elle avait gardé son poste d'associée dans son cabinet juridique tout en aidant son mari à améliorer l'assurance-maladie et l'éducation. À Washington, en revanche, cette farouche volonté d'apporter sa pierre à l'édifice avait été très mal perçue et, en tant que première dame, elle avait été vertement critiquée pour son rôle politique dans la réforme du système de santé. Le message lui avait été assené sans ménagements : les électeurs avaient élu son mari, pas elle. Elle avait voulu trop en faire et trop vite, et elle avait foncé dans le mur.

Je m'efforçais de tirer les leçons des expériences des autres premières dames, et faisais attention à ne pas m'ingérer directement ou ouvertement dans les affaires de l'aile ouest. Je passais par mes collaborateurs pour communiquer avec le staff de Barack : ils échangeaient des informations, synchronisaient nos agendas, et étudiaient tous les projets ensemble. Je trouvais les conseillers du président parfois trop soucieux des apparences. Quand j'ai décidé de me coiffer avec une frange, quelques années plus tard, mon équipe a éprouvé le besoin de soumettre l'idée aux conseillers en communication de Barack, pour s'assurer que cela ne poserait pas de problème.

Dans le climat de marasme économique de l'époque, les conseillers de Barack contrôlaient en permanence toutes les images qui sortaient des services de la Maison-Blanche : aucune ne devait apparaître trop insouciante ou légère. Je n'étais pas toujours d'accord. Je savais par expérience que même en temps de crise, et peut-être surtout en temps de crise, il fallait continuer à rire. Pour les enfants, notamment, il fallait trouver des façons de s'amuser. C'est ainsi que mon équipe a engagé un bras de fer avec celle de l'aile ouest pour défendre mon idée d'organiser une fête de Halloween pour les enfants à la Maison-Blanche. L'aile ouest – et en particulier David Axelrod, devenu conseiller spécial de l'administration, et Robert Gibbs, le porte-parole de la Maison-Blanche – craignaient que ce ne soit perçu comme une manifestation trop exubérante, trop coûteuse, et qu'elle n'aliène une partie de l'opinion à Barack. « Ça risque de faire mauvais effet », disaient-ils. J'ai protesté, expliquant qu'une fête de Halloween pour des enfants de la ville et des familles de soldats qui n'étaient jamais entrés à la Maison-Blanche était au contraire le type de manifestation idéal, qui n'entamerait qu'une infime partie du budget du Secrétariat social.

Axe et Gibbs n'ont jamais explicitement donné leur accord, mais, à un certain moment, ils ont simplement baissé les bras. À la fin d'octobre, à mon grand plaisir, une citrouille de près de 500 kilos trônait sur les pelouses de la Maison-Blanche. Une fanfare de squelettes jouait des airs de jazz, tandis qu'une immense araignée noire descendait du portique nord. J'accueillais les invités sur le perron de la Maison-Blanche, transformée en léopard – caleçon noir, chemisier tacheté et serre-tête à oreilles de chat –, aux côtés de Barack qui, même avant que ses conseillers en image ne régentent sa vie, n'avait jamais aimé se déguiser et portait un simple pull à col rond. (Gibbs s'était finalement prêté au jeu puisqu'il a débarqué en costume de Dark Vador et ne demandait qu'à s'amuser.) Le soir venu, nous avons distribué des assortiments de biscuits, fruits secs et M&M's dans des sachets frappés du sceau présidentiel à plus de deux mille princesses, lutins, pirates, super-héros et joueurs de football qui couraient vers nous sur la pelouse. À mon sens, tout cela ne pouvait faire que très bon effet.

Au fil des saisons, le potager croulait sous les légumes et nous livrait nombre de leçons. Nos melons étaient pâles et insipides. Des pluies battantes avaient emporté la couche fertile de terreau. Les oiseaux picoraient nos myrtilles. Les scarabées s'attaquaient aux concombres. À chaque contretemps, avec l'aide de Jim Adams, l'horticulteur du National Park Service qui nous tenait lieu de chef jardinier, et de Dale Haney, le responsable du domaine de la Maison-Blanche, nous réajustions le tir et nous persistions, savourant l'abondance de la nature. À la table familiale, nous avions souvent dans nos assiettes des brocolis, des carottes et du chou kale ramassés sur notre coin de terre de la pelouse sud. Nous avons bientôt pu offrir une part de chaque récolte à l'association d'aide aux sans-abri Miriam's Kitchen. Nous avons aussi entrepris de faire des conserves de légumes que nous offrions aux dignitaires de passage, tout comme les pots de miel venus de nos nouvelles ruches. Le staff était très fier de ce jardin potager. Les sceptiques des débuts étaient désormais des inconditionnels.

Depuis quelques mois, avec mon staff de l'aile est, nous travaillions avec des panels d'experts et de défenseurs de la santé des enfants pour mettre au point les quatre piliers sur lesquels reposerait notre plan de lutte contre l'obésité. Il s'agissait de mieux informer les parents afin d'orienter leurs choix pour nourrir sainement leur famille ; de contribuer à créer des écoles plus saines ; de rendre les aliments nourrissants plus aisément accessibles à tous, et de développer de nouvelles idées pour inciter les jeunes à faire de l'exercice physique. La façon dont nous présenterions notre projet serait aussi importante que son contenu. J'ai à nouveau fait appel à Stephanie Cutter en qualité de consultante pour aider Sam et Jocelyn Frye à donner forme au programme, tandis que mon équipe de communicants était chargée de trouver un logo accrocheur pour cette campagne. Mes projets inquiétaient les conseillers de l'aile ouest, qui craignaient qu'avec mes injonctions je n'apparaisse comme l'incarnation de l'État-nounou, alors que, après la polémique sur les renflouements des banques et des constructeurs automobiles, les Américains se méfiaient de tout ce qui pouvait ressembler de près ou de loin à de l'interventionnisme d'État.

Or, j'étais déterminée à faire de mon projet autre chose qu'un programme gouvernemental. L'expérience de Hillary m'avait fait comprendre que j'avais tout intérêt à laisser l'action politique à Barack et à orienter mes efforts dans un autre domaine. Pour négocier avec les patrons des grands fabricants de boissons gazeuses et des fournisseurs de cantines, il me semblait plus judicieux de passer par une approche humaine plutôt que par des contraintes réglementaires, de préférer la collaboration à l'affrontement. Et, pour convaincre les familles de modifier leur mode de vie, je voulais m'adresser directement aux mères, aux pères et surtout aux enfants.

Je n'avais pas du tout l'intention de mettre le doigt dans l'engrenage de la politique ou d'aller défendre mon projet dans les émissions d'actualité du dimanche matin. J'ai plutôt axé mes interventions sur des interviews dans les magazines de santé destinés aux parents et aux enfants, j'ai fait une démonstration de hula-hoop sur la pelouse sud pour montrer qu'on pouvait faire de l'exercice en s'amusant, et j'ai participé à un épisode de l'émission « 1, rue Sésame » pour parler des bienfaits des légumes à Elmo et Toccata.

À chaque fois que je recevais des journalistes dans le jardin de la Maison-Blanche, je rappelais que beaucoup d'Américains avaient du mal à trouver des produits frais dans leur quartier et que le traitement des maladies dues à l'obésité pesait également très lourd sur nos dépenses de santé. Je voulais m'assurer que nous avions le soutien de tous les intervenants nécessaires pour que cette initiative réussisse, afin de parer à d'éventuelles objections. À cette fin, nous avons travaillé en amont pendant des semaines avec des organismes professionnels et des associations de consommateurs ainsi que des membres du Congrès. Nous avons testé l'image de marque du projet auprès de groupes témoins, avec le concours bénévole de professionnels de la communication chargés d'affiner le message.

En février 2010, j'étais enfin prête à livrer ma vision au public. Un mardi après-midi glacial, alors qu'un blizzard historique venait de s'abattre sur le District de Colombie, installée au pupitre de la salle à manger d'État de la Maison-Blanche, entourée d'enfants, de ministres, de sportifs de renom et de maires, ainsi que de spécialistes reconnus de la santé publique, de l'éducation et de la production alimentaire, j'ai fièrement annoncé devant un parterre de journalistes le lancement de notre nouvelle initiative, « Let's Move ! » (« Bougeons ! »), dont l'objectif déclaré était d'éradiquer en une génération l'épidémie d'obésité infantile.

Cette intervention était importante, car nous n'avancions pas des idées abstraites, mais un projet concret, un plan bien ficelé et déjà amorcé. Barack venait de signer une note officielle établissant pour la première fois une commission d'observation de l'obésité infantile. Les trois grands fournisseurs de cantines scolaires avaient officiellement déclaré qu'ils réduiraient les graisses, les sucres et le sel dans les plateaux livrés. L'Association américaine des boissons gazeuses s'était, pour sa part, engagée à indiquer plus clairement la composition de ses produits sur les étiquettes. Nous avons incité l'Académie américaine de pédiatrie à lancer auprès de tous les médecins une campagne de mesures systématiques de l'IMC des enfants, et nous avons convaincu le groupe Disney, la NBC et la Warner Bros. de diffuser une série de messages d'intérêt public et d'investir dans des émissions ciblées pour encourager les enfants à prendre de bonnes habitudes de vie. De leur côté, les grands champions de douze ligues de football et de base-ball ont réalisé une campagne sur le thème « Soixante minutes d'exercice par jour » pour encourager les enfants à se dépenser davantage.

Et ce n'était qu'un début. Nous prévoyions d'inciter des marchands de fruits et légumes frais à s'installer dans les quartiers et les zones rurales délaissées, les fameux « déserts alimentaires », de faire figurer des informations nutritionnelles plus précises sur les emballages de produits alimentaires, et de revoir la pyramide alimentaire des années 1990 afin de la rendre plus réaliste et plus conforme aux dernières recherches en nutrition. Dans la foulée, nous avions également pris des mesures pour responsabiliser les acteurs industriels sur toutes les questions relatives à la santé des enfants.

Il faudrait s'impliquer et s'organiser pour concrétiser tout cela, je le savais, mais c'était précisément le genre de défi que j'aimais. Nous nous attaquions à un problème tentaculaire, mais j'avais l'avantage de disposer d'une tribune et de moyens logistiques énormes. Je commençais à me rendre compte que tout ce qui me paraissait étrange dans ma nouvelle vie – la célébrité, le regard d'aigle posé sur mon image, le flou qui entourait mon rôle de première dame – pouvait être mis au service d'objectifs concrets. J'étais gonflée à bloc. J'avais enfin trouvé une façon de montrer celle que j'étais.

22

Un matin de printemps, Barack, les filles et moi avons été convoqués sur la pelouse sud, au pied de la résidence. Un homme que je n'avais jamais vu nous attendait dans l'allée. Il avait un visage avenant et une moustache poivre et sel qui lui conférait une certaine dignité. Il s'est présenté : il s'appelait Lloyd.

« Monsieur le Président, madame Obama, nous avons pensé que les filles et vous aviez besoin d'un peu d'aventure, et nous vous avons donc préparé un zoo domestique, a-t-il annoncé avec un grand sourire. C'est la première fois qu'une famille présidentielle participe à ce genre d'expérience. »

L'homme nous a invités à regarder sur sa gauche. À une trentaine de mètres, quatre magnifiques fauves se prélassaient à l'ombre des cèdres. Un lion, un tigre, une élégante panthère noire et un guépard élancé à la belle robe mouchetée. Du perron, je ne voyais ni clôture ni chaîne. Ils semblaient être en liberté. Cela m'a paru bizarre. Pour une aventure, c'était une aventure !

« Je vous remercie, c'est très gentil à vous, ai-je balbutié en m'efforçant d'être courtoise. Mais est-ce que je me trompe – Lloyd, c'est bien cela ? –, ou bien il n'y a ni grille ni aucune protection ? Ce n'est pas un peu dangereux pour les enfants ?

– Ah, mais ne vous en faites pas, nous avons tout prévu ! Nous nous sommes dit que votre famille en profiterait mieux si les animaux se promenaient en liberté, comme dans la nature. Nous leur avons donc administré un sédatif. Vous ne risquez rien, ils ne vous feront aucun mal. » Puis, d'un geste rassurant, il a ajouté : « Allez-y, approchez-vous ! Allez les caresser ! »

Barack et moi avons pris Sasha et Malia par la main, et, tous les quatre, nous avons avancé à pas de loup dans l'herbe encore humide de la pelouse sud. Les félins étaient plus gros que je ne le pensais, indolents et musculeux, et remuaient la queue en nous regardant venir vers eux. Quatre fauves tranquillement allongés côte à côte. Je n'avais jamais rien vu de tel ! Le lion s'est agité légèrement en nous sentant approcher. La panthère nous suivait des yeux, le tigre a baissé un peu les oreilles. Puis, soudainement, le léopard a bondi de l'ombre à la vitesse de l'éclair et s'est jeté sur nous.

Paniquée, j'ai attrapé Sasha par le bras et j'ai filé à toute allure vers le perron, convaincue que, derrière moi, Barack et Malia en faisaient autant. À en juger par le bruit, je devinais que les fauves s'étaient réveillés et étaient à nos trousses.

Lloyd observait la scène depuis le perron, impassible.

« Vous nous avez dit que vous les aviez endormis ! hurlai-je.

– Ne vous en faites pas, madame, répliqua-t-il. Nous avons un plan B sur mesure pour ce scénario. » Il s'est écarté et, derrière lui, une troupe d'agents spéciaux est sortie en trombe, armée de fusils hypodermiques et de fléchettes tranquillisantes. À cet instant, j'ai senti la main de Sasha m'échapper. Je me suis retournée vers la pelouse, horrifiée : ma famille était pourchassée par des bêtes sauvages, et les bêtes sauvages étaient pourchassées par des agents qui leur tiraient dessus.

« C'est *ça*, votre plan B ? criai-je. Non, mais vous rigolez ou quoi ? »

J'avais à peine fini ma phrase que le léopard a poussé un grondement terrifiant et bondi sur Sasha, toutes griffes dehors, en pleine extension. Un agent a tiré. Il a raté la bête, mais lui a fait assez peur pour qu'elle dévie sa course et se replie vers le bas du talus. J'ai poussé un soupir de soulagement, avant de découvrir qu'une fléchette rouge et orange s'était fichée dans le bras droit de Sasha.

J'ai fait un bond pour me retrouver assise dans mon lit, le cœur battant la chamade, trempée de sueur... À côté de moi, mon mari, confortablement recroquevillé, dormait à poings fermés. Je sortais d'un très mauvais rêve.

J'AVAIS L'IMPRESSION QUE TOUTE MA FAMILLE était en train de basculer dans un gigantesque abîme, et que personne n'était là pour nous retenir. J'avais confiance dans le dispositif mis en place pour nous soutenir à la Maison-Blanche, mais je me sentais vulnérable, sachant que tout, depuis la sécurité de nos filles jusqu'à la mise en scène de chacun de mes mouvements, était entièrement entre les mains d'autres personnes – dont beaucoup avaient au moins vingt ans de moins que moi. Mes parents m'avaient toujours appris à ne compter que sur moi-même, à gérer toute seule mes affaires, mais cela semblait presque impossible à présent. D'autres faisaient tout à ma place. Avant un déplacement, des employés allaient reconnaître le parcours que je devais emprunter, calculant à la minute près le temps qu'il me faudrait pour rejoindre telle ou telle destination, prévoyant jusqu'à mes passages aux toilettes. Des agents de sécurité emmenaient mes filles jouer chez leurs copines. Des femmes de chambre s'occupaient de nos lessives. Je n'avais plus le droit de conduire. Je n'avais jamais de clés ni d'argent dans mon sac à main. Des assistantes prenaient mes appels, me représentaient à des réunions et rédigeaient des communiqués à ma place.

Tout cela était formidable et utile, et me permettait de me consacrer à des tâches que je jugeais plus importantes. Mais j'avais par moments le sentiment d'avoir perdu la main sur les détails – moi qui leur attachais tant de prix. C'est là que j'ai senti les lions et les guépards me guetter dans l'ombre.

Il y avait pourtant aussi une grande part d'imprévu – comme une zone de turbulence grondant en permanence aux abords de notre quotidien. Lorsque l'on est mariée au président, on comprend vite que le monde est un maelström où des catastrophes déferlent à tout instant. Des forces visibles et invisibles menacent de briser d'une minute à l'autre les moments de calme apparent. L'actualité se rappelle constamment à nous : un séisme dévaste Haïti. Une plate-forme de forage explose au large de la Louisiane, déversant des millions de barils de pétrole brut dans le golfe du Mexique. Une révolution éclate en Égypte. Un tireur fou ouvre le feu sur le parking d'un supermarché en Arizona, tue six personnes et blesse grièvement une parlementaire américaine.

Tout était grave, tout comptait. Chaque matin, je lisais un dossier de presse préparé par mon staff, et je savais que Barack serait obligé de comprendre tous les tenants et aboutissants de chaque événement et d'y réagir. On lui ferait porter le chapeau pour des choses sur lesquelles il n'avait aucune prise, on le pousserait à résoudre des problèmes terrifiants dans des pays éloignés, on attendrait de lui qu'il colmate une fuite au fond de l'océan. Son rôle consistait à transformer le chaos en une forme de leadership serein – chaque jour de la semaine, chaque semaine de l'année.

Je faisais de mon mieux pour ne pas laisser ce tourbillon d'incertitudes affecter mon travail de première dame au jour le jour, mais, parfois, il était impossible d'y échapper. Il était essentiel que Barack et moi restions toujours dignes dans la tempête. Nous représentions la nation et nous nous devions de réagir et d'être là dans les moments de tragédie, de difficultés ou de désarroi. Nous étions censés incarner la raison, la compassion et la constance. Lorsque la marée noire de Louisiane provoquée par British Petroleum – la plus grave de l'histoire américaine – a enfin été enrayée, beaucoup de nos concitoyens, encore traumatisés, refusaient de croire qu'ils pouvaient retourner en toute sécurité passer leurs vacances dans le golfe du Mexique, aggravant du même coup les difficultés économiques de la région. Nous sommes donc allés passer un week-end en famille en Floride et Barack a emmené Sasha se baigner dans les eaux limpides du Golfe, diffusant dans les médias une photo du président et de sa fille barbotant joyeusement dans l'eau. C'était un petit geste, mais le message était clair : *s'il est sûr de la qualité de ces eaux, vous pouvez avoir confiance.*

Quand nous nous rendions, individuellement ou à deux, sur le lieu d'une tragédie, c'était souvent pour rappeler aux Américains de ne pas oublier trop vite la douleur des autres. Lorsque je le pouvais, je rendais hommage aux travailleurs humanitaires, aux éducateurs, aux bénévoles locaux – tous ceux qui donnaient de leur personne en situation de crise. En 2010, trois mois après le tremblement de terre qui avait dévasté Haïti, je suis allée sur place avec Jill Biden. J'étais bouleversée par ces maisons dont il ne restait que des pyramides de décombres, des sites où des dizaines de milliers de gens – des mères, des grands-pères, des bébés – avaient été enterrés vivants. Nous avons visité une série d'autobus aménagés où des artistes locaux animaient des ateliers d'art-thérapie avec des orphelins sans-abri qui avaient tout perdu, mais qui, grâce aux adultes qui les entouraient, pétillaient encore d'espoir.

Le chagrin et la résilience avancent main dans la main. Au-delà de cette expérience de première dame, j'ai eu de nombreuses occasions de le constater.

Je me rendais également aussi souvent que possible dans les hôpitaux militaires où étaient soignés des soldats blessés sur le front. Ma première visite au Walter Reed National Military Medical Center, situé à une quinzaine de kilomètres de la Maison-Blanche, devait durer une heure et demie, mais j'y suis restée près de quatre heures.

Walter Reed était généralement la deuxième ou troisième étape pour les militaires blessés rapatriés d'Irak et d'Afghanistan. Beaucoup passaient par un premier centre de triage en zone de guerre, puis étaient soignés à l'hôpital militaire américain de Landstuhl, en Allemagne, avant d'être rapatriés aux États-Unis. Certains ne restaient que quelques jours à Walter Reed. D'autres, des mois. L'établissement employait les meilleurs chirurgiens militaires et offrait d'excellents services de rééducation, adaptés aux blessures de guerre les plus lourdes. Grâce aux améliorations apportées aux véhicules blindés, les soldats américains survivaient à des explosions qui leur auraient autrefois été fatales. C'était la bonne nouvelle. Mais, revers de la médaille, en près de dix ans de présence sur deux zones de conflit où les attaques surprises et les attentats à l'explosif étaient la norme, ces blessures étaient nombreuses et graves.

J'avais beau essayer de me préparer à toutes les situations possibles et imaginables, je n'aurais pas pu prévoir les échanges qui m'attendaient dans les hôpitaux militaires et les maisons Fisher – un réseau de maisons de repos gérées par la fondation éponyme, où les familles de militaires peuvent séjourner gratuitement pour s'occuper d'un proche blessé au combat. Dans le milieu où j'avais grandi, je ne savais pas grand-chose de l'armée. Mon père avait servi deux ans sous les drapeaux, mais c'était bien avant ma naissance. Avant que Barack n'engage sa campagne, je n'avais jamais vu l'agitation disciplinée d'une base militaire, ni les modestes mobil-homes où logeaient les militaires et leurs familles. À mes yeux, la guerre avait toujours été quelque chose de terrifiant mais d'abstrait, qui se déroulait dans des paysages inimaginables et affectait des vies dont je ne savais rien. Avec le recul, je me rends compte que cette ignorance était un luxe.

En arrivant dans un hôpital, j'étais généralement accueillie par une infirmière en chef qui me priait d'enfiler un uniforme stérile et de me désinfecter les mains avant de pénétrer dans une chambre. Avant de pousser une porte, on me fournissait quelques informations sur le militaire et sa famille. On demandait également à chaque patient s'il souhaitait ou non que je vienne le voir. Quelques-uns refusaient, soit parce qu'ils ne se sentaient pas assez bien, soit pour des raisons politiques. Dans un cas comme dans l'autre, je comprenais et respectais leur choix. Je ne voulais surtout pas leur imposer ma présence.

Je passais plus ou moins de temps dans les chambres, selon la volonté du patient. Chaque conversation était privée, fermée aux médias et au personnel hospitalier. L'atmosphère de ces entrevues était tantôt grave, tantôt légère. À partir d'une bannière d'un club de sport ou des photos épinglées au mur, j'engageais la conversation sur le sport, nos États d'origine ou nos enfants. Ou bien ils me parlaient de l'Afghanistan et de ce qui s'était passé sur le champ de bataille. Nous discutions aussi parfois de ce dont ils avaient besoin et de ce qu'ils ne voulaient surtout pas – à savoir, comme beaucoup me l'ont confié, des démonstrations de pitié.

À un certain moment, je suis tombée sur une affiche rouge scotchée sur une porte, avec un message tracé au feutre noir, parfaitement clair :

> À TOUS CEUX QUI ENTRENT ICI :
> *Si vous venez dans cette chambre avec du chagrin ou pour vous apitoyer sur mes blessures, passez votre chemin. Mes blessures, je les dois à un métier que j'aime, que je fais pour un peuple que j'aime, pour défendre la liberté d'un pays que j'aime profondément. Je suis un dur à cuire et je m'en remettrai.*

Bel exemple de résilience. Il témoignait plus largement de cet esprit d'autonomie et de fierté que j'avais rencontré à tous les niveaux de l'armée. J'étais un jour au chevet d'un homme parti jeune et en pleine santé à l'étranger, laissant derrière lui une épouse enceinte. Il était revenu tétraplégique, incapable de remuer les bras ou les jambes. Pendant notre conversation, il a gardé, recroquevillé sur sa poitrine, un bébé emmailloté dans un lange – un minuscule nouveau-né au visage rose. Un autre, amputé d'une jambe, m'a bombardée de questions sur le Secret Service, et m'a expliqué joyeusement qu'il avait espéré devenir agent secret lorsqu'il aurait quitté l'armée – mais, avec son handicap, il envisageait à présent un autre avenir.

Et puis il y avait les familles. Je me présentais aux conjoints, aux parents, aux cousins et aux amis que je rencontrais au chevet des blessés. Beaucoup avaient mis leur vie entre parenthèses pour se rapprocher de leur héros. Ils étaient parfois les seuls auxquels je pouvais parler, car le malade était immobilisé sur son lit, endormi ou sous sédation. Ces proches portaient leur propre fardeau. Certains étaient issus de générations de militaires, d'autres étaient des adolescentes qui s'étaient mariées juste avant le départ de leur fiancé en opérations. Et soudain, un beau jour, leur avenir s'était assombri. Je ne compte plus le nombre de femmes avec lesquelles j'ai pleuré. Face à leur désespoir, je ne pouvais que leur prendre la main et prier silencieusement avec elles derrière un voile de larmes.

Ce que j'ai entrevu de la vie des militaires m'a profondément émue. De ma vie, jamais je n'avais vu le type de force d'âme et de loyauté que j'ai trouvé dans ces chambres.

Un jour, alors que je visitais un hôpital militaire à San Antonio, au Texas, j'ai remarqué une certaine agitation dans le couloir. Des infirmières allaient et venaient nerveusement dans la chambre du patient que j'allais voir. J'ai surpris un commentaire entre deux portes : « Il refuse de rester couché. » En entrant, j'ai découvert un jeune homme aux épaules larges, originaire du fin fond du Texas, qui présentait de multiples blessures et était gravement brûlé. Il souffrait manifestement le martyre, mais arrachait ses draps et voulait poser les pieds par terre.

Il nous a fallu une minute pour comprendre ce qu'il faisait. Malgré la douleur, il voulait se lever pour faire le salut militaire à l'épouse de son commandant en chef.

Au début de 2011, le nom d'Oussama Ben Laden a surgi autour de la table familiale. Nous venions de finir de dîner, Sasha et Malia étaient parties faire leurs devoirs. Barack et moi étions seuls dans la salle à manger. « Nous pensons savoir où il se cache, a-t-il dit. Nous allons peut-être essayer de le déloger, mais rien n'est encore sûr. »

Ben Laden était l'homme le plus recherché de la planète, et il restait introuvable depuis des années. En prenant ses fonctions, Barack avait fait de sa capture, mort ou vif, l'une de ses priorités. Ce serait un événement lourd de sens pour le pays, pour les milliers de soldats qui s'employaient depuis des années à nous protéger de la menace d'Al-Qaïda, et plus encore pour tous ceux qui avaient perdu des proches le 11 septembre 2001.

Je devinais à la mine préoccupée de Barack que l'affaire était loin d'être bouclée. Il restait encore beaucoup d'inconnues et cette responsabilité pesait sur ses épaules, mais j'évitais de poser trop de questions ou de demander des détails. Professionnellement, nous avions toujours été une caisse de résonance l'un pour l'autre. Mais je savais aussi qu'il passait ses journées avec des conseillers spécialisés dans ces domaines. Il avait accès à tous les dossiers top secret et il n'avait certainement pas besoin de mon avis, moins encore sur des questions qui touchaient à la sécurité nationale. En général, j'espérais que le temps qu'il passait avec les filles et moi serait un moment de répit, même si l'ombre du travail planait toujours dans la pièce. Après tout, nous habitions au-dessus de la boutique.

Barack, qui a toujours très bien su compartimenter les choses, parvenait à être admirablement présent et attentionné lorsqu'il était avec nous. C'était quelque chose que nous avions appris ensemble avec le temps, à mesure que nos vies devenaient de plus en plus mouvementées et intenses. Il fallait dresser des barrières, protéger les frontières de notre intimité. Ben Laden n'était pas invité à dîner, pas plus que la crise humanitaire en Libye, ni les républicains du Tea Party. Nous avions des enfants, et les enfants ont besoin de place pour s'exprimer et grandir. Notre temps familial était de ces moments où les grandes préoccupations et les dossiers urgents se trouvaient soudain implacablement relégués à la marge, pour laisser place aux petits riens du quotidien. À table, nous écoutions Sasha raconter les histoires de la cour de récréation de

Sidwell ou Malia parler de son exposé sur les espèces animales en voie de disparition, comme si ces anecdotes étaient les choses les plus importantes du monde. Et, de fait, elles l'étaient. Elles méritaient de l'être.

Pourtant, même pendant que nous étions à table, le travail s'accumulait. Derrière l'épaule de Barack, j'apercevais le couloir qui ouvrait sur la salle à manger, où des assistants déposaient nos dossiers de briefing quotidiens, généralement en plein milieu de notre repas. C'était l'un des rituels de la Maison-Blanche : deux classeurs nous étaient apportés tous les soirs, l'un pour moi et l'autre, beaucoup plus épais, relié de cuir, pour Barack. Chacun contenait des rapports de nos bureaux respectifs, et nous devions les lire pour le lendemain matin.

Barack allait coucher les filles, puis disparaissait dans la salle des Traités avec son classeur, tandis que j'emportais le mien dans mon dressing, et je passais une heure ou deux chaque soir ou en début de matinée à l'éplucher – des notes d'information de mon staff, des premiers jets de mes prochains discours, et des décisions à prendre sur les programmes que je dirigeais.

Un an après le lancement de « Let's Move ! », nous observions déjà des résultats. Nous nous étions entendus avec différentes fondations et plusieurs fournisseurs pour installer 6 000 bars à salade dans les cafétérias scolaires et nous recrutions localement des chefs cuisiniers pour promouvoir des repas sains dans les écoles, mais aussi animer des séances d'éducation au goût. Walmart, qui était alors la plus grosse chaîne de supermarchés du pays, s'était rallié à notre initiative en s'engageant à diminuer les quantités de sel, de sucre et de graisses dans ses produits et à réduire le prix des fruits et légumes frais. Nous bénéficiions aussi du soutien des maires de 500 métropoles et villes du pays, prêts à lutter contre l'obésité infantile à l'échelle de leur circonscription.

Tout au long de 2010, j'avais travaillé dur pour contribuer à faire voter au Congrès une nouvelle loi sur l'alimentation infantile, qui assurait aux enfants un meilleur accès à des produits sains et de bonne qualité dans les écoles publiques, et qui relevait pour la première fois en trente ans le taux de remboursement des repas subventionnés par l'État fédéral. Alors qu'en règle générale, je préférais ne pas trop me frotter aux milieux politiques ni me mêler de réglementation, c'était mon grand combat – une cause qui me tenait suffisamment à cœur pour que je me décide à me jeter dans l'arène. J'avais passé des heures à appeler les sénateurs et les représentants pour les convaincre que nos enfants méritaient mieux que ce qu'on leur servait. J'en parlais sans cesse avec Barack, ses conseillers, et tous ceux qui voulaient bien m'écouter. La nouvelle loi ajoutait aux quelque 43 millions de repas servis chaque jour dans les cantines davantage de fruits et de légumes, de céréales complètes et de laitages allégés. Elle réglementait aussi la vente de snacks trop gras ou trop sucrés dans les écoles, en bannissant des établissements les distributeurs automatiques. Elle prévoyait des mesures d'incitation pour encourager les écoles à créer des jardins potagers et à utiliser des produits cultivés localement. C'était à mon sens une excellente chose – une stratégie efficace, concrète, pour s'attaquer à l'obésité infantile.

Barack et ses conseillers se sont également démenés pour défendre le projet de loi. Après les élections de mi-mandat, les républicains avaient retrouvé une majorité à la Chambre et Barack a fait de cette initiative une priorité dans ses rapports avec les législateurs, sachant que, désormais, il aurait plus de mal à faire adopter de grands changements législatifs. Début décembre, avant que le nouveau Congrès ne siège, la loi a franchi les derniers obstacles et, onze jours plus tard, je me tenais fièrement derrière Barack lorsqu'il signait son décret d'application, entouré d'enfants dans une école primaire locale.

« Si je n'avais pas réussi à faire passer cette loi, j'aurais dormi sur le canapé », disait-il en plaisantant aux journalistes.

Comme avec le potager, j'étais en train de cultiver quelque chose – un réseau de chercheurs spécialisés, un consensus en faveur des enfants et de leur santé. Dans mon esprit, mon entreprise s'inscrivait dans la lignée du travail de Barack quand il avait remporté la bataille au Congrès et réussi à promulguer sa loi de 2010 sur la protection des patients et les soins abordables, qui facilitait largement l'accès à une couverture santé pour tous les Américains. Parallèlement, je m'employais à faire décoller un nouveau programme, baptisé « Joining Forces[1] », en collaboration avec Jill Biden, dont le fils Beau venait de rentrer de mission en

---

1. « Joining Forces » signifie à la fois « entrer dans l'armée » et « unir ses forces ».

Irak. Cette campagne servirait aussi à accompagner Barack dans son rôle de commandant en chef des armées.

Jill et moi pensions toutes deux que nous devions aux membres de nos forces armées et à leurs familles bien plus que de simples remerciements symboliques. Nous avons donc collaboré avec quelques membres de mon équipe pour identifier des moyens concrets de défendre les intérêts de la communauté militaire et d'accroître sa visibilité. Barack avait enclenché le processus quelques mois plus tôt en demandant à chaque agence de son administration de réfléchir à de nouvelles mesures pour venir en aide aux familles de militaires. Entre-temps, je prenais contact avec les patrons des plus grandes entreprises du pays, afin qu'ils s'engagent à embaucher un nombre significatif d'anciens combattants et de conjoints de militaires. Jill sollicitait pour sa part les universités pour les convaincre de mettre sur pied, à destination des enseignants et des professeurs, des programmes de sensibilisation aux besoins des enfants de militaires. Nous voulions également en finir avec la stigmatisation des troubles mentaux de certains soldats rentrés d'Irak ou d'Afghanistan, et nous prévoyions d'appeler les scénaristes et producteurs de Hollywood à montrer dans leurs films et émissions télévisées les difficultés auxquelles étaient confrontés les militaires.

Les causes auxquelles je m'attaquais n'étaient pas simples, mais elles étaient beaucoup plus faciles à gérer que les dossiers sur lesquels mon mari travaillait jusqu'à tard dans la nuit dans la salle des Traités. Depuis que je le connaissais, c'était la nuit qu'il parvenait le mieux à se concentrer et à réfléchir. Il n'était pas dérangé et réussissait à prendre du recul ou à absorber des informations, inscrivant de nouvelles données sur l'immense carte mentale qui l'accompagnait en permanence. Il était souvent interrompu par des huissiers lui portant d'autres dossiers, contenant d'autres rapports fraîchement rédigés par des collaborateurs qui, eux aussi, travaillaient tard dans les bureaux de l'aile ouest. Si Barack avait un petit creux, un valet lui apportait une soucoupe de figues ou d'amandes. Il avait arrêté de fumer, heureusement, mais il mâchait souvent un chewing-gum à la nicotine. Pendant la semaine, il restait généralement à son bureau jusqu'à 1 ou 2 heures du matin, lisant des notes d'information, réécrivant ses discours et répondant à ses e-mails, tandis que, en bruit de fond, la chaîne de sport ESPN tournait en boucle sur son téléviseur. Il ne manquait jamais de faire une pause pour venir nous embrasser, les filles et moi.

J'étais désormais habituée à ce rythme – à son dévouement absolu à cette tâche infinie qu'est la conduite des affaires d'un pays. Pendant des années, les filles et moi avions partagé Barack avec ses administrés. Sa base s'était singulièrement élargie : à présent, ils étaient 300 millions. Lorsque je pensais à lui, seul dans la salle des Traités le soir, je me demandais parfois si le peuple américain mesurait sa chance.

Il gardait pour la fin, après minuit, la lecture des lettres des citoyens ordinaires. Dès les premiers jours de son mandat, il avait demandé à l'équipe chargée de sa correspondance de sélectionner dix lettres ou messages d'électeurs dans son dossier de briefing – sur les quelque 15 000 lettres et e-mails qui parvenaient chaque jour à ses services. Il les lisait tous attentivement, rédigeant des éléments de réponse en marge, de sorte qu'un employé puisse préparer une réponse ou transmettre un problème donné à tel ou tel ministre. Il lisait des lettres de soldats, de prisonniers, de patients cancéreux qui n'arrivaient plus à payer leurs primes d'assurance santé, et de gens dont la maison avait été saisie par les banques ; des lettres d'homosexuels qui espéraient pouvoir se marier officiellement et de républicains persuadés qu'il était en train de mener le pays à la ruine ; des lettres de mères, de grands-pères et de jeunes enfants. Il lisait des lettres de citoyens qui approuvaient son action, et d'autres qui tenaient à lui faire savoir que c'était un idiot.

Il les lisait de bout en bout, estimant que cela relevait des engagements qu'il avait pris en prêtant allégeance à la nation. Il avait un métier difficile et solitaire – le plus difficile et le plus solitaire qui soit, me semblait-il –, mais il savait qu'il devait rester à l'écoute, et ne rien négliger. Pendant que sa famille dormait, il ouvrait les vannes et absorbait le flux du monde extérieur.

LE LUNDI ET LE MERCREDI SOIR, Sasha, qui avait alors 10 ans, avait son cours de natation au centre de remise en forme de l'American University, à quelques kilomètres de la Maison-Blanche. J'allais parfois la regarder nager, me glissant le plus discrètement possible dans la petite tribune vitrée d'où les parents pouvaient assister aux entraînements.

En fréquentant un centre sportif surpeuplé aux heures de pointe, je posais de gros problèmes aux agents de mon groupe de sécurité, mais ils s'en tiraient bien. Je m'étais pour ma part fait une spécialité de traverser les lieux publics d'un pas vif, regard baissé, ce qui était plus efficace. Je passais à toute allure devant des étudiants occupés à soulever des poids et des cours de zumba qui battaient leur plein. Parfois, personne ne me remarquait. Mais, à d'autres moments, consciente du flottement que suscitait ma présence, je n'avais même pas à lever les yeux pour sentir que l'atmosphère s'était tendue. Des voix murmuraient, ou criaient : « Oh, mais c'est Michelle Obama ! » Mais ce n'était jamais plus qu'un instant de suspens, qui s'évanouissait rapidement. Telle une apparition, j'étais là et repartie avant même que l'on ne m'ait vraiment vue.

Les soirs d'entraînement, les tribunes de la piscine étaient généralement vides, mis à part une poignée de parents qui bavardaient distraitement ou consultaient leur iPhone en attendant que leur enfant ait fini. Je trouvais un coin tranquille, m'asseyais et me concentrais sur les enfants qui nageaient.

J'aimais beaucoup voir mes filles évoluer dans leur propre univers – dégagées des lourdeurs de la Maison-Blanche, dégagées de leurs parents, dans les espaces et les milieux qu'elles s'étaient elles-mêmes constitués. Sasha, excellente nageuse, adorait le crawl et était bien décidée à maîtriser le papillon. Elle portait un bonnet et un maillot une pièce bleu marine et faisait ses longueurs avec application, s'arrêtant de temps à autre en bordure du bassin pour écouter les conseils de ses entraîneurs, bavardant joyeusement avec ses coéquipiers pendant les pauses.

Il n'y avait pour moi rien de plus gratifiant que d'être spectatrice dans ces moments, assise dans mon coin sans que personne me remarque, et d'assister au miracle d'une petite fille – notre fille – qui s'épanouissait et gagnait en indépendance. Nous avions précipité nos filles dans le monde étrange et effervescent de la Maison-Blanche sans rien savoir des conséquences de cette expérience sur leur vie, ni de ce qu'elles en retireraient. J'essayais de tirer parti de la situation pour les ouvrir au monde, car nous avions une occasion unique de leur faire vivre l'histoire au plus près. Lorsque les voyages à l'étranger de leur père tombaient pendant les vacances scolaires, nous partions tous les quatre, sachant qu'elles apprendraient beaucoup. À l'été 2009, nous les avons emmenées dans une tournée internationale. En l'espace d'une semaine, elles ont visité le Kremlin et le Vatican, le Panthéon et le Colisée, rencontré le président russe et franchi la « porte de non-retour » au Ghana, point de départ d'un nombre incalculable d'Africains livrés à l'esclavage.

C'était certainement beaucoup à assimiler d'un coup, mais je me rendais compte que chacune retenait ce qu'elle pouvait, depuis son petit bout de la lorgnette. Au retour de ces voyages d'été, Sasha rentrait en CE2. À l'automne, lors d'une soirée d'accueil des parents à Sidwell, en faisant le tour de sa salle de classe, j'ai vu épinglées à un mur des rédactions sur le thème « Ce que j'ai fait pendant les grandes vacances ». J'ai lu celle de Sasha : « Je suis allée à Rome et j'ai vu le pape. Il lui manquait un bout de son pouce. »

Je serais bien incapable de vous dire à quoi ressemble le pouce du pape Benoît XVI, et s'il en manque un bout. Nous avions emmené une petite fille de 8 ans observatrice et objective à Rome, à Moscou et à Accra, et c'était ce qu'elle en avait rapporté. Elle voyait alors l'histoire à hauteur de taille.

Même si nous faisions tout pour les tenir à l'écart des aspects les plus oppressants du travail de Barack, Malia et Sasha étaient malgré tout aux premières loges. Elles étaient plus exposées que la plupart des enfants de leur âge aux événements qui secouaient la planète, pour la simple et bonne raison que l'actualité se déroulait parfois sous notre propre toit, que leur père devait quelquefois partir au pied levé à l'autre bout du pays pour répondre à une situation d'urgence et que, quoi qu'il fasse et quoi qu'il arrive, il y aurait toujours une partie de la population pour le discréditer ouvertement. Encore ces lions et ces guépards tapis dans l'ombre, tout près.

Au début de 2011, l'animateur de télé-réalité et magnat de l'immobilier new-yorkais Donald Trump a commencé à faire parler de lui en annonçant qu'il envisageait de briguer l'investiture républicaine pour affronter Barack, qui se représenterait à la présidentielle de 2012. Il semblait surtout organiser un savant battage médiatique autour de sa personne, intervenant sur les chaînes d'info pour proférer à jet continu des critiques braillardes et ineptes sur la politique étrangère de Barack, allant jusqu'à contester la nationalité américaine du président des États-Unis. Les « birthers[1] » avaient déjà distillé pendant la campagne de 2008 une théorie du complot affirmant que l'acte de naissance de Barack, enregistré à Hawaï, était un faux, et que le candidat démocrate était en réalité né au Kenya. Trump s'employait à présent à relancer la rumeur, multipliant les déclarations les plus délirantes sur les plateaux de télévision, martelant que l'annonce de la naissance de Barack publiée dans le carnet des journaux de Hawaï en 1961 était fabriquée de toutes pièces et que, d'ailleurs, aucun de ses camarades de maternelle ne se souvenait de lui. Toujours en mal de publicité, les médias – à commencer par les plus conservateurs – se faisaient un plaisir de relayer ses accusations infondées et de jeter de l'huile sur le feu.

C'était évidemment une histoire totalement insensée et malveillante, charriant des relents de sectarisme et de racisme. Elle n'en était pas moins dangereuse, car elle visait délibérément à exacerber la haine des extrémistes, conspirationnistes exaltés et autres illuminés. Je redoutais les réactions que ce discours pouvait engendrer. Le Secret Service m'informait parfois des menaces les plus graves dont nous étions la cible, ce qui prouvait que ces élucubrations trouvaient un écho chez certains. J'essayais de ne pas trop m'inquiéter, mais je n'y parvenais pas toujours : et si un déséquilibré débarquait à Washington avec un fusil chargé ? Et s'il s'en prenait à nos filles ? Avec ses insinuations irresponsables, Donald Trump mettait ma famille en danger. Et ça, je ne le lui pardonnerais jamais.

Nous n'avions pourtant d'autre choix que de laisser ces craintes de côté, de faire confiance à notre dispositif de protection et de continuer de vivre aussi normalement que possible. Tous ceux qui cherchaient à nous définir comme des « étrangers » s'y appliquaient depuis des années. Nous faisions tout pour traiter leurs mensonges et leurs diffamations par le mépris, convaincus que la façon dont Barack et moi menions notre vie suffirait à montrer à l'opinion qui nous étions réellement. Depuis que Barack avait annoncé sa candidature, en 2007, je n'avais cessé d'entendre des

---

1. Adeptes du mouvement nativiste, proche de l'extrême droite américaine.

témoignages de sympathie sincères et attentionnés sur notre sécurité : « Nous prions pour que personne ne vous fasse de mal », me disaient parfois les électeurs en me prenant la main lors des meetings de campagne. C'étaient de gens de toutes origines ethniques, de tous milieux, de tous âges – preuve, s'il en fallait, du climat de bienveillance et de générosité qui régnait dans notre pays. « Nous prions chaque jour pour vous et votre famille. »

Ces paroles de réconfort m'accompagnaient au quotidien. Ces millions de concitoyens qui priaient pour notre sécurité étaient notre plus sûr bouclier. Barack et moi nous en remettions également à notre foi en Dieu. Nous n'allions plus que très rarement à l'église, surtout pour éviter le cirque des journalistes qui nous harcelaient de questions sur le parvis de l'église. Depuis que les sermons du pasteur Jeremiah Wright avaient empoisonné la première campagne, depuis que l'opposition avait tenté d'utiliser la religion comme une arme – insinuant que Barack était un « crypto-musulman » –, nous avions choisi de pratiquer notre foi en privé et à la maison. Nous disions chaque soir le bénédicité et nous organisions parfois des leçons de catéchisme à la Maison-Blanche pour nos filles. Nous n'avons rejoint aucune paroisse à Washington, car nous ne tenions pas à exposer une autre église aux salves d'attaques fielleuses qu'avait eu à essuyer l'église de la Trinité, que nous fréquentions à Chicago. J'avoue que c'était un sacrifice. La chaleur d'une communauté spirituelle me manquait. Tous les soirs, je regardais Barack allongé à côté de moi, les yeux fermés, récitant silencieusement ses prières.

Un vendredi soir, en novembre, alors que la rumeur concernant le lieu de naissance de Barack enflait depuis des mois, un homme a garé sa voiture sur un tronçon fermé de Constitution Avenue et, sortant une arme semi-automatique, a ouvert le feu sur les étages supérieurs de la Maison-Blanche. Une balle a atteint l'une des fenêtres du salon Ovale Jaune, où je passais souvent de longues heures à lire ou à prendre le thé. Une autre s'est logée dans un encadrement de fenêtre et plusieurs projectiles ont ricoché sur le toit. Ni Barack, ni moi, ni Malia n'étions là ce soir-là, mais Sasha était à la maison avec sa grand-mère. Heureusement, elles ne se sont rendu compte de rien et n'ont pas été blessées. Il a fallu des semaines pour remplacer la vitre blindée du salon Ovale, et j'ai souvent contemplé le petit cratère rond laissé par l'impact de balle, qui me rappelait à quel point nous étions vulnérables.

En famille, nous préférions ne pas nous attarder sur ce climat de haine et sur les risques que nous courions, mais d'autres se sentaient obligés d'en parler. Malia avait rejoint l'équipe de tennis de Sidwell et s'entraînait sur les courts de l'école, sur Wisconsin Avenue. Un après-midi, une maman s'est approchée d'elle et, lui montrant l'artère très fréquentée qui bordait les courts, elle lui a demandé : « Tu n'as pas peur, ici ? »

Ma fille grandissait et était en train de trouver sa propre voie, d'élaborer ses propres stratégies pour protéger son territoire. « Si vous me demandez si je pense chaque jour à ma mort, la réponse est non », a-t-elle répliqué aussi poliment qu'elle le pouvait.

Quelques années plus tard, cette dame est venue vers moi lors d'un spectacle scolaire donné pour les parents et m'a présenté des excuses très sincères : elle avait immédiatement compris l'erreur qu'elle avait commise en faisant naître des craintes chez une enfant qui n'y pouvait rien. J'étais très touchée que l'incident l'ait à ce point préoccupée. Elle avait perçu, dans la réponse de Malia, un mélange de solidité et de vulnérabilité, un reflet des appréhensions avec lesquelles nous vivions tous et que nous essayions de tenir à l'écart. Elle avait aussi compris que tout ce que notre fille pouvait faire, ce jour-là et tous les jours suivants, c'était de retourner sur le terrain et de taper dans sa balle.

CHACUN D'ENTRE NOUS vit des situations plus ou moins difficiles, mais il est essentiel de savoir les remettre en perspective. Mes filles bénéficiaient de bien plus d'avantages et de luxe que ne pouvaient en rêver la plupart des familles. Elles habitaient dans un cadre somptueux, mangeaient à leur faim, étaient entourées d'adultes attentionnés, étaient encouragées et soutenues dans leurs études. Je me consacrais corps et âme à Malia et Sasha ; mais, en tant que première dame, je souhaitais aussi m'investir dans une cause plus vaste. Je devais faire plus pour les enfants en général, et pour les filles en particulier. Cette conviction me venait des réactions que mon parcours suscitait : les gens s'étonnaient qu'une jeune fille noire élevée dans une banlieue ouvrière ait pu se hisser jusqu'aux prestigieuses universités de l'Ivy League, occuper des

postes à responsabilité et atterrir à la Maison-Blanche. Cette trajectoire n'était certes pas banale, mais il n'y avait aucune raison pour
qu'elle le soit. Dans les salles de conférences, les conseils d'administration ou les réunions VIP, je m'étais très souvent retrouvée
être la seule femme de couleur – voire la seule femme tout court.
Si j'étais la première dans ce type d'environnement professionnel,
je voulais ouvrir la voie à d'autres. Comme le rappelle parfois
sèchement ma mère à quiconque s'extasie sur la réussite de ses
enfants : « Ils n'ont rien d'exceptionnel. Le South Side regorge de
gamins comme eux. » Ce sont précisément ces gamins que nous
devons aider à accéder à ce type d'environnement.

Les pans les plus remarquables de mon parcours tiennent moins
à leur valeur apparente qu'à ce qui les sous-tend : les innombrables
petits coups de pouce qui m'ont fait avancer au fil des ans, et les
individus qui m'ont aidée à gagner peu à peu de l'assurance. Je
me rappelais chacune de ces personnes qui m'avaient un jour ou
un autre permis de faire mon chemin, de me blinder contre les
affronts et les outrages que je ne manquerais pas d'essuyer dans
les milieux que je me destinais à fréquenter – des lieux conçus
essentiellement par et pour des gens qui n'étaient ni des femmes,
ni des Noirs.

Je pensais à ma grand-tante Robbie et à ses exigences rigou-
reuses au piano ; c'était elle qui m'avait appris à lever le menton
et à jouer de toute mon âme sur un demi-queue, moi qui n'avais
jamais joué que sur un piano droit aux touches cassées. Je pensais
à mon père, qui m'avais appris à boxer et à taper dans un ballon
de foot, comme Craig. Et puis il y avait M. Martinez et M. Bennett, mes professeurs de Bryn Mawr, qui avaient toujours écouté
ce que j'avais à dire. Et ma mère, mon pilier, dont la vigilance
m'avait évité de perdre mon année de CE1. À Princeton, c'était
Czerny Brasuell qui m'avait nourrie de ses encouragements et fait
découvrir de nouveaux horizons. Et, au début de ma carrière professionnelle, j'avais pu m'appuyer, entre autres, sur Susan Sher et
Valerie Jarrett – qui, depuis tout ce temps, demeurent de proches
amies et collègues. Elles m'ont montré que l'on pouvait concilier un métier avec son rôle de mère et n'ont cessé de m'ouvrir
des portes, parce qu'elles étaient convaincues que j'avais quelque
chose à apporter.

La plupart de ces gens ne se connaissaient pas et n'auraient jamais l'occasion de se rencontrer, et j'avais moi-même perdu le contact avec certains. Mais chacun, à sa façon, était une étoile de ma constellation. Ils me stimulaient, ils croyaient en moi, ils étaient cette chorale de gospel personnelle qui m'a toujours accompagnée en chantant *Fonce, petite, tu as ce qu'il faut !*

Je ne l'ai jamais oublié. J'ai essayé, même quand j'étais juriste débutante, de rendre la pareille, en encourageant la curiosité que je pouvais déceler chez quelqu'un, en faisant participer les jeunes à des conversations importantes. Si une assistante juridique me posait une question sur son avenir, je la recevais dans mon bureau pour lui parler de mon parcours ou lui faire partager mon expérience. Si quelqu'un avait besoin d'un conseil ou d'une recommandation, je faisais tout ce qui était en mon pouvoir pour l'aider. Plus tard, au sein de Public Allies, j'ai constaté par moi-même les avantages d'un mentorat mieux encadré. Mon expérience m'avait appris que, lorsque quelqu'un s'intéresse sincèrement à votre éducation et à votre développement, ne serait-ce qu'en vous donnant dix minutes sur son emploi du temps surchargé, c'est important. C'est surtout important pour les femmes, pour les membres des minorités, pour tous ceux que la société ignore trop facilement.

Forte de cette conviction, j'ai lancé un programme de leadership et de mentorat à la Maison-Blanche, invitant vingt élèves de seconde et de première des lycées de la région de Washington à des séminaires mensuels, avec débats, visites de terrain et ateliers couvrant toute une gamme de sujets, de l'éducation financière à l'orientation professionnelle. Ces activités restaient plus ou moins confidentielles, car nous ne voulions pas jeter ces jeunes filles en pâture aux médias.

Chaque lycéenne avait une conseillère qui tissait avec elle une relation personnelle, lui parlait de sa propre trajectoire et mettait ses ressources à sa disposition. Valerie a pris l'une de ces jeunes filles sous son aile. Tout comme Cris Comerford, la première femme chef de cuisine de la Maison-Blanche, et Jill Biden, ainsi que plusieurs employées expérimentées du staff de l'aile est et de l'aile ouest. Les élèves nous étaient recommandées par leur proviseur ou leurs conseillers pédagogiques et nous les suivions jusqu'à la fin de leurs études secondaires.

Nous avions des filles de militaires, des filles d'immigrants, une mère adolescente, une gamine qui avait vécu dans un foyer pour sans-abri. C'étaient toutes des jeunes femmes curieuses et intelligentes. Pas différentes de moi. Pas différentes de mes filles. Je les regardais nouer des amitiés, créer des liens entre elles et avec les adultes qui les encadraient. Nous passions des heures à discuter ensemble, assises en cercle, à picorer du pop-corn, échangeant nos réflexions sur l'inscription en fac, l'image du corps et les garçons. Aucun sujet n'était tabou, et on riait beaucoup. J'espérais surtout qu'elles retiendraient tout cela pour leur avenir – l'aisance en société, la solidarité, la volonté de parler et de se faire entendre.

Je souhaitais pour elles exactement la même chose que pour Sasha et Malia : que, en apprenant à se sentir à l'aise à la Maison-Blanche, elles se sentent à l'aise et sûres d'elles dans n'importe quelle salle, assise à n'importe quelle table, qu'elles s'expriment haut et fort dans n'importe quel groupe.

NOUS VIVIONS MAINTENANT DANS LA BULLE de la présidence depuis plus de deux ans. Une bulle dont je cherchais à repousser les limites par tous les moyens. Avec Barack, nous continuions à ouvrir la Maison-Blanche à un cercle élargi de citoyens, surtout aux enfants, en espérant faire sentir à chacun qu'il était le bienvenu dans ce cadre somptueux, et faire entrer un peu de vie dans cette atmosphère pétrie de tradition et de solennité. À chaque visite d'un haut dignitaire étranger, nous invitions des enfants des écoles à assister aux fastes de la cérémonie officielle d'accueil et à goûter les plats qui seraient servis au dîner d'État. Avant un concert, nous demandions aux musiciens d'arriver un peu plus tôt afin d'animer un atelier avec des jeunes. Par ces petites initiatives, nous voulions souligner combien il était important d'exposer les jeunes aux différentes formes d'art, et démontrer que ce n'était pas un luxe, mais une nécessité qui faisait partie intégrante de l'éducation. J'étais enthousiaste de voir des lycéens côtoyer des chanteurs et musiciens à la mode comme John Legend, Justin Timberlake et Alison Krauss, ou des légendes du jazz et du blues comme Smokey Robinson et Patti LaBelle. Cela me ramenait à ma jeunesse – les airs de jazz qui flottaient dans la maison de Southside, les récitals de piano et l'Operetta Workshop de ma grand-tante Robbie, nos virées en famille dans les musées du centre-ville. Je savais la place que pouvaient occuper l'art et la culture dans le développement d'un enfant. Et, grâce à ces manifestations, je me sentais un peu plus chez moi. Pendant les spectacles, assis au premier rang, Barack et moi nous déhanchions sur nos fauteuils au rythme de la musique. Même ma mère, qui évitait généralement les événements publics, ne manquait jamais de descendre au salon Est lorsqu'il y avait un concert.

Nous avons également programmé des spectacles de danse et autres arts de la scène, et invité de jeunes artistes afin d'offrir une vitrine à de nouvelles formes d'expression. En 2009, nous avons ainsi organisé la toute première représentation de poésie et d'expression vocale de la Maison-Blanche ; le jeune compositeur Lin-Manuel Miranda a étonné tout le monde en interprétant un slam scandé, tiré d'une comédie musicale qu'il venait de commencer à écrire et qu'il envisageait comme « un album concept sur la vie de quelqu'un qui incarne à mon sens le hip-hop... le premier secrétaire au Trésor des États-Unis, Alexander Hamilton ».

Je me rappelle lui avoir serré la main en lui disant : « Eh ben, bon courage pour votre projet Hamilton. »[1]

Chaque jour apportait son lot de glamour, d'excellence, de dévastation, d'espoir... Tout ça coexistait, tandis que nos deux enfants essayaient de mener leur vie à l'écart de ce qui se passait à la maison. Je m'efforçais de garder un ancrage dans le quotidien, pour moi comme pour les filles. Mon objectif n'avait pas changé : trouver de la normalité où je le pouvais, réintégrer des poches de vie ordinaire. Pendant les saisons de football ou de lacrosse, lorsque Sasha ou Malia disputait un match, j'allais y assister, prenant place dans les tribunes à côté des autres parents, refusant poliment de poser pour une photo, mais toujours prête à bavarder avec les uns et les autres. Quand Malia a commencé à disputer des matchs de tennis, je l'observais la plupart du temps derrière la vitre d'un véhicule du Secret Service discrètement garé près des courts, pour ne pas faire diversion. J'attendais qu'elle ait fini pour descendre de voiture et la féliciter.

1. *Hamilton* est depuis devenue la comédie musicale la plus courue de Broadway, et a été récompensée en 2016 par un nombre record de onze Tony Awards.

Les sorties avec Barack étaient bien moins discrètes. Nous avions tiré un trait sur une vie normale, sur tout espoir de légèreté dans ses déplacements. Il venait aux fêtes de l'école et aux manifestations sportives auxquelles les filles participaient quand il le pouvait, mais il avait peu d'occasions de se mêler à la foule des parents d'élèves et la présence de son groupe de sécurité n'était pas exactement discrète. C'était le principe, d'ailleurs, l'objectif étant de bien faire comprendre au monde que le président des États-Unis était parfaitement protégé. Je m'en réjouissais, évidemment ; mais, pour notre vie de famille, ce déploiement était un peu trop lourd.

Malia en était tout à fait consciente le jour où nous sommes allés tous les trois voir Sasha jouer au football à l'école élémentaire Sidwell. Nous sommes arrivés à l'heure de la récréation et nous avons dû traverser une cour ouverte où les élèves de maternelle grimpaient dans une cage à poule et jouaient sur l'aire de jeux tapissée de copeaux de bois. Je ne sais pas si les petits avaient remarqué l'équipe de tireurs d'élite du Secret Service moulés dans leurs combinaisons noires et déployés sur les toits de l'école, fusils d'assaut en vue, mais Malia, elle, les avait repérés.

Interloquée, elle a considéré tour à tour les snipers, puis les petits de maternelle, et, jetant un regard narquois à son père, elle s'est écriée : « Non, mais c'est sérieux, papa ? Je rêve, là ! »

Barack n'a pu qu'esquisser un sourire et hausser les épaules. Où qu'il aille, il traînait le poids de sa fonction.

De fait, aucun d'entre nous ne sortait jamais de la bulle. Elle nous suivait, individuellement, où que nous nous rendions. Nous nous étions entendus avec le Secret Service pour que Sasha et Malia puissent avoir des activités normales : aller aux bar-mitsva de leurs amis, laver des voitures pour la collecte de fonds de l'école, et même traîner au centre commercial – toujours suivies à la trace par des agents spéciaux et, souvent, par ma mère, mais au moins, désormais, elles étaient aussi mobiles que leurs camarades. Les gardes du corps de Sasha, parmi lesquels Beth Celestini et Lawrence Tucker, que tout le monde appelait L.T., faisaient maintenant partie du paysage à Sidwell. À la récréation, les enfants demandaient à L.T. de les pousser sur la balançoire. Pour les anniversaires, les parents d'élèves prévoyaient souvent des gâteaux en plus pour les agents.

Nous nous sommes tous les quatre attachés à nos anges gardiens. Preston Fairlamb dirigeait alors mon groupe de sécurité, et Allen Taylor, qui me protégeait déjà pendant la campagne, le remplacerait par la suite. Dans les manifestations publiques, ils étaient silencieux et avaient les yeux partout ; mais, dès que nous étions en coulisses ou à bord d'un avion, ils se détendaient, racontaient des histoires et blaguaient avec tout le monde. Je les taquinais en les appelant mes « durs au cœur tendre ». Nous avons passé tant de temps ensemble, parcouru tant de kilomètres, que nous avons noué de véritables liens d'amitié. Je partageais leurs chagrins lorsqu'ils perdaient un être cher et je me réjouissais avec eux des succès de leurs enfants. Je ne perdais jamais de vue le sérieux de leur mission, je n'oubliais jamais ce qu'ils étaient prêts à sacrifier pour assurer ma sécurité, et pas un instant je n'ai sous-estimé leur dévouement.

Comme mes filles, je préservais une part de vie privée en marge de ma vie publique. J'avais trouvé des moyens de me faire discrète lorsque c'était nécessaire, grâce aussi au Secret Service, qui était prêt à se montrer accommodant. Au lieu de me déplacer en cortège, j'étais parfois autorisée à emprunter un 4 x 4 banalisé avec une escorte de sécurité réduite. Je réussissais quelquefois à faire un passage éclair dans les boutiques, me dépêchant de ressortir avant que quiconque ait le temps de me repérer. Un matin, après que Bo eut méthodiquement éventré ou lacéré chacun des jouets que lui avait achetés notre commissionnaire, je l'ai moi-même emmené au PetSmart d'Alexandria, dans la banlieue sud de Washington. Et, l'espace d'un instant, j'ai savouré les joies de ce paisible anonymat, flânant dans les rayons pour choisir des jouets à mâcher plus résistants, tandis que, au bout de sa laisse, Bo – qui était aussi ravi que moi de cette escapade inédite – marchait tranquillement à mes côtés.

Chaque sortie incognito était une petite victoire, une démonstration de mon libre arbitre. J'étais, après tout, quelqu'un de méticuleux. Je n'avais pas oublié combien il était gratifiant de rayer une à une les lignes d'une longue liste de commissions. Six mois après ma virée au PetSmart, je me suis offert une incursion en toute discrétion au supermarché Target du coin, casquette de base-ball sur la tête, lunettes noires sur le nez. Mes gardes du corps, en short et tennis, avaient rangé leurs oreillettes, s'efforçant de se fondre dans la masse en nous suivant, mon assistante Kristin Jones et moi, dans le magasin. Nous avons fait toutes les allées. J'ai mis dans mon caddie une crème hydratante et des brosses à dents. Kristin avait besoin de lingettes pour sèche-linge et de lessive, et j'ai trouvé quelques jeux pour Sasha et Malia. Et, pour la première fois depuis des années, j'ai pu choisir moi-même une carte à offrir à Barack pour notre anniversaire de mariage. En rentrant, j'étais aux anges.

Peu à peu, je pimentais ma routine de nouvelles aventures. J'ai commencé à aller dîner de temps en temps avec des amis, au restaurant ou chez eux. Parfois, je faisais des promenades dans un parc et de longues marches sur les rives du Potomac. Lors de ces excursions, des agents marchaient devant et derrière moi, mais discrètement et à bonne distance. Dans les dernières années, je sortirais plus souvent de la Maison-Blanche pour suivre des cours de gymnastique dans les différentes antennes de SoulCycle et Solidcore dispersées dans la ville, me glissant dans la salle à la dernière minute et repartant dès la fin du cours pour éviter de faire trop de vagues. C'était sur les pentes de ski que j'appréciais le plus ma liberté. Je n'avais jamais beaucoup skié, mais ce sport est très vite devenu une passion. Profitant des hivers particulièrement rigoureux qui s'étaient abattus sur Washington les deux premières années, nous partions pour la journée avec les filles et quelques amis vers une station au nom prédestiné de Liberty Mountain, près de Gettysburg. Harnachées dans nos combinaisons, casques, écharpes et lunettes, nous étions pour ainsi dire invisibles. Sur les pistes, j'étais dehors, je me déplaçais à ma guise et personne ne pouvait me reconnaître. Pour moi, c'était aussi exaltant que de voler.

Je ressentais le besoin de pouvoir disparaître dans une foule – c'était ce qui me permettait d'être moi-même, de rester Michelle Robinson du South Side, entraînée dans ce moment de l'histoire. J'intégrais mon ancienne vie à la nouvelle, mes centres d'intérêt personnels à mon action publique. Je m'étais fait une poignée de nouveaux amis dans la région de Washington – des mamans de camarades de classe de Sasha et Malia, et quelques personnes rencontrées dans le cadre de mes fonctions à la Maison-Blanche. C'étaient des femmes qui s'intéressaient moins à mon patronyme et à mon adresse qu'à ma personne. C'est amusant comme on fait vite le tri entre ceux qui vous apprécient pour ce que vous êtes et ceux qui cherchent à obtenir quelque chose de vous. Barack et moi en parlions parfois avec Sasha et Malia au dîner, en leur rappelant qu'il y avait des gens, des enfants comme des adultes, qui gravitaient autour de nos cercles d'amis avec un peu trop d'empressement – des « assoiffés », comme nous les appelions.

J'avais appris depuis longtemps à garder des liens étroits avec mes vrais amis. J'étais toujours très proche du groupe de mamans qui emmenaient leurs enfants jouer chez les unes ou les autres le samedi après-midi, à Chicago, à l'époque où nous nous trimbalions toutes avec un sac à langer, où nos enfants jetaient joyeusement leur bouillie depuis leur chaise haute, et où nous étions toutes tellement à bout que nous étions en permanence au bord des larmes. C'étaient ces amies qui m'aidaient à tenir – déposant un sac de courses quand j'étais débordée, emmenant les filles au cours de danse quand j'avais un dossier à boucler ou juste besoin d'un break. Pendant la campagne, plusieurs avaient sauté dans un avion pour m'accompagner à des réunions de terrain sans aucun prestige, me donnant un coup de main au moment où j'en avais le plus besoin. Toutes les femmes vous le diront : les amitiés entre femmes sont bâties sur des milliers de petits gestes attentionnés, échangés en permanence, spontanément.

À partir de 2011, j'ai entrepris d'investir et de réinvestir activement dans mes amitiés, en réunissant mes copines de toujours et mes nouvelles amies. Tous les deux ou trois mois, j'en invitais une douzaine, parmi les plus proches, à venir passer le week-end à Camp David, le vaste domaine de villégiature présidentielle situé dans les forêts des montagnes du Maryland, à une centaine de kilomètres de Washington. J'appelais ces rendez-vous le « Boot Camp », en partie parce que je dois bien avouer que j'obligeais tout le monde à faire de l'exercice avec moi plusieurs fois par jour (j'ai même essayé d'interdire le vin et le grignotage, mais l'idée a vite été abandonnée), et pour entretenir l'esprit de corps et de solidarité qui nous liait.

La plupart de mes amies sont des femmes qui ont réussi, ont un emploi du temps surchargé, et beaucoup mènent de front une vie de famille prenante et un métier à responsabilité. J'étais bien consciente que ce n'était pas toujours facile pour elles de s'échapper. Mais c'était justement le but : nous étions toutes trop habituées à nous sacrifier pour nos enfants, notre conjoint, notre travail. J'avais passé des années à essayer de trouver un équilibre et je savais qu'on pouvait se permettre, une fois de temps en temps, d'inverser l'ordre des priorités pour ne penser qu'à nous. Je me faisais une joie de brandir cet étendard – et d'établir une tradition – en donnant une bonne raison à tout un groupe de femmes de dire à leurs enfants, mari et collègues : *Désolée, les gars ; là, je m'occupe de moi.*

L ES WEEK-ENDS BOOT CAMP sont devenus une façon de nous retirer du monde, de nous retrouver et de recharger les batteries. Nous occupions des chalets perdus dans les bois, circulions en voiturettes de golf et à vélo. Nous jouions à la balle au prisonnier, enchaînions les flexions-extensions et les postures de chien tête en bas. J'invitais parfois quelques jeunes collaboratrices et, année après année, je m'extasiais de voir Susan Sher, magnifique sexagénaire, faire la marche de l'araignée à côté de MacKenzie Smith, ma responsable de la planification, âgée d'une vingtaine d'années, qui avait joué dans l'équipe de foot de son université. Nous prenions des repas sains préparés par les chefs de la Maison-Blanche. Nous suivions des séances de musculation sous la supervision de mon coach, Cornell, et de plusieurs jeunes officiers de marine au visage poupin qui nous appelaient toutes « ma'am ». Nous nous dépensions beaucoup et nous bavardions encore et encore. Nous partagions nos réflexions et nos expériences, échangions des conseils ou des anecdotes drôles, ou rassurions simplement celle qui, à un moment donné, craquait en lui rappelant qu'elle n'était ni la première ni la dernière à avoir une ado qui la faisait tourner en bourrique ou un patron odieux. Parfois, cette simple écoute mutuelle nous apportait un grand réconfort. Et le dimanche soir, quand venait l'heure de nous séparer, nous nous promettions de renouveler très vite l'expérience.

Mes amies m'aidaient à me retrouver, comme elles l'ont toujours fait et le feront toujours. Elles me regonflaient à chaque fois que je n'avais pas le moral, que j'étais frustrée ou que je voyais moins Barack. Elles me ramenaient à la réalité quand j'en avais assez d'être jugée, de voir mes moindres faits et gestes disséqués et commentés, depuis mon choix de vernis à ongles jusqu'à mon tour de hanches. Et elles m'aidaient à tenir dans les grandes bourrasques qui me tombaient parfois dessus sans prévenir.

Le premier dimanche de mai 2011, je suis allée dîner avec deux amies dans un restaurant du centre-ville, laissant Barack et ma mère s'occuper des filles à la maison. Le week-end avait été particulièrement chargé. Barack avait passé l'après-midi à courir d'un briefing à un autre et, la veille au soir, nous étions rentrés tard du dîner des correspondants de la Maison-Blanche. Barack a profité de son discours pour lancer quelques piques à Donald Trump, en le charriant sur sa carrière d'animateur de « Celebrity Apprentice » et en ridiculisant ses théories sur son lieu de naissance. De ma place à la table d'honneur, je ne le voyais pas, mais Trump était bien dans la salle. Pendant le monologue de Barack, les caméras ont cadré sur le visage du milliardaire, crispé, frémissant de colère.

À la résidence, le dimanche soir était généralement un moment de calme et de repos. Après un week-end à faire du sport et à jouer avec leurs copines, les filles étaient souvent fatiguées. Barack, avec un peu de chance, arrivait parfois à trouver un créneau pour aller jouer au golf sur le green de la base aérienne d'Andrews, et revenait plus détendu.

Ce soir-là, après ma soirée entre amies, je suis rentrée vers 22 heures. Comme d'habitude, j'ai été accueillie par un huissier. Je sentais que quelque chose ne tournait pas rond. Il y avait plus d'agitation qu'à l'accoutumée au rez-de-chaussée de la Maison-Blanche. J'ai demandé à l'huissier s'il savait où était le président.

« Je pense qu'il est à l'étage, madame. Il se prépare pour s'adresser à la nation. »

C'est ainsi que j'ai compris que c'était enfin arrivé. Je savais que c'était imminent, mais je ne savais pas exactement comment ça se passerait. Depuis deux jours, je m'efforçais de ne rien laisser paraître, d'agir normalement, comme si j'ignorais qu'une opération d'une importance majeure et très délicate se préparait. Après des mois de collecte de renseignements de haut niveau, des semaines de préparation méticuleuse, de briefings de sécurité et d'évaluation des risques, et une ultime décision courageuse, à plusieurs milliers de kilomètres de la Maison-Blanche une unité d'élite des Navy SEAL avait donné l'assaut de nuit sur un mystérieux complexe d'Abbotabad, au Pakistan, pour éliminer Oussama Ben Laden.

J'ai croisé Barack en arrivant dans le couloir de la résidence. Il sortait de notre chambre, en costume et cravate rouge, et semblait boosté à l'adrénaline. Il portait le poids de cette décision depuis des mois.

« Ça y est, on l'a eu, m'a-t-il dit. Et il n'y a aucun blessé. »

Nous nous sommes enlacés. Oussama Ben Laden avait été liquidé. L'opération n'avait fait aucune victime côté américain. Barack avait pris un risque monumental – qui aurait pu lui coûter sa présidence – et tout s'était bien passé.

La nouvelle faisait déjà le tour du monde. Les foules se répandaient dans les rues autour de la Maison-Blanche, débordant des restaurants, des hôtels, des immeubles, emplissant la nuit de cris de victoire. Des clameurs de joie s'élevaient sur la ville, si puissantes qu'elles ont réveillé Malia, malgré les vitres blindées de sa chambre censées étouffer tous les bruits extérieurs.

Mais, ce soir-là, il n'y avait plus d'intérieur ni d'extérieur. Dans toutes les villes du pays, les gens étaient descendus dans les rues, poussés par cette irrésistible envie d'être proches les uns des autres, soudés autour d'un sentiment de patriotisme, mais unis aussi par le chagrin collectif apparu le 11 Septembre et les années de peur d'être à nouveau la cible d'attentats. Je pensais à toutes les bases militaires que j'avais pu visiter, à tous ces soldats qui se remettaient de leurs blessures, à ces gens qui avaient laissé partir l'un des leurs au bout du monde pour protéger notre pays, aux milliers d'enfants qui avaient perdu un père ou une mère en cette triste et terrible journée. On ne ramènerait aucun de ces morts à la vie, bien sûr. Et aucune mort ne remplacerait jamais une vie. Je ne crois pas que l'on puisse se réjouir de la mort de quelqu'un. Mais ce que l'Amérique a gagné, ce soir-là, c'était un instant de libération, une occasion de sentir sa propre résilience.

23

L E TEMPS PARAISSAIT S'EMBALLER, s'écoulant à un rythme si capricieux qu'il était impossible de le mesurer ou de le suivre. Chaque journée était bien remplie. Chaque semaine, chaque mois et chaque année que nous avons passés à la Maison-Blanche étaient riches en événements. Le vendredi, je n'avais pas vu passer le lundi et le mardi. À l'heure du dîner, je me demandais ce que j'avais fait à midi. À ce jour, j'ai encore du mal à faire le point. Tout allait trop vite, je n'avais pas assez de temps pour me poser et réfléchir. En un seul après-midi, je devais parfois caser deux événements officiels, plusieurs réunions et une séance photo. En une journée, je pouvais me rendre dans plusieurs États, ou m'adresser à 12 000 personnes, ou faire des exercices de musculation avec 400 gamins sur la pelouse sud, avant d'aller enfiler une belle robe longue pour une soirée mondaine. J'utilisais mes jours de répit, ceux où je n'avais pas d'engagement officiel, pour m'occuper de Sasha et Malia et de leur vie, avant de remonter sur scène – pour m'occuper à nouveau de ma coiffure, de mon maquillage, de mes tenues. Avant de retourner dans l'œil du cyclone.

L'année 2012 approchait et, avec elle, la prochaine présidentielle. Barack briguait un deuxième mandat. Ce n'était pas le moment de baisser la garde, et je n'en avais pas l'intention. Je devais encore partir à la conquête de l'opinion. Je pensais souvent à ce que je devais et à qui je le devais. Je portais une histoire en moi, et ce n'était pas celle des présidents ou des premières dames. Je ne m'étais jamais sentie aussi proche de Quincy Adams[1] que de Sojourner Truth[2] ; je n'avais jamais été aussi émue par le parcours de Woodrow Wilson que par celui de Harriet Tubman[3]. Les combats de Rosa Parks et de Coretta Scott King[4] m'étaient plus familiers que ceux d'Eleanor Roosevelt ou de Mamie Eisenhower. Je portais leur histoire en moi, avec celles de ma mère et de mes grand-mères. Aucune de ces femmes n'aurait pu imaginer une vie comme celle que je menais maintenant, mais elles savaient que leur persévérance déboucherait sur quelque chose de mieux, un jour, pour quelqu'un comme moi. Je voulais me montrer au monde sous un jour qui ferait honneur à ce qu'elles avaient été.

Au nom de cet objectif, je me suis astreinte à ne pas faire de faux pas. Même si je bénéficiais d'une certaine popularité, je ne pouvais pas oublier les critiques portées par ceux qui me jugeaient à la couleur de ma peau. Je répétais donc consciencieusement mes discours, avec un téléprompteur installé dans un coin de mon bureau. Je mettais la pression à ma responsable de la planification et à mes équipes logistiques pour que chacun de nos meetings commence à l'heure et soit un parcours sans faute. Je mettais encore plus la pression à mes conseillers politiques pour qu'ils continuent à promouvoir mes programmes « Let's Move » et « Joining Forces » auprès d'un public de plus en plus large. Je m'attachais à ne laisser passer aucune des occasions qui m'étaient maintenant données, mais je devais parfois me rappeler de prendre aussi le temps de respirer.

Barack et moi savions tous les deux que les mois de campagne qui nous attendaient promettaient encore plus de déplacements, plus de réunions stratégiques, plus de soucis. Comment ne pas s'inquiéter ? La campagne coûterait très cher. (Barack et Mitt Romney, l'ancien gouverneur du Massachusetts qui serait investi par les républicains, lèveraient chacun un milliard de dollars pour garder leur avantage dans la course.) Notre responsabilité aussi était énorme. Cette élection serait décisive, à tous égards,

---

1. Quincy Adams (1767-1848), sixième président des États-Unis.
2. Sojourner Truth (1797-1883), ancienne esclave, militante abolitionniste et féministe.
3. Harriet Tubman (1822-1913), célèbre militante abolitionniste. Après s'être échappée du Maryland où elle était née dans les fers, elle a organisé de nombreuses opérations pour faire libérer des esclaves.
4. Coretta Scott King (1927-2006), militante des droits civiques et épouse de Martin Luther King.

aussi bien pour la pérennité de la nouvelle loi sur l'assurance santé que pour la place de l'Amérique dans l'effort international de lutte contre le changement climatique. Tous les employés de la Maison-Blanche vivaient dans les limbes, sans savoir si nous aurions ou non un second mandat. Je refusais d'imaginer une défaite de Barack, mais le risque était là – et cette crainte nous tenaillait tous les deux, même si ni lui ni moi n'osions jamais en parler.

L'été 2011 a été particulièrement rude pour Barack. Au Congrès, un groupe du camp républicain refusait obstinément d'autoriser un nouvel emprunt public afin de relever le plafond de la dette – une procédure relativement banale pour renflouer les caisses de l'État et permettre aux services publics de continuer à fonctionner –, à moins que l'administration ne taille dans les budgets des programmes fédéraux de santé publique comme la Sécurité sociale, Medicare[1] et Medicaid[2], ce à quoi Barack était opposé, sachant que cela toucherait les Américains qui avaient le plus de mal à joindre les deux bouts. Entre-temps, les rapports mensuels sur le chômage publiés par le ministère du Travail faisaient état d'une croissance régulière, mais encore lente, preuve que le pays avait toujours du mal à se relever de la crise financière de 2008. Et nombreux étaient ceux qui en faisaient porter la responsabilité à Barack. Dans le climat d'euphorie et de soulagement qui avait suivi la mort d'Oussama Ben Laden, sa cote de popularité était remontée en flèche, atteignant son plus haut niveau en deux ans. Mais quelques mois plus tard, après le bras de fer sur le plafond de la dette, associé aux craintes d'une nouvelle récession, elle était retombée au plus bas.

Au milieu de ce tumulte naissant, je suis partie en Afrique du Sud pour une visite officielle qui avait été préparée des mois à l'avance. Sasha et Malia avaient fini leur année et ont pu m'accompagner. Ma mère était aussi du voyage, ainsi que les enfants de Craig, Leslie et Avery, qui étaient maintenant des adolescents. J'allais principalement inaugurer un forum des jeunes femmes leaders d'Afrique parrainé par les États-Unis, mais mon programme

---

1. Medicare est le système d'assurance-santé géré par le gouvernement fédéral au bénéfice des personnes de plus de 65 ans et des personnes handicapées.
2. Voir *supra*, note 1 p. 253.

comprenait aussi plusieurs événements communautaires liés au bien-être et à l'éducation, ainsi que des rencontres avec des dirigeants locaux et des employés du consulat américain. Nous terminerions notre tournée par une brève escale au Botswana, pour une entrevue avec le président du pays et la visite d'une clinique communautaire spécialisée dans le traitement du sida/VIH, et, avant de repartir, nous nous offririons quelques heures de safari.

À peine arrivés, nous avons été littéralement aspirés par l'énergie de l'Afrique du Sud. À Johannesburg, nous avons visité le musée de l'Apartheid, dansé et fait la lecture à de jeunes enfants dans un centre d'animation de l'un des townships du nord de la ville. Au Cap, nous avions rendez-vous au stade de football pour rencontrer des animateurs de quartier et des professionnels de santé qui montaient des programmes de sport pour sensibiliser les jeunes au problème du sida/VIH. Nous avons été présentés à l'archevêque Desmond Tutu, le théologien et militant légendaire qui avait contribué à mettre fin au régime d'apartheid. À 79 ans, ce petit homme trapu avait gardé son regard pétillant de malice et son rire communicatif. Ayant appris que j'étais au stade pour encourager les jeunes à faire de l'exercice physique, il a insisté pour faire des pompes avec moi, sous les acclamations d'une bande de gamins ravis.

Pendant ces quelques jours en Afrique du Sud, je flottais sur un petit nuage. Cette visite était à des années-lumière de mon premier voyage au Kenya avec Barack, en 1991, avec ses innombrables trajets en *matatu* et la Volkswagen branlante d'Auma qu'il fallait pousser sur des routes de terre battue. J'attribuais un petit tiers de cet état second au décalage horaire, mais les deux autres tiers venaient de quelque chose de plus profond, et enthousiasmant. J'avais le sentiment que nous étions au cœur de contre-courants de l'histoire et de la culture qui nous dépassaient et nous rappelaient soudain notre insignifiance à l'échelle d'un temps plus large. En voyant le visage des soixante-seize jeunes femmes sélectionnées pour participer au forum sur les femmes leaders parce qu'elles faisaient un travail significatif dans leurs communautés, j'avais la gorge nouée. Elles me donnaient espoir. Elles me faisaient sentir mon âge, dans le meilleur sens qui soit. À l'époque, 60 % de la population africaine avait moins de 25 ans. Et j'avais en face de moi des femmes qui avaient toutes moins de 30 ans – à peine 16 ans, pour certaines – et qui montaient des associations citoyennes, formaient d'autres femmes pour travailler dans l'entrepreneuriat social, et risquaient la prison en dénonçant la corruption du gouvernement de leur pays. Et là, elles se retrouvaient, constituaient des réseaux, étaient formées et encouragées. J'espérais que cela ne ferait qu'intensifier leur pouvoir.

Le moment le plus incroyable de notre séjour a eu lieu à Johannesburg, dès le lendemain de notre arrivée. Nous étions en train de visiter la Fondation Nelson Mandela avec l'épouse de Mandela, Graça Machel, célèbre pour ses engagements humanitaires, quand nous avons reçu un message nous annonçant que Mandela en personne, qui n'habitait pas très loin, serait heureux de nous recevoir.

Nous avons immédiatement filé chez lui. Nelson Mandela avait 92 ans. Il avait été opéré pour des problèmes pulmonaires quelques mois auparavant. J'avais entendu dire qu'il n'accueillait que très rarement des invités. Barack l'avait rencontré six ans plus tôt, en tant que sénateur, lorsqu'il était venu à Washington. Depuis, il gardait toujours dans son bureau la photo encadrée de leur rencontre. Même mes filles – Sasha, 10 ans, et Malia, qui allait sur ses 13 ans – comprenaient l'importance de cet honneur. Et même ma mère, toujours impassible, semblait un peu secouée.

Il n'y avait à mon sens personne sur cette terre qui avait exercé une influence plus significative sur le monde que Nelson Mandela. Dans les années 1940, encore jeune, il avait rejoint le Congrès national africain (ANC) et avait engagé un combat courageux contre un gouvernement sud-africain entièrement aux mains des Blancs et contre son indéracinable politique raciste. Il avait 44 ans quand il a été arrêté et jeté en prison pour ses activités militantes, et il en avait 71 lorsqu'il a enfin été libéré, en 1990. Après avoir survécu à vingt-sept ans de privations et d'isolement dans un cachot, vu beaucoup de ses amis torturés et assassinés sous le régime d'apartheid, Mandela avait préféré le dialogue à l'affrontement pour négocier avec les dirigeants de son pays une transition miraculeusement pacifique vers une vraie démocratie, et devenir le premier président de la nouvelle Afrique du Sud.

Mandela vivait dans une rue verdoyante de banlieue dans une maison de style méditerranéen retranchée derrière des murs de béton couleur sable. Graça Machel nous a précédés dans une cour ombragée d'arbres, puis nous a conduits dans la maison où, dans une grande pièce baignée de lumière, son mari nous attendait dans un fauteuil. Il avait des cheveux blancs clairsemés et portait une chemise de batik marron. Quelqu'un lui avait couvert les jambes d'un plaid blanc. Il était entouré de plusieurs générations de sa famille, qui nous ont réservé un accueil très chaleureux. Quelque chose dans la clarté de la pièce, la volubilité de la famille et les yeux rieurs du patriarche m'a rappelé le temps où, enfant, j'allais rendre visite à mon grand-père Southside. J'avais un peu le trac en arrivant, mais j'étais maintenant tout à fait à l'aise.

À dire vrai, je ne suis pas certaine que le patriarche lui-même ait totalement compris qui nous étions ni pourquoi nous venions le voir. C'était déjà un vieil homme, il semblait ne pas toujours suivre ce qui se passait et était un peu dur d'oreille. « C'est Michelle Obama ! lui a soufflé Graça Machel en se penchant vers lui. La femme du président des États-Unis !

– Oh, c'est formidable, a murmuré Mandela. Formidable. »

Il m'a regardée avec un véritable intérêt, mais en réalité j'aurais pu être n'importe qui d'autre. Il semblait évident qu'il traitait avec la même chaleur tous ceux qui croisaient son chemin. Mon échange avec Mandela a été à la fois serein et profond. Pratiquement tout ce qu'il avait à dire avait été dit. Ses discours et sa correspondance, ses livres et ses slogans contestataires étaient déjà gravés dans son histoire personnelle, mais aussi dans celle de l'humanité tout entière. J'ai senti tout cela durant notre brève rencontre – la dignité et l'esprit qui avaient ramené un idéal d'égalité d'un endroit où il n'en existait aucune.

Cinq jours plus tard, je pensais toujours à Mandela dans l'avion du retour qui mettait cap vers le nord, puis a viré vers l'ouest, survolant l'Afrique avant de s'engager dans une longue nuit sombre au-dessus de l'Atlantique. Sasha et Malia étaient affalées sous des couvertures près de leurs cousins ; ma mère somnolait sur un siège voisin. À l'arrière de l'avion, des membres du staff et du Secret Service regardaient des films et rattrapaient quelques heures de sommeil. Les moteurs ronronnaient. Je me sentais seule, et pas si seule que cela. Nous rentrions « chez nous » – dans cette ville étrange et familière de Washington, avec ses marbres blancs et ses fractures politiques, et tout ce qu'il restait de batailles à livrer, de victoires à décrocher. Je repensais aux jeunes Africaines rencontrées au forum sur le leadership. Elles aussi rentraient, dans leurs communautés, pour reprendre le travail et se battre contre vents et marées.

Mandela avait été emprisonné pour ses principes. Il n'avait vu grandir ni ses enfants, ni ses petits-enfants. Pourtant, il n'avait aucune amertume. Il restait convaincu que ce qu'il y avait de mieux dans son pays l'emporterait un jour ou un autre. Il avait travaillé et attendu, dans un esprit de tolérance, sans jamais se laisser décourager, pour assister à ce changement.

C'était cet esprit qui me portait lors du voyage de retour. La vie m'apprenait que le changement et le progrès advenaient lentement. Pas en deux ans, pas en quatre ans, ni même en une vie. Nous plantions les graines du changement, et nous n'en verrions peut-être jamais les fruits. Il fallait être patients.

A<small>U COURS DE L'AUTOMNE</small> 2011, Barack a soumis à trois reprises au Congrès des projets de lois qui créeraient des milliers d'emplois pour les Américains, en partie en subventionnant l'embauche d'enseignants et d'urgentistes. À trois reprises, les républicains ont fait obstruction, ne laissant pas même les textes passer en première lecture.

« Notre priorité politique est de tout faire pour empêcher le président Obama d'obtenir un second mandat », avait déclaré l'année précédente à un journaliste le chef de file de l'opposition républicaine au Sénat, Mitch McConnell, en présentant le programme de son parti. C'était aussi simple que cela. Le Congrès républicain visait en premier lieu à « faire tomber Obama ». Leur objectif premier n'était ni de veiller à la bonne marche du pays ni de donner du travail aux gens qui en avaient besoin. Ils étaient là, d'abord, pour préserver leur propre pouvoir.

Je trouvais cela démoralisant, enrageant et parfois écrasant. C'était de la politique, certes, mais sous sa forme la plus sectaire et cynique, détachée de tout sens du bien commun. Je passais par des émotions que Barack ne pouvait peut-être pas se permettre d'éprouver. Il restait concentré sur son travail, sans se laisser déstabiliser, négociant les coups durs et cherchant le compromis quand il le pouvait, s'accrochant à cet optimisme réfléchi et responsable qui l'avait toujours guidé. Quelqu'un devait s'y coller. C'était lui. Il était en politique depuis quinze ans. Je continuais de le voir comme un vieux chaudron de cuivre – patiné par le feu, cabossé, mais toujours éclatant.

Repartir en campagne à l'automne 2011 a été pour nous une bouffée d'air frais. Les tournées de terrain nous ont permis de quitter Washington pour nous retrouver en prise directe avec les gens à travers le pays, dans des villes comme Richmond et Reno, où nous pouvions étreindre nos supporters, leur serrer la main, entendre leurs propositions et leurs inquiétudes. C'était là que nous sentions vibrer l'énergie des militants de base, qui avait toujours été au cœur de la vision de la démocratie de Barack, là que nous établissions un contact qui venait nous rappeler que les citoyens américains sont, pour la plupart, moins cyniques que leurs élus. Nous devions absolument les convaincre de se déplacer pour voter. J'avais été déçue que des millions de gens soient restés chez eux pour les élections de mi-mandat de 2010, cet abstentionnisme ayant débouché pour Barack sur un Congrès tellement polarisé et partisan qu'il ne pouvait pratiquement plus voter une seule loi.

En dépit des difficultés, il y avait aussi beaucoup de raisons d'espérer. À la fin de 2011, les derniers soldats américains avaient été rapatriés d'Irak ; un retrait progressif des troupes était en cours en Afghanistan. Les dispositions les plus importantes de la réforme de santé étaient entrées en vigueur : les jeunes pouvaient désormais rester plus longtemps couverts par l'assurance-maladie de leurs parents, et les compagnies d'assurances ne pouvaient plus plafonner les remboursements des garanties de base. Tout cela était la preuve que l'on avançait, comme je me le répétais alors, à petits pas sur une longue route.

Même face à une opposition qui s'employait à « faire tomber » Barack, nous n'avions d'autre choix que de rester constructifs et d'aller de l'avant. Je repensais à cette dame qui avait demandé à Malia si elle ne craignait pas pour sa vie pendant son cours de tennis. Que faire d'autre que de continuer à taper dans la balle ?

Et, donc, nous travaillions. Nous travaillions tous les deux. Je me suis jetée à corps perdu dans mes initiatives. Notre programme « Let's Move ! » continuait d'engranger des résultats. Avec mon équipe, nous avions persuadé les restaurants Darden, la maison mère de chaînes de restauration comme Olive Garden et Red Lobster, de modifier leur offre alimentaire et les modes de préparation. Ils se sont engagés à revoir leurs menus, à réduire les calories et la teneur en sel, et à proposer des variantes plus saines pour les repas enfants. Nous en avions appelé à la conscience des cadres dirigeants de la société – autant qu'à leur souci des bénéfices – et nous les avions convaincus que la culture gastronomique américaine était en pleine évolution et qu'ils avaient tout intérêt à aller dans le sens du vent, voire à prendre les devants. Darden servait 400 millions de repas par an aux Américains. À pareille échelle, la moindre modification – retirer, par exemple, du menu enfant les photos alléchantes de grands verres de soda glacés – pouvait avoir un véritable impact.

Le pouvoir d'une première dame est une chose étrange – aussi flou et aussi discret que la fonction elle-même. J'apprenais à m'en servir. Je n'avais aucun pouvoir de décision politique. Je ne commandais pas d'armée, je n'avais pas ma place dans la diplomatie officielle. La tradition voulait que j'apporte une sorte d'aura subtile, flattant le président par mon dévouement, et flattant la nation, mais surtout sans la brusquer. Je commençais à comprendre que, bien utilisée, cette aura pouvait être beaucoup plus efficace que cela. J'avais de l'influence en ce sens que j'étais un peu une curiosité – une première dame noire, une femme qui avait fait carrière, une mère de jeunes enfants. Les gens semblaient se passionner pour mes vêtements, mes chaussures et mes coiffures, mais ils devaient aussi comprendre où j'étais et pourquoi j'y étais. J'apprenais à associer mon message à mon image, de façon à orienter le regard du public. Je pouvais porter une tenue originale, faire une plaisanterie et parler de la teneur en sel des repas servis aux enfants sans totalement rebuter mon auditoire. Je pouvais publiquement applaudir une entreprise qui embauchait activement des membres de la communauté militaire, ou lancer un concours de pompes en direct sur le plateau de l'animatrice Ellen DeGeneres (et le gagner, ce dont je n'étais pas peu fière) pour faire avancer la cause de « Let's Move ! ».

J'étais une enfant du peuple, et c'était un atout. Barack m'appelait parfois « Madame-tout-le-monde » et me demandait mon avis sur les slogans et les stratégies de campagne, parce qu'il savait que j'étais imprégnée de culture populaire. Même si j'avais évolué dans des milieux élitistes comme Princeton et Sidley & Austin, et même s'il m'arrivait de porter une rivière de diamants et une robe de bal, je n'ai jamais cessé de feuilleter avec gourmandise la revue *People*, ni renoncé à ma passion pour les bons feuilletons télévisés. Je regardais bien plus souvent les programmes de divertissement d'Oprah Winfrey et d'Ellen DeGeneres que les émissions politiques comme « Meet the Press » ou « Face the Nation » et, à ce jour, rien ne me ravit davantage que le triomphe bien ordonné offert par une émission de relooking d'intérieur.

Tout cela pour dire que je voyais des moyens de rester en phase avec les Américains que Barack et ses conseillers de l'aile ouest n'appréciaient pas à leur juste valeur – du moins au début. Au lieu d'accorder des interviews aux grands quotidiens ou aux chaînes câblées, j'ai rencontré des « mamans bloggeuses » influentes, qui touchaient un immense public de femmes averties. En regardant mes jeunes collaboratrices pianoter sur leurs téléphones, en voyant Malia et Sasha communiquer avec leurs camarades de classe sur les réseaux sociaux, j'ai compris qu'il y avait là aussi un créneau à exploiter. J'ai rédigé mon premier tweet à l'automne 2011 pour promouvoir « Joining Forces », puis je l'ai vu filer et se propager dans l'infini immatériel de l'espace cybernétique où les gens passaient de plus en plus leur temps.

C'était une révélation. Tout cela était une révélation. Je découvrais que, avec mon pouvoir de persuasion, je pouvais être forte.

Les journalistes et les caméras de télévision voulaient me suivre ? Très bien, j'allais leur faire voir du pays. Ils nous ont suivies, Jill Biden et moi, dans un quartier du nord-ouest de Washington où nous repeignions les murs d'une maison mitoyenne tout à fait quelconque. En soi, le spectacle de deux dames maniant le rouleau n'avait strictement rien d'intéressant, mais nous venions d'amorcer un hameçon.

Et le public a mordu : une multitude s'est soudain pressée à la porte du sergent Johnny Agbi qui, à 25 ans, opérait comme infirmier militaire en Afghanistan quand son hélicoptère avait été

abattu. Il s'était brisé la colonne vertébrale, avait subi un trauma-
tisme crânien et avait fait un long séjour de rééducation à Walter
Reed. Nous venions de réaménager son rez-de-chaussée pour lui
permettre d'y vivre en fauteuil roulant – la porte d'entrée élargie,
l'évier abaissé –, dans le cadre d'un partenariat entre une association appelée Rebuilding Together (« Reconstruire ensemble ») et la
société propriétaire des grands magasins Sears et Kmart. C'était
la millième maison que l'association rénovait pour des anciens
combattants dans le besoin. Les caméras n'en ont pas perdu une
miette : le soldat, sa maison, la bienveillance et l'énergie des
bénévoles, tout a été filmé. Après nous avoir interviewées, Jill
et moi, les journalistes se sont intéressés de plus près au sergent
Agbi et aux volontaires qui avaient fait le gros du travail. C'était
exactement ce que j'espérais : c'étaient eux qui devaient être au
centre des regards.

L E 6 NOVEMBRE 2012, jour de l'élection présidentielle, je dis-
simulais tant bien que mal mes craintes. Barack, les filles et
moi étions revenus à Chicago, dans notre maison de Greenwood
Avenue, pour traverser notre purgatoire en attendant de savoir si
le pays voudrait encore de nous. Ce scrutin était pour moi plus
stressant que tous les précédents. C'était un référendum non seulement sur le bilan politique de Barack et l'état du pays, mais aussi
sur son caractère, sur notre présence même à la Maison-Blanche.
Nos filles s'étaient créé un environnement social solide, avaient
trouvé une vie normale, et je ne voulais pas de nouveau les arracher à cet équilibre. J'étais par ailleurs tellement investie dans
mes fonctions, auxquelles j'avais donné quatre ans de notre vie
familiale, qu'il m'était impossible de ne pas me sentir concernée
personnellement.

La campagne nous avait épuisés, sans doute plus encore que
je ne l'avais prévu. Tout en continuant à travailler sur mes projets, en assistant aux réunions de parents d'élèves et en suivant
les devoirs des filles, j'avais en moyenne animé des meetings de
campagne trois fois par semaine, dans trois villes par jour. Barack,
lui, avait tenu un rythme encore plus infernal. Les sondages ne lui
donnaient qu'une très faible avance sur Mitt Romney. Pour ne rien
arranger, il avait raté son premier débat télévisé en octobre, ce

qui avait déclenché à la dernière minute une vague d'inquiétude chez nos donateurs et nos conseillers. Nos collaborateurs avaient travaillé d'arrache-pied et la fatigue se lisait sur leurs visages. Ils essayaient de ne jamais le montrer, mais ils étaient très certainement déstabilisés à l'idée que Barack puisse quitter son poste dans quelques mois.

Barack ne s'était à aucun moment départi de son calme, mais je voyais que la pression prenait son tribut. Dans les dernières semaines, je l'avais trouvé un peu pâle et même un peu plus maigre que d'habitude, et j'avais remarqué qu'il mâchait sa Nicorette avec une vigueur inhabituelle. Avec ma tendresse inquiète d'épouse, je l'avais vu essayer de tout faire à la fois – rassurer les inquiets, boucler sa campagne et gouverner le pays. Il avait notamment dû réagir à une attaque terroriste contre des diplomates américains à Benghazi, en Libye, et, une semaine à peine avant l'élection, coordonner une gigantesque opération de secours d'urgence après l'ouragan Sandy qui avait dévasté la côte Est des États-Unis.

À l'heure de fermeture des bureaux de vote de la côte Est, ce soir-là, je suis montée au deuxième étage de notre maison, où nous avions installé une sorte de salon de coiffure et de maquillage pour nous préparer à la partie publique de la soirée électorale. Meredith avait sorti et repassé mes vêtements, ceux de ma mère et des filles. Johnny et Carl s'occupaient de me coiffer et de me maquiller. Fidèle à lui-même, Barack était allé jouer au basket dans la matinée et, depuis, s'était enfermé dans son bureau pour mettre la dernière main à son allocution.

Nous avions un téléviseur au deuxième étage, mais je n'ai pas voulu l'allumer. S'il y avait des nouvelles, bonnes ou mauvaises, je voulais les apprendre directement de Barack, ou de Melissa, ou de quelqu'un de proche. Les bavardages des commentateurs et leurs cartes interactives me mettaient toujours les nerfs à vif. Je ne voulais pas de détails. Je voulais simplement savoir à quoi m'en tenir.

Il était maintenant 20 heures passées sur la côte Est, et les premiers résultats avaient dû tomber. J'ai pris mon BlackBerry et j'ai envoyé des e-mails à Valerie, Melissa et Tina Chen, ma chef de cabinet depuis 2011, pour leur demander des nouvelles.

J'ai attendu un quart d'heure, puis une demi-heure, mais personne ne répondait. Autour de moi, un silence inquiétant flottait dans la pièce. Ma mère était en bas dans la cuisine, où elle lisait un magazine. Meredith habillait les filles pour la soirée. Johnny me passait les cheveux au fer à lisser. Étais-je parano ou bien tout le monde évitait-il mon regard ? Savaient-ils quelque chose que j'ignorais ?

À chaque minute qui passait, je sentais le sang battre à mes tempes. J'avais les jambes en coton. Je n'osais pas allumer la télé, certaine, tout d'un coup, que les nouvelles étaient mauvaises. J'étais habituée à refouler les pensées négatives, à rester optimiste jusqu'à ce que je sois absolument obligée d'affronter une dure réalité. Je gardais ma confiance dans une petite citadelle, perchée au sommet d'une colline, tout au fond de mon cœur. Plus mon BlackBerry s'obstinait à rester silencieux, plus mes digues commençaient à céder, laissant le doute s'infiltrer par les brèches. Peut-être n'avions-nous pas assez travaillé. Peut-être ne méritions-nous pas un second mandat. Mes mains s'étaient mises à trembler légèrement.

J'étais à deux doigts de défaillir d'angoisse quand Barack est arrivé, montant les escaliers au petit trot, affichant son sempiternel sourire assuré. Ses craintes étaient déjà derrière lui. « On leur met une raclée ! » a-t-il lancé, étonné que je ne sois pas encore au courant. « C'est pratiquement plié. »

En fait, à l'étage inférieur, l'ambiance était à la fête depuis un bon moment. La télé du sous-sol déversait un torrent permanent de bonnes nouvelles. J'ai compris ce qui s'était passé : mon BlackBerry n'avait plus de réseau, mes messages n'étaient jamais partis et ceux qu'on m'envoyait n'arrivaient pas. Je m'étais laissé enfermer dans une histoire que je m'étais racontée toute seule. Personne ne se doutait que je me rongeais les sangs, pas même les gens qui étaient dans la pièce avec moi.

Barack a remporté tous les États bascules[1]. Comme en 2008, il a fait le plein de voix chez les jeunes, les minorités et les femmes. Malgré tout ce que les républicains avaient fait pour le mettre en difficulté, malgré leurs innombrables manœuvres d'obstruction, sa

---

1. Les États bascules (« *swing states* ») sont les États qui ne sont traditionnellement acquis à aucun camp, à la différence des fiefs démocrates ou républicains.

vision l'avait emporté. Nous avions demandé aux Américains l'autorisation de poursuivre notre travail – de finir en beauté – et ils nous l'avaient accordée. Le soulagement a été immédiat. *Sommes-nous à la hauteur ? Oui !*

Tard dans la nuit, Mitt Romney a appelé pour reconnaître sa défaite. Une fois de plus, nous avons enfilé nos tenues de circonstance et nous nous sommes retrouvés à agiter la main sur une scène, quatre Obama sous une pluie de confettis, heureux d'être reconduits pour quatre ans.

Le sentiment de certitude qu'a apporté la réélection m'a stabilisée. Nous avions plus de temps pour atteindre nos objectifs. Nous pouvions œuvrer au progrès avec davantage de patience. L'avenir était dégagé et j'en étais très heureuse. Malia et Sasha resteraient dans leur école, nos collaborateurs garderaient leurs postes ; nos idées comptaient toujours. Et, dans quatre ans, nous aurions fini pour de bon, ce qui me rendait plus heureuse que tout. Finies les campagnes, finis les réunions stratégiques harassantes, les sondages, les débats, les cotes de popularité, pour toujours ! Le terme de notre vie politique était enfin en vue.

Le fait est que l'avenir nous réserverait quelques surprises – des joies, mais aussi de terribles tragédies. Quatre ans de plus à la Maison-Blanche, cela signifiait quatre ans de plus sous les feux des projecteurs à incarner des symboles, à assimiler et réagir à tout ce qui pouvait arriver à notre pays. Barack et moi étions repartis en campagne sur le motif que nous avions toujours l'énergie et la discipline nécessaires pour accomplir cette tâche, que nous avions suffisamment de cœur et de volonté pour la prendre à bras-le-corps. Et l'avenir venait à nous, peut-être un peu plus vite que nous ne l'attendions.

CINQ SEMAINES PLUS TARD, un tireur fou a pénétré dans l'école élémentaire Sandy Hook à Newtown, dans le Connecticut, et a ouvert le feu sur des enfants.

Je venais de finir un petit discours devant la Maison-Blanche, et je devais ensuite aller visiter un hôpital pour enfants, quand Tina m'a prise à part pour me mettre au courant. Pendant que j'étais à la tribune, mes collaboratrices avaient vu les gros titres de la presse défiler sur leurs téléphones. Elles étaient restées assises, ravalant leur émotion en attendant que je conclue mon allocution.

La nouvelle que m'apprenait Tina était si terrible que j'avais du mal à comprendre ce qu'elle était en train de me dire. Elle avait déjà pris contact avec l'aile ouest. Barack était dans le Bureau ovale, seul. « Il veut que tu le rejoignes, a-t-elle ajouté. Tout de suite. »

Mon mari avait besoin de moi. Ce serait la seule fois en huit ans qu'il réclamerait ma présence au milieu d'une journée de travail, que l'un et l'autre chamboulerions nos emplois du temps pour partager à deux un triste moment de désarroi. En général, nous cloisonnions rigoureusement le travail et la maison, mais pour nous, comme pour tant de gens, la tragédie de Newtown avait fait voler en éclats toutes les barrières. Je suis entrée dans le Bureau ovale et nous nous sommes enlacés en silence. Il n'y avait rien à dire. Pas de mots.

Ce que beaucoup de gens ignorent, c'est que le président voit pratiquement tout, ou du moins qu'il est au courant de pratiquement toutes les informations disponibles concernant le bien-être de la nation. Barack étudiait toujours attentivement les faits, et avait plutôt tendance à en demander trop que pas assez. Il voulait avoir une vision aussi large et précise que possible de chaque situation, même quand elle était mauvaise, afin d'avoir une réaction éclairée. De son point de vue, cela faisait partie de ses responsabilités ; c'était pour cela qu'il avait été élu – pour regarder et non pour détourner le regard, pour rester debout quand les autres chancelaient.

Lorsque je l'ai retrouvé, il avait été briefé jusque dans les détails les plus sordides sur la scène de crime de Sandy Hook. Il avait entendu parler des flaques de sang sur le sol des salles de classe et des cadavres de vingt enfants de maternelle et six enseignants fauchés par une arme semi-automatique. Il était sous le choc, profondément ébranlé. Mais ce qu'il éprouvait n'avait rien de commun avec ce qu'avaient ressenti les premières équipes de secours arrivées sur place pour sécuriser le bâtiment et évacuer les survivants du carnage. Rien de commun non plus avec la détresse des parents qui ont attendu des heures dans le froid devant l'école, saisis d'angoisse, priant pour revoir le visage de leur enfant. Et surtout, ce n'était rien comparé à ceux dont l'attente serait vaine.

Ces images sont pourtant restées marquées au fer rouge dans son esprit. Je voyais dans ses yeux à quel point elles l'avaient brisé, combien ce drame avait entamé sa foi. Il a commencé à me les décrire, mais il s'est vite arrêté, comprenant qu'il valait mieux m'épargner cette épreuve supplémentaire.

Comme moi, Barack aimait les enfants d'un amour sincère et profond. C'était un père attentionné, et plus encore. Il accueillait régulièrement des enfants dans le Bureau ovale pour leur montrer les lieux. Il demandait à prendre des bébés dans les bras. Son visage s'illuminait à chaque fois qu'il allait voir une exposciences dans une école ou une manifestation sportive de jeunes. L'hiver précédent, il s'était fait un petit plaisir en offrant ses services de coach assistant des « Vipères », l'équipe de basket de Sasha.

Le contact avec les enfants lui rendait les choses plus légères. Il n'était que trop conscient des promesses perdues avec la vie de ces vingt enfants.

Rester debout après Newtown a probablement été ce qu'il a eu de plus dur à faire. Quand Malia et Sasha sont rentrées de l'école, ce soir-là, Barack et moi sommes aussitôt allés les retrouver à la résidence et nous les avons serrées très fort dans nos bras, contenant mal notre besoin irrépressible de les toucher. Nous ne savions pas trop comment leur parler de cette fusillade. Partout dans le pays, nous le savions, tous les parents étaient confrontés au même dilemme.

En début de soirée, Barack est descendu dans la salle de presse pour s'exprimer sur le drame, s'efforçant de trouver des mots susceptibles d'apporter un peu de réconfort à la nation. Il essuyait discrètement ses larmes sous les crépitements furieux des flashs, conscient qu'aucune parole ne permettrait d'effacer la douleur. Tout au mieux pouvait-il offrir sa détermination à éviter de nouveaux massacres en faisant voter des lois de bon sens sur les ventes d'armes – ce qui, pensait-il, rencontrerait l'assentiment des citoyens et des législateurs de tout le pays.

Je l'ai regardé s'avancer vers le pupitre. Je n'étais moi-même pas prête à entendre cette allocution. Cela faisait quatre ans que j'étais première dame, et j'avais souvent eu à consoler. J'avais prié avec des gens dont la maison avait été ravagée par une tornade meurtrière à Tuscaloosa, en Alabama, où des quartiers entiers s'étaient effondrés comme un tas d'allumettes en l'espace d'un instant. J'avais pris dans mes bras des hommes, des femmes, des enfants qui avaient perdu un être cher sur le front en Afghanistan, sous les balles d'un extrémiste sur une base militaire du Texas, ou dans une fusillade au coin de leur rue, dans leur propre quartier. Au cours des quatre derniers mois, j'étais allée au-devant de citoyens ordinaires qui avaient survécu à des tueries de masse, dans un cinéma du Colorado et dans un temple sikh du Wisconsin. C'était déchirant, à chaque fois. Dans ces situations, je m'efforçais d'offrir ce qu'il y avait de plus calme et de plus chaleureux en moi, de prêter ma force en me montrant attentionnée et présente, en me faisant discrète en bordure du fleuve de douleur de ces gens. Mais le surlendemain du massacre de Sandy Hook, quand Barack s'est rendu à Newtown pour participer à la veillée de prière en hommage aux victimes, je n'ai pas pu me résoudre à l'accompagner. J'étais tellement ébranlée que je n'en ai pas trouvé la force. J'étais première dame depuis près de quatre ans, et il y avait déjà eu trop de massacres – trop de morts absurdes et évitables, et trop peu d'actions. Je voyais mal comment je pourrais consoler un père ou une mère dont l'enfant de 6 ans avait été abattu dans l'enceinte de son école.

Comme beaucoup de parents, je me suis contentée de m'accrocher à mes enfants, prise en étau entre ma peur et mon amour. Noël approchait et Sasha avait été sélectionnée avec d'autres enfants de la ville pour danser dans le « grand *Casse-noisette* russe » du Ballet de Moscou. Les deux représentations prévues étaient programmées le même jour que la veillée de prière à Newtown. Barack a réussi à se glisser au fond de la salle pour assister à la répétition générale avant de partir pour le Connecticut. Je suis allée à la représentation du soir.

Le ballet était magnifique et féerique, avec son prince dans une forêt au clair de lune et ses armées virevoltantes de friandises animées. Sasha, en justaucorps noir assorti d'oreilles duveteuses et d'une queue, jouait une souris tandis qu'un somptueux traîneau glissait dans des tourbillons de neige et que la musique montait crescendo. Je ne l'ai pas quittée des yeux une seconde. J'étais reconnaissante de tout mon être de l'avoir. Elle était sur scène, les yeux brillants, l'air de ne pas en revenir d'être là, au milieu de ces décors éblouissants et irréels. Elle était encore assez petite pour s'y absorber totalement, évoluant gracieusement dans ce paradis où personne ne parlait, tout le monde dansait, et où une fête était toujours sur le point d'arriver.

Accrochez-vous, car la suite n'est pas forcément plus légère. Ce serait tellement simple si l'Amérique était un pays tout d'un bloc, avec une histoire facile. Si je pouvais raconter le rôle que j'y joue seulement à travers le prisme de l'ordre et de la douceur. Si l'on ne revenait jamais en arrière, et si chaque chagrin collectif pouvait au moins finir par avoir des vertus rédemptrices.

Mais ce n'est pas ça, l'Amérique. Ni moi non plus, d'ailleurs. Je n'essaierai pas de déformer les faits pour les présenter sous un jour idéal.

Le second mandat de Barack serait, à bien des égards, plus facile que le premier. Nous avions tant appris en quatre ans : à nous entourer des bonnes personnes, à construire des systèmes qui, dans l'ensemble, étaient bien huilés et fonctionnaient. Nous en savions maintenant assez pour éviter certaines faiblesses et petites erreurs de nos débuts. J'ai commencé à redresser le tir dès le jour de l'investiture, en janvier 2013, en exigeant que la tribune d'honneur soit entièrement chauffée, cette fois-ci, pour que nos invités puissent assister à la parade sans finir les pieds gelés. Pour économiser nos forces, nous n'avons inauguré que deux bals ce soir-là, contre dix en 2009. Nous avions encore quatre ans à tenir et, si j'avais appris quelque chose, c'était à me détendre et à essayer de me ménager.

À la parade, assise à côté de Barack qui venait de renouveler son serment à la nation, j'ai beaucoup mieux profité que la première fois du spectacle des fanfares et des chars qui défilaient joyeusement en un flot ininterrompu. Depuis ma position privilégiée, à la tribune, je distinguais à peine le visage de tous ces jeunes qui marchaient en formations serrées. Ils étaient plusieurs milliers, chacun avec sa propre histoire. Des milliers d'autres avaient afflué à Washington pour participer aux nombreuses manifestations organisées dans les jours qui avaient précédé l'investiture, et ils étaient encore des dizaines de milliers à être venus en spectateurs.

Plus tard, je me dirais avec regret que j'aurais aimé repérer dans cette foule une personne en particulier : une jeune fille noire à la silhouette élancée, portant un bandeau doré étincelant et un costume de majorette bleu. Elle accompagnait la fanfare du King College Prep, un lycée du South Side de Chicago qui animait plusieurs événements en marge des cérémonies officielles. Je voulais croire que, par miracle, j'aurais pu l'apercevoir dans la multitude qui avait déferlé sur la ville pendant ces journées. Elle s'appelait Hadiya Pendleton. C'était une jeune fille de 15 ans, à l'avenir radieux, qui avait connu sa minute de gloire. Elle était venue de Chicago en bus avec ses camarades de la fanfare. À Chicago, Hadiya vivait chez ses parents avec son petit frère, à trois kilomètres à peine de notre maison de Greenwood Avenue. Élève brillante, elle disait à qui voulait l'entendre qu'elle rêvait d'entrer un jour à Harvard. Elle avait déjà planifié une grande fête d'anniversaire pour ses 16 ans. Elle adorait la cuisine chinoise, les cheeseburgers, et aller manger des glaces avec ses amis.

J'ai appris tout cela des semaines plus tard, à son enterrement. Huit jours après les festivités d'investiture, Hadiya Pendleton a été tuée dans un jardin public de Chicago, tout près de son école. Elle bavardait avec un groupe d'amies sous un abri métallique, près d'un terrain de jeux, en attendant la fin d'une averse. Elles ont été prises pour des membres d'un gang de quartier et arrosées de balles par un garçon de 18 ans appartenant à un gang rival. Hadiya a été abattue d'une balle dans le dos alors qu'elle essayait de prendre la fuite. Deux de ses amies ont été blessées. C'est arrivé un mardi après-midi, à 14 h 20, en plein jour.

J'aurais tellement aimé la voir vivante, ne fût-ce que pour avoir un souvenir à partager avec sa mère, qui comptait maintenant les souvenirs de sa fille comme autant de trésors à recueillir et auxquels se raccrocher.

Je suis allée aux obsèques de Hadiya parce que c'était pour moi une évidence. J'étais restée en retrait quand Barack s'était rendu au service religieux de Newtown, mais je devais maintenant me manifester. J'espérais que ma présence orienterait les projecteurs sur les innombrables enfants innocents qui, chaque jour ou presque, étaient assassinés dans les rues de nos villes. Et que, avec l'onde de choc de l'horreur de Newtown, cela réveillerait les consciences et pousserait les Américains à exiger des lois de bon sens sur le contrôle des armes à feu. Hadiya Pendleton venait d'une famille ouvrière très unie du South Side, qui ressemblait beaucoup à la mienne. En d'autres termes, j'aurais pu la connaître. J'aurais même pu être elle, autrefois. Si elle était rentrée de l'école par un autre itinéraire ce jour-là, si elle avait dévié sa course de quinze centimètres sur la gauche ou sur la droite quand la fusillade a éclaté, elle aurait pu devenir moi.

« J'ai fait tout ce que je pouvais », m'a dit sa mère quelques instants avant le début de la cérémonie, ses yeux bruns emplis de larmes. Cleopatra Cowley-Pendleton était une femme chaleureuse à la voix douce et aux cheveux coupés très court, qui travaillait au service clientèle d'une agence de notation. Le jour des funérailles de sa fille, elle avait épinglé une énorme fleur rose à son corsage. Avec son mari, Nathaniel, ils avaient veillé de très près sur Hadiya, l'encourageant à entrer au King College Prep, un lycée public très bien coté, et multipliant les activités – elle était inscrite au club de volley, au club des majorettes et dans la troupe de danse de l'église – pour qu'elle n'ait pas le temps de traîner dans la rue. Comme l'avaient fait mes parents pour moi, ils avaient consenti nombre de sacrifices pour lui ouvrir des horizons plus vastes que le South Side. Elle devait partir en tournée en Europe avec la fanfare, au printemps suivant, et elle était rentrée enchantée de son séjour à Washington.

« C'est tellement propre, là-bas, maman, avait-elle dit à Cleopatra en rentrant. Je crois que je vais me lancer dans la politique. »

Elle n'en a pas eu l'occasion. Hadiya Pendleton a été l'une des trois personnes tuées par balle dans trois épisodes différents de violence armée survenus à Chicago ce jour de janvier. Elle a été la trente-sixième personne tuée dans un épisode de violence armée à Chicago cette année-là, et l'année n'avait commencé que vingt-neuf jours plus tôt. Il va sans dire que presque toutes ces victimes étaient des Noirs. Malgré tous ses espoirs et tous ses efforts, Hadiya était devenue un contre-symbole.

Une foule est venue lui rendre un ultime hommage – une autre communauté brisée, entassée dans une église, confrontée à l'insupportable spectacle d'une adolescente dans un cercueil tapissé de soie violette. Cleopatra s'est levée et a parlé de sa fille. Les amies de Hadiya se sont levées pour raconter des anecdotes à son sujet, chacune ponctuée par des frémissements d'indignation et d'impuissance partagées. C'étaient des enfants qui demandaient *pourquoi ?*, mais aussi *pourquoi aussi souvent ?* Il y avait ce jour-là des personnalités en vue dans l'assistance – non seulement moi, mais aussi le gouverneur de la ville, le gouverneur de l'Illinois, le révérend Jesse Jackson, Valerie Jarrett, et d'autres. Serrés sur nos bancs, nous ne pouvions que nous laisser submerger par notre chagrin et notre culpabilité, tandis que le chœur chantait avec tant de force que le sol de l'église tremblait.

J E TENAIS À ÊTRE PLUS qu'une simple consolatrice. J'avais entendu au cours de ma vie des personnalités notoires prononcer tant de paroles creuses, faire tant de grandes déclarations en temps de crise, mais aucun acte concret ne suivait. J'étais déterminée à dire la vérité, toute la vérité, à utiliser ma voix pour faire entendre les sans-voix lorsque je le pourrais, et à ne pas abandonner ceux qui étaient dans la détresse. Mes apparitions avaient certes toujours quelque chose de spectaculaire, vues de l'extérieur – une trombe soudaine, déchaînée par le cortège, les agents, les assistants et les médias, et moi au centre de toute cette agitation. À peine arrivés, nous repartions déjà. Je n'aimais pas ces passages en coup de vent qui limitaient mes échanges, faisaient parfois bégayer les gens en ma présence, ou les rendaient silencieux parce qu'ils ne savaient plus trop comment rester eux-mêmes. C'est pour cela que j'allais souvent vers eux pour les prendre dans mes bras afin de ralentir le temps, d'abolir la distance, de rappeler que nous étions tous des êtres de chair.

Je m'efforçais d'établir un rapport direct avec les gens que je rencontrais, surtout ceux qui n'avaient pas habituellement accès à la sphère que j'occupais maintenant. Je voulais les sortir de l'ombre et les placer dans le faisceau de lumière qui m'éclairait. J'ai invité les parents de Hadiya Pendleton à prendre place à mes côtés pour le discours de Barack sur l'état de l'Union, quelques jours après les obsèques, et nous avons ensuite accueilli sa famille à la Maison-Blanche pour la chasse aux œufs de Pâques. Cleopatra, qui s'est faite une ardente porte-parole de la prévention des violences, est revenue deux fois participer à des groupes de réflexion sur ce thème. J'ai mis un point d'honneur à écrire aux jeunes filles de l'école Elizabeth Garrett Anderson de Londres, qui m'avaient tant émue, pour les encourager à garder espoir et à continuer de travailler, bien qu'elles ne soient pas dans une situation privilégiée. En 2011, j'avais emmené un groupe de trente-sept filles de l'école visiter l'université d'Oxford – non les élèves les plus brillantes, mais celles dont les professeurs pensaient qu'elles n'avaient pas encore révélé tout leur potentiel. Il s'agissait de leur faire entrevoir ce qui était possible, de leur montrer où de bons résultats pouvaient les mener. En 2012, dans le cadre d'une visite d'État du Premier Ministre britannique, j'ai accueilli d'autres élèves de cette école à la Maison-Blanche. Il me paraissait important de ne laisser passer aucune occasion de tendre la main aux jeunes, afin qu'ils sentent bien que tout cela était à leur portée.

Mes tout premiers succès étaient, je le savais, le fruit de l'amour inconditionnel et des attentes élevées dont j'ai été entourée dans mon enfance, à la maison comme à l'école. C'est cette prise de conscience qui a guidé le programme de mentorat que j'ai mis en place à la Maison-Blanche, et elle était au cœur d'un nouveau projet d'éducation que mon équipe et moi nous apprêtions à lancer sous le slogan de « Reach Higher » (« Viser plus haut »). Je voulais inciter les jeunes à tout faire pour entrer à l'université et, une fois qu'ils auraient décroché leur sésame, à poursuivre leurs études jusqu'au bout. Dans les années à venir, il serait de plus en plus indispensable d'avoir un diplôme pour se faire une place sur un marché du travail mondialisé. « Reach Higher » se proposait d'aider les jeunes dans leur parcours, de mieux soutenir les conseillers d'orientation et de faciliter l'accès aux aides financières fédérales.

J'ai eu la chance d'avoir des parents et des mentors qui m'ont toujours appuyée par un message simple : *Tu es importante.* Adulte, j'ai voulu transmettre ce message à une nouvelle génération, comme je l'ai transmis à mes propres filles qui, dans leur milieu privilégié, ont eu la chance de l'entendre chaque jour à l'école. J'étais bien décidée à le décliner sous toutes ses variantes pour chaque jeune dont je croiserais la route. Je voulais être le contraire de ma conseillère d'orientation qui, au lycée, m'avait expliqué que je n'avais pas le profil pour entrer à Princeton.

« Nous sommes tous persuadés que vous avez votre place ici », ai-je déclaré aux élèves de l'école Elizabeth Garrett Anderson lorsque, un peu intimidées, elles ont pris place autour des tables du vénérable réfectoire gothique d'Oxford, entourées des professeurs et étudiants qui les prendraient sous leur aile l'espace de cette journée. Je répétais la même chose à tous les enfants que nous recevions à la Maison-Blanche – des adolescents de la réserve sioux de Standing Rock, des écoliers de Washington réunis autour du potager, des lycéens venus participer à nos journées d'orientation ou à nos ateliers de mode, de musique et de poésie ; et même à des enfants que je n'avais eu le temps que de serrer dans mes bras rapidement dans un bain de foule. Le message était toujours le même : *Vous avez votre place. Vous êtes importants. J'ai une grande estime pour vous.*

Un économiste d'une université britannique publierait par la suite un rapport sur l'évolution des résultats scolaires des élèves d'Elizabeth Garrett Anderson, soulignant que leurs performances s'étaient sensiblement améliorées depuis que j'avais établi des relations suivies avec elles – passant de notes tout juste moyennes à un niveau d'excellence. Tout le mérite revenait à ces jeunes filles, à leurs professeurs et au travail quotidien qu'ils faisaient ensemble, mais ces résultats ont aussi confirmé l'idée que les jeunes s'investissent plus s'ils ont le sentiment qu'on s'investit pour eux. Je savais que je pouvais peser sur le destin de ces enfants en leur manifestant l'intérêt que je leur portais.

DEUX MOIS APRÈS L'ENTERREMENT de Hadiya Pendleton, je suis retournée à Chicago. J'ai demandé à Tina, ma chef de cabinet, et à une avocate qui avait vécu des années dans cette ville, de mettre toute leur énergie à rallier des soutiens pour la prévention des violences dans les quartiers. Tina était une conseillère politique au grand cœur et au rire communicatif, animée de plus d'entrain que quiconque. Elle savait quelles ficelles tirer à l'intérieur comme à l'extérieur du gouvernement pour donner à l'initiative le retentissement que je souhaitais. Outre son expérience, elle avait une telle force de caractère qu'elle saurait se faire entendre, notamment dans des cercles de pouvoir dominés par des hommes, où elle se retrouvait souvent. Tout au long du second mandat de Barack, elle bataillerait avec le Pentagone et les gouverneurs de plusieurs États pour lever les obstacles bureaucratiques et permettre aux anciens combattants et à leurs conjoints de construire plus efficacement leur carrière. Elle a également contribué à mettre en place une gigantesque initiative interministérielle en faveur de l'éducation des filles dans le monde.

À la suite de la mort de Hadiya, Tina avait mobilisé ses contacts locaux, engageant des chefs d'entreprise et des philanthropes à créer un partenariat avec le maire de Chicago, Rahm Emanuel, pour développer des programmes communautaires à destination des jeunes précaires dans tous les quartiers de la ville. En l'espace de quelques semaines, elle a réussi à récolter 33 millions de dollars de promesses de dons. Par une fraîche journée d'avril, Tina et moi nous sommes envolées pour Chicago afin d'assister à une réunion de leaders communautaires sur le thème de l'autonomisation des jeunes, et de rencontrer un nouveau groupe d'adolescents.

Quelques mois plus tôt, l'émission de radio publique « This American Life » avait consacré un épisode de deux heures à raconter le quotidien d'élèves et d'enseignants du lycée William R. Harper d'Englewood, un quartier du South Side. Au cours de l'année précédente, vingt-neuf élèves de l'établissement avaient été pris dans des fusillades, et huit avaient été tués. Ces chiffres nous paraissaient sidérants, à mon équipe et à moi, mais ils reflétaient pourtant bien la triste réalité : dans toutes les villes du pays, les écoles étaient confrontées à une épidémie de violences par armes à feu. Lors de nos débats sur l'autonomisation de la jeunesse, il me paraissait important de me mettre en retrait et d'écouter ce que les jeunes eux-mêmes avaient à en dire.

Quand j'avais leur âge, Englewood était un quartier difficile, mais certainement pas aussi dangereux qu'il l'était à présent. Au cours de mes années de collège, j'allais chaque semaine suivre des travaux pratiques de biologie dans un institut universitaire d'Englewood. Ce matin-là, en traversant avec mon cortège des quartiers de pavillons abandonnés et de magasins fermés, en voyant défiler derrière la vitre des lotissements vides et des immeubles brûlés, j'ai eu l'impression que les seuls commerces qui continuaient à tourner étaient les magasins d'alcool.

Je repensais à mon enfance et à mon quartier, et à ce mot de « ghetto » qui claquait comme une menace. Sa simple évocation poussait les familles de la classe moyenne à déserter les quartiers pour les banlieues résidentielles plus calmes, avant que la valeur de leur bien immobilier ne fonde comme neige au soleil. Un « ghetto » désignait un endroit peuplé de Noirs où l'espoir n'avait pas sa place. C'était une étiquette qui annonçait l'échec et hâtait son arrivée. Il suffisait à faire baisser définitivement le rideau à l'épicerie du coin et à la station-service du quartier, à ruiner la réputation des établissements scolaires et à saper les efforts des éducateurs qui essayaient d'instiller un sentiment de dignité aux enfants du quartier. C'était un mot que personne n'avait envie d'entendre, mais qui pouvait s'abattre en un rien de temps sur une communauté.

Le lycée Harper était au cœur de West Englewood. C'était un grand bâtiment de brique beige, composé de plusieurs ailes. J'ai d'abord rencontré la directrice, Leonetta Sanders, une Afro-Américaine dynamique qui dirigeait le lycée depuis six ans, et les deux assistantes sociales qui s'investissaient entièrement dans le suivi des 510 élèves de l'établissement, issus pour la plupart de familles défavorisées. L'une des assistantes sociales, Crystal Smith, parcourait souvent les couloirs pendant les interclasses, encourageant les élèves par des paroles constructives, leur disant combien elle avait d'estime pour eux, distribuant les compliments : « Je suis tellement fière de toi ! », « Je vois que tu fais des efforts ! » Et, pour tous les bons choix qu'elle ne doutait pas que feraient ses protégés, elle s'exclamait : « Je te fais déjà confiance ! »

J'ai ensuite rejoint à la bibliothèque un groupe de 22 élèves de première et de terminale, tous afro-américains, installés en cercle sur des chaises et des canapés, vêtus de pantalons beiges et de chemises à col. La plupart d'entre eux avaient très envie de s'exprimer. Ils racontaient qu'ils vivaient chaque jour, chaque heure, dans la peur des gangs et de la violence. Quelques-uns ont expliqué qu'ils avaient des parents absents ou drogués ; deux avaient fait un séjour dans des centres de détention pour jeunes délinquants. Un garçon nommé Thomas avait vu une amie proche – une jeune fille de 16 ans – tomber sous les balles d'un tireur l'été précédent. Il était là aussi, ce même jour, quand son grand frère, resté paraplégique à la suite d'une blessure par balle, a de nouveau été blessé alors qu'il était assis dehors dans son fauteuil roulant. Pratiquement tous les jeunes présents ce jour-là avaient perdu quelqu'un – un ami, un proche, un voisin –, tué par arme à feu. Et très rares étaient ceux qui s'étaient rendus au centre-ville de Chicago pour voir le lac Michigan ou se promener sur la grande jetée du Navy Pier.

À un certain moment, l'une des assistantes sociales est intervenue et s'est écriée : « 26 °C au thermomètre et il fait soleil ! » Dans le cercle, les jeunes ont hoché tristement la tête. Je ne comprenais pas bien leur réaction. Elle s'est tournée vers moi : « Dites-moi, madame Obama, à quoi pensez-vous quand vous vous levez le matin et que vous entendez la météo annoncer 26 °C et un beau soleil ? »

Elle connaissait très bien la réponse, mais voulait me l'entendre dire.

Pour les élèves que j'avais en face de moi, un jour comme ça n'annonçait rien de bon. Quand il faisait beau, les gangs étaient plus actifs et les fusillades redoublaient.

Ces jeunes s'étaient adaptés à la logique absurde dictée par leur environnement. Ils restaient bien calfeutrés chez eux quand il faisait beau, modifiaient chaque jour leur itinéraire entre l'école et la maison, en fonction des gangs, dont les territoires et les allégeances variaient d'un jour à l'autre. Parfois, m'ont-ils expliqué, le plus sûr moyen de rentrer chez eux était de marcher au milieu de la rue, entre les voitures qui fonçaient de chaque côté. De là, ils voyaient mieux les bagarres qui dégénéraient, repéraient les éventuels tireurs – et ils avaient plus de temps pour s'enfuir en courant.

L'Amérique n'est pas un endroit simple. Ses contrastes m'apparaissaient vertigineux. J'avais été invitée à des collectes de fonds démocrates dans d'immenses duplex de Manhattan, où j'avais siroté un verre de vin en compagnie de femmes riches qui affirmaient se passionner pour l'éducation et tout ce qui touchait à l'enfance, puis se penchaient vers moi pour me souffler à l'oreille sur le ton de la confidence que leurs maris, courtiers à Wall Street, ne voteraient jamais pour quiconque songerait à augmenter leurs impôts.

Et je me trouvais à présent à Harper, écoutant des enfants me parler de leurs stratégies de survie. J'admirais leur résilience, mais j'aurais tellement préféré qu'il n'aient pas à en faire autant pour rester en vie.

Un garçon m'a regardée droit dans les yeux. « Bon, c'est gentil d'être venue, et tout ça, a-t-il commencé dans un haussement d'épaules. Mais, concrètement, qu'est-ce que vous comptez faire pour régler ça ? »

Pour eux, je représentais Washington, le centre du pouvoir, tout autant que le South Side. Mais, pour ce qui était de Washington, je leur devais la vérité.

« Très sincèrement, je sais que ce que vous vivez ici n'est pas facile, mais ce n'est pas demain que quelqu'un va vous tirer de là. À Washington, la plupart des gens n'essaient même pas de faire bouger les choses. Et beaucoup ne savent pas que vous existez. » J'expliquais à ces jeunes que les progrès se faisaient lentement, qu'ils ne pouvaient pas se permettre d'attendre bras croisés que le changement leur tombe dessus. Beaucoup d'Américains ne voulaient pas payer plus d'impôts, et le Congrès était incapable de voter un budget, et plus encore de s'élever au-dessus des petites querelles partisanes. Ce n'était donc pas demain la veille que l'on investirait des milliards de dollars dans l'éducation ou que l'on résoudrait les problèmes de leur communauté d'un coup de baguette magique. Même après la tragédie de Newtown, le Congrès semblait déterminé à bloquer toute mesure susceptible d'empêcher les armes à feu de tomber dans de mauvaises mains. Les législateurs s'employaient davantage à s'attirer les bonnes grâces de la National Rifle Association, le lobby des armes à feu qui finançait leurs campagnes, qu'à protéger les enfants de ce pays. La politique était une sacrée pagaille. Sur ce front, je n'avais rien de très encourageant ou d'exaltant à leur annoncer.

Puis j'ai enchaîné sur un autre argument, inspiré de ce que j'avais vécu comme enfant du South Side. Je n'avais qu'un conseil à leur donner : *Servez-vous de l'école.*

Ces gamins venaient de passer une heure à me raconter des histoires tragiques et troublantes, mais je leur ai aussi rappelé que ces mêmes histoires révélaient leur ténacité, leur débrouillardise, leur capacité à triompher. Je leur ai assuré qu'ils avaient déjà toutes les qualités requises pour réussir. Ils étudiaient dans une école qui leur offrait une éducation gratuite, et il y avait dans cette école tout un

tas d'adultes engagés qui étaient convaincus qu'ils étaient importants. Environ six semaines plus tard, grâce à des dons d'hommes
d'affaires de Chicago, un groupe de lycéens de Harper est venu
à la Maison-Blanche nous rencontrer personnellement, Barack et
moi, et passer un moment à l'université Howard, pour découvrir un
peu le monde des études supérieures. J'espérais qu'ils arriveraient
à s'y projeter.

Je ne prétendrais jamais que les paroles ou les embrassades d'une
première dame peuvent à elles seules faire basculer le destin d'un
individu, ou qu'il y a un chemin de roses pour des élèves essayant
de gérer tout ce que vivaient ces gamins de Harper. Ça n'est pas
aussi simple. Et, bien sûr, tous ceux qui étaient présents dans cette
bibliothèque ce jour-là le savaient. Mais j'étais là pour tordre le
cou à ce vieux discours accablant sur la fatalité qui pèse sur les
enfants noirs des quartiers en Amérique, à ce discours déterministe
qui ne fait que précipiter l'échec. Si je pouvais montrer à ces jeunes
leurs forces et leur ouvrir une petite fenêtre sur l'avenir, alors je ne
manquerais pas une occasion de le faire. C'était ma modeste façon
de faire bouger les lignes.

24

Au printemps 2015, Malia nous a annoncé qu'elle était invitée au bal de promotion par un garçon qui lui plaisait bien. Elle avait 16 ans et terminait sa première à Sidwell. Pour nous, elle était encore notre petite fille, avec ses jambes interminables et son enthousiasme de toujours, mais force était de constater que, jour après jour, elle devenait un peu plus adulte. Elle était presque aussi grande que moi et commençait à songer à s'inscrire à l'université. Elle était bonne élève, curieuse, bien dans sa peau, et aussi perfectionniste que son père. Elle se passionnait pour le cinéma et la réalisation. L'été précédent, elle avait de sa propre initiative approché Steven Spielberg lors d'une soirée à la Maison-Blanche, et l'avait bombardé de tant de questions qu'il lui avait proposé un stage sur le plateau d'une série télé qu'il produisait. Notre fille était en train de trouver sa voie.

Normalement, pour des raisons de sécurité, Sasha et Malia n'avaient pas le droit de monter dans une voiture particulière. Malia avait un permis de conduire provisoire et pouvait prendre le volant toute seule en ville – avec, bien entendu, des agents qui la suivaient dans leur véhicule. Elle vivait à Washington depuis l'âge de 10 ans, mais pas une fois elle n'avait pu prendre le bus ou le métro, ou se faire conduire par quelqu'un d'autre que des membres du Secret Service. Pour la soirée de promo, nous ferions une exception.

Le soir du bal, son copain a franchi dans sa voiture la sécurité à la grille sud-est de la Maison-Blanche et a remonté l'allée contournant la pelouse sud, par laquelle arrivaient normalement les chefs d'État et autres dignitaires étrangers. Puis il s'est courageusement présenté dans le salon des Diplomates, vêtu d'un costume noir.

« Bon, soyez cool, d'accord ? » nous avait implorés Malia dans l'ascenseur, rougissant déjà d'embarras. J'étais pieds nus, et Barack en tongs. Malia portait une longue jupe noire et un élégant corsage qui lui découvrait les épaules. Elle était superbe et on lui aurait donné un peu plus de 20 ans.

D'après moi, nous avons été parfaitement « cool ». Mais Malia en rit encore, car elle garde de ce moment un souvenir plutôt pénible. Barack et moi avons serré la main du jeune homme, pris quelques photos d'usage, et embrassé notre fille avant de les regarder partir tous les deux. Un peu égoïstement, nous nous rassurions en nous disant que son groupe de sécurité serait collé au pare-chocs de la voiture du garçon jusqu'au restaurant où ils allaient dîner avant le bal, et continuerait à exercer sa discrète surveillance toute la nuit.

Du point de vue d'un parent, ce n'était pas une mauvaise façon d'élever des adolescents – savoir que des adultes vigilants les suivaient à la trace et que, en cas de besoin, ils les sortiraient d'un mauvais pas. Pour une adolescente, en revanche, c'était évidemment la loose absolue. Comme pour bien des aspects de la vie à la Maison-Blanche, c'était à nous de savoir adapter ces contraintes à notre famille – où et comment poser des limites, comment concilier les exigences de la présidence avec les besoins de deux enfants qui apprenaient à mûrir toutes seules.

Lorsque les filles sont entrées au lycée, nous leur avons donné pour leurs sorties la permission de 23 heures – que nous avons étendue ensuite à minuit – et, d'après elles, nous étions bien plus intransigeants sur ces horaires que les parents de beaucoup de leurs amis. Si je m'inquiétais pour leur sécurité ou si je voulais savoir où elles étaient, il me suffisait de passer un coup de fil à leurs gardes du corps, mais j'évitais de le faire. Il me paraissait important qu'elles fassent confiance à leur équipe de sécurité. Comme beaucoup de parents, je les suivais discrètement par l'intermédiaire d'un réseau de parents, où chacun partageait ce qu'il savait de la destination du petit groupe d'ados, en nous assurant qu'il y aurait un adulte pour les surveiller. Sasha et Malia portaient une bien plus lourde responsabilité que leurs camarades car, étant les filles du président, elles savaient que tout dérapage serait étalé dès le lendemain à la une des tabloïds. Barack et moi avions bien conscience que c'était injuste. Nous avions tous les deux testé les limites et fait des bêtises, et nous avions eu la chance de vivre notre adolescence sans le poids des regards de tout un pays.

Malia avait 8 ans le soir où, à Chicago, son père, assis sur le rebord de son lit, lui avait demandé si elle voyait un inconvénient à ce qu'il se présente à la présidence. Je pense maintenant à tout ce qu'elle ne pouvait pas savoir, à ce qu'aucun d'entre nous n'aurait pu imaginer. Être un enfant à la Maison-Blanche était une chose. Essayer d'en sortir adulte en était une autre. Comment Malia aurait-elle pu deviner qu'elle serait suivie un jour à son bal de promo par des gardes armés ? Ou qu'on la prendrait en photo au moment où elle tirerait sur une cigarette, et que ce cliché circulerait sur tous les sites de potins ?

Nos enfants grandissaient à une époque qui ne ressemblait à aucune autre. Apple avait commercialisé son iPhone en 2007, quatre mois après que Barack s'était lancé dans la course à la Maison-Blanche. En moins de trois mois, il s'en était vendu un million. Il s'en vendrait un milliard avant la fin de son second mandat. La présidence de Barack inaugurait une ère nouvelle, qui bouleversait et défaisait toutes les normes admises du respect de la vie privée – une ère dominée par les selfies, le piratage des données, Snapchat et les Kardashian. Nos filles étaient plus exposées à ce monde nouveau que nous, à la fois parce que les réseaux sociaux régissaient la vie des adolescents, et parce que, dans leur quotidien, elles étaient plus proches que nous du public. Quand Malia et Sasha se promenaient dans Washington après l'école ou le week-end, elles apercevaient des inconnus qui braquaient leurs téléphones sur elles, ou se faisaient aborder par des hommes et des femmes adultes qui leur demandaient – ou exigeaient – de prendre un selfie avec eux. Malia les remettait parfois à leur place : « Vous savez que je suis une enfant, non ? »

Barack et moi faisions tout notre possible pour protéger nos filles de la surexposition médiatique, refusant les sollicitations des journalistes et veillant à organiser leurs activités quotidiennes à l'abri des regards inquisiteurs. Lorsque leurs gardes du corps les suivaient dans des lieux publics, ils essayaient de se fondre un peu mieux dans la masse des adolescents, troquant leur éternel costume noir contre un bermuda et un tee-shirt, ainsi que leur oreillette et leur bracelet-micro contre des écouteurs-boutons. Le service de presse de la Maison-Blanche a clairement annoncé aux médias que nous étions fermement opposés à la publication de photos de nos enfants dans tout autre cadre que les manifestations publiques. Melissa et d'autres dans mon équipe veillaient au grain et, dès qu'une photo des filles filtrait sur un site people, elles décrochaient leur téléphone pour exiger le retrait immédiat du cliché.

Préserver la vie privée des filles nous obligeait à trouver d'autres moyens de satisfaire la curiosité de l'opinion sur notre famille. Au début du second mandat de Barack, nous avions accueilli un nouveau compagnon, la chienne Sunny, une vagabonde joueuse qui ne semblait pas éprouver le besoin d'apprendre la propreté, tant elle avait d'espace dans sa nouvelle maison. Les chiens apportaient une note de légèreté permanente. Ils étaient la preuve turbulente et joyeuse que la Maison-Blanche était un vrai lieu de vie. Sachant que nous avions mis l'embargo sur Malia et Sasha, le service de communication de la Maison-Blanche s'est rabattu sur les chiens pour les photos officielles. Le soir, je trouvais dans mon classeur de briefing des notes de service qui me demandaient d'approuver une « apparition de Bo et Sunny », d'autoriser les chiens à se mêler aux journalistes ou aux enfants en visite tel ou tel jour. On déployait ainsi les chiens pour des points-presse sur l'importance du commerce ou des exportations américaines, et, plus tard, pour entendre Barack soutenir la candidature du juge Merrick Garland à la Cour suprême. Bo a joué dans une vidéo de lancement de la chasse aux œufs de Pâques. Sunny et lui ont posé avec moi devant les objectifs pour une campagne en ligne encourageant les citoyens à contracter une assurance santé. C'étaient d'excellents ambassadeurs, imperméables aux critiques et insensibles à leur propre célébrité.

COMME TOUS LES ENFANTS, Malia et Sasha, en grandissant, se sont lassées de certaines choses. Depuis que leur père occupait le Bureau ovale, elles le rejoignaient chaque automne devant la presse, lorsqu'il devait accomplir le rituel le plus ridicule de sa fonction – gracier une dinde avant les fêtes de Thanksgiving.

Pendant les cinq premières années, elles souriaient et riaient encore aux blagues faciles de leur père. Mais la sixième année, à 13 et 16 ans, elles étaient déjà trop grandes pour faire semblant de trouver ça drôle. Quelques heures après la cérémonie, des clichés des deux filles l'air maussade faisaient le tour de la Toile : Sasha renfrognée et Malia bras croisés, aux côtés du président, de son lutrin et de l'heureuse dinde, tout à son insouciance. Un gros titre d'*USA Today* résumait assez bien leur état d'esprit : « Le coup de la dinde n'amuse plus Malia et Sasha Obama. »

Nous les avons dispensées de la cérémonie de Thanksgiving et de pratiquement tous les autres événements officiels de la Maison-Blanche. Nous avions deux adolescentes heureuses, bien dans leur peau, qui, au travers de leurs centres d'intérêt et de leur vie sociale, s'affranchissaient de leurs parents. En tant que parent, on ne contrôle de toute façon que jusqu'à un certain point. Nos enfants avaient leurs propres activités, et les nôtres, si amusantes soient-elles, ne les intéressaient pas forcément.

« Tu ne veux pas descendre écouter Paul McCartney avec nous, ce soir ?

– Oh, m'man, non, pitié ! »

Malia mettait souvent la musique à fond dans sa chambre. Sasha et ses copines s'étaient prises de passion pour les émissions culinaires à la télé, et elles prenaient parfois possession de la cuisine de la résidence pour glacer des biscuits ou se préparer de vrais repas gastronomiques. Nos deux filles savouraient leur relatif anonymat pendant les sorties scolaires ou les vacances chez des amis (traînant toujours derrière elles leurs agents de sécurité). Sasha adorait aller acheter toute seule ses snacks quand nous prenions un vol commercial à l'aéroport de Washington-Dulles, heureuse d'échapper au grand cirque présidentiel de la base aérienne d'Andrews, qui était devenu notre ordinaire familial.

Voyager avec nous avait, malgré tout, ses avantages. Au cours des deux mandats de leur père, nos filles ont eu le privilège d'assister à un match de base-ball à La Havane, de se promener sur la Grande Muraille de Chine et de monter au pied de la statue du Christ Rédempteur à Rio de Janeiro, un soir où une brume magique enveloppait le mont Corcovado. Mais cela pouvait aussi être très pénible, notamment lorsque nous avions des déplacements privés à faire. Quand Malia est entrée en première, par exemple, je suis allée passer une journée à New York avec elle pour lui faire visiter l'université de New York et l'université Columbia. Au début, tout s'est bien déroulé. Nous avons traversé le campus de NYU au pas de course, avec d'autant plus de facilité qu'il était tôt et que la plupart des étudiants n'étaient pas encore levés. Nous avons inspecté les salles de cours et les amphithéâtres, passé la tête par la porte d'une chambre de la résidence universitaire, et bavardé avec un doyen avant d'aller déjeuner en ville et d'entamer la visite suivante.

Évidemment, un cortège de première dame passe difficilement inaperçu, plus encore sur l'île de Manhattan en plein jour de semaine. Nous n'avions pas fini de déjeuner qu'une centaine de personnes s'étaient massées sur le trottoir, devant le restaurant, leur attroupement attirant toujours plus de monde. En sortant, nous avons été littéralement assaillies par des dizaines de smartphones pointés sur nous, sous des acclamations frénétiques. « Malia, viens à Columbia ! » criaient des étudiants. Cette attention était bienveillante, mais n'aidait pas à mettre en confiance une jeune fille qui essayait tranquillement d'imaginer son avenir.

J'ai aussitôt compris ce que je devais faire : me mettre en avant pour faire diversion et laisser Malia aller seule à Columbia avec mon assistante personnelle, Kristin Jones. Sans moi, elle risquait moins d'être reconnue. Elle circulerait plus vite avec une escorte réduite. Elle passerait peut-être même aussi inaperçue que n'importe quelle adolescente se baladant sur le campus. Je devais au moins la laisser tenter sa chance.

Kristin, une Californienne d'une vingtaine d'années, était comme une grande sœur pour mes filles. Elle avait commencé dans mes services comme jeune stagiaire et, avec Kristen Jarvis, qui jusqu'à récemment était ma responsable des voyages, c'était un rouage essentiel de notre vie de famille, comblant ces étranges lacunes dues à nos emplois du temps surchargés et aux inconvénients liés à notre notoriété. « Les Kristin », comme nous les appelions, nous représentaient souvent. Elles assuraient la liaison entre nous et Sidwell, allaient rencontrer et discuter avec les professeurs, les coaches et les autres parents quand ni Barack ni moi n'étions disponibles. Elles adoraient les filles, les couvaient affectueusement, et étaient bien plus branchées que je ne le serais jamais aux yeux de mes enfants. Malia et Sasha leur faisaient naturellement confiance, leur demandant conseil sur tout et n'importe quoi, depuis les choix vestimentaires jusqu'aux réseaux sociaux, en passant par les garçons qui commençaient à leur tourner autour.

Pendant que Malia s'imprégnait de l'ambiance de Columbia, le Secret Service m'a escortée vers une zone sécurisée sur le campus – qui s'est révélée être une pièce aveugle au sous-sol d'un bâtiment universitaire –, où je suis restée cachée toute seule en attendant qu'il soit temps de repartir, regrettant de ne même pas avoir apporté un livre. J'avoue que j'étais un peu vexée de me retrouver enfermée entre ces quatre murs. J'éprouvais une sorte de solitude qui avait sans doute moins à voir avec mon confinement forcé qu'avec l'idée que bientôt, que je le veuille ou non, notre premier bébé allait devenir une adulte et s'en aller.

Nous n'avions pas encore bouclé nos huit ans à la Maison-Blanche, mais je commençais déjà à faire le bilan. Je faisais le compte de ce que nous avions gagné et de ce que nous avions perdu, de ce qui avait été sacrifié et de ce que nous pouvions considérer comme des progrès – pour notre pays, pour notre famille. Avions-nous fait tout ce que nous pouvions ? Sortirions-nous indemnes de cette aventure ?

Je me retournais sur mon passé et cherchais à comprendre comment mon existence avait dévié du cours prévisible, parfaitement bordé que j'avais imaginé – un salaire régulier, une maison pour la vie, des journées bien réglées. À quel moment avais-je choisi de m'écarter de ce modèle ? À quel moment avais-je laissé place à la part d'imprévu, au chaos ? Était-ce ce soir d'été où, abaissant mon cône de glace, je me suis penchée pour embrasser Barack pour la première fois ? Était-ce le jour où j'avais enfin tourné le dos à mes piles de dossiers bien rangés et à mon avenir d'associée dans un cabinet d'avocat, convaincue que je trouverais ailleurs un métier plus épanouissant ?

Mes pensées me ramenaient parfois dans le sous-sol de l'église de Roseland, au fin fond du South Side de Chicago, où, vingt-cinq ans plus tôt, j'avais accompagné Barack qui devait parler devant des habitants d'un quartier luttant contre le désespoir et l'indifférence. En écoutant ces gens s'exprimer, ce soir-là, j'avais entendu un refrain familier formulé différemment. Je savais qu'il était possible de vivre sur deux plans à la fois – d'avoir les pieds sur terre, mais le regard tourné vers le progrès et l'avenir. C'était ce que j'avais fait, enfant, sur Euclid Avenue ; ce que ma famille, et plus généralement les laissés-pour-compte, ont toujours fait. C'était en se construisant soi-même cette réalité meilleure – ne fût-ce, dans un premier temps, que mentalement – que l'on arrivait à quelque chose. Ou, comme l'avait dit Barack ce soir-là, on peut vivre dans le monde tel qu'il est, mais cela n'empêche pas de tout faire pour créer le monde tel qu'il devrait être.

Je ne connaissais alors ce garçon que depuis deux mois, mais, avec le recul, je me rends compte que c'est là que mon destin a basculé. À cet instant, sans un mot, j'avais signé pour passer toute ma vie à ses côtés.

Et, après toutes ces années, j'étais reconnaissante des progrès que je constatais. En 2015, je continuais de me rendre régulièrement à l'hôpital Walter Reed, mais, à chaque visite, il semblait y avoir de moins en moins de soldats blessés à réconforter. Les États-Unis avaient tout simplement moins de troupes sur des théâtres d'opérations dangereux à l'étranger, moins de blessures à soigner, moins de mères au cœur brisé. Pour moi, le progrès, c'était ça.

Le progrès, c'étaient les rapports du Centre de contrôle des maladies faisant état d'une chute des taux d'obésité infantile, notamment chez les enfants de 2 à 5 ans. C'étaient les 2 000 lycéens de Detroit venus m'aider à promouvoir le « College Signing Day », un jour férié que nous avions réussi à imposer dans le cadre de notre programme « Reach Higher » pour inciter les jeunes à s'inscrire dans une université. Le progrès, c'était l'arrêt de la Cour suprême qui rejetait un recours intenté contre un volet essentiel de la nouvelle loi sur l'assurance-maladie, décision grâce à laquelle l'initiative phare de politique intérieure de Barack – la garantie pour chaque Américain de bénéficier d'une couverture santé – garderait sa substance et resterait intacte quand il quitterait ses fonctions. Le progrès, c'était une économie qui, au début du premier mandat de Barack, perdait 800 000 emplois par jour, et qui, depuis cinq ans d'affilée, affichait une croissance continue du marché du travail.

Tout cela démontrait à mon sens que, en tant que pays, nous étions capables de construire une réalité meilleure. Mais nous vivions encore dans le monde tel qu'il est.

Un an et demi après la tuerie de Newtown, le Congrès n'avait pas voté une seule loi sur le contrôle des armes à feu. Ben Laden avait disparu, mais l'État islamique avait surgi. À Chicago, au lieu de diminuer, le taux d'homicides était plus élevé que jamais. Un adolescent noir, Michael Brown, a été abattu par un policier à Ferguson, dans le Missouri, et son corps est resté abandonné des heures en plein milieu de la rue. À Chicago, un jeune Noir, Laquan McDonald, a été tué par la police de seize coups de feu, dont neuf dans le dos. Un garçon noir, Tamir Rice, est tombé sous les balles de la police sur une aire de jeux de Cleveland alors qu'il jouait avec un faux pistolet. Un jeune homme noir, Freddie Gray, a succombé à ses blessures pendant sa garde à vue à Baltimore. Un homme noir, Eric Garner, a été tué par la police après avoir été immobilisé par une prise d'étranglement pendant son interpellation à Staten Island. Ces événements témoignaient de la persistance de quelque chose de pernicieux et d'immuable en Amérique. Quand Barack a été élu, plusieurs commentateurs avaient naïvement déclaré que notre pays entrait dans une ère « post-raciale », où la couleur de peau n'avait plus d'importance. Ces violences policières démontraient combien ils se trompaient. À l'heure où les Américains se focalisaient sur la menace terroriste, beaucoup fermaient les yeux sur le racisme et le sectarisme qui déchiraient notre pays.

À la fin du mois de juin 2015, Barack et moi nous sommes rendus à Charleston, en Caroline du Sud, pour accompagner dans le deuil une autre communauté. Nous allions cette fois-ci assister aux obsèques du pasteur Clementa Pinckney, l'une des neuf victimes d'une fusillade aux motivations racistes qui avait eu lieu quelques jours plus tôt dans une église épiscopale méthodiste africaine, connue sous le nom de Mother Emanuel. Les victimes, toutes afro-américaines, avaient accueilli un jeune chômeur blanc de 21 ans – que personne ne connaissait – dans leur séance d'étude de la Bible. Il était resté tranquillement assis parmi elles pendant un moment ; puis, quand les fidèles ont incliné la tête pour prier, il s'est levé, a sorti une arme automatique et s'est mis à tirer.

« Je dois le faire parce que vous violez nos femmes et vous enva-
hissez notre pays », aurait-il déclaré entre deux rafales.

Après avoir prononcé l'éloge funèbre du révérend Pinckney,
Barack, dans cet instant tragique, a surpris tout le monde en enton-
nant *a cappella* une interprétation lente et émouvante d'*Amazing
Grace*. C'était une simple invocation d'espoir, un appel à tenir bon.
Toute la congrégation a repris l'hymne en chœur. Depuis plus de
six ans, Barack et moi avions conscience d'être, par nous-mêmes,
une provocation. Alors que, dans tout le pays, les minorités s'imposaient peu à peu dans le monde de la politique, des affaires
et de l'industrie du divertissement, notre famille était devenue
l'exemple le plus en vue de ce rééquilibrage. Notre présence à la
Maison-Blanche avait été saluée par des millions d'Américains,
mais elle a aussi ravivé un sentiment de peur et de ressentiment
dans un autre pan de la société. La haine était ancienne, profondément enracinée, et plus dangereuse que jamais.

Nous vivions avec en tant que famille ; nous vivions avec en
tant que nation. Et nous poursuivions notre route, aussi dignement
que nous le pouvions.

L E JOUR DU SERVICE RELIGIEUX À CHARLESTON – le 26 juin 2015 –,
la Cour suprême des États-Unis a rendu un arrêt historique,
légalisant le mariage des couples de même sexe dans les cinquante États du pays. Cette décision mettait un point final à une
bataille juridique qui avait été menée méthodiquement pendant
des décennies, État par État, tribunal par tribunal, et qui, comme
la lutte pour les droits civiques, n'avait pu être gagnée que par
la persévérance et le courage de nombreux citoyens. Au cours de
cette journée, j'ai vu à la télévision des reportages où des gens
laissaient éclater leur joie en apprenant cette nouvelle. Une foule
en délire scandait « L'amour a gagné ! » sur les marches de la
Cour suprême. Des couples se précipitaient dans les mairies et les
tribunaux des comtés pour exercer ce qui était maintenant un droit
constitutionnel. Les bars gays ouvraient plus tôt que d'habitude.
Des drapeaux arc-en-ciel flottaient à tous les coins de rue d'un
bout à l'autre du pays.

Tout cela nous a aidés à surmonter une triste journée en Caroline du Sud. En rentrant à la Maison-Blanche, nous nous sommes

changés, avons mangé rapidement avec les filles, puis Barack a disparu dans la salle des Traités pour allumer sa chaîne de sport préférée et s'atteler à ses dossiers en retard. J'allais me changer dans mon dressing quand j'ai aperçu une lueur violette derrière l'une des fenêtres de la résidence donnant sur le nord, et je me suis alors souvenue que notre staff avait prévu d'illuminer la Maison-Blanche aux couleurs de l'arc-en-ciel du drapeau des fiertés.

En regardant par la fenêtre, j'ai découvert qu'une foule immense s'était réunie derrière les grilles de Pennsylvania Avenue pour assister au spectacle dans le crépuscule de l'été. L'allée nord était remplie de fonctionnaires qui s'étaient attardés pour voir la Maison-Blanche rendre hommage à l'égalité face au mariage. Cette décision avait touché tant de gens. De mon dressing, je voyais toute cette agitation, mais je n'entendais rien. C'était l'un des côtés singuliers de notre réalité. La Maison-Blanche était une forteresse silencieuse, hermétique, où l'épaisseur des fenêtres et des murs étouffait presque tous les bruits extérieurs. L'hélicoptère Marine One pouvait atterrir d'un côté de la maison, ses pales soulevant des bourrasques et fouettant les branches des arbres, sans qu'on entende rien à l'intérieur de la résidence. Je savais généralement que Barack était rentré d'un voyage non pas au bruit de son hélicoptère, mais à l'odeur du carburant qui, étrangement, s'insinuait jusqu'à l'intérieur.

À la fin d'une longue journée, j'aimais me retirer dans le calme sécurisant de la résidence. Mais, ce soir-là, c'était différent : il régnait dehors une ambiance unique, aussi paradoxale que le pays lui-même. Après l'atmosphère de recueillement et de deuil à Charleston, une immense fête se déployait sous mes fenêtres. Des centaines de gens regardaient notre maison. J'avais envie de la voir comme eux la voyaient. J'étais prête à tout pour aller faire la fête avec eux.

J'ai passé la tête dans la salle des Traités. « Tu ne veux pas sortir pour voir les illuminations ? Il y a un monde fou, dehors ! » Barack a ri : « Tu sais bien que le monde fou, ce n'est pas possible, pour moi... »

Sasha était dans sa chambre, le nez collé sur son iPad. « Tu viens avec moi voir la façade illuminée ?

– Non. »

Il ne restait plus que Malia, qui m'a un peu étonnée en acceptant tout de suite ma proposition. J'avais trouvé ma complice. Nous nous embarquions dans une grande aventure – dehors, où la foule se pressait – et nous n'avions pas l'intention de demander l'autorisation à qui que ce soit.

La procédure normale voulait que nous nous signalions aux agents du Secret Service postés devant l'ascenseur à chaque fois que nous quittions la résidence exécutive, que ce soit pour aller au rez-de-chaussée voir un film ou pour sortir les chiens. Mais, ce soir, il n'en était pas question. Malia et moi sommes passées sans un mot devant les agents de garde d'un pas vif, en faisant bien attention à ne surtout pas croiser leur regard. Évitant l'ascenseur, nous avons filé par un escalier étroit. J'entendais déjà un claquement de talons dans notre dos : nos agents étaient à nos trousses. Malia m'a lancé un sourire en coin. Ce n'était pas tous les jours qu'elle me voyait transgresser les règles.

Arrivées au premier étage, nous foncions vers la grande porte qui ouvrait sur le portique nord quand nous avons entendu une voix.

« Bonsoir, madame. Je peux vous aider ? » C'était Claire Faulkner, l'huissière de nuit, une brune très gentille à la voix flûtée, qui avait dû être avertie par les agents qui chuchotaient dans leurs bracelets-micros derrière nous.

Je me suis retournée sans ralentir l'allure. « Non, non, ça va, nous sortons juste voir les illuminations », ai-je répondu.

Claire a levé les sourcils. Nous l'avons ignorée. Devant la porte, j'ai attrapé la grosse poignée dorée et j'ai tiré. Mais la porte refusait de s'ouvrir. Neuf mois plus tôt, un intrus armé d'un canif avait réussi à franchir une grille entourant la résidence et s'était engouffré à l'intérieur par cette même porte, traversant le grand hall du premier étage avant d'être arrêté par un agent du Secret Service. Depuis, la sécurité fermait cette porte à double tour.

Je me suis retournée vers le groupe qui nous suivait, et qui comptait maintenant un officier du Secret Service en uniforme, cravate noire sur chemise blanche. « Comment ça s'ouvre, ce machin ? ai-je lancé à la cantonade. Il doit bien y avoir une clé quelque part, non ?

– Madame, a répondu Claire, il vaut mieux que vous ne sortiez pas par cette porte. Toutes les caméras de chaînes d'info sont pointées sur la façade nord de la Maison-Blanche, en ce moment. »

Je n'avais pas pensé à cela. J'avais les cheveux en bataille et j'étais en tongs, short et tee-shirt. Pas vraiment habillée pour une apparition publique.

« Bon, d'accord. Mais on ne peut pas sortir d'ici sans être vues ? »

Malia et moi menions notre croisade, et nous n'étions pas près de lâcher le morceau. Nous sortirions de là, coûte que coûte.

Quelqu'un a suggéré d'essayer l'une des entrées de livraison, un peu à l'écart, au rez-de-chaussée, où les camions venaient livrer les provisions et les fournitures de bureau. Notre petite troupe s'est dirigée vers là-bas. Malia s'est accrochée à mon bras. Nous étions ravies.

« Nous allons sortir ! ai-je lancé.

– Oh oui ! » a répondu Malia.

Nous avons descendu un escalier de marbre, parcouru un tapis rouge, contourné les bustes de George Washington et de Benjamin Franklin, dépassé la cuisine, et soudain… nous étions dehors ! L'air humide de l'été nous a caressé le visage. Des lucioles clignotaient dans l'herbe. Et puis, nous avons entendu les clameurs, les gens qui criaient leur joie et faisaient la fête devant les grilles de fer. Il nous avait fallu dix minutes pour sortir de chez nous, mais nous avions réussi. Nous étions dehors, sur un carré de pelouse un peu à l'écart sur le côté, hors des regards du public, mais avec une magnifique vue rapprochée de la Maison-Blanche, éclairée de fierté.

Malia et moi nous sommes blotties l'une contre l'autre, heureuses d'être arrivées jusque-là.

COMME SOUVENT EN POLITIQUE, des vents nouveaux commençaient à se lever et à souffler. À l'automne 2015, la campagne présidentielle battait son plein. Dans le camp républicain, beaucoup s'étaient lancés dans la bataille – des gouverneurs, tels John Kasich et Chris Christie, des sénateurs comme Ted Cruz et Marco Rubio, et une bonne douzaine d'autres. Entre-temps, les démocrates s'orientaient rapidement vers un choix entre Hillary Clinton et Bernie Sanders, le sénateur indépendant du Vermont, marqué à gauche.

Donald Trump avait annoncé sa candidature au début de l'été, depuis la Trump Tower de Manhattan, vitupérant aussi bien les immigrants mexicains – qu'il traitait de « violeurs » – que les « losers » qui, selon lui, dirigeaient le pays. Je pensais qu'il faisait simplement son show, profitant de l'occasion pour attirer l'attention des médias. Rien dans ses propos et ses comportements ne laissait imaginer qu'il envisageait sérieusement de prendre les rênes du pays.

Je suivais la campagne, mais pas d'aussi près que les précédentes. J'étais très prise par mon quatrième grand projet officiel, intitulé « Let Girls Learn » (« Permettons aux filles d'apprendre ») que Barack et moi avions lancé ensemble au printemps. C'était une initiative ambitieuse qui faisait intervenir toutes les branches du gouvernement, et visait à assurer aux adolescentes du monde entier un meilleur accès à l'éducation. Pendant sept ans, comme première dame, j'avais très souvent été frappée par les talents et la vulnérabilité des jeunes filles de tous horizons – depuis les jeunes immigrantes de l'école Elizabeth Garrett Anderson de Londres jusqu'à Malala Yousafzai, l'adolescente pakistanaise qui avait été sauvagement agressée par les talibans et que Barack, Malia et moi avions reçue à la Maison-Blanche pour parler de son engagement au profit de l'éducation des filles. J'ai été horrifiée quand, six mois environ après la visite de Malala, 276 lycéennes nigérianes ont été enlevées par le groupe extrémiste Boko Haram, qui cherchait à dissuader par la terreur les autres familles nigérianes d'envoyer leurs filles à l'école. Cet événement révoltant m'avait poussée, pour la première et unique fois de la présidence de mon mari, à intervenir durant l'adresse hebdomadaire de Barack à la nation ; j'avais déclaré avec émotion que nous devions redoubler d'efforts pour protéger et encourager les filles dans le monde entier.

Tout cela me touchait personnellement. L'éducation avait été le premier ressort qui avait changé le cours de mon destin, mon levier pour m'élever dans le monde. J'étais scandalisée que tant de filles – plus de 98 millions à travers le monde, selon les statistiques de l'UNESCO – n'y aient pas accès. Certaines n'étaient pas scolarisées car leurs familles avaient besoin qu'elles travaillent.

Pour d'autres, l'école la plus proche était trop loin ou trop cher, ou le risque de se faire agresser en chemin trop élevé. Dans bien des cas, une combinaison de préjugés sexistes et de forces économiques contribuait à maintenir les filles dans l'ignorance – ce qui revenait à hypothéquer leur avenir. Dans certaines régions du monde, les esprits semblaient acquis à l'idée selon laquelle il n'était pas « rentable » de mettre une fille à l'école, alors que des rapports démontraient régulièrement que permettre à des filles et à des femmes d'étudier et de travailler ne pouvait que relever le PIB d'un pays.

Barack et moi étions bien décidés à changer les perceptions sur ce qui faisait d'une jeune femme un atout pour la société. Il a réussi à mobiliser plusieurs centaines de millions de dollars de ressources sur l'ensemble des services de son administration, depuis l'Agence des États-Unis pour le développement international (USAID) et le Peace Corps jusqu'aux ministères des Affaires étrangères, du Travail et de l'Agriculture. Ensemble, nous avons fait pression sur plusieurs gouvernements étrangers pour qu'ils aident à financer l'éducation des filles, tout en incitant des entreprises privées et des groupes de réflexion à s'impliquer dans cette cause.

J'avais alors suffisamment d'expérience pour savoir comment faire un peu de battage pour défendre une cause. Je comprenais que les Américains se sentent bien loin des combats de ceux qui vivaient à l'autre bout du monde. J'ai donc essayé de les sensibiliser en demandant à des personnalités comme l'humoriste et animateur de télévision Stephen Colbert de mettre leur pouvoir d'influence au service d'événements particuliers et de communiquer sur les réseaux sociaux. Je me suis allié le concours des chanteuses Janelle Monáe, Zendaya, Kelly Clarkson et d'autres talents pour produire une chanson pop accrocheuse, écrite par Diane Warren sous le titre *This is for my Girls* (« C'est pour mes filles »), dont les bénéfices serviraient à financer l'éducation des filles dans le monde entier.

Enfin, moi qui étais assez terrifiée à l'idée de chanter en public, je me suis jetée à l'eau pour faire une apparition dans l'émission hilarante « Carpool Karaoke » de l'animateur de talk-show James Corden, dans laquelle nous avons parcouru tous les deux la pelouse sud à l'avant d'un SUV noir. Nous avons chanté à tue-tête *Signed,*

Sealed, Delivered, I'm Yours, mais aussi *Single Ladies* et enfin
– le titre qui m'avait poussée à relever le défi – *This is for my
Girls* avec, en guest star, Missy Elliott, qui s'est glissée sur la
banquette arrière et a rappé avec nous. J'avais répété des semaines
entières, apprenant par cœur chaque mesure de chaque chanson.
Nous voulions que ce soit drôle et léger, mais, comme toujours,
il y avait derrière un projet et un objectif plus vaste : continuer à
sensibiliser les gens au problème. Mon duo avec James a récolté
45 millions de vues sur YouTube trois mois après avoir été mis
en ligne. Nos efforts n'avaient pas été vains.

En 2015, comme chaque année, Barack, les filles et moi sommes
partis passer Noël à Hawaï. Nous avons loué une grande maison dont les baies vitrées donnaient directement sur la plage, et
avons été rejoints par notre groupe habituel d'amis de la famille.
Le jour de Noël, nous avons pris le temps, comme nous le faisions
depuis six ans, de rendre visite aux soldats et à leurs familles
sur la base voisine des Marine Corps. Et, comme depuis six ans,
pour Barack, ces vacances n'étaient que des vacances partielles
– et, pour tout dire, à peine des vacances. Il était au téléphone
une bonne partie de la journée, avait ses briefings quotidiens, et
consultait en permanence une équipe réduite de conseillers, d'assistants et de rédacteurs de discours, tous logés dans un hôtel des
environs. Je me demandais s'il saurait encore ce que c'était que
se détendre vraiment le moment venu, si lui ou moi parviendrions
à relâcher la pression quand tout cela serait derrière nous. Quel
effet cela nous ferait-il quand nous pourrions enfin nous déplacer
sans l'aide de camp qui portait la mallette nucléaire ?

Si je me laissais aller à quelques rêveries, je n'arrivais pas
encore à imaginer comment tout cela se terminerait.

En rentrant à Washington pour amorcer notre dernière année
à la Maison-Blanche, nous savions que le compte à rebours avait
commencé. J'ai entamé une longue série de « dernières » – le dernier bal des gouverneurs, la dernière chasse aux œufs de Pâques,
le dernier dîner des correspondants de la Maison-Blanche et, avec
Barack, une dernière visite d'État au Royaume-Uni, avec au programme une rapide escapade pour voir notre amie la reine.

Barack avait toujours eu une tendresse particulière pour la reine Élisabeth, qui, par son pragmatisme, lui rappelait sa grand-mère Toot. Pour ma part, j'étais impressionnée par son efficacité, cultivée par nécessité tout au long d'une vie passée sous le regard du public. Quelques années plus tôt, Barack et moi avions salué avec la reine et le prince Philippe un défilé d'invités avant un dîner. J'avais observé, stupéfaite, l'art consommé avec lequel la reine parvenait à faire avancer rapidement la ligne d'accueil en adressant à chacun un petit salut gentil et sobre qui ne laissait place à aucune réplique, tandis que Barack affichait une décontraction aimable, invitant presque au bavardage, puis répondait longuement aux questions de ses interlocuteurs, ralentissant du même coup la progression de la file. Depuis que j'avais rencontré ce garçon, je n'arrêtais pas de lui dire de se dépêcher.

Un après-midi d'avril 2016, un hélicoptère nous attendait dans les jardins de la résidence de l'ambassadeur américain à Londres pour nous amener au château de Windsor, dans une campagne de l'ouest de la capitale. Notre équipe de reconnaissance nous avait expliqué que la reine et le prince Philippe nous accueilleraient à la descente, puis nous conduiraient eux-mêmes au château pour déjeuner. Nous avions bien entendu été scrupuleusement briefés sur le protocole : nous saluerions les souverains officiellement avant de monter dans leur voiture pour un bref trajet. Je prendrais place à l'avant à côté du prince Philippe qui, à 94 ans, prendrait le volant, et Barack serait à l'arrière avec la reine.

Ce serait la première fois en plus de huit ans que nous monterions ensemble dans une voiture conduite par quelqu'un d'autre qu'un agent du Secret Service, et sans un seul garde du corps. C'était visiblement là un point qui préoccupait nos équipes de sécurité, tout comme le respect du protocole préoccupait les équipes logistiques, qui réglaient dans leurs moindres détails chacun de nos gestes et échanges, s'assurant que tout était parfaitement en ordre et se passerait bien.

Mais, lorsque nous avons atterri et salué nos hôtes, la reine a bouleversé les plans en me faisant signe de la rejoindre à l'arrière de la Range Rover. Je me suis figée, essayant de me rappeler si quelqu'un m'avait préparée à ce scénario, s'il était plus courtois de la suivre ou d'insister pour que Barack prenne la place qui lui revenait à côté d'elle.

La reine a immédiatement senti mon embarras, et m'a tout de suite mise à l'aise :

« On vous a donné des instructions strictes, à ce sujet ? » Puis elle a balayé d'un geste mon inquiétude, en ajoutant : « Allons, n'écoutez pas ces bêtises. Asseyez-vous où vous voulez. »

LES DISCOURS DE REMISE DES DIPLÔMES étaient pour moi un rituel important du printemps, presque sacré. Chaque année, je sélectionnais plusieurs lycées et universités, privilégiant les établissements qui ne recevaient généralement pas de personnalités en vue. (Désolée, Princeton et Harvard, mais vous n'avez pas besoin de moi.) En 2015, j'étais retournée dans le South Side pour inaugurer la cérémonie de fin d'année de King College Prep, le lycée où Hadiya aurait terminé son secondaire si elle avait vécu assez longtemps. Ses camarades lui ont rendu hommage en installant à la tribune une chaise vide qu'ils avaient décorée de fleurs de tournesol et couverte d'un tissu violet.

Pour ma dernière tournée de discours de fin d'année en tant que première dame, je suis intervenue à l'université d'État de Jackson, dans le Mississippi, l'une des institutions traditionnellement noires, où j'ai profité de l'occasion pour rappeler combien il était essentiel de viser l'excellence. Je suis aussi intervenue au City College de New York, où j'ai souligné la richesse qu'apportaient la diversité et l'immigration. Et, le 26 mai, qui se trouvait être le jour où Donald Trump a décroché l'investiture républicaine, j'étais au Nouveau-Mexique et je m'adressais à une promotion de jeunes diplômés amérindiens d'un petit pensionnat qui, presque tous, s'étaient inscrits en première année d'université. Grâce à mon expérience de première dame, je ne craignais plus de parler sincèrement et ouvertement des effets pervers de la discrimination raciale et du sexisme. Je voulais offrir à ces jeunes une perspective historique sur la haine qui refaisait surface dans l'actualité comme dans le discours politique, et leur donner une raison d'espérer.

J'essayais de transmettre l'unique message sur ma trajectoire et ma position qui, à mon sens, pourrait réellement être entendu :

je savais ce qu'était l'invisibilité. J'avais vécu cette sensation dans ma chair. J'étais le fruit d'une histoire d'invisibilité. J'aimais rappeler que j'étais l'arrière-arrière-petite-fille d'un esclave du nom de Jim Robinson, qui était sans doute enterré dans une tombe anonyme quelque part sur une plantation de Caroline du Sud. Et à mon pupitre, face à des étudiants qui s'interrogeaient sur l'avenir, j'incarnais l'idée qu'il était possible, du moins à certains égards, de surmonter cette invisibilité.

La dernière remise des diplômes à laquelle j'ai participé ce printemps-là, par une chaude journée de juin, était plus personnelle : c'était celle de la promotion de Malia à Sidwell. Notre amie proche Elizabeth Alexander, la poétesse qui avait écrit le poème pour la première investiture de Barack, s'est chargée du discours inaugural, de sorte que Barack et moi avons pu simplement être là en spectateurs et profiter du moment. J'étais fière de Malia, qui s'apprêtait à partir voyager quelques semaines en Europe avec des amis. Après une année de césure, elle s'inscrirait à Harvard. J'étais fière de Sasha, qui fêtait ses 15 ans ce même jour et comptait les heures avant le concert de Beyoncé qui lui tiendrait lieu de fête d'anniversaire. Elle passerait le plus clair de l'été à Martha's Vineyard, chez des amis de la famille, en attendant que Barack et moi la rejoignions pour les vacances. Elle se ferait de nouveaux amis et décrocherait son premier job d'été, dans un snack-bar. J'étais fière aussi de ma mère, assise près de moi sous le soleil, avec une robe noire et des talons hauts, qui avait réussi à vivre à la Maison-Blanche et à parcourir le monde avec nous tout en restant absolument et totalement elle-même.

J'étais fière de nous tous, qui avions presque achevé notre mission.

Barack était à côté de moi, sur une chaise pliante. J'ai vu des larmes briller derrière ses lunettes de soleil lorsqu'il a regardé Malia monter sur scène pour recevoir son diplôme. Il était épuisé, je le savais. Trois jours plus tôt, il avait prononcé l'éloge funèbre d'un ami qu'il connaissait depuis la faculté de droit et qui avait travaillé pour lui à la Maison-Blanche. Le surlendemain, un extrémiste ouvrait le feu dans une boîte de nuit gay à Orlando, en Floride, faisant 49 morts et 53 blessés. Le poids de sa fonction ne lui laissait pas un instant de répit.

C'était un bon père, attentionné et présent, contrairement à son propre père, mais il avait aussi sacrifié un certain nombre de choses en chemin. Il était devenu père au moment où il était déjà en politique. Ses administrés et leurs besoins nous avaient toujours accompagnés.

Cela devait aussi lui faire un peu mal, de se rendre compte qu'il était à deux doigts d'avoir plus de liberté de mouvement, plus de temps, au moment même où nos deux filles commençaient à s'éloigner de nous.

Mais nous devions les laisser prendre leur envol. L'avenir leur appartenait, et c'était dans l'ordre des choses.

À LA FIN DE JUILLET, mon avion a traversé une violente tempête, piquant du nez et plongeant dans des trous d'air à l'approche de Philadelphie, où j'étais attendue pour un ultime discours à une convention démocrate. Je n'avais jamais connu de pareilles turbulences. Caroline Adler Morales, ma directrice de communication, enceinte jusqu'aux yeux, craignait que le stress ne déclenche des contractions. Melissa, qui n'était déjà pas très rassurée quand elle prenait l'avion en temps normal, hurlait à pleins poumons, accrochée à son siège. Je n'avais qu'une idée en tête : *Débrouillez-vous pour que j'arrive à temps pour répéter mon discours.* J'avais depuis longtemps pris de l'assurance devant les grands rassemblements, mais la préparation me rassurait encore beaucoup.

En 2008, pendant la première campagne de Barack, j'avais appris par cœur mon discours pour la convention nationale, au point que j'étais capable de placer les virgules dans mon sommeil, en partie parce que c'était la première fois qu'il serait retransmis en direct à la télévision, mais aussi parce que les enjeux personnels me paraissaient très élevés. Je montais sur l'estrade après avoir été diabolisée et présentée comme une « femme noire en colère » qui n'aimait pas son pays. Ce soir-là, mon discours m'a donné l'occasion de me montrer sous un jour plus humain, d'expliquer avec ma propre voix qui j'étais, de tordre le cou aux caricatures et aux clichés avec mes propres mots. Quatre ans plus tard, à la convention démocrate de Charlotte, en Caroline du Nord, j'avais raconté en toute sincérité ce que j'avais vu chez Barack durant ce premier mandat – il était toujours l'homme de principes que j'avais épousé, et il m'avait fait comprendre qu'« être président ne change pas la personne que l'on est, mais la révèle ».

Cette fois-ci, je venais soutenir Hillary Clinton, qui avait été la rivale de Barack dans la rude bataille des primaires de 2008, et qui était devenue sa loyale et compétente secrétaire d'État. Je n'ai jamais pu défendre avec autant de passion un autre candidat que mon mari, et je dois avouer qu'il m'était parfois difficile de faire campagne pour d'autres. Je m'étais fixé une règle lorsque je devais m'exprimer publiquement sur quelque chose ou quelqu'un dans la sphère politique : ne dire que ce que je croyais et ce que je sentais absolument.

Nous avons fini par atterrir à Philadelphie et j'ai immédiatement filé au Centre des congrès, où j'ai eu à peine le temps de me changer et de relire deux fois mon discours. Puis je suis montée à la tribune et j'ai dit ma vérité. J'ai parlé des craintes que j'avais eues à l'idée d'élever deux filles à la Maison-Blanche, j'ai dit combien j'étais fière des jeunes femmes qu'elles étaient devenues. J'ai dit que je faisais confiance à Hillary parce qu'elle connaissait les contraintes et les exigences de la présidence, qu'elle avait suffisamment de caractère pour gouverner le pays, et qu'elle était aussi qualifiée que n'importe quel autre candidat de l'histoire. Et j'ai insisté sur le choix crucial auquel le pays était maintenant confronté.

Depuis l'enfance, j'ai toujours été convaincue qu'il fallait dénoncer les petites brutes, mais sans s'abaisser à leur niveau. Or, pour être claire, nous avions maintenant affaire à une petite brute, à un homme qui, entre autres choses, dénigrait les minorités, exprimait ouvertement son mépris pour les prisonniers de guerre, bafouait la dignité de notre pays pratiquement à chacune de ses déclarations. Je voulais que les Américains comprennent que les mots ont leur importance – que le langage de haine qu'ils entendaient à la télévision ne reflétait pas l'esprit authentique de notre pays et que nous pouvions voter contre. C'était à la dignité que je voulais en appeler – à l'idée que, en tant que nation, nous pouvions nous accrocher à cette valeur essentielle qui avait porté ma famille, depuis des générations. La dignité nous avait toujours permis de tout surmonter. C'était un choix, pas toujours le plus facile, mais c'était celui que faisaient inlassablement, chaque jour, les gens que je respectais le plus dans ma vie. Barack et moi essayions de régler notre vie sur une devise que j'ai livrée ce soir-là sur scène : *Quand ils s'abaissent, nous nous élevons.*

Deux mois plus tard, quelques semaines à peine avant l'élection, la presse a exhumé un enregistrement de Donald Trump qui, ayant un instant baissé sa garde, se vantait en 2005 auprès d'un animateur de télévision d'agresser sexuellement les femmes, en employant un langage si obscène et si vulgaire que les médias eux-mêmes ne savaient plus comment le citer sans transgresser les principes les plus élémentaires de décence. Au bout du compte, ces principes ont tout simplement été foulés aux pieds pour laisser place à la voix du candidat.

Quand j'ai entendu cet extrait, je n'en ai pas cru mes oreilles. Et pourtant, il y avait quelque chose de douloureusement familier dans le ton menaçant et l'outrecuidance machiste de ces propos. *Je peux te faire du mal et m'en tirer à bon compte.* C'était une expression de haine qui n'avait généralement pas sa place dans les milieux convenables, mais elle restait terriblement vivante dans la conscience collective de notre société supposément éclairée – vivante et suffisamment acceptée pour que quelqu'un comme Donald Trump puisse l'exprimer avec une telle désinvolture. Chaque femme de ma connaissance la reconnaissait. Chaque personne à qui l'on a fait un jour ressentir qu'elle était « autre » la reconnaissait. C'était précisément ce que tant d'entre nous espéraient que nos enfants n'auraient jamais à vivre, et que, pourtant, ils vivraient probablement. La domination, voire la menace de domination, est une forme de déshumanisation. C'est la forme la plus sordide du pouvoir.

Je tremblais de rage après avoir entendu cet enregistrement. Je devais intervenir dans un meeting de Hillary la semaine suivante et, au lieu de m'en tenir à vanter ses qualités, je me suis sentie tenue de réagir directement aux propos de Trump, de contrer sa voix par la mienne.

J'ai préparé mon discours dans une chambre de l'hôpital Walter Reed où ma mère venait de se faire opérer du dos, laissant libre cours à mes réflexions. J'avais si souvent été moquée et menacée, rabaissée pour être noire, femme et franche. J'avais senti peser les regards sarcastiques sur mon physique, sur la place que j'occupais littéralement dans le monde. J'avais vu Donald Trump traquer physiquement Hillary Clinton pendant un débat, la suivant pendant qu'elle parlait, s'approchant de trop près, essayant de l'écraser de sa présence. *Je peux te faire du mal et m'en tirer à bon compte.* Les femmes subissent ce type de vexations tout au long de leur vie – sous forme de sifflets, de pelotages, d'agressions, d'oppression. Ces conduites nous blessent. Elles consument notre force. Certaines blessures sont si petites qu'elles ne laissent presque aucune trace. D'autres, énormes et béantes, laissent des cicatrices qui ne se refermeront jamais. Quoi qu'il en soit, elles s'accumulent. Nous les portons sur nous, partout, en allant à l'école ou au travail et en rentrant à la maison, chez nous en élevant nos enfants, dans nos lieux de culte, à chaque fois que nous essayons d'avancer.

J'ai reçu les propos de Trump comme un coup de plus. Je ne pouvais pas laisser passer ça. Avec Sarah Hurwitz, la brillante plume qui m'aidait à écrire mes discours depuis 2008, j'ai canalisé toute ma rage sur le papier, j'ai mis des mots dessus, puis – quand ma mère s'est remise de son opération – je les ai prononcés un jour d'octobre à Manchester, dans le New Hampshire. Devant une foule électrisée, j'ai clairement dit ce que je pensais : « Ce n'est pas normal. Ce n'est pas la politique comme on la conçoit habituellement. C'est honteux. C'est intolérable. » J'ai exprimé ma rage et ma peur, mais aussi ma conviction que, avec cette élection, les Américains étaient conscients de la vraie nature du choix qu'ils avaient à faire. J'ai mis tout mon cœur dans ce discours.

Puis je suis rentrée à Washington, priant d'avoir été entendue.

À L'AUTOMNE, BARACK ET MOI avons commencé à réfléchir à notre déménagement de janvier. Nous avions décidé de rester à Washington pour que Sasha puisse finir son secondaire à Sidwell. Malia passait son année de césure en Amérique du Sud, savourant la liberté d'être aussi loin que possible de l'effervescence du monde politique. Je demandais à mon staff de l'aile est de continuer à donner le meilleur d'eux-mêmes pour finir en beauté, même s'ils devaient tous songer à se mettre en quête d'un autre emploi, même si jour après jour la bataille entre Hillary Clinton et Donald Trump s'envenimait et accaparait l'attention.

Le 7 novembre 2016, la veille du scrutin, Barack et moi avons rejoint Hillary et sa famille à Philadelphie pour un dernier meeting, devant une foule gigantesque massée sur Independence Mall. L'ambiance était positive, chargée d'espoir. L'assurance qu'affichait Hillary ce soir-là m'a stimulée, tout comme les nombreux sondages qui lui donnaient une assez large avance. J'étais encouragée par ce que je pensais savoir des qualités que les Américains toléreraient et ne toléreraient pas chez un leader politique. Je ne jurais de rien, mais j'étais confiante sur ses chances.

Pour la première fois depuis des années, Barack et moi n'avions aucun rôle à jouer le soir de l'élection. Personne ne nous avait réservé de suite à l'hôtel pour attendre les résultats ; il n'y avait pas de plateaux de petits fours qui nous attendaient, pas de télévision braillant dans un coin. Je n'avais ni à me faire coiffer, ni à me faire maquiller, ni à préparer ma tenue, ni à mobiliser nos enfants. Il n'y avait aucun discours à relire pour la fin de soirée. C'était le début de notre retrait de la vie publique, un avant-goût de ce à quoi l'avenir pourrait ressembler. Nous étions investis, bien sûr, mais le moment qui s'annonçait n'était pas le nôtre. Nous n'y assisterions qu'en simples spectateurs. Sachant que les résultats ne tomberaient pas avant plusieurs heures, nous avons invité Valerie à regarder un film dans la salle de cinéma de la Maison-Blanche.

Je ne me rappelle strictement rien du film que nous avons vu ce soir-là, pas même de son titre. En réalité, nous essayions juste de tuer le temps. Mon esprit était occupé à ressasser le fait que le dernier mandat de Barack était sur le point de s'achever. Dans l'immédiat, ce qui nous attendait, c'étaient les adieux – des dizaines et des dizaines d'adieux, tous chargés d'émotion, à mesure que le personnel que nous aimions et appréciions tant quitterait par vagues successives la Maison-Blanche. Nous espérions faire ce que George et Laura Bush avaient fait pour nous : assurer une passation des pouvoirs aussi fluide que possible. Nos équipes commençaient déjà à préparer des dossiers de briefing et des carnets d'adresses pour leurs successeurs. Avant de partir, beaucoup d'employés de l'aile est laisseraient de petites notes manuscrites sur leur bureau, souhaitant la bienvenue à la personne qui prendrait leur place et se proposant de l'aider.

Nous étions toujours engagés dans la gestion des affaires courantes, mais nous avions aussi commencé à préparer le chapitre suivant de notre vie. Barack et moi étions ravis de rester à Washington, mais nous tenions à laisser notre empreinte sur le South Side de Chicago, qui accueillerait le Centre présidentiel Obama. Nous prévoyions aussi d'ouvrir une fondation, dont la mission serait d'encourager et d'accompagner une nouvelle génération de leaders. Nous nous étions tous deux fixé beaucoup d'objectifs pour l'avenir, mais le plus ambitieux consistait à donner davantage de visibilité et de soutien aux jeunes et à leurs idées. Je savais aussi que nous avions besoin de nous reposer. Je me suis mise à la recherche d'un endroit discret où nous pourrions décompresser pendant quelques jours en janvier, juste après l'investiture du nouveau président.

Restait à savoir qui serait ce nouveau président.

Tandis que le générique défilait sur l'écran et que la salle se rallumait, le téléphone de Barack a vibré. Je l'ai vu jeter un coup d'œil sur l'écran, puis regarder plus attentivement, fronçant légèrement les sourcils.

« Hum... les résultats de Floride sont un peu bizarres », a-t-il marmonné.

Il n'y avait pas d'inquiétude dans sa voix, mais une inflexion à peine perceptible de surprise, une braise ardente luisant soudain dans l'herbe. Le téléphone a vibré de nouveau. Mon cœur a accéléré. Je savais que les nouvelles venaient de David Simas, le conseiller politique de Barack, qui suivait les résultats depuis l'aile ouest et maîtrisait parfaitement l'algèbre de la carte électorale, comté par comté. Si un cataclysme devait se déclarer, Simas le repérerait très vite.

J'essayais de lire sur le visage de mon mari, ne sachant pas trop si j'étais prête à entendre ce qu'il allait m'annoncer. Ça n'avait pas l'air réjouissant. J'ai senti à cet instant un poids me tomber sur l'estomac, et mon angoisse s'est muée en terreur. Laissant Barack et Valerie discuter des premiers résultats, j'ai déclaré que je montais. Je me suis dirigée vers l'ascenseur. Je n'avais plus qu'un objectif : faire abstraction de tout ce qui se passait et dormir. J'avais une petite idée de ce qui était en train d'arriver, mais je n'étais pas prête à l'affronter.

Pendant mon sommeil, la nouvelle a été confirmée : les électeurs avaient choisi Donald Trump pour succéder à Barack. Il serait donc le prochain président des États-Unis.

Je voulais écarter cette réalité aussi longtemps que possible.

Le lendemain, un matin humide et morne m'a accueillie au réveil. Un ciel gris plombait Washington. Je n'ai pu m'empêcher d'y voir un sinistre présage. Le temps s'écoulait avec une lenteur exaspérante. Sasha est partie à l'école, sonnée par la nouvelle. Malia a appelé depuis la Bolivie, et je la devinais très secouée à sa voix. J'ai dit à nos filles que je les aimais et que tout se passerait bien. J'essayais de me dire la même chose.

Au final, Hillary Clinton avait remporté près de 3 millions de suffrages de plus que son adversaire, mais Trump avait rallié davantage de grands électeurs grâce à moins de 80 000 voix réparties entre la Pennsylvanie, le Wisconsin et le Michigan. N'étant pas une spécialiste de la politique, je ne chercherai pas à proposer une analyse de ces résultats, à établir des responsabilités ou à déplorer des injustices. J'aurais simplement aimé que plus d'électeurs se soient déplacés pour se rendre aux urnes. Et je me demanderai toujours ce qui a poussé tant de femmes, en particulier, à rejeter une femme candidate exceptionnellement qualifiée, pour choisir un misogyne comme président. Toujours est-il que le verdict était tombé et qu'il fallait vivre avec.

Barack avait passé le plus clair de la nuit à suivre les résultats au fur et à mesure qu'ils étaient communiqués, et, comme tant de fois déjà, il a dû intervenir et réagir comme symbole de stabilité pour aider le pays à surmonter le choc. Je ne lui enviais pas cette tâche. Dès le matin, il a réuni ses troupes dans le Bureau ovale pour leur remonter le moral, puis, vers midi, il s'est adressé au pays en termes posés et rassurants depuis la Roseraie, appelant, comme toujours, à l'unité et à la dignité, demandant aux Américains de se respecter les uns les autres et de respecter les institutions bâties par notre démocratie.

Dans l'après-midi, j'ai retrouvé mon staff au grand complet dans mon bureau de l'aile est. Nous étions tous entassés dans la pièce sur des canapés et des chaises de bureau prises dans d'autres pièces. Mon équipe était majoritairement composée de femmes et de personnes issues des minorités, dont plusieurs venaient de familles d'immigrants. Beaucoup étaient en larmes, touchés dans leurs vulnérabilités. Ils s'étaient pleinement investis dans leur travail, car ils croyaient de toute leur âme aux causes que nous défendions. J'essayais de leur rappeler combien ils devaient être fiers de ce qu'ils étaient, combien leur travail comptait, et de leur assurer qu'une élection ne pourrait effacer huit années de changement.

Tout n'était pas perdu. C'était le message que nous devions porter et propager. Et c'était ce que je croyais sincèrement. Ce n'était pas idéal, mais c'était notre réalité – le monde tel qu'il est. Nous devions être déterminés, continuer à aller de l'avant, poursuivre notre marche vers le progrès.

C'ÉTAIT VRAIMENT LA FIN. Je me surprenais à me retourner sur ces huit ans, puis à regarder vers l'avenir, méditant une question en particulier : qu'est-ce qui dure ?

Nous étions la quarante-quatrième première famille, et la onzième famille à avoir passé deux mandatures à la Maison-Blanche. Nous étions, et serions toujours, la première famille noire à accéder à cette responsabilité. J'espérais que, à l'avenir, quand des parents emmèneraient leurs enfants visiter la Maison-Blanche, comme j'avais emmené Sasha et Malia à l'époque où leur père était sénateur, ils pourraient leur montrer quelques souvenirs du passage de notre famille dans ces lieux. Je pensais qu'il était important d'inscrire notre présence dans la grande histoire de ce bâtiment.

Tous les présidents n'ont pas commandé un service en porcelaine, par exemple, mais j'avais tenu à le faire. Pendant le second mandat de Barack, nous avons aussi décidé de réaménager l'ancienne salle à manger familiale, située juste à côté de la salle à manger d'État, pour lui redonner un petit coup de jeune et l'ouvrir au public pour la première fois. Sur le mur nord de la pièce, nous avons accroché un magnifique tableau abstrait d'Alma Thomas dans des tons jaune, rouge et bleu, appelé *Resurrection*. C'était la première œuvre d'art d'une artiste noire à entrer dans la collection permanente de la Maison-Blanche.

La marque la plus durable se trouve cependant en dehors des murs de la maison. Le jardin potager existait depuis sept ans et demi, et il ne produisait pas loin d'une tonne de légumes par an. Il avait survécu à de lourdes chutes de neige, à de violentes averses et à des giboulées de grêle dévastatrices. Quelques années plus tôt, des bourrasques de vent avaient renversé le sapin de Noël national de 13 mètres de haut dressé sur le Mall, mais notre potager en était sorti indemne. Avant de quitter la Maison-Blanche, je tenais à lui donner encore plus de permanence. Nous avons étendu son périmètre à 260 mètres carrés, soit plus du double de sa surface d'origine. Nous avons ajouté des allées en pas japonais, des bancs en bois et une pergola accueillante, taillée dans des arbres provenant des propriétés des présidents Jefferson, Madison et Monroe ainsi que de la maison d'enfance de Martin Luther King. Puis, un après-midi d'automne, j'ai traversé la pelouse sud pour inaugurer officiellement le jardin et lui assurer sa postérité.

Il y avait à mes côtés des soutiens et des associations de défense qui nous avaient épaulés pendant toutes ces années dans nos efforts en faveur de la nutrition et de la santé infantile, ainsi que deux anciens élèves de la classe de CM1 de l'école élémentaire Bancroft qui, les premiers, avait bêché la terre. C'étaient maintenant presque des adultes. La plupart des membres de mon staff étaient là, aussi, et Sam Kass, qui avait quitté la Maison-Blanche en 2014, était revenu pour l'occasion.

En regardant l'assistance assemblée dans le jardin, j'ai eu la gorge serrée. J'étais reconnaissante à tous les membres de mon équipe qui s'étaient totalement investis dans ce projet, triant des lettres manuscrites, vérifiant les détails de mes discours, partant à l'autre bout du pays pour préparer chaque événement marquant. J'en avais vu tellement prendre toujours plus de responsabilités et s'épanouir, professionnellement et personnellement, même sous l'éclat des lumières les plus crues. Le fardeau d'être les « premiers » n'avait pas pesé sur nos seules épaules. Pendant huit ans, des jeunes optimistes – et quelques professionnels aguerris – nous avaient soutenus. Melissa, la première personne que j'avais recrutée près de dix ans plus tôt, et qui est et restera une amie proche à vie, est demeurée avec moi dans l'aile est jusqu'au dernier jour du mandat, tout comme Tina, ma remarquable chef de cabinet. Kristen Jarvis avait été remplacée par Chynna Clayton, une jeune femme travailleuse de Miami, qui est rapidement devenue une autre grande sœur pour nos filles et a joué un rôle essentiel pour me faciliter la vie.

Je considérais toutes les personnes de mon staff avec lesquelles j'avais travaillé ou travaillais encore comme faisant partie de la famille. Et j'étais tellement fière de ce que nous avions accompli.

Pour chaque vidéo rapidement devenue virale sur Internet – j'avais fait la danse des mamans avec Jimmy Fallon, smashé avec LeBron James, et chanté dans un duo de rap avec Jay Pharoah pour inciter les jeunes à aller à l'université –, nous avions cherché autre chose que juste faire le buzz pendant quelques heures sur Twitter. Et les résultats étaient là : 45 millions d'enfants mangeaient plus sainement au petit déjeuner et au déjeuner ; 11 millions d'élèves faisaient soixante minutes par jour d'exercice physique grâce à notre programme de lutte contre l'obésité à l'école « Let's Move ! Active Schools ». Dans l'ensemble, les enfants consommaient plus de céréales complètes et de légumes frais. L'ère des fast-foods XXL tirait à sa fin.

À travers l'association de soutien aux familles de militaires « Joining Forces », Jill Biden et moi avions incité des chefs d'entreprise à embaucher ou former plus de 1,5 million de vétérans et de conjoints de militaires. En réponse à l'une des premières grandes préoccupations que j'avais entendues dans mes tournées électorales, nous avions convaincu les cinquante États de conclure des accords multilatéraux pour reconnaître les diplômes délivrés en dehors de leurs frontières. Cette mesure permettrait désormais aux conjoints de militaires de ne pas voir leur carrière interrompue à chaque nouvelle mutation.

Sur le front de l'éducation, Barack et moi avions levé des milliards de dollars pour aider les jeunes filles du monde entier à être scolarisées. Plus de 2 800 volontaires du Peace Corps étaient désormais formés pour mettre en place des programmes à destination des jeunes filles à l'échelle internationale. Et, aux États-Unis, nous avions incité davantage de jeunes à solliciter une bourse d'études fédérale, épaulé des conseillers d'orientation, et fait du « College Signing Day » une journée nationale.

De son côté, Barack avait réussi à remettre l'économie du pays sur les rails après la plus grave crise que le pays eût connue depuis la Grande Récession. Il avait contribué au succès de l'Accord de Paris sur le changement climatique, rapatrié des dizaines de milliers de soldats d'Irak et d'Afghanistan, et conduit l'initiative destinée à geler le programme nucléaire iranien. Vingt millions d'Américains bénéficiaient d'une couverture maladie. Et nous avions accompli deux mandats sans scandale majeur. Jusqu'au bout, nous nous étions astreints, et avions astreint les gens qui travaillaient pour nous, aux plus hauts standards d'éthique et de probité.

Certains de ces changements étaient plus difficilement mesurables, mais nous paraissaient tout aussi importants. Six mois avant l'inauguration officielle du jardin potager, Lin-Manuel Miranda, le jeune compositeur que j'avais rencontré lors de l'une de nos premières soirées culturelles, est revenu à la Maison-Blanche. Son improvisation hip-hop sur Alexander Hamilton faisait à présent sensation à Broadway, et ce succès l'avait propulsé au rang de superstar internationale. Sa comédie musicale, *Hamilton*, était un hommage chanté et rappé à l'histoire et à la diversité de l'Amérique. Elle mettait en valeur notre perception des rôles que jouent les minorités dans notre récit national, en soulignant l'importance de femmes longtemps éclipsées par des hommes puissants. J'avais vu le spectacle dans une petite salle de New York et l'avais tellement aimé que je m'étais promis d'y retourner quand il serait produit sur une grande scène de Broadway. C'était une comédie musicale drôle et entraînante, qui vous réchauffait et vous brisait le cœur – la pièce la plus achevée que j'aie jamais vue.

Lin-Manuel a fait venir à Washington presque toute sa troupe, bigarrée et talentueuse. Les acteurs ont passé l'après-midi avec de jeunes élèves de lycées des environs – des dramaturges, danseurs et rappeurs en herbe accueillis à la Maison-Blanche pour écrire des paroles et scander des chansons avec leurs héros. En début de soirée, nous nous sommes tous retrouvés pour un spectacle dans le salon Est. Barack et moi étions au premier rang, entourés de jeunes de différentes origines ethniques et sociales, tous les deux bouleversés quand Christopher Jackson et Lin-Manuel ont chanté la ballade *One Last Time*, avant que la représentation ne s'achève. Nous avions sous nos yeux deux artistes, un Noir et un Portoricain, se tenant sous un lustre qui avait vu passer cent quinze ans d'histoire, encadrés par les portraits impressionnants de George et Martha Washington, et qui clamaient : « Nous sommes chez nous dans cette nation que nous avons créée. » Je porte toujours en moi aujourd'hui la puissance et la vérité de cet instant.

Hamilton m'a touchée parce que cette pièce reflétait exactement le type d'histoire que j'avais moi-même vécue. Elle racontait comment l'Amérique a laissé entrer la diversité. J'y ai repensé par la suite : nous sommes si nombreux à traverser notre existence en cachant notre histoire, par honte ou par peur que notre vérité pure et simple ne soit pas à la hauteur d'un idéal arbitraire. Toute notre jeunesse, nous sommes bombardés de messages qui nous disent qu'il n'y a qu'une façon d'être américain – et que, si nous avons la peau noire ou les hanches larges, si notre vie amoureuse n'entre pas dans une certaine norme, si nous parlons une autre langue ou venons d'un autre pays, alors nous n'avons pas notre place dans ce pays. Ou, du moins, jusqu'à ce que quelqu'un ose raconter l'histoire différemment.

J'ai grandi auprès d'un père handicapé dans une maison trop petite, avec peu d'argent, dans un quartier qui commençait à décliner, mais j'ai aussi grandi entourée d'amour et de musique dans une ville multiethnique et dans un pays où l'éducation peut mener loin. Je n'avais rien ou j'avais tout. Tout dépend de la façon dont on choisit de raconter l'histoire.

Alors que la fin de la présidence de Barack approchait, c'est en ces termes que je pensais à l'Amérique. J'aimais mon pays pour son histoire, dont on pouvait décliner tant de versions. Pendant près d'une décennie, j'avais eu le privilège de le sillonner de long en large, de me frotter à ses riches contradictions et à ses âpres conflits, à ses souffrances et à son idéalisme obstiné, et, surtout, à sa résilience. Ma perspective était exceptionnelle, bien sûr, mais je pense que ce que j'ai éprouvé pendant ces années, beaucoup l'ont éprouvé – le sentiment d'avancer, le réconfort de la compassion, la joie de voir les laissés-pour-compte et les invisibles entrer dans la lumière. Un aperçu du monde tel qu'il pourrait être. C'était cela que nous laissions derrière nous : une génération montante qui savait ce qui était possible – et qui savait que, pour elle, le champ des possibles était encore plus vaste. Quoi qu'il advienne par la suite, c'était une histoire que nous pouvions nous approprier.

Épilogue

Barack et moi avons franchi pour la dernière fois le perron de la Maison-Blanche le 20 janvier 2017, avant d'accompagner Donald et Melania Trump à la cérémonie d'investiture. Ce jour-là, j'éprouvais un mélange confus de sentiments – j'étais fatiguée, fière, désemparée, impatiente. J'essayais surtout de faire bonne figure, sachant que les caméras de télévision scrutaient chacun de nos mouvements. Barack et moi tenions à effectuer cette transition avec grâce et dignité, à achever nos huit années sans entamer nos idéaux ni notre sang-froid. Nous abordions la dernière heure.

Ce matin-là, Barack était entré pour la dernière fois dans le Bureau ovale, où il avait laissé une lettre à l'intention de son successeur. Nous nous étions ensuite réunis au premier étage pour faire nos adieux au personnel permanent de la Maison-Blanche – les majordomes, les huissiers, les chefs cuisiniers, les femmes de chambre, les fleuristes, et tant d'autres qui s'étaient occupés de nous avec bienveillance et professionnalisme, et qui prodigueraient désormais les mêmes soins à la famille qui s'installerait dans quelques heures. Ces adieux étaient particulièrement déchirants pour Sasha et Malia, puisqu'elles avaient côtoyé toutes ces personnes au quotidien pendant la moitié de leur vie. J'avais serré un à un tous les employés dans mes bras et retenu mes larmes quand ils nous avaient offert comme cadeau de départ deux drapeaux des États-Unis – celui qui avait été hissé le premier jour de la présidence de Barack et celui qui avait flotté le dernier jour de son mandat, deux jalons symboliques de ce chapitre de notre vie familiale.

Assise pour la troisième fois à la tribune d'investiture devant le Capitole des États-Unis, je m'efforçais de maîtriser mes émotions. La diversité éclatante des deux dernières investitures avait disparu, remplacée par un panorama qui me paraissait d'une uniformité désespérante, le type de scène dominée par des Blancs et par des hommes que j'avais si souvent vu au cours de mon existence – surtout dans les sphères les plus privilégiées, les coulisses du pouvoir auxquelles j'avais pu accéder depuis que j'avais quitté le foyer de mes parents. Ce que je savais, pour avoir travaillé dans des milieux professionnels – pour avoir recruté des avocats pour Sidley & Austin et du personnel à la Maison-Blanche –, c'était que l'uniformité engendrait l'uniformité, tant qu'on ne prenait pas d'initiative réfléchie pour y remédier.

En regardant les trois cents personnes assises à la tribune d'honneur ce matin-là, les éminents invités du président entrant, j'ai tout de suite compris que, au sein de la nouvelle Maison-Blanche, on ne prendrait pas ce type d'initiative. Un conseiller de l'administration de Barack aurait dit que ce n'était pas bon pour l'image – que ce que voyait le public ne reflétait pas la réalité ou les idéaux du président. Mais, dans ce cas précis, peut-être que si. En réalisant cela, j'ai opéré un ajustement : j'ai réglé la focale sur l'image que j'avais sous les yeux. Et j'ai cessé de me forcer à sourire.

UNE TRANSITION EST, COMME SON NOM L'INDIQUE, un passage à quelque chose de nouveau. Une main se pose sur une Bible ; un serment est répété. Les meubles d'un président sont emportés tandis que ceux d'un autre arrivent. Les placards sont vidés et remplis en l'espace de quelques heures. Du jour au lendemain, de nouvelles têtes viennent se poser sur de nouveaux oreillers – d'autres personnalités, d'autres rêves. Et quand votre mandat s'achève, quand vous quittez la Maison-Blanche ce tout dernier jour, il vous reste, à bien des égards, à vous retrouver.

Je suis maintenant au seuil d'un nouveau départ, d'une nouvelle phase de mon existence. Pour la première fois de ma vie, je suis dégagée de toute obligation d'épouse d'homme politique, libérée de toutes les attentes d'autres personnes. J'ai deux filles presque adultes qui ont moins besoin de moi qu'autrefois. J'ai un mari qui ne porte plus le poids d'un pays sur ses épaules.

Les responsabilités que j'ai endossées – envers Sasha et Malia, envers Barack, envers ma carrière et mon pays – ont évolué suivant des axes qui me permettent d'envisager autrement la suite des événements. J'ai eu plus de temps pour réfléchir, pour être simplement moi-même. À 54 ans, je suis toujours en devenir, et j'espère l'être indéfiniment.

Je crois que devenir ne signifie pas atteindre une destination ou un objectif donné. Je vois plutôt cela comme un mouvement qui porte vers l'avant, un moyen d'évoluer, une façon d'aspirer en permanence à s'améliorer. Le voyage n'est pas terminé. Je suis devenue mère, mais j'ai encore beaucoup à apprendre de mes enfants, et beaucoup à leur offrir. Je suis devenue épouse, mais je continue à m'adapter et à être touchée par ce que signifie vraiment aimer une autre personne et faire sa vie avec elle. Je suis devenue, en un certain sens, une femme de pouvoir, et pourtant il y a encore des moments où je manque d'assurance, où j'ai l'impression de ne pas être entendue.

C'est un parcours qui se fait pas à pas. Devenir exige autant de patience que de rigueur. Devenir, c'est ne jamais renoncer à l'idée que l'on peut encore grandir.

Parce qu'on me pose souvent la question, je le dis ici très clairement : je n'ai aucune intention de me présenter un jour à la présidence. La politique ne m'a jamais passionnée, et mon expérience des dix dernières années n'y a rien changé. Je continue d'être agacée par la mesquinerie partisane – la ségrégation tribale entre le rouge républicain et le bleu démocrate, cette idée que nous devrions choisir un camp et nous y tenir, sans se donner la peine d'écouter et de trouver des compromis, voire même de se montrer courtois. Je suis convaincue que, sous sa forme la plus noble, la politique peut être un vecteur de changement positif, mais cette arène n'est tout simplement pas faite pour moi.

Ce qui ne signifie pas que je ne me sens pas profondément concernée par l'avenir de notre pays. Depuis que Barack a quitté le pouvoir, j'ai lu des articles qui me rendent malade. J'ai passé des nuits blanches à pester contre ce qui s'est passé. Il est désespérant d'observer que le comportement et le programme politique du président actuel ont poussé beaucoup d'Américains à douter d'eux-mêmes, à se méfier et à avoir peur les uns des autres. Il a été très douloureux de voir systématiquement détricotées des mesures politiques humaines soigneusement élaborées, de constater que nous nous sommes aliéné certains de nos plus proches alliés et que nous avons rendu plus vulnérables et déshumanisé nos citoyens les plus fragiles. Il m'arrive de me demander si nous pouvons tomber plus bas.

S'il y a une chose que je m'interdis, cependant, c'est de céder au cynisme. Dans mes pires moments d'inquiétude, j'inspire profondément et je me rappelle la dignité et le respect que j'ai trouvés chez des personnes que j'ai rencontrées tout au long de ma vie, ainsi que les nombreux obstacles qui ont déjà été surmontés. J'espère que d'autres en feront autant. Nous avons tous un rôle à jouer dans cette démocratie. Nous devons garder à l'esprit le pouvoir de chaque suffrage. Je continue pour ma part à me nourrir d'une force plus vaste et plus puissante que toute élection particulière, tout dirigeant ou tout article de journal : l'optimisme. C'est pour moi une forme de religion, un antidote à la peur. L'optimisme régnait dans notre petit appartement familial d'Euclid Avenue. Je le voyais chez mon père, dans sa façon de se déplacer comme si son corps lui obéissait parfaitement, comme si la maladie qui allait l'emporter un jour n'existait pas. Je le voyais chez ma mère, qui s'obstinait à croire en notre quartier, fermement décidée à rester ancrée dans le South Side alors même que beaucoup de ses voisins faisaient leurs valises et s'en allaient. C'est la première chose qui m'a séduite chez Barack quand je l'ai vu débarquer dans mon bureau de Sidley, avec son sourire rayonnant d'espoir. Plus tard, l'optimisme m'a aidée à surmonter mes doutes et mes vulnérabilités pour me convaincre que, même si j'acceptais que ma famille soit exposée à une vie publique de tous les instants, nous réussirions à rester unis et heureux.

Et il m'aide encore aujourd'hui. En tant que première dame, j'ai vu l'optimisme briller là où je l'attendais le moins. Je l'ai vu chez ce soldat blessé à Walter Reed, qui refusait la pitié en placardant sur sa porte une note proclamant à la face du monde qu'il était fort et confiant dans l'avenir. Je l'ai vu frémir chez Cleopatra Cowley-Pendleton, qui, après avoir perdu sa fille, a canalisé une partie de son chagrin pour alimenter son combat en faveur de la législation sur le contrôle des armes à feu. Je l'ai vu chez l'assistante sociale de Harper High School qui se faisait un devoir de crier son amour et son respect aux étudiants à chaque fois qu'elle les croisait dans le couloir. Et il est là, toujours, dans le cœur des enfants. Des enfants se réveillent chaque matin en croyant à la beauté des choses, à la magie de ce qui pourrait être. Ils sont sans cynisme, ils ont la foi chevillée au corps. Nous leur devons de rester forts et de continuer à œuvrer pour créer un monde plus juste, plus humain. Pour eux, nous devons rester tout à la fois intransigeants et optimistes, nous devons reconnaître qu'il y a encore beaucoup à faire pour grandir.

Il y a aujourd'hui des portraits de Barack et de moi accrochés à la National Gallery de Washington, ce qui nous touche tous deux énormément. Je doute que quiconque, à considérer notre enfance, nos origines, aurait pu prédire que nous nous retrouverions un jour dans ces salles. Les tableaux sont magnifiques, mais ce qui importe le plus est qu'ils sont là pour être vus par les jeunes, pour que nos visages contribuent à battre en brèche l'idée qui voudrait que, pour s'inscrire dans l'histoire, il faut avoir une certaine apparence. Si nous avons notre place dans ce pays, alors beaucoup d'autres peuvent aussi y trouver la leur.

Je suis une personne ordinaire qui s'est retrouvée embarquée dans une aventure extraordinaire. En partageant mon histoire, j'espère ouvrir la voie à d'autres histoires et à d'autres voix, élargir la voie pour permettre à d'autres de comprendre qu'ils ont leur place dans ce pays. J'ai eu la chance de pénétrer dans des châteaux, des salles de classe de quartiers défavorisés et des cuisines de l'Iowa, en essayant simplement d'être moi-même, en essayant de nouer un contact. Pour chaque porte qui s'est ouverte devant moi, j'ai tenté d'ouvrir ma porte à d'autres. Et, au bout du compte, voici ce que j'ai à dire : accueillons-nous les uns les autres. Peut-être alors commencerons-nous à moins nous laisser gouverner par nos peurs, à nous faire moins de fausses idées, à nous délester des préjugés et des stéréotypes qui nous divisent inutilement. Peut-être serons-nous mieux à même de saisir ce qui nous rapproche. Il ne s'agit pas d'être parfait. Il ne s'agit pas de savoir où mène notre route. Accepter d'être reconnu et entendu, de s'approprier son histoire singulière, de faire résonner sa voix véritable est une force. Et être disposé à rencontrer et à écouter l'autre est une grâce. Voilà quel est, à mes yeux, le chemin de notre devenir.

Remerciements

Comme tout ce que j'ai accompli dans ma vie, je n'aurais jamais pu rédiger ces mémoires si je n'avais pas bénéficié de l'amour et du soutien de nombreuses personnes.

Je ne serais pas celle que je suis aujourd'hui sans la solidité et l'amour inconditionnel de ma mère, Marian Shields Robinson. Elle a toujours été un roc pour moi : elle m'a offert la possibilité d'être celle que je suis, tout en m'obligeant à garder les pieds sur terre. Son amour infini pour mes filles et son empressement à faire passer nos besoins avant les siens m'ont donné le luxe et l'assurance nécessaires pour me risquer dans le monde en les sachant en sécurité et entourées de tendresse.

Barack, mon mari, mon amour, mon conjoint depuis vingt-six ans et le père le plus tendre et le plus attentionné, a été un compagnon de vie rêvé. Notre histoire n'est pas terminée, et j'attends avec impatience les nombreuses aventures à venir. Merci pour ton aide et tes conseils dans la rédaction de ce livre. Merci d'en avoir lu les chapitres attentivement et patiemment, et d'avoir su exactement où donner un léger coup de crayon.

Et toi, Craig, mon grand frère. Par où commencer ? Tu m'as protégée dès ma naissance. Tu m'as fait rire plus que n'importe qui. Tu es le meilleur frère qu'une sœur puisse imaginer, un fils, un mari et un père aimant et dévoué. Merci pour toutes les heures que tu as passées avec mon équipe à convoquer les souvenirs de notre enfance. Certains des meilleurs moments de l'élaboration de ce livre resteront ceux que nous avons passés ensemble, avec maman, assis à la cuisine, à revivre toutes ces vieilles histoires.

Toute une vie ne m'aurait pas permis de venir à bout de ce projet si je n'avais pas eu une équipe de collaborateurs incroyablement talentueux, une équipe que j'adore, purement et simplement. La première fois que j'ai rencontré Sara Corbett, il y a un peu plus d'un an, tout ce que je savais d'elle était qu'elle était très respectée par mon éditrice et ne connaissait pas grand-chose à la politique. Aujourd'hui, je lui confierais ma vie, non seulement parce qu'elle est brillante et curieuse, mais parce que c'est une personne fondamentalement bonne et généreuse. J'espère de tout cœur que cette rencontre marquera le début d'une longue amitié.

Tyler Lechtenberg a été un membre précieux de l'univers Obama pendant plus de dix ans. Il a fait son apparition dans notre vie parmi les centaines de jeunes organisateurs de terrain optimistes de l'Iowa, et il est resté depuis un de nos proches conseillers. Je l'ai vu devenir un auteur à la plume puissante, destiné à un avenir extraordinairement brillant.

Et puis il y a mon éditrice, Molly Stern, dont l'enthousiasme, l'énergie et la passion m'ont immédiatement séduite. Molly m'a soutenue par sa foi inébranlable dans ma vision pour ce livre. Je lui voue une reconnaissance éternelle, ainsi qu'à toute l'équipe de chez Crown, et plus particulièrement Maya Mavjee, Tina Constable, David Drake, Emma Berry et Chris Brand, qui ont accompagné cette entreprise dès le début. Amanda D'Acierno, Lance Fitzgerald, Sally Franklin, Carisa Hays, Linnea Knollmueller, Matthew Martin, Donna Passanante, Elizabeth Rendfleisch, Anke Steinecke, Christine Tanigawa et Dan Zitt ont tous contribué à ce que mon livre devienne une réalité.

Je tiens aussi à remercier Markus Dohle d'avoir mis toutes les ressources de Penguin Random House au service de ce projet dans lequel j'ai mis tout mon cœur.

Je ne serais pas capable d'être une mère, une épouse, une amie et une professionnelle accomplies sans mon équipe. Tous ceux qui me connaissent bien savent que Melissa Winter est l'autre moitié de mon cerveau. Mel, merci d'avoir été à mon côté à chaque étape de cette entreprise. Et, surtout, merci de nous aimer, mes filles et moi, avec une telle passion. Je ne serais pas moi sans toi.

Melissa est la directrice de mon staff. Ce groupe, réduit mais puissant, de femmes intelligentes et travailleuses veille à ce que je sois toujours parée à tout. Merci à Caroline Adler Morales, Chynna Clayton, MacKenzie Smith, Samantha Tubman et Alex May Sealey.

Bob Barnett et Deneen Howell de Williams et Connolly ont été de précieux guides durant tout le processus de publication, et je les remercie de leurs conseils et de leur soutien.

Un grand merci à tous ceux qui ont permis la naissance de ce livre par leurs contributions diverses : Pete Souza, Chuck Kennedy, Lawrence Jackson, Amanda Lucidon, Samantha Appleton, Kristin Jones, Chris Haugh, Arielle Vavasseur, Michele Norris et Elizabeth Alexander.

Je tiens également à remercier Ashley Woolheater, toujours pleine de ressources, pour ses recherches approfondies, et Gillian Brassil, qui a méticuleusement vérifié l'exactitude des informations. Un grand nombre de mes anciens collaborateurs m'ont aussi aidée à confirmer des détails et des éléments de chronologie essentiels – ils sont trop nombreux pour que je les cite ici, mais je leur suis reconnaissante à tous.

Merci à toutes les femmes remarquables de ma vie qui ont su nourrir mon optimisme. Vous vous reconnaîtrez toutes et vous savez l'importance que vous avez pour moi. Mes amies, mes inspiratrices, mes « autres filles ». Et merci, tout spécialement, à Mama Kaye. Vous m'avez toutes soutenue pendant la rédaction de ce livre et vous m'avez aidée à devenir une femme meilleure.

Le rythme effréné de ma vie de première dame ne m'a pas laissé le temps de tenir mon journal. C'est pourquoi je suis profondément reconnaissante à ma chère amie Verna Williams, actuellement doyenne par intérim et titulaire de la chaire Nippert à la faculté de droit de l'université de Cincinnati. J'ai beaucoup puisé dans les quelque 1 100 pages de transcriptions des enregistrements de nos conversations semestrielles pendant nos années à la Maison-Blanche.

Je suis également fière de tout ce que nous avons accompli dans l'aile est. Je tiens à remercier les nombreuses personnes qui ont voué leur vie à œuvrer pour notre pays, les membres du bureau de la première dame en charge de la politique, du calendrier, de l'administration, des communications, de la rédaction des discours, du Secrétariat social, de la correspondance. Merci aux collaborateurs, aux stagiaires de la Maison-Blanche et aux membres détachés d'autres services qui ont mis sur pied chacune de mes initiatives – « Let's Move ! », « Reach Higher », « Let Girls Learn » et, bien sûr, « Joining Forces ».

« Joining Forces » occupera à jamais une place particulière dans mon cœur parce que cette campagne m'a donné l'opportunité rare de découvrir la force et la résilience de notre exceptionnelle armée. À tous les soldats, à tous les anciens combattants et à toutes les familles de militaires, je tiens à dire merci : pour avoir servi dans l'armée, pour les sacrifices que vous avez consentis au nom du pays que nous aimons tous. À Jill Biden et à toute son équipe : travailler à vos côtés sur cette initiative majeure a été une bénédiction et une joie.

À tous les responsables qui travaillent en faveur de la diététique et de l'éducation, je tiens à dire merci : merci de vous consacrer quotidiennement à la tâche difficile et trop peu saluée de veiller à ce que tous nos enfants bénéficient de l'amour, du soutien et des ressources nécessaires pour réaliser leurs rêves.

Merci à tous les membres du Secret Service des États-Unis ainsi qu'à leurs familles, dont le sacrifice quotidien leur permet d'accomplir efficacement leur mission. Quant à ceux qui ont été et sont toujours au service de ma famille, je leur serai éternellement reconnaissante de leur dévouement et de leur professionnalisme.

Merci aux centaines d'hommes et de femmes qui, chaque jour, ne ménagent pas leur peine pour faire de la Maison-Blanche un foyer pour ceux qui ont le privilège d'habiter un de nos monuments les plus précieux – huissiers, cuisiniers, majordomes, fleuristes, jardiniers, agents d'entretien et personnel technique. Ils feront à jamais partie de notre famille.

Je tiens enfin à remercier les jeunes que j'ai rencontrés pendant les années où j'ai été première dame. À tous ces jeunes pleins de promesses qui m'ont émue au cours de ces années – à ceux qui m'ont aidée à cultiver mon jardin, à ceux qui ont dansé, chanté, fait la cuisine et rompu le pain avec moi, à ceux qui se sont montrés ouverts à l'amour et aux conseils que j'avais à leur prodiguer, à ceux qui m'ont offert des milliers d'embrassades chaleureuses, qui m'ont remonté le moral et m'ont permis de continuer à aller de l'avant dans les moments les plus difficiles –, merci de m'avoir toujours donné une raison d'espérer.